REGINA NAVARRO LINS

a cama
NA VARANDA

Arejando nossas ideias
a respeito de amor e sexo

NOVAS TENDÊNCIAS

EDIÇÃO REVISTA E AMPLIADA

17ª Edição

Rio de Janeiro | 2023

CIP-BRASIL. CATALOGAÇÃO NA PUBLICAÇÃO
SINDICATO NACIONAL DOS EDITORES DE LIVROS, RJ

L733c
17ª ed.

Lins, Regina Navarro, 1948-
A cama na varanda: arejando nossas ideias a respeito de amor e sexo / Regina Navarro Lins. – [17ª ed.] – Rio de Janeiro: Best Seller, 2023.
476 p.

Inclui bibliografia
ISBN: 978-85-465-0032-1

1. Sexo. 2. Comportamento sexual. 3. Relação homem-mulher. I. Título.

17-39909

CDD: 306.7
CDU: 392.6

Texto revisado segundo o novo Acordo Ortográfico da Língua Portuguesa.
A CAMA NA VARANDA
Copyright © 2017 by Regina Navarro Lins
Publicado inicialmente em 1997 pela Editora Rocco

Projeto gráfico de capa e miolo adaptados de: Folio Design

Todos os direitos reservados. Proibida a reprodução,
no todo ou em parte, sem autorização prévia por escrito da editora,
sejam quais forem os meios empregados.

Direitos exclusivos de publicação em língua portuguesa para o mundo
adquiridos pela
EDITORA BEST SELLER LTDA.
Rua Argentina, 171, parte, São Cristóvão
Rio de Janeiro, RJ – 20921-380
que se reserva a propriedade literária desta tradução

Impresso no Brasil

ISBN 978-85-465-0032-1

Seja um leitor preferencial Record.
Cadastre-se e receba informações sobre nossos lançamentos
e nossas promoções.

Atendimento e venda direta ao leitor
sac@record.com.br

Para

Giovanni de Polli, amigo sempre presente, que possibilitou a realização deste livro.

Victoria Issa Navarro Lins, minha mãe, que me apoiou incondicionalmente, apesar de nunca ter concordado com minhas ideias.

Flávio Braga, com quem, há sete anos, divido vida e trabalho.

Taísa e Deni, meus filhos, e Diana, minha neta.

Todas as declarações apresentadas neste livro são verdadeiras. Nomes e qualificações dos autores dos depoimentos
foram trocados para proteger sua privacidade.

Agradeço

Aos amigos que me ajudaram e também aos meus clientes, alunos e leitores, por terem me contado suas histórias.

Sumário

PREFÁCIO • 11
INTRODUÇÃO • 15

I O PASSADO DISTANTE • 19

O PRINCÍPIO • 21
    A paz primitiva • 23
    Culto à Deusa • 25
    A descoberta da paternidade • 27
    A Deusa e a mulher • 29
    Culto ao falo • 32
    O pai: o único criador • 36
    O patriarcado • 39
    O Deus único: o Pai poderoso • 43
    Eva • 48
    Lilith: o primeiro conflito sexual da história • 52
    A mulher: um ser maligno • 54
    Vagina: o grande perigo • 58
    Maria: a chance que as mulheres perderam • 62
    Horror ao sexo • 63

II AMOR • 71

AMOR CORTÊS — COMEÇANDO A FALAR DE AMOR • 73
    O mito do amor romântico • 86
    A invenção da maternidade • 109
    Inaugura-se o amor romântico • 133
    A mulher feminina • 136
    A mulher autônoma • 143
    O homem masculino • 151
    O homem dependente • 164

III CASAMENTO • 167

O CASAMENTO COMO SOLUÇÃO • 169
O amor conjugal • 172
As expectativas do amor no casamento • 175
O SEXO NO CASAMENTO • 182
A CRISE DO CASAMENTO • 190
Ciúme • 193
Fidelidade • 199
SEPARAÇÃO • 205
O CASAMENTO É NECESSÁRIO? • 225

IV SEXO • 239

A REPRESSÃO SEXUAL • 241
PROSTITUIÇÃO • 247
HOMOSSEXUALIDADE • 261
VIRGINDADE • 309
ORGASMO • 315
Dificuldades sexuais • 337
Práticas sexuais • 355
O desempenho sexual • 377

V O FUTURO QUE SE ANUNCIA • 381

AMOR • 383
O amor romântico começa a sair de cena • 384
Amor virtual • 390
Poliamor • 395
Sem medo de ser sozinho • 407

CASAMENTO • 410
Ménage à trois • 410
Swing • 415
Separação • 427
A família • 430

SEXO • 434
Sexo grupal • 434
Sexo virtual • 439
Sex shops • 445
Androginia • 448
Bissexualidade • 452

CONCLUSÃO • 455
REFERÊNCIAS • 459
BIBLIOGRAFIA • 471

Prefácio

A primeira edição deste livro é de 1997. Decorridos mais de dez anos de sua publicação, ainda desperta interesse em leitores de idades variadas. Agora, *A cama na varanda* troca de casa, e, com isso, tornou-se necessária uma observação atenta, na busca de possíveis alterações impostas pelo tempo. Nada foi desmentido pela realidade, mas novos caminhos e tendências surgiram.

Nesta nova edição, acrescentou-se uma quinta parte, "O futuro que se anuncia", abordando algumas questões contemporâneas. Nas três grandes vias em que o texto é conduzido — amor, casamento e sexo —, o que chama a atenção é a busca de uma vida mais livre e desvinculada de regras autoritárias.

O amor, na forma como o conhecemos, começa a sair de cena, levando consigo a idealização do par romântico, com sua proposta de os dois se transformarem num só, e a ideia de exclusividade. Essa mudança bem-vinda foi analisada no novo capítulo, sobre o amor. Observamos a tendência de substituir a idealização pela amizade e pelo companheirismo nas relações amorosas.

Assistimos a um novo mundo de possibilidades, em que o leque de escolhas diante do amor se amplia. A crença na ideia de que se deve encontrar toda a satisfação num único parceiro fica abalada com a hipótese de se amar mais de uma pessoa simultaneamente.

Tempos tão permissivos só poderiam gerar algo como o poliamor. Uma verdadeira revolução nos relacionamentos, que a edição anterior deste livro apenas insinuava. Desvendamos aqui o que poderá ser a mais importante mudança na vida amorosa das pessoas desde a revolução sexual.

O casamento experimenta profundas transformações. Num futuro próximo, casais podem estar ligados por laços afetivos, profissionais ou mesmo familiares, sem que isso impeça sua vida amorosa de se multiplicar com outros parceiros.

A admissão de uma terceira pessoa ou a troca de afetos e prazeres com outros casais ganha força. Clubes voltados para esses relacionamentos especiais surgem com sucesso nas grandes cidades. Nesta edição revista, são descritas experiências dessas novas formas de casamento.

O século XXI deverá assistir ao estabelecimento de uma inédita sociedade de solteiros. As famílias de um único genitor se tornarão predominantes. O mito da necessidade de pai e mãe viverem juntos para a formação sadia do indivíduo caiu quase definitivamente.

O conceito de família ampliou-se. Os casais homossexuais são aceitos com mais naturalidade, e o número de países que admitem a união estável entre gays cresce a cada ano. Alguns dão aos cônjuges do mesmo sexo todos os benefícios que têm os casais heterossexuais, inclusive os direitos a herança, pensão para o viúvo, adoção de crianças e divórcio.

O sexo perde, aos poucos, a visão moralista que predominou sobre ele ao longo da história da civilização. O reconhecimento de que sua prática é fator de equilíbrio e princípio de vida saudável, amplamente anunciado por W. Reich nos primórdios do século XX, tornou-se consensual.

As dificuldades de encontrar parceiros são superadas pelo sexo virtual. Ninguém sabe quem está do outro lado, mas isso não impede que se vivam fortes emoções. A rede permite as relações entre estranhos com mais facilidade que em boates, bares ou festas. Os cybergames eróticos devem reproduzir o prazer sexual num futuro que se anuncia próximo.

Os milenares dildos que mulheres usam desde a Antiguidade são substituídos por vibradores sofisticados, fazendo aflorar intensos orgasmos, em uso individual ou durante o sexo com o parceiro. As *sex shops* tornam-se negócios altamente lucrativos, e o prazer é acessível a ambos os sexos e a qualquer faixa etária.

Há sinais de que caminhamos para o fim do gênero sexual. A androginia refere-se a uma maneira específica de juntar os aspectos "masculinos" e "femininos" de um único ser humano. É possível que, num futuro não muito distante, com a dissolução da fronteira entre masculino e feminino, as pessoas escolham seus parceiros amorosos e sexuais pelas características de personalidade, não mais pela condição de serem homens ou mulheres.

Bem, a cama está novamente na varanda, recebendo a brisa fresca dos novos tempos.

Introdução

Júlio, engenheiro de 54 anos, casou-se três vezes. Após algum tempo sozinho, conheceu Sônia, dentista, de 48 anos, mãe de dois filhos maiores. Namorando há um ano, sentiu que desejava morar com Sonia, "constituir uma família", ter, enfim, uma vida tranquila.

> "Não consigo entender. Ela diz que me ama, quer continuar nosso namoro, mas não quer casar. E o pior não é isso. Não durmo há várias noites pensando no que ela me falou. Com toda a calma, explicou que adora fazer sexo comigo, mas que também deseja outros homens. Não sente tesão só por mim, e, portanto, não acha justo se reprimir. Não sei o que pensar. Não me conformo, afinal sou um homem experiente, sei satisfazer uma mulher. Sempre tive certeza disso."

Suzana é pedagoga e tem 26 anos. Há quase três mora com Fábio, mas faz questão de manter o apartamento que divide com duas amigas, onde vivia. De vez em quando, ao menos uma vez por semana, dorme no antigo endereço. No momento, sente-se pressionada a tomar uma decisão.

> "Fábio quer ter um filho de qualquer maneira este ano. É o grande sonho da vida dele, e desde que nos conhecemos fala nisso. De uns tempos para cá, discutimos todos os meses,

sempre que ele percebe que não parei de tomar pílula. Não quero ter filho agora. Aliás, nem tenho certeza de querê-lo algum dia. A situação está ficando insuportável. Ele entende isso como falta de amor. Diz que se tivermos um filho nossa relação ficará mais estável e ele, mais tranquilo. Mas é justamente essa estabilidade que me apavora."

Parece que alguma coisa nova está ocorrendo nas relações entre homens e mulheres. O que sabemos e o que presenciamos na vida, nos filmes e nas novelas são as mulheres desejando casar, ter uma relação estável e segura. Além disso, só sentiriam desejo sexual pelo homem que amam, seja namorado ou marido. Sempre se acreditou que as diferenças entre o homem e a mulher incluíam a monogamia natural dela, para quem amor e sexo seriam inseparáveis. Seria da natureza do homem a infidelidade e também o hábito de tentar se esquivar de um compromisso. O garanhão enaltecido, entretanto, em algum momento deixa-se fisgar, quase como uma concessão. Seus direitos de macho, todavia, continuam intactos.

As mulheres desde cedo aprendem uma série interminável de normas de conduta, cujo objetivo é corresponder à expectativa de um possível pretendente ao casamento. Estudar e trabalhar tornaram-se atividades comuns para a mulher, mas ela deve estar preparada para o papel materno, permanecendo o casamento a principal meta a ser alcançada.

Ao ler os relatos anteriores, poderíamos supor que se trata de casos isolados, de mais um aspecto excêntrico observado nas transformações sofridas nas relações entre homens e mulheres. Pensamos assim porque estamos habituados à ideia de que os costumes e os comportamentos estão sempre evoluindo, modificando-se. No início do século XX, por exemplo, os maiôs cobriam as pernas. Foram diminuindo até chegar ao duas-peças, uma ousadia no início da década de 1960. Hoje, a tanga ou o fio dental passam despercebidos. Da mesma forma, o namoro foi evoluindo. Da troca de olhares na sala de casa e na presença da tia carrancuda aos bailes na companhia de um adulto ou ao cinema à tarde nos anos 50.

Talvez seja um equívoco imaginar que esses novos anseios e comportamentos, que se delineiam nos exemplos, façam parte de um simples processo natural de evolução e modificação dos costumes. O que vemos hoje é diferente.

Vivemos um momento de ruptura, em que aspectos básicos da espécie humana estão sendo reformulados. Esse processo de mutação da história da humanidade não é facilmente perceptível, pois o que ocorre hoje se confunde com a evolução que existe em todas as épocas, e, decerto, só se tornará evidente quando o processo for concluído.

O novo nos assusta, nos faz sentir desprotegidos, por isso nos vinculamos ao já conhecido. Estamos acostumados a usar, no presente, modelos do passado. Entretanto, isso se torna cada vez menos possível. O ser humano começa a se libertar das sujeições que o limitam há cinco mil anos, desde o surgimento do patriarcado, cuja história se confunde com a própria história da nossa civilização. Seu tempo entre nós é tão longo que nossa forma de sentir e pensar foi considerada parte da natureza humana.

Temos informação de outra história anterior, muito mais longa, mas a ignoramos. Não é a nossa história. A nossa história se define e foi sustentada por dois aspectos fundamentais: a divisão sexual das tarefas e o controle da fecundidade da mulher. Trata-se de uma estrutura social nascida do poder do pai, com um rígido controle da sexualidade feminina. A ideologia patriarcal colocou em oposição homens e mulheres. Ao contrário do que se pensa, essa divisão permitiu a dominação e, dessa forma, a submissão de ambos os sexos, não só das mulheres. A elas coube o status de "inferiores", e aos homens o de "superiores". Eles pagam um alto preço para manter a adequação social imposta: não podem falhar. Homens e mulheres, por milhares de anos, abriram mão de sua autonomia e de sua liberdade, visto que esse sistema e a liberdade pessoal são antagônicos

Há cerca de 40 anos, o patriarcado começou a perder suas bases. O avanço tecnológico eliminou a divisão sexual de tarefas. O advento dos anticoncepcionais eficazes e acessíveis desferiu o golpe definitivo nesse sistema, que ainda tem no controle da fecundidade da mulher sua principal razão de ser e, por estar calcado na natureza biológica, sempre foi considerado universal e eterno.

Hoje, a mulher pode não só dividir o poder econômico com o homem, como ter filhos se quiser ou quando quiser. Essa transformação radical se distingue do processo de evolução observado até agora. A partir daqui, não temos como avaliar as consequências. Estamos vivendo um processo de mutação, após milênios, da única ideologia de que temos registro. Talvez tenhamos que aguardar várias gerações para vê-lo concluído. Mas os sinais já começam a se esboçar.

Pressentimos a destruição de valores estabelecidos como inquestionáveis, entre os quais o amor, o casamento e, consequentemente, a sexualidade. Os modelos do passado perdem sua utilidade como referência. Abre-se espaço para novas formas de pensar e viver em todas as áreas da experimentação humana.

A partir da relação com o mundo e com os outros, de forma até agora desconhecida, podemos ser afetados por novas sensações. Uma outra sensibilidade emerge nos novos tipos de arte, música, filosofia, no momento em que se rompe com a moral que julgou e subjugou, durante tanto tempo e através de seus códigos, os desejos e o prazer das pessoas. As singularidades de cada um encontram novo campo de expressão.

Sem nos darmos conta, estamos assistindo ao fim do patriarcado e ao nascimento de uma nova era.

I

O PASSADO DISTANTE

O princípio

A história humana divide-se em dois grandes períodos: a Idade da Pedra e a Idade dos Metais. Há registros escritos deste último, iniciado por volta do ano 3000 a.C., correspondendo à história das nações civilizadas. A Idade da Pedra subdivide-se em: Paleolítico (antiga Idade da Pedra) e Neolítico (nova Idade da Pedra). O período Paleolítico da pré-história é muito longo — de 500000 a 10000 a.C.

Vivia-se nos bosques, provavelmente nas árvores, a maior parte do tempo, devido à presença de animais selvagens, e a alimentação consistia apenas em raízes e frutos. A descoberta do fogo tornou os homens mais independentes do clima e do lugar. Podiam cozinhar, afugentar animais, iluminar as cavernas. Adquiriram maior autonomia.

O primeiro representante do *Homo sapiens* foi o homem de Cro-Magnon, no Paleolítico superior, isto é, nos últimos 35 mil anos. Na caverna de Cro-Magnon, em Les Eysies, França, foram encontrados, em 1868, os primeiros restos desses nossos ancestrais. Eram fortes e tinham, em média, 1,80 metro. Viviam da caça e da coleta de alimentos, e, para sobreviver, dependiam da parceria entre homens e mulheres.

O temor diante do mistério da vida e da morte era expresso em rituais e mitos associados à crença de que os mortos pudessem renascer. Desconhecia-se o vínculo entre sexo e procriação.

Os homens não imaginavam que tivessem alguma participação no nascimento de uma criança, o que continuou sendo ignorado por milênios. A fertilidade era característica exclusivamente feminina, estando a mulher associada aos poderes que governam a vida e a morte. Embora tudo indique que tivesse mais poder do que o homem, não havia submissão. A ideia de casal era desconhecida. Cada mulher pertencia igualmente a todos os homens, e cada homem, a todas as mulheres. O matrimônio era por grupos. Cada criança tinha vários pais e várias mães e só havia a linhagem materna.

Arqueólogos encontraram quase 200 estatuetas que testemunham o culto à fecundação. Nenhuma representa o ato sexual ou qualquer sinal de erotismo. A maioria foi descoberta na Europa Central e data de uma época entre 30000 e 25000 a.C. Eram feitas de marfim de mamute, pedra macia ou argila misturada com cinza e depois cozida. O rosto nunca era retratado.

Ao que parece, o símbolo sexual do período Paleolítico foi a mais famosa dessas estatuetas: a Vênus de Willendorf, desenterrada nesse local, próximo a Viena, na Áustria. Tem mais ou menos 12 centímetros de altura e representa uma mulher de nádegas e seios imensos, quadris largos, barriga muito proeminente e uma grande fenda vaginal. Seu significado é discutido. O mais provável é que seja uma deusa primitiva da fertilidade. Supõem alguns, entretanto, ser expressão do erotismo masculino, isto é, "um análogo remoto da atual revista Playboy".[1]

O prazer encontrado nessas figuras sexuais causou indignação em alguns historiadores contemporâneos. "A vida sexual na era Paleolítica deve ter sido sem qualquer erotismo, porque essa Vênus não passava de um monte de banha",[2] afirma um deles. Talvez a gordura funcionasse como proteção contra o frio, mas, também, nada indica que a estética ocidental moderna se aplique ao Paleolítico. Ao contrário, temos de levar em conta que o homem da Idade da Pedra pudesse vê-la como objeto de seu desejo, ansiando por refestelar-se nas banhas de sua Vênus após um dia exaustivo dedicado à caça.

Os vestígios Paleolíticos de estatuetas femininas, assim como as pinturas e os objetos encontrados em mais de 60 cavernas desse período, revelam uma forma de religião em que o feminino ocupava um lugar primordial. São manifestações do culto a uma deusa-mãe como fonte regeneradora de todas as formas de vida. Ao longo dos milhares de anos que se seguiram, a adoração à Deusa intensificou--se em culturas cada vez mais avançadas.

A paz primitiva

No ano 10000 a.C. o gelo começou a recuar para o Norte, modificando o clima e, com isso, a vegetação. No Oriente, surgiram campos naturais de trigo e cevada. Na ausência da roda e de animais de carga, era impossível para os homens transportar os alimentos colhidos. Decidiram, então, mudar-se para perto das plantações, fazendo surgir, assim, as primeiras aldeias. Além de colher, passaram também a plantar cereais. Do VIII ao VI milênio, houve uma transformação radical na vida das populações. É a chamada Revolução Neolítica.

A agricultura estabeleceu-se definitivamente em 6500 a.C. Presume-se ter sido uma invenção da mulher, devido às constantes ausências do homem. Com o passar do tempo, os homens foram-se dando conta de que, matando sistematicamente os animais, poderiam provocar sua extinção. Começaram, então, a domesticá-los, e foram abandonando a caça; assim, a agricultura ganhava mais importância. Acreditava-se que a fecundidade da mulher influenciava a fertilidade dos campos. Tal associação fez com que ela alcançasse um prestígio nunca antes vivenciado. A mãe era a personagem central nessa sociedade. A mulher, assim como a Deusa, tornava-se poderosa no imaginário da época.

Entre 6500 e 5600 a.C., na Anatólia do Sul, atual Turquia, surge a maior e mais antiga cidade conhecida: Çatal Huyuk. Nela foram encontradas casas decoradas com relevos femininos: mulheres grá-vidas e figuras com pares de seios. A deusa de Çatal Huyuk, Pótnia, é representada com uma pantera de cada lado, em cujas cabeças ela coloca as mãos, demonstrando seu poder de mãe e, ao mesmo tempo, de senhora da natureza. Origem de inúmeras divindades femininas que reinaram durante muito tempo, mais tarde foi sendo personificada, adquirindo características próprias.

Apesar de múltipla, a Deusa manteve a universalidade. Após a invenção da escrita, em 3000 a.C., foi venerada com o nome de Inanna, na Suméria; Ishtar, na Babilônia; Anat, em Canaã; Astarte, na Fenícia; Ísis, no Egito; Nukua, na China; Freya, na Escandinávia; e Kunapipi, na Austrália. Era sempre reverenciada como fonte de vida, como a força que proporciona a existência das plantas e da fertilidade.[3]

O Neolítico foi um longo período pacífico. As cidades não possu-íam defesas. Na arte Neolítica, em vez da representação de guerras, sepultamento de chefes de grupos ou fortificações militares, há a presença de símbolos, admiração e respeito pela beleza e pelo mistério da vida.

Não mais tendo que arriscar a vida como caçador, os valores viris do homem não eram enaltecidos, daí a ausência de deuses masculinos. As súplicas e os sacrifícios eram dirigidos à Deusa e toda atividade econômica estava ligada ao seu culto. Os homens não tinham motivos para se sentir superiores ou exercer qualquer **tipo de opressão sobre as mulheres. Continuavam ignorando sua participação na procriação e supunham que a vida pré-natal das crianças começava nas águas, nas pedras, nas árvores ou nas gru-tas, no coração da terra-mãe, antes de ser introduzida por um sopro no ventre de sua mãe humana.**[4]

Culto à Deusa

Ao mesmo tempo que a Deusa era adorada sob nomes diferentes, também assumia formas variadas, como animais e plantas. Apesar disso, podemos falar em fé na Deusa, como sendo única, da mesma forma que falamos em fé em Deus, como uma entidade transcendente. Curiosamente, o culto é, ao mesmo tempo, politeísta e monoteísta.[5]

A Deusa-Mãe reinou absoluta por todo o mundo desde o fim do período Paleolítico até o início da Idade do Bronze. Esse fato está diretamente ligado ao desenvolvimento da agricultura, fazendo com que os valores da vida se tornem predominantes e vençam o fascínio da morte. Durante esse longo reinado, foram encontradas, no sudeste da Europa, aproximadamente 30 mil estatuetas representando personagens femininas. Suas características físicas assemelham-se à Vênus do período Paleolítico: ancas largas, seios volumosos e ventre saliente. Como símbolo de fertilidade, era associada, sobretudo, à serpente, significando regeneração e metamorfose. Era comum tomar a forma dos animais com que se acasalava e, assim, engendrava cada espécie. Poderosa, produzia todos os seres. Na sua forma humana, três aspectos estavam sempre presentes: nudez, obesidade e acentuada feminilidade.[6]

O Universo era uma mãe generosa. A Deusa o governa, proporcionando bem-estar a seu povo. Nos santuários de Çatal Huyuk e Hacilar foram encontradas representações da Deusa grávida e dando à luz. Assim como toda vida nasce dela, retorna a ela, na morte, para renascer. "Se a imagem religiosa central era a de uma mulher dando à luz e não, como em nosso tempo, um homem morrendo na cruz, não deixaria de ter sentido deduzir que a vida e o amor à vida — em vez da morte e o medo da morte — dominavam a sociedade, assim como a arte."[7]

Por meio da arte neolítica, percebe-se que o objetivo da vida não é a conquista e o domínio, nem o propósito da Deusa é o de exigir obediência, punir e destruir, mas, ao contrário, o de dar. É o cultivo da terra e o fornecimento de meios materiais e espirituais para uma existência satisfatória. A ausência de imagens de dominação ou guerra reflete uma ordem social em que homens e mulheres trabalhavam juntos, em parceria igualitária, em prol do bem comum.[8]

Durante muito tempo acreditou-se que, se a pré-história não era patriarcal, com certeza teria sido matriarcal. A ideia geral era que, se os homens não dominavam as mulheres, obviamente, as mulheres dominavam os homens. A dificuldade em admitir uma organização social em que uns não dominem os outros é característica do pensamento patriarcal da nossa época. As descobertas arqueológicas de que dispomos hoje, aliadas a novas tecnologias, trouxeram valiosos conhecimentos, aumentando a compreensão do passado. A estrutura social pré-patriarcal era igualitária. Apesar da linhagem ter sido traçada por parte da mãe e as mulheres representarem papéis predominantes na religião e em todos os aspectos da vida, não há sinais de que a posição do homem fosse de subordinação.

Os mais de 15 mil anos de paz, em que homens e mulheres viviam em harmonia consigo mesmos e com a natureza, foram encerrados quando um deus masculino decretou que a mulher era inferior ao homem e que deveria ser subserviente a ele. Dividida, assim, a humanidade, em duas partes, feminina e masculina, com o domínio de uma sobre a outra, todas as relações humanas se adaptariam a esse modelo.[9]

A descoberta da paternidade

Quando abandonaram a caça, os homens começaram a participar das atividades das mulheres. Inicialmente, ajudavam na árdua tarefa de desbravar a terra com enxadas de madeira, o que exigia bastante força física. Tempos depois, domesticaram os animais e os incorporaram à agricultura, usando um arado primitivo. A convivência cotidiana com os animais fez com que percebessem dois fatos surpreendentes: as ovelhas segregadas não geravam cordeiros nem produziam leite, porém, num intervalo de tempo constante, após o carneiro cobrir a ovelha, nasciam filhotes. A contribuição do macho para a procriação foi, enfim, descoberta, mas não apenas isso. Os homens perceberam que um carneiro podia emprenhar mais de 50 ovelhas! Com um poder similar a esse, o que o homem não conseguiria fazer?[10]

Não é difícil imaginar o impacto dessa revelação para a humanidade. Após milhares de anos acreditando que a fertilidade e a fecundação eram atributos exclusivamente femininos, os homens constatam, surpresos, que o que fertiliza uma mulher é uma substância nela colocada: o sêmen do macho! A partir daí, há uma ruptura na história da humanidade. Transformam-se as relações entre homem e mulher, assim como a arte e a religião. O homem, enfim, descobriu seu papel imprescindível num terreno em que sua potência havia sido negada.

A reação masculina eclodiu com a força e a ira de quem fora durante muito tempo enganado. O homem foi desenvolvendo um comportamento autoritário e arrogante. Daquele parceiro igualitário de tanto tempo, a mulher assistiu ao surgimento do déspota opressor. A superioridade física encontra, então, espaço para se estender à superioridade ideológica.

Diminui a importância da mulher

No período Neolítico, surgiram dois tipos de sociedade: a agrícola e a pastoril. A primeira era fixada à terra que cultivava e a alimentação era o produto da lavoura. Na pastoril, vagavam pelas planícies, buscando melhores pastagens. A sobrevivência dependia dos rebanhos.

Entre 4400 e 2900 a.C., os agricultores da Mesopotâmia, do Egito e do Noroeste da Índia sofreram três invasões de ondas migratórias de pastores das estepes ou povo kurgo. As ondas kurgas varreram a Europa, suplantando as culturas pacíficas lá estabelecidas. Ao interromperem um longo período de desenvolvimento estável, de parceria, impuseram um sistema totalmente diferente de organização social, em cuja essência "havia a importância do poder que toma vida, em vez de dá-la".[11]

As tribos invasoras eram guerreiras, dominadas pelo homem, com religiões também dominadas por deuses masculinos. Seus mitos e crenças penetraram nas estruturas sociais existentes. Foram ampliando seus domínios. À medida que as riquezas aumentavam, o homem ia se tornando mais importante que a mulher. Da mesma forma que a filiação passou a ser masculina, a herança, também. O homem apoderou-se da direção da casa. As colônias agrícolas foram se expandindo e era necessário mais gente para trabalhar. Quanto mais filhos, melhor. As mulheres, fornecedoras da futura mão de obra, passaram a ser encaradas como objetos e tornaram-se mercadorias preciosas. Eram trocadas entre as tribos ou, se não fosse possível, roubadas. O sexo feminino, representado pela mulher e pela Deusa, foi gradualmente sendo despojado do seu poder.[12]

Num estudo atual de 853 culturas, apenas 16% são monogâmicas. Isso significa que 84% das sociedades humanas permitem ao homem ter mais de uma esposa de cada vez — sistema denominado poligamia. O *Livro dos recordes* aponta Moulay

Ismael, imperador do Marrocos, como o homem que teve o maior harém de que se tem registro. Ele tem 888 filhos com suas várias esposas.[13] Alguns imperadores chineses tiveram relações sexuais com mais de mil mulheres que, num rodízio cuidadoso, eram colocadas no quarto do imperador quando estavam no período fértil.

A Deusa e a mulher

A Deusa se casa

Num primeiro momento, após a descoberta da participação do homem na procriação, tanto o poder do pai como o da mãe eram reconhecidos. A Deusa ainda era venerada, mas um deus masculino e viril desponta para lhe fazer companhia. Da condição inicial de subordinado, passa mais tarde à de amante da Deusa. Inicialmente concebido como acontecimento temporário, o casal divino passou depois a ser considerado casado para a eternidade.[14] Vários mitos do casal divino fazem a associação dele com ritos de fertilidade, deixando claro que, nessa época, já estavam bastante conscientes do papel do homem na procriação. O coito sagrado do Deus e da Deusa era encenado pela sacerdotisa do templo e pelo sacerdote ou rei, escolhidos por vontade divina. Celebravam o mistério do sexo e da fertilidade da natureza.[15]

Gradualmente, os deuses foram adquirindo mais poder, que aumentava na mesma proporção em que o desequilíbrio se tornava evidente nas relações entre homem e mulher.

Ísis e Osíris, um casal divino, apareceu no Egito durante o III milênio. Seu casamento simbolizava a união da água (Nilo) e da terra. Osíris era o espírito do grão e da água, Ísis, grande deusa da fecundidade universal. Em seus amores, fecundam toda a natureza. Há, entretanto, um desvio dos poderes femininos. É Osíris e não Ísis quem revela aos homens todas as plantas, alimentícias e têxteis, a arte da agricultura e da irrigação.[16]

A Deusa é destronada

A Deusa passou a ter um parceiro. Inicialmente, ainda era saudada como a mais importante do casal, mas, num processo de transição gradual, o culto da fecundidade da Terra-Mãe é definitivamente substituído pelo do herói-guerreiro. O homem recupera seu prestígio perdido desde que deixara de ser caçador para se dedicar à agricultura. Agora, ele volta a arriscar a vida na conquista de novos territórios. Após ter sido venerada por milhares de anos, a grande Deusa, a Mãe, que já ocupava o papel de esposa subalterna, acaba sendo destronada. Não há mais lugar para ela no cenário divino,[17] sendo substituída por divindades masculinas que encarnam o princípio fálico.

As novas lendas mitológicas acompanham as novas estruturas mentais dessa época de transição. Entre os celtas, o Sol, antes uma potência feminina, torna-se Deus-Sol, substituindo a deusa primitiva, relegada à categoria de astro frio e estéril, a Lua. Com a Deusa-Porca ou com a Deusa-Javali, lendas celtas, dá-se o mesmo. Inicialmente, elas simbolizavam a prosperidade e o amor. Os homens, entretanto, rejeitarão a imagem da boa deusa e só manterão a imagem de uma sexualidade desvalorizada, ligada à ideia de sangue e podridão. A Deusa-Porca tornou-se a Porcalhona, com todo o sentido pejorativo dessa palavra. A Deusa-Corça, que simbolizava a fecundidade, dá lugar ao Deus-Cervo.

As grandes deusas também são substituídas. Ishtar, deusa babilônica, tornou-se um deus masculino, com o nome de Ashtar.

Entre os árabes, as três deusas, Al-Lat, Al-Uzza e Al-Manat, tinham um grande poder. Para que Alá e o Islã triunfassem, era necessário que elas deixassem de existir. Maomé não teve outra saída. As deusas foram eliminadas verbalmente e seus santuários destruídos.[18]

Na mitologia grega, as deusas Hera, Atena e Deméter dominavam o panteão. Zeus as colocou sob suas ordens e passou a manter todas as divindades sob seu poder.

De maneira geral, as deusas foram destronadas à força pela nova ordem instituída. Entretanto, há exceções, como o mito kikuyu, em que as mulheres foram destronadas pela astúcia masculina. Elas eram cruéis guerreiras, poliandras e mais fortes que os homens. Um dia, eles se juntaram e conceberam um plano: no mesmo dia, todos copularam com suas mulheres, que acabaram ficando grávidas e, assim, os homens lhes tomaram o poder, proibiram a poliandria e instituíram a poligamia.[19]

A mulher perde a liberdade sexual

A procriação exige a participação dos dois sexos. Surge a noção do casal. O filho não está mais ligado exclusivamente à mãe. O homem pode agora dizer, orgulhoso: "Meu filho", e deixar sua herança para ele. Mas, para que isso seja realmente possível, a mulher só pode fazer sexo com ele. Instala-se, então, o controle da fecundidade da mulher. Estando calcada num fato biológico, a procriação, esse controle é constituído como universal e eterno. A liberdade sexual da mulher, característica de épocas anteriores, sofre sérias restrições. Com o homem é diferente. Da mesma forma que o carneiro emprenha 50 ovelhas, ele também pode ter um harém, se desejar.

Para garantir a fidelidade da mulher e, por conseguinte, a paternidade dos filhos, ela passa a ser propriedade do homem. Puni-la severamente, ou mesmo matá-la, é considerado simplesmente o exercício de um direito.

Culto ao falo

A partir da descoberta da paternidade, o sexo tornou-se tema de grande importância para a religião. A segurança presente e futura estava calcada na fertilidade da lavoura, do rebanho e da mulher, sendo a preocupação principal das comunidades agrícolas e pastoris. Como muitas vezes a lavoura não produzia o que se desejava e o ato sexual nem sempre levava à gravidez, a religião e a magia eram constantemente invocadas. A fertilidade era tudo, e a fertilidade humana e a dos campos estavam estreitamente ligadas. A Deusa-Mãe do período Neolítico era seu símbolo supremo. Seu ventre grávido representava os campos férteis. Várias imagens expressam sua natureza bissexual, indicando o princípio masculino e o feminino. Em muitas estatuetas é mostrada com o pescoço e a cabeça alongados, como um falo, que simboliza regeneração e metamorfose.

Num determinado momento da história, os princípios masculino e feminino se separaram. Na arte, na religião e na vida. O princípio fálico, ideologia da supremacia do homem, condicionou o modo de viver da humanidade.[20]

No auge da expansão agrícola, a contribuição das mulheres ainda era grande, e elas eram reverenciadas pela fertilidade associada à terra. Mas... os homens começaram a abrir a terra a fim de prepará-la para o plantio. A associação simbólica do arado com a força de arar a terra e prepará-la para a semeadura constitui um paralelo com o pênis. O órgão masculino rapidamente assume uma posição preponderante. O homem se vê transformado em fertilizador da terra. Afirmando que era seu sêmen que implantava a vida no útero da mulher, o homem passou a considerá-la uma simples caverna protetora. Sua função era propiciar a germinação e o crescimento da vida até estar pronta para vir ao mundo.[21]

O pênis tornou-se o objeto natural de adoração e fé religiosa. Na qualidade de *phallos*, era reverenciado da mesma forma que o órgão feminino o fora durante milênios. O fenômeno do culto fálico se espalhou por todo o mundo antigo. Não se sabe ao certo onde e quando começou. É muito provável que essa ideia tenha surgido espontaneamente, em diferentes partes.

Originalmente, o elemento sexual na religião estava associado aos genitais femininos. No Egito, por exemplo, atribuíam poderes mágicos a uma conchinha, que mais tarde passou a ser usada como moeda. Posteriormente, o elemento sexual da religião tomou a forma de culto fálico. Apesar de muitas polêmicas, sinais de adoração fálica sobreviveram até a Idade Média.[22]

O culto do órgão sexual masculino como reservatório do poder criador tornou-se universal. A migração dos povos era uma constante. O culto ao falo atravessa o estreito de Bering com os precursores dos índios norte-americanos. Antes da chegada dos brancos, os pilares fálicos de Iucatã, no México, já estavam lá. Encontramos também as cabeças fálicas das ilhas orientais. Esse culto pode ser rastreado desde o culto oriental do Lingam-Yoni até o Baal, de Canaã; do Japão até Éfeso, e mesmo no símbolo esculpido em forma de pênis ereto numa igreja de Bordeaux.

Um dos antigos símbolos do pênis é o *Ankh.* Pode ser encontrado nos altos-relevos dos templos e túmulos egípcios. Geralmente esses objetos aparecem nas mãos dos faraós ou dos deuses e tocam os lábios das pessoas representadas.

O culto fálico decaiu e desapareceu como fonte religiosa, mas em Londres, ainda hoje, existe uma sociedade que se reúne periodicamente para celebrar seus ritos particulares do pênis. Muitos desses ritos são flagrantemente de ordem sexual em sua execução, e o grupo está em contato com outros, localizados no país e no exterior.[23]

As antigas civilizações tinham uma atitude bastante diferente da nossa diante da nudez e do sexo. Desconheciam o conceito de obscenidade. Por mais que as imagens dos órgãos sexuais masculinos e femininos fossem exageradas e distorcidas, eram encaradas com naturalidade. Muitos santuários espalhados pelo mundo mostram representações de vulvas e falos, inclusive com deuses possuidores de falos monumentais. Essa valorização do pênis ereto de grandes proporções permanece bastante atual em nossos dias. O comprimento, a grossura e a rigidez do pênis, assim como o desempenho sexual, são causas de constante preocupação e, não raro, sofrimento para o homem atual. O culto ao falo continua presente, embora de forma inconsciente ou disfarçada. Algumas mulheres relatam seu constrangimento no início da relação sexual: ao perceberem o parceiro tão atento ao seu pênis ereto, sentiam-se quase excluídas dessa relação do homem e seu órgão sexual.

O mito grego de Príapo, o filho deformado de Afrodite, ilustra o que poderia ser parte do desejo de quase todos os homens na nossa cultura. Possuidor de um pênis enorme, permanentemente ereto, exercia uma atração magnética sobre as mulheres, que logo se apaixonavam por ele. Príapo estava disposto a corresponder às solicitações das mulheres. Dizia estar pronto para "engendrar cidadãos". Um sexo fecundante a serviço da pátria. De acordo com o mito, os homens da ilha de Lâmpsaco tinham inveja do enorme sucesso do deus com as mulheres e conseguiram expulsá-lo da ilha. Não esperavam, entretanto, ter de enfrentar a paixão das mulheres por Príapo. Elas rezaram em uníssono aos deuses e, como resultado, todos os homens da ilha foram atacados por uma doença nos órgãos genitais. Consultando o oráculo de Dedona, foram avisados de que o único meio de conseguirem recuperar a saúde e o êxtase sexual seria convidar Príapo a voltar para o meio deles. Não tendo outra alternativa, os homens cederam. Em memória da doença e para homenagear Príapo, moldaram imagens fálicas para si mesmos. Príapo voltou à ilha e ali recebeu as funções de "deus dos jardins". Ficou encarregado de afastar os ladrões, o mau-olhado e garantir, dentro do recinto do pomar, a fecundidade prometida à população.

O Deus dos hebreus decretara que o homem e a mulher devem crescer e multiplicar-se, demonstrando haver uma indulgência sexual. Mas as práticas sexuais que não resultassem em fertilidade, como a homossexualidade e o lesbianismo, eram severamente castigadas. A fertilidade era encorajada e sua ausência, depreciada. No Deuteronômio (23:1), se um homem for ferido nos testículos ou se perder o pênis, na guerra, por exemplo, é condenado ao ostracismo e proibido até mesmo de "entrar na congregação do Senhor". A Bíblia apresenta muitos comentários sobre a importância do falo e dos objetos fálicos. Para os hebreus, no entanto, o símbolo nunca era o próprio Deus.

Em outros lugares, o próprio Deus era representado com seu pênis sagrado. No Daomé, estátuas do deus Legba mostram o pênis ereto e proeminente, enchido com óleo de palmeira, que pinga lentamente pela ponta. As mães oram ao deus, num rito de fertilidade. O sêmen divino — o sagrado óleo de palmeira — torna-se também significativo na preparação de comidas sagradas, na limpeza do corpo e na feitura de bálsamos para friccionar os órgãos genitais do homem e da mulher, antes e durante a atividade sexual.[24]

Em alguns antigos templos dedicados a divindades fálicas, o deus esculpido em madeira era visitado com tanta frequência por mulheres estéreis e esperançosas que o pênis se desgastava pelo manuseio, pelos beijos, fricções e sucções a que era submetido. Para solucionar o problema, os sacerdotes fabricavam um falo muito comprido, que emergia de um orifício entre as coxas do deus. Quando a ponta se desgastava, eles, por trás da estátua, davam marteladas, empurrando um pouco o pênis.[25]

Entre os romanos encontramos variados ritos de fertilidade. Nas festas comemorativas da entrada da primavera, grandes representações de pênis eram carregadas ao redor dos campos a serem arados. Fertilizar os campos com o sêmen do homem também foi um costume muito difundido. Havia, entre eles, rituais mais explícitos. Mulheres normalmente recatadas e educadas, desesperadas em suas tentativas de engravidar, copulavam sem parar com estranhos nas ruas, sem qualquer restrição por parte dos maridos. Outras entravam em frenesi, enfeitadas de flores, cavalgando estátuas de pênis enormes, esfregando-se neles até suas vulvas ficarem machucadas. Virgens copulavam com deuses a fim de serem férteis e úteis para seus maridos.

O pai: o único criador

Participar da procriação junto com a mulher não parece ter sido suficiente para o homem. Agora que seu sêmen adquire importância, deseja esse poder exclusivamente para si. Nos mitos da criação do mundo, específicos das sociedades patriarcais, a figura masculina do pai adquire importância exacerbada. Além de criar o filho, torna-se também o criador da mulher.

Para a civilização judaico-cristã, Adão é criado por um Deus masculino. Javé tira uma de suas costelas, enquanto Adão dorme profundamente, e fecha cuidadosamente o lugar com carne. Eva, então, é moldada a partir dessa costela, que simboliza o ventre materno. Adão é pai e mãe de Eva. Inferior a ele, ela está distante do divino. Adão é muito superior. É filho de Deus. Foi criado à sua semelhança. Desse momento em diante, é muito claro o papel que a mulher deverá cumprir na sua relação com o homem: agradecida, por ele ter lhe dado a vida; dependente, por ter nascido dele; submissa, por ser inferior.

Na mitologia grega, encontramos também o pai como único criador. Zeus travava uma dura batalha contra os gigantes, quando Métis, sua primeira esposa, ficou grávida. A conselho de Urano e Géia, o futuro deus do Olimpo engole Métis junto com a criança em seu ventre. Segundo a predição do casal primordial, se Métis tivesse uma filha e esta um filho, o neto arrebataria o poder supremo do avô. Completada a gestação de Atena, Zeus passou a ter uma dor de cabeça insuportável. Chamou Hefesto, o deus das forjas, e ordenou-lhe que golpeasse seu crânio com o machado. Dali saiu vestida e armada com uma lança, dançando a pírrica (dança de guerra), a grande deusa Atena.

Hera, segunda mulher de Zeus, a protetora dos amores legítimos, ao ter conhecimento das relações amorosas de Sêmele com seu esposo, resolveu eliminar a rival. Transformando-se na ama da princesa tibetana, aconselhou-a a pedir ao amante que se lhe apresentasse em todo o seu esplendor. Zeus tentou dissuadi-la, pois um mortal não suportaria a epifania de uma divindade imortal. Mas, como havia jurado jamais contrariar seus desejos, Zeus se apresentou a Sêmele em toda a sua grandeza. Os fogos de seus raios incendiaram o palácio de Cadmo, e a princesa morreu carbonizada. Ao morrer, deixou escapar o fruto inacabado de suas entranhas. Zeus, então, recolheu o embrião, fechou-o em sua coxa, conservando-o até que completasse a gestação. Desse ventre paterno nasceu Dionísio.

Os homens grávidos[26]

O poder de procriação parece ter sido uma das causas da guerra entre os sexos. Impossibilitados de excluir totalmente a participação da mulher, os homens tentaram reduzir de forma drástica sua importância. O ventre materno foi desvalorizado ao máximo. Contudo, mesmo considerado um simples receptáculo, uma caverna ou um barco que serviria apenas de passagem para o feto, não foi possível apaziguar de todo a ansiedade do homem em relação à sua capacidade criadora. A paternidade mobiliza a inveja do homem diante da condição da mulher de gestar, parir e amamentar, do seu poder de criatividade e seu mistério.

Na tentativa de compensar a inferioridade paterna, algumas sociedades desenvolveram rituais de nascimento. Esses ritos de *couvade* podem ser encontrados nos diversos continentes e são praticados pelos homens para reforçar o sentimento de poder paterno. Eles funcionam para diminuir a diferença entre pai e mãe e levar os homens a compartilhar com a mulher o poder de procriação. Em alguns lugares, acredita-se que o vínculo entre pai e filho é mais importante do que entre mãe e filho, ou, ainda, que, por meio dos ritos, o pai nutre espiritualmente o filho. Entre os corsos, no momento do nascimento dos filhos, ninguém se preocupa com a mulher. O homem, no entanto, fica deitado vários dias, como se sentisse dor pelo corpo todo. No país basco, logo após o parto, as mulheres ocupavam-se dos trabalhos domésticos, enquanto os homens deitavam-se com os recém-nascidos e recebiam os cumprimentos dos vizinhos.

Para os baruya, da Nova Guiné, um filho é o produto do es-perma do homem. Uma vez dentro da mulher, porém, o esperma encontra-se misturado aos seus próprios líquidos. Se o esperma do homem vencer a água da mulher, a criança será um menino, caso contrário, será uma menina. Após a fecundação, o homem alimenta o feto por meio de coitos repetidos e o faz crescer no ventre da mãe. O esperma é o alimento que dá força à vida, e as mulheres enfraquecidas pela menstruação ou pelo parto bebem esperma. Um segredo dos homens baruya, que nenhuma mulher deve conhecer, é que o esperma dá a eles o poder de fazer renascer os jovens fora do ventre de suas mães, fora do mundo feminino, no mundo dos homens e apenas por eles. Assim que os jovens iniciados penetram na casa dos homens, são alimentados com esperma dos mais velhos.

Essa ingestão é repetida durante vários anos, com a finalidade de fazê-los crescer mais e mais fortes do que as mulheres, superiores a elas, aptos a dominá-las e dirigi-las.

Essas práticas objetivam limitar os poderes fecundantes das mulheres. Para os baruya, o feto só se desenvolve graças ao esperma masculino. O leite com que mais tarde as crianças são alimentadas é o resultado desse esperma, já que o leite da mulher nasce do esperma do homem.

Nas últimas décadas, estudos revelam perturbações psicossomáticas nos pais durante a gravidez de suas mulheres: insônia, problemas digestivos, aumento de peso etc. Uma pesquisa sobre paternidade feita com 50 homens cujas mulheres tinham acabado de ter filho revelou dados interessantes. Entre eles, 22 acompanharam a preparação e assistiram ao parto, enquanto 28 não participaram. Todos os sintomas somáticos (com uma única exceção) ocorreram no grupo dos que não tinham sido envolvidos nos preparativos do parto. Tudo indica que as angústias surgidas nesse período são apaziguadas se o pai participa estreitamente das várias etapas da maternidade.

O patriarcado

O patriarcado é uma organização social baseada no poder do pai, e a descendência e o parentesco seguem a linha masculina. As mulheres são consideradas inferiores aos homens e, por conseguinte, subordinadas à sua dominação.

Superior/inferior, dominador/dominado. A ideologia patriarcal dividiu a humanidade em duas metades, acarretando desastrosas consequências. É evidente que a maneira como as relações entre homens e mulheres se estruturam — dominação ou parceria — tem implicações decisivas para nossas vidas pessoais, para nossos papéis cotidianos e nossas opções de vida. Da mesma forma, influencia todas as nossas instituições, os valores e a direção de nossa evolução cultural, se ela será pacífica ou belicosa.[27]

Apoiando-se em dois pilares básicos — controle da fecundidade da mulher e divisão sexual de tarefas —, a sujeição física e mental da mulher foi o único meio de restringir sua sexualidade e mantê-la limitada a tarefas específicas.

A fidelidade feminina sempre foi uma obsessão para o homem. É preciso proteger a herança e garantir a legitimidade dos filhos. Isso torna a esposa sempre suspeita, uma adversária que requer vigilância absoluta. Temendo golpes baixos e traições, os homens lançaram mão de variadas estratégias: manter as mulheres confinadas em casa sem contato com outros homens, cinto de castidade e até a extirpação do clitóris para limitar as pulsões eróticas. As adúlteras eram apedrejadas, afogadas, fechadas num saco, trancadas num convento ou, como acontece hoje no Ocidente, espancadas ou mortas por maridos ciumentos, protegidos por leis penais lenientes com os crimes passionais. Ao homem, por não haver prejuízo para sua linhagem, concede-se o direito de infidelidade conjugal.

Esse antagonismo entre os sexos impede uma amizade e um companheirismo verdadeiros, fazendo com que a relação entre homem e mulher se deteriore. As relações conjugais têm sido de condescendência de um lado e obrigação de outro, cheias de desconfianças, ressentimentos e temores. Às mulheres são negadas quase todas as experiências do mundo. Como sempre foram consideradas incompetentes e desinteressantes, é possível encontrar nos dias de hoje mulheres relegadas ao espaço privado ou impedidas de crescer profissionalmente. Ainda há empresas, por exemplo, em que a remuneração da mulher, mesmo exercendo as mesmas funções do homem, é inferior.

Também sobre os filhos os pais têm poderes absolutos que, em muitos casos, como na Roma antiga, incluem o de vida e morte.

Na Roma antiga, quando a criança acabava de nascer, a parteira a colocava no chão. O pai não *tinha* um filho. Ele o *tomava*. Se o pai não o levantasse, era exposto a quem quisesse recolhê-lo. Da mesma forma, seria rejeitado se o pai estivesse ausente e ordenasse à mulher grávida que assim o fizesse. Casar, só com o consentimento paterno. Frequentemente, o pai escolhia quem os filhos deveriam desposar. A situação da filha mulher era mais grave. A autoridade do pai sobre ela era maior do que sobre o filho homem. Assim, ela se sujeitava, primeiro, ao pai e, depois, ao marido. Para o Direito Romano, que imperava na Idade Média, a mulher era eternamente menor. A herança do pai lhe era recusada, ou então a mulher era a herança que era submetida à autoridade do marido.

Não passando de simples objeto, ela servia ao homem apenas como instrumento de promoção social pelo casamento, como objeto de cobiça e distração ou como um ventre do qual o marido tomava posse e cuja função principal era a de fazer filhos legítimos. As mulheres não existiam por si próprias. Eram definidas pelo seu relacionamento com o homem. As designações tradicionais para uma mulher demonstram claramente essa verdade na cuidadosa descrição que fazem do seu status — senhorita (que não tem homem) ou senhora (que tem um homem ou já teve, mas ele partiu ou morreu) — e no significado da expressão "casar-se bem".[28]

Os filhos se identificam com o sobrenome que expressa unicamente a relação de parentesco com o pai. A maioria das mulheres passa a usar, quando casa, apenas o sobrenome do marido, em detrimento do seu próprio. Tais condicionamentos são tão fortes que, mesmo quando a lei não mais obriga, como no Brasil, as mulheres consideram isso natural, sem se dar conta de que esse fato tem como origem deixar claro que a mulher é propriedade do homem.

Os homens, que aparentemente só têm a lucrar num sistema que os coloca numa posição superior, são seduzidos a lutar pela sua manutenção para continuar usufruindo dessas vantagens. Entretanto, pagam um preço elevado para corresponder à expectativa de ser homem patriarcal. Como resultado da divisão da humanidade, assistimos à divisão dos seres humanos. Para se adequar ao modelo patriarcal de homem e mulher, cada pessoa tem que negar parte do seu eu, na tentativa de ser masculina ou feminina. Homens e mulheres são simultaneamente ativos e passivos, agressivos e submissos, fortes e fracos, viris e femininos, mas perseguir o mito da masculinidade significa sacrificar uma parte de si mesmo, abrir mão de sua autonomia.

O patriarcado é um sistema autoritário tão bem-sucedido que se sustenta porque as pessoas subordinadas ajudam a estimular a subordinação. Ideias novas são geralmente desqualificadas e tentativas de modificação dos costumes são rejeitadas explicitamente, inclusive pelas próprias mulheres, que, mesmo oprimidas, clamam pela manutenção de valores conservadores.

A abrangência da ideologia de dominação é ampla. Partindo da opressão do homem sobre a mulher, a mentalidade patriarcal se estende a outras esferas de dominação: homens mais fracos, raças, nações e a própria natureza.

O estabelecimento do patriarcado na civilização ocidental foi um processo gradual que levou quase 2.500 anos, desde cerca de 3100 até 600 a.C. "A lógica patriarcal começa no Ocidente com a democracia ateniense, no século V a.C., e o fim dessa lógica se enraíza na Revolução Francesa, quando a democracia pretende aplicar-se a todos."[29]

A evolução das sociedades de parceria foi mutilada, sofrendo mudança radical. A mente humana foi remodelada em um novo tipo, e a cultura dominada pelo homem, autoritária e violenta, acabou sendo vista como normal e adequada, como se fosse característica de todos os sistemas humanos. A lembrança de que por milhares de anos houve organizações sociais diferentes foi suprimida. O longo tempo — quase cinco mil anos —, auxiliado pelo hábito e pelo desconhecimento de outra alternativa, se encarregou da *normalidade*. Mas isso só não foi suficiente. Para ser aceito definitivamente como certo e não suscitar dúvidas, o patriarcado recebeu dois apoios fundamentais: a religião e a ciência.[30] Na Grécia, Aristóteles transformou em ciência a visão bíblica da mulher como inferior ao homem. Para ele, a semente masculina é o agente ativo que se reproduzirá naturalmente em sua própria imagem: um menino saudável. A semente feminina só produzirá o "desvio do modelo". As mulheres seriam imperfeitas e, por isso, inferiores.[31]

Dessa forma, os novos valores penetraram nos mais profundos recônditos da alma humana e durante muito tempo foram tidos como verdades imutáveis.

O Deus único: o Pai poderoso

No princípio, Deus criou o Céu e a Terra. A Terra era vaga e vazia, as trevas cobriam o abismo, o espírito de Deus planava sobre as águas.

"Não apenas não há mais vestígio da deusa, como também o Deus dos judeus cria a terra *vaga e vazia,* privada de suas características fecundantes. O que existe primeiro é o *Espírito*, que cria pelo poder da palavra. Ele diz: 'Que se faça a luz', e a luz se fez. A sensualidade da Terra-Mãe tornou-se inútil nesse novo processo de criação. Quando muito, serve de barro para modelar Adão."[32]

A religião judaica é, por excelência, a religião dos patriarcas. Caracteriza-se pelo culto ao Deus-Pai. Sua história começa com Abraão, por volta de 1800 a.C. Mais tarde, em torno de 1300 a.C., quando os judeus eram escravos no Egito, Moisés liberta-os, conduzindo-os para a conquista da Terra Prometida: Canaã ou Palestina.

Deus chamou Moisés para essa missão enquanto este cuidava de seus rebanhos. Como mediador entre Deus e o povo, fundou uma nova religião. Deus tinha um nome, Javé, adotado como divindade nacional. O temível Deus das montanhas do Sinai era venerado como único guia e salvador. Legislador supremo e inflexível, tinha a função de manter a ordem moral do Universo. Javé, segundo a Bíblia, ditou a Moisés os dez mandamentos no cume do Monte Sinai. Da época de Moisés até três séculos depois, Javé possuía corpo físico e as qualidades emocionais dos homens. Era caprichoso e irascível. Os deuses locais da fertilidade poderiam bastar para propiciar a colheita, mas, diante do extermínio, voltavam-se para Javé, o libertador do deserto, patrono de sua fuga, deus da libertação.

Em 935 a.C., quando as 12 tribos se dividiram, fundando o reino de Israel ao norte e o reino de Judá ao sul, o culto exclusivo a Javé tornou-se impossível. Dependiam dos vizinhos para sua comunicação. Quando em 722 a.C. o reino de Israel foi conquistado pelos assírios, seus habitantes se espalharam e foram absorvidos pelo império dos conquistadores. São as chamadas dez tribos perdidas de Israel. O reino de Judá resistiu à ameaça assíria e houve, então, uma grande reforma religiosa realizada pelos grandes profetas.

Três doutrinas eram básicas:

1. Monoteísmo: Javé é o senhor do Universo, os deuses de outras nações não existem.
2. Javé é exclusivamente um *deus e retidão*. Ele não é realmente onipotente. O mal deste mundo vem do homem, não de Deus.
3. Os fins da religião são, principalmente, éticos. Javé não **faz** questão de ritos e sacrifícios, mas que os homens aspirem à justiça.

Promoveram uma sociedade mais justa, reprimindo a crueldade do homem para com o homem. Não acreditavam no céu e no inferno e não cogitavam na salvação individual depois da morte. Diziam que as sombras dos mortos subiam ao *sheol,* onde demoravam algum tempo no pó e depois desapareciam. Seus ideais eram orientados para esta vida e não para a vida do além.

Em 586 a.C., os caldeus, sob o comando de Nabucodonosor, tomaram o reino de Judá. Queimaram e pilharam Jerusalém, levando os cidadãos para a Babilônia. Em contato com outros povos, surgiam novas crenças. Os judeus adotaram as ideias de pessimismo e fatalismo e do caráter transcendental de Deus.

Javé se tornou um ser onipotente e inacessível. Seu pensamento não era mais o dos mortais e o homem tinha como dever submeter-se completamente à sua vontade inescrutável. Outras profundas transformações ocorreram nas formas primitivas da religião. Os chefes religiosos adotaram costumes para distinguir os judeus como um povo particular, tentando preservar sua identidade como nação. Muitas dessas práticas tiveram sua importância negada pelos profetas, que agora retornavam como elementos essenciais do culto. Assim, o judaísmo foi se transformando numa religião eclesiástica, na medida em que os extensos regulamentos para a conduta do ritual aumentavam o poder dos sacerdotes.

O imperador persa Ciro libertou os judeus do cativeiro em 539 a.C., mandando de volta a Jerusalém os que estavam exilados na Babilônia. A religião judaica sofre, então, influência dos persas.

As concepções primitivas acerca da sobrevivência deram lugar à crença de que os corpos dos justos seriam ressuscitados por Deus numa nova criação. A imortalidade era uma recompensa. Havia um mundo assombrado de hierarquias rivais de bons e maus poderes — anjos e demônios. A esperança e o temor de outro mundo aumentavam diante da ideia do Juízo Final. O prazer desta vida perdeu sua importância. A vida passou a ser direcionada para a salvação num mundo extraterreno.

A imagem de Deus não podia ser reproduzida. Adorava-se um Deus invisível. Desenvolveu-se assim a ideia da superioridade da alma sobre o corpo. Essa elevação de Deus a um nível mais alto de intelectualidade tornou as pessoas mais orgulhosas, sentindo-se superiores aos que permaneceram sob o domínio do corpo.

Na medida em que Deus perde a forma humana e se torna invisível, afasta-se totalmente da sexualidade e é elevado ao ideal de perfeição ética. A restrição à liberdade sexual é, então, instituída.[33]

O que determina nossa forma de viver e pensar

A Bíblia é uma coleção de livros escritos por diferentes pessoas ao longo de mais de mil anos, tendo início em 1450 a.C. Divide-se em duas partes: o Antigo Testamento e o Novo Testamento. Os livros do Antigo Testamento são as Escrituras do povo judeu. O Novo Testamento são os escritos sobre Jesus e seus seguidores. A Bíblia cristã é composta pelo Antigo e pelo Novo Testamento. São 66 livros que abordam vários aspectos da vida, escritos como leis, provérbios, poesias, diários e cartas. Nela encontramos normas de conduta a seguir, determinando o comportamento humano com uma clara definição do que é certo ou errado, bom ou mau. A influência que exerce sobre nós, no Ocidente, principalmente no que diz respeito ao pecado e à culpa é enorme, embora, na maioria das vezes, inconsciente. Seu poder é tão grande que mesmo as pessoas não religiosas ou que nunca viram uma Bíblia vivem, pensam e sentem, sem perceber, pelo que ali está determinado. É a cultura da qual somos frutos. A cultura judaico-cristã.

O Antigo Testamento consiste em 39 livros e guia o povo judeu ao longo de sua história. Jesus, como judeu, lia essas escrituras. A parte mais importante é a Torá — os cinco primeiros livros: Gênese, Êxodo, Levítico, Números e Deuteronômio.

Os cristãos o chamam de Pentateuco, uma palavra grega que significa cinco livros.

O Novo Testamento é composto de 27 livros. Os quatro primeiros, os Evangelhos de Mateus, Marcos, Lucas e João, descrevem a vida, morte e ressurreição de Jesus. Os Atos dos Apóstolos falam do crescimento da Igreja Cristã e das viagens de São Paulo.

Os Evangelhos se concentram nos três anos anteriores à morte de Jesus e em acontecimentos escolhidos dentro desse período. Foram escritos por seus seguidores para mostrar aos outros por que acreditavam que Jesus era o Messias, o Filho de Deus. Seu propósito era explicar a mensagem do ensinamento de Jesus às pessoas que viviam naquele tempo e deixar um testemunho escrito para as gerações futuras.

O Jardim do Éden[34]

No Oriente, no Éden, Deus criou um jardim onde crescia toda árvore e planta e no seu centro exato ficavam a árvore da vida e a árvore do conhecimento. Deus pôs o homem no jardim, dizendo-lhe que podia comer qualquer fruto que desejasse, menos os frutos da árvore do conhecimento, pois se os comesse morreria.

Deus trouxe para Adão, o homem, todos os animais para que pudesse pôr nome neles. Depois fez Adão dormir profundamente e, enquanto ele dormia, retirou uma de suas costelas e com ela criou a mulher, para que Adão tivesse uma esposa. Adão e Eva, sua mulher, passeavam nus e felizes pelo jardim e não precisavam de nenhuma roupa. Mas a serpente, a mais maliciosa de todas as criaturas vivas, perguntou a Eva se eles podiam comer qualquer fruto que quisessem. "Sim", disse Eva, "qualquer fruto, menos o da árvore do conhecimento. Se comermos, morreremos." "Mas vocês não morrerão", disse a serpente. "Ao contrário, vão descobrir a diferença entre o bem e o mal e assim serão iguais a Deus."

A mulher espiou a árvore e ficou tentada pelo fruto suculento que poderia torná-la sábia. Colheu um e o mordeu; deu um ao marido e ele o comeu. Quando um olhou para o outro, perceberam sua nudez. Rapidamente, apanharam algumas folhas de figueira que costuraram e usaram para se cobrir.

Na brisa do entardecer, ouviram a voz de Deus, que andava pelo jardim, e se esconderam para que Ele não os visse. Deus chamou Adão: "Adão, onde estás?" Adão disse: "Ouvi a tua voz, mas estava com medo e por isso me escondi." "Se estás com medo é porque comeste o fruto da árvore que te disse para não comer." "Foi a mulher quem me deu o fruto." E Eva disse: "Foi a serpente que me tentou e me iludiu."

Deus então amaldiçoou a serpente e expulsou-a do jardim. Deu roupas a Adão e Eva, dizendo: "Agora que sabeis do bem e do mal, deveis sair do Éden. Não podeis ficar, pois receio que comais também a árvore da vida e vivais para sempre." E Deus os conduziu para longe do jardim, mundo afora e, a leste do Éden, colocou um querubim com uma espada de fogo para guardar a entrada do jardim e a árvore da vida.

Eva

O Velho Testamento estabeleceu uma única divindade masculina e determinou com firmeza que as mulheres são inferiores aos homens. Embora a autoria do livro do Gênese tenha sido durante muito tempo atribuída a Moisés, hoje aceita-se que a autoria foi de muitos sacerdotes hebreus que durante 400 anos reinterpretaram os mitos antigos e incorporaram o mito da queda de Adão e Eva do Paraíso. Em 400 a.C., na história da tentação de Eva pela serpente, os sacerdotes hebreus mataram dois coelhos com uma cajadada:

livraram-se da Deusa, que era diretamente associada à serpente, representando-a nos mitos antigos, e fizeram de Eva e de todas as mulheres o bode expiatório dali por diante. No período Neolítico, a ideia de criação e manutenção da vida estava associada à Deusa. Na Bíblia, ela foi suplantada pela ideia patriarcal de um Deus como um pai autoritário e punitivo.[35]

Existem diversas interpretações do mito de Adão e Eva, mas em quase todas Eva é a única responsável por todos os males, pois teria sido sua fraqueza que provocou a expulsão do Paraíso. Alguns acham que comer o fruto proibido se trata do ato sexual, e que, tendo descoberto o orgasmo, Adão e Eva acreditaram ser iguais a Deus. Para outros, seria mesmo uma árvore do conhecimento e que o gesto deles significa um pecado de orgulho (que no início vinha à frente dos sete pecados capitais).[36]

O judaísmo jamais considerou o pecado original um erro carnal e, sim, um pecado de conhecimento e competição com Deus. O cristianismo é muito mais severo com a mulher. Eva tenta Adão e, pelo caminho do pecado original, caímos na condição humana com todo seu sofrimento. A mulher é condenada duramente como origem do pecado e da degradação. "Não permito à mulher ensinar nem dominar o homem; que ela se mantenha, portanto, em silêncio. Foi Adão o primeiro a ser modelado. Eva, só depois. E não foi Adão o seduzido e, sim, a mulher, que, seduzida, caiu na transgressão." (Primeira Epístola a Timóteo. 2:2-14).[37]

Nos séculos seguintes, a condenação da Igreja à prática carnal continuou intensa. Desenvolveram uma ideologia potente de negação do sexo, tinham obsessão por superar o apetite sexual: "Para eles a sexualidade representava um perigo gravíssimo e um defeito fatal; encaravam a virgindade como algo que se opunha e vencia a sexualidade, e, infelizmente, não conseguiram perceber que a renúncia não afasta nem anula o desejo."[38]

Eva tornou-se o símbolo da negação do sexo que caracteriza o cristianismo. No século II, o apologista Tertuliano escreveu *De vir-*

gimbus velandis (Sobre o recato das virgens), no qual observou que as mulheres melhor fariam se usassem roupas de luto, já que eram descendentes de Eva, a causa de toda a miséria humana.[39]

Um dos aspectos mais interessantes do mito de Adão e Eva foi o fato de terem percebido que estavam nus, o que faz uma ligação entre "o bem e o mal" e a sexualidade. "A consequência de conhecer o sexo é estabelecer uma separação entre sexualidade e procriação. Deus introduziu inimizade entre a serpente e a mulher" (Gn 3:15). Quando o livro do Gênese foi escrito, a serpente estava claramente associada à deusa da fertilidade e a representava simbolicamente. Por isso, Deus ordenou que a sexualidade livre e desimpedida da deusa da fertilidade fosse proibida para as mulheres, restando a elas a maternidade como única maneira possível de expressar sua sexualidade. A sexualidade da mulher ficou limitada, então, por duas condições: a mulher deveria se subordinar ao marido e dar à luz na dor.[40]

Para santo Agostinho, o homem e a mulher feitos por Deus inicialmente tinham absoluto controle de seus corpos. No Jardim do Éden, se por acaso existiu sexo, certamente foi frio e espaçado, sem erotismo e nenhum êxtase. Seu objetivo seria apenas o de cumprir as exigências do processo reprodutivo. Quando Adão e Eva caíram em pecado, tomaram consciência de impulsos novos e egoístas, isto é, da luxúria, sobre os quais não tinham controle. Imediatamente caíram em si e ficaram envergonhados de sua nudez. Como Adão e Eva não conseguiram controlar sua excitação, rapidamente fizeram tangas com as folhas de figueira, tentando esconder o que agora passava a ser chamado região pudenda (do latim *pudere,* ficar envergonhado). Santo Agostinho acreditava que os descendentes de Adão e Eva herdaram o desejo sexual incontrolável e a culpa da transgressão original.

Por ainda persistirem na humanidade, pode-se explicar a perversidade e a independência dos órgãos sexuais, a natureza intratável do impulso carnal e a vergonha geralmente suscitada pelo ato do coito. Sexo e luxúria eram essenciais à doutrina do pecado original, e todo ato sexual praticado pela humanidade, subsequente à queda, era necessariamente mau, assim como toda criança nascia em pecado. Deus tinha iluminado o primeiro homem e a primeira mulher com um inocente instinto físico, com o propósito de continuar a espécie, mas a luxúria o transformou em algo vergonhoso. Então, a esperança maior de redenção da humanidade consistia em rejeitar o coito, e, assim, a culpa herdada de Adão e Eva. Somente com o celibato — recusa total de sexo — seria possível alcançar o estado de graça que existiu no Jardim do Éden. Os fracos que não o conseguissem deveriam lutar para praticar o sexo sem paixão, ao produzirem a geração seguinte de cristãos.[41]

Um mito traduz as regras de conduta de um grupo social ou religioso. Não tem autor, e seu caráter mais profundo é o poder que exerce sobre nós, geralmente à nossa revelia, no nosso inconsciente.[42] "O mito de Adão e Eva modelou e aterrorizou a vida sexual e moral das gerações seguintes de homens e mulheres tementes a Deus e ainda hoje controla a vida de milhões de cristãos. Essa imagem coletiva poderosa responde pelo sentimento de culpa e pela vergonha que estão profundamente entranhadas nas pessoas e contribuem para o conflito sexual de nossa sociedade pós-cristianismo."[43]

Tertuliano, que costuma ser chamado de "um dos pais da Igreja Cristã", novamente acusa as mulheres: "E você não sabe o que é uma Eva? A sentença de Deus sobre esse seu sexo subsiste até essa era; a culpa também deve subsistir. Você é o caminho de entrada do diabo (...) o primeiro desertor da lei divina; você foi quem persuadiu aquele a quem o diabo não foi suficientemente valente para atacar. Você destruiu com tanta facilidade a imagem de Deus, o homem. Por causa de seu demérito, ou seja, a morte, até mesmo o Filho de Deus teve de morrer."[44]

E as mulheres tentaram se defender das acusações sofridas por quase dois mil anos. Em alguns cartazes das manifestações feministas da década de 1960, estava escrito: "Eva foi falsamente incriminada."[45]

Lilith: o primeiro conflito sexual da história

Eva não foi a primeira mulher de Adão. Antes dela, houve Lilith, mas o amor deles foi conturbado. Quando deitavam na cama para fazer sexo, na posição mais natural — a mulher por baixo e o homem por cima —, Lilith se impacientava e demonstrava seu desagrado. Perguntava a Adão: "Por que devo deitar-me embaixo de ti? Por que devo abrir-me sob teu corpo?" Adão ficava em silêncio, perplexo. Mas Lilith insistia: "Por que ser dominada por você? Eu também fui feita de pó e sou tua igual." Ela pedia para inverter as posições sexuais para estabelecer uma harmonia que deve significar a igualdade entre os dois corpos e as duas almas. Adão respondia secamente que Lilith era submetida a ele, devia estar simbolicamente sob ele e suportar seu corpo.

Existe uma ordem que não é lícito transgredir. A mulher não aceita essa imposição e se rebela contra Adão. Rompe-se o equilíbrio.

Adão recusa-se a conceder a igualdade significativa à companheira. Lilith pronuncia irritada o nome de Deus e, acusando Adão, afasta-se. Estão descendo as primeiras trevas da noite de sábado. Lilith foi embora.

Adão tem medo, sente que a escuridão o oprime. Parece-lhe que todas as coisas boas se estragam. Acorda, olha em torno e não encontra Lilith. Mais uma vez a companheira desobedeceu à sua ordem.

Dirige-se a Javé: "Procurei em meu leito, à noite, aquela que é o amor de minha alma, procurei e não a encontrei." (Ct 3:1)

Pede ajuda ao Pai e o Pai quer saber a causa do litígio, e compreende que a mulher desafiou o homem e, portanto, o divino.

Lilith, afirmou-se, é um demônio. Pelas escrituras, a serpente é um demônio; Lilith é, portanto, o veículo do pecado da transgressão.

A serpente-demônio, ou o próprio demoníaco que existe em Lilith, impele a mulher a fazer algo que o homem não permite: Lilith pede a inversão das posições sexuais equivalentes aos papéis, enquanto Eva prova da árvore proibida, em obediência à serpente. A serpente, no mundo de Lilith, pode ser equivalente à manifestação do instinto codificado pela pergunta: "Por que devo sempre deitar-me embaixo de ti? Também eu fui feita de pó e por isso sou tua igual." Adão, ao contrário, afasta de si a ameaça.

Lilith pede para ser considerada igual, Eva pensa que não há morte ao assumir a sabedoria interdita. Lilith desobedeceu à supremacia de Adão, Eva desobedeceu à proibição. Ambas assumem um risco mediante um ato.

Javé deu a ordem:

— O desejo da mulher é para seu marido. Volta para ele.

Lilith responde não com a obediência, mas com a recusa. Javé insiste:

— Volta ao desejo, volta a desejar teu marido.

Mas a natureza de Lilith mudou no momento em que blasfemou contra Deus, e não existe mais obediência.

Então, Javé manda em direção ao mar Vermelho, para onde ela havia ido, uma formação de anjos. Eles a encontram nas charnecas desertas do mar Arábico onde, segundo a tradição hebraica, as águas chamam, atraindo como ímã, todos os demônios e espíritos malvados. Lilith se transformou: não é mais a companheira de Adão. É o demoníaco manifesto, está rodeada por todas as criaturas perversas saídas das trevas. Lilith se recusa a voltar para junto de Adão.

Os anjos voltam ao Éden. Javé já havia decidido punir Lilith, exterminando seus filhos.

Lilith, acasalando-se com os diabos, gerava 100 demônios por dia, os Lillin.

Os pequenos demônios foram mortos pela mão implacável de Javé. A esse cruento extermínio, verdadeira guerra entre o Criador e suas criaturas, se opõe uma vingança de Lilith: ela enfurece seus próprios filhos e, ajudada por outros demônios femininos, segue por todo lugar estrangulando de noite as crianças pequenas nas casas, ou surpreendendo os homens no sono, induzindo-os a mortais abraços.

Não há conclusão para a história: Lilith permanece a própria liberdade endemoninhada.

Do momento em que declara guerra ao Pai, e o Pai a sujeita, desencadeia sua força destrutiva, e desde aquele dia não há mais paz para o homem.[46]

Os filhos de Lilith, pequenos diabos, eram reconhecidos na Bíblia (Nm 6:26): "O Senhor te abençoe em todo ato teu e te proteja dos Lillin."[47]

O mito de Lilith foi encontrado nos escritos sumérios e acadianos e nos testemunhos orais dos rabinos sobre o Gênese. "E o mito de exclusão, da primeira mulher de Adão, igual a ele e não pedaço de sua costela, que se reivindica igual para exercer seu prazer na relação com o homem, que quer manter a relação de igual para igual com o outro-diferente. Depois de sua demonização e exclusão, segue-se a criação de Eva — garantia maior de submissão ao Pai e ao homem."[48]

A mulher: um ser maligno

Deus disse à mulher: "Multiplicarei sobremodo o sofrimento da tua gravidez. Em meio a dores darás à luz filhos, o teu desejo será para o teu marido e ele te governará." (Gn 3:16)

E, então, os homens resolveram seguir essa ordem de Deus. As mulheres, afinal, tão perigosas, tinham mesmo que ser governadas pelo marido. Mais que isso: dominadas, desvalorizadas, escravizadas.

A ética cristã, por causa do valor atribuído à virtude sexual, contribuiu inevitavelmente para degradar a posição da mulher. Sendo vista como tentadora, todas as oportunidades de levar o homem à tentação tinham que ser reduzidas. As mulheres respeitáveis eram cercadas de restrições, e as pecadoras eram tratadas com desrespeito e insultos. O sistema patriarcal fez tudo para escravizar as mulheres. As leis da propriedade e herança foram alteradas contra as mulheres. Só na Revolução Francesa as filhas voltaram a ter o direito à herança.[49]

Nos últimos três mil anos, assistimos, sob diversas formas e em vários lugares, à hierarquização entre homem e mulher ser levada ao extremo. A ideia da guerra dos sexos e de que homem e mulher são inimigos foi reforçada por vários textos que aconselhavam aos homens a tomarem distância daquela que, às vezes, ele pode até chamar de companheira.[50]

O Mahabharata — epopeia que faz um apanhado de crenças e lendas indianas ligadas ao vishnuísmo — apoia completamente essas ideias. "Nunca existiu nada mais culpado do que uma mulher. Na verdade, as mulheres são raízes de todos os males." (38:12)

"O Deus do vento, a morte, as regiões infernais (...) o lado cortante da lâmina, os venenos terríveis, as serpentes e o fogo. Todos coabitam harmoniosamente entre as mulheres." (38:29)

A origem da má natureza feminina seria uma sensualidade desenfreada, impossível de ser satisfeita por um só homem. "As mulheres são ferozes. São dotadas de poderes ferozes (...). Nunca são satisfeitas por somente um ser do sexo oposto (...). Os homens não deveriam absolutamente amá-las. Quem se comportar de outra forma estará certamente correndo para sua perdição."[51]

Os padres da Igreja a associam à serpente e satã. Ela aparece, com frequência, nos sermões da Idade Média: "A mulher é má, lúbrica, tanto quanto a víbora, escorregadia, tanto quanto a enguia e, além do mais, curiosa, indiscreta, impertinente."[52]

No século XII, o bispo Etienne de Fougère, falando sobre as mulheres, exortava os homens "a mantê-las bem trancadas. Entregues a si mesmas, sua perversidade se expande; elas vão procurar satisfazer seu prazer junto dos empregados, ou então entre si".[53]

O porquê de tanto medo e desconfiança das mulheres é explicitado em dois textos escritos por teólogos muçulmanos nos séculos XII e XV, ainda hoje populares. "Alguns afirmaram que o apetite sexual da mulher é superior ao do homem (...). Parece que, copulando-se noite e dia, durante anos, com a mesma mulher, jamais ela consiga atingir o ponto de saturação. Sua sede de copular nunca é saciada."[54] Ela é associada a uma vagina-ventosa que nunca está satisfeita. A cópula agiria diferente nos dois sexos: desabrocharia a mulher e enfraqueceria o homem. Na análise que faz desses textos, Fatna Ait Sabbah conclui que os únicos machos equipados para fazer frente a essa "mulher-fenda-ventosa" não seriam humanos, mas animais, o burro ou o urso, cujos pênis correspondem melhor aos desejos femininos.[55]

"Inicialmente, os homens apossaram-se de todos os poderes das mulheres, mas com isso perderam a serenidade e sua amizade. A confiança cedeu lugar à desconfiança. Quanto mais os homens têm medo das mulheres, mais tentam submetê-las e mais temem que elas se vinguem. Círculo vicioso do qual talvez só se conseguirá sair pondo fim ao sistema patriarcal."[56]

O temor que os homens sentem da revanche sorrateira das mulheres oprimidas parece não ser de todo sem fundamento. Na Penitenciária Feminina de Kanater, ao norte do Cairo, cerca de 1.100 mulheres, com mantas na cabeça e longas túnicas brancas, cuidam dos filhos pequenos, penduram a roupa lavada para secar e cortam tomates e cebolas para as refeições. As "matadoras de maridos" formam um grupo característico. Evitadas por suas famílias, recebem poucas visitas. São mulheres que cometeram atos terríveis no lar: homicídio com esfaqueamento, escalpelamento, queima ou desmembramento de seus maridos, às vezes deixando partes dos corpos em sacos abandonados em vários pontos da cidade.

Nádia, egípcia de 35 anos, na primeira noite do mês sagrado de jejum muçulmano, o Ramadã, deu um doce a seu marido que o lançou num sono profundo. Logo após, cortou sua cabeça. Ao detetive encarregado do caso declarou que só matou o marido uma vez, mas que ele a matara muitas vezes: abandonando-a e esquecendo-a. Wahiba Wahba Gomaa, 39 anos, não consegue conter as lágrimas quando recorda como o marido, que adorava, começou a trazer prostitutas para casa, espancando-a quando reclamava. Não podia voltar para a casa dos pais, pois nunca a perdoaram por ter deixado o primeiro marido. Quando se queixava dos espancamentos à polícia, prendiam o marido durante uma noite, aumentando mais ainda sua fúria. Ao dizer que desejava o divórcio, ouviu como resposta: "Se quer o divórcio, concordarei. Mas essa casa não é sua, nem os móveis, e você não pode levar as crianças. Sairá apenas com a roupa do corpo."

"Quando ele trouxe uma mulher para casa e começou a fumar haxixe" — conta Gomaa —, "fiquei a ponto de explodir. Levantei-me, agarrei-o pelas roupas e sacudi-o. Mas ele era muito mais forte do que eu. Espancou-me. A mulher saiu e ele foi dormir. Bati em sua cabeça com uma enxada. Arrastei-o para o banheiro. Ainda estava vivo. Derramei gasolina sobre ele e ateei fogo. Finalmente morreu. Aí tive a sensação de que minha vida estava voltando."

Gomaa, que cumpre pena de 25 anos, conta que acordou as crianças e foi para a delegacia: "Dirigi-me ao delegado, dei-lhe as chaves da casa e disse: 'Procurei-o várias vezes para pedir ajuda. Veja o que aconteceu.'"[57]

Quando trabalhei como psicóloga no Sistema Penitenciário, entrevistei uma mulher de 38 anos, condenada a 12 anos por ter assassinado o marido. Chorando muito, contou que morava com ele, a filha adolescente e a mãe idosa. Era comum ele chegar em casa à noite e, por qualquer motivo, espancar as três. Sempre que, desesperada, ameaçava chamar a polícia, ele ficava ainda mais violento. Não suportando mais, decidiu agir. Colocou estricnina na comida dele. Temendo ser castigada por Deus, gritava aos prantos que não pretendia matá-lo. "Só queria que ele sentisse muitas dores na barriga."

Vagina: o grande perigo

Sendo os órgãos sexuais de mulheres e homens tão diferentes, tornam-se, de alguma forma, misteriosos para o outro sexo. Embora na mulher possa existir algum temor pelo pênis do homem, nada se compara ao temor que os homens sentem pela vagina. É um perigo ameaçador porque não é visível e porque suas propriedades são estranhas.

"No inconsciente e nos mitos, a vagina é representada alternadamente como uma força devoradora, devastadora, insaciável, uma caverna com dentes, que causa pesadelos e, finalmente, a morte. Esse medo quase universal é ligado ao do sangue. Primeiro, o sangue menstrual, assustador e doentio, já que é objeto de uma imensa quantidade de tabus, mas também o sangue da defloração, que se acredita trazer azar."[58] Na Índia, inúmeras lendas falam de mulheres cuja vagina está cheia de dentes que cortam o pênis do homem.

Elisabeth Badinter utiliza a mitologia e as práticas de duas sociedades primitivas para ilustrar o conjunto de angústias que o sexo feminino suscita: os baruya da Nova Guiné e os maori da Nova Zelândia.[59]

Os homens baruya, quando pensam no sangue menstrual, expressam um misto de nojo, repulsa e, sobretudo, medo. Consideram o sangue menstrual uma substância suja, como as fezes e a urina. Ele enfraquece as mulheres e destrói a força dos homens ao entrar em contato com seus corpos. Quando uma mulher fica menstruada, ela se refugia numa casa especial do vilarejo e é proibida de preparar com as mãos (impuras) o alimento do marido e da família.

Independentemente do sangue menstrual, a mulher representa um perigo permanente para o homem: "A própria configuração do seu sexo, pelo fato inevitável de ser uma fenda que nunca pode reter totalmente os líquidos que secreta no interior, ou o esperma que o homem nela coloca, deixa cair no chão gotas que vão alimentar os vermes e as serpentes. Esses animais vão apoderar-se de suas secreções e levá-las para os precipícios abissais, onde vivem as potências ctônicas maléficas (...) que utilizarão essas substâncias para enviar doenças ou morte aos humanos, às plantas cultivadas, aos porcos que se criam."

Pelo seu sexo, a mulher atrai o tempo todo os poderes maléficos.

O escoamento do seu sangue menstrual ameaça a virilidade do homem e, consequentemente, o domínio dos homens sobre a sociedade. Elas devem evitar passar por cima de qualquer objeto estendido no solo e nunca, sob pena de morte, da lareira da casa, mesmo apagada: seu sexo poderia se abrir e poluir o lugar onde ela cozinha o alimento que vai à boca do homem.

As relações sexuais são cercadas de muitas precauções: não se pode fazer amor na época de desbravar a terra, plantar, cortar a cana para ser fermentada, matar e comer porco, antes que o homem vá para a caça, quando se ajuda a construir uma casa, na época das iniciações masculinas e femininas etc. É proibido também num jardim, nas zonas pantanosas, onde vermes e serpentes são abundantes... Após o nascimento de um filho só é permitido fazer sexo depois que lhe nasçam os primeiros dentes.

No ato sexual, é proibido a mulher ficar por cima do parceiro, pois os líquidos que enchem sua vagina poderiam espalhar-se sobre o ventre do homem. E, mesmo que a mulher chupe o sexo do homem (para se alimentar do esperma benéfico), este jamais deve aproximar sua boca do sexo da mulher, que deixa escorrer líquidos maléficos. Os baruya são afetuosos com as mulheres que lhes são proibidas: mãe, irmãs, tias, primas e sobrinhas, mas são autoritários e violentos com suas esposas. Com as filhas são carinhosos até elas se tornarem adolescentes, depois se distanciam.

Badinter assinala que, entre os baruya, não é tanto a cavidade vaginal que é temida, mas os venenos que ela secreta. Diferentemente de outras sociedades, como os maori, em que é o antro da vagina que provoca mais medo. Seus mitos explicam as razões de tal temor.

O deus Tané cometera incesto com a filha Hiné-Titama, e esta ficou tão desgostosa que se retirou do mundo da luz para o reino da noite. Mudou seu nome para tomar o de Hiné Nui Te Po (Grande Dama da Noite). Agindo dessa maneira, tornava a morte possível.

Foi nesse mundo novo que o semideus Mauí nasceu prematuramente, numa família de quatro meninos. Como sua mãe taranga o envolvesse nos cabelos de seu coque (*tikitiki*), ele foi chamado Mauí Tikitiki e Taranga. Tendo supostamente tirado a Nova Zelândia do oceano Pacífico, Mauí é conhecido por suas façanhas em toda a Polinésia. Tem fama de ser travesso, curioso e criador. Procurou tornar o homem imortal, tentando assassinar Hiné Nui Te Po.

Partiu, com esse intuito, para o mundo ctoniano, onde morava a deusa dos mortos. Pensava aproveitar o sono desta para entrar em seu corpo pela vagina, seccionar-lhe o coração e sair pela boca. Antes de partir, recomendou que os pássaros que o acompanhavam não fizessem nenhum barulho para não acordar a deusa. Mas, no momento em que passava a cabeça pela vagina de Hiné Nui Te Po, um desses pássaros achou o espetáculo tão engraçado que foi tomado por um riso incontrolável. A Grande Dama da Noite acordou sobressaltada, fechou as coxas e Mauí, o travesso, morreu estrangulado. Depois desse acidente, a morte passou a existir neste mundo.

Nessa história, os órgãos genitais femininos aparecem novamente como devastadores. Para os maori, a vagina é um buraco destruidor.

Badinter relata que, no reino fabuloso do padre Jean, durante toda a Idade Média, acreditava-se que serpentes ficavam na vagina e animais selvagens guardavam sua entrada. Seria um equívoco, contudo, imaginar que o medo do sexo feminino seja particular às sociedades primitivas. As nossas não ficam atrás, como mostra esta canção das salas de espera, cantarolada no início do século XX:[60]

"Pequeno anel de carne, pequena fenda feia,/ Pequeno esfíncter pagão,/ Pequeno canto, sempre úmido, envenenado com ar cálido,/ Pequeno buraco, pequeno nada!// És feia quando ris com teu lábio beiçudo;/ És feia quando dormes!/ Feia, tu, que Deus escondeu nesse ângulo que fede./ Perto dos esgotos do corpo!// Ah! tu podes, para lamber teu beiço rosado,/ Reles monstro de orgulho!/ Podes, abrindo tua goela com grenha encrespada,/ Bocejar como um caixão.// Ventosa venenosa, abismo insaciável,/ Tão funesta e tão querida;/ Quero desprezar-te, a ti, por quem chora e sofre/ O melhor de minha carne.// Quero detestar-te sempre, coisa infame,/ Tu, que devolves o bem com o mal;/ Pequeno nada cavado na parte baixa da mulher,/ Pequeno buraco, pequeno nada!"

Maria: a chance que as mulheres perderam

Ressurge com o cristianismo a figura da mãe, que havia desaparecido, juntamente com a importância antes dada à terra na procriação, desde o início do patriarcado.

A mãe se torna novamente objeto de culto. Badinter faz uma análise do culto da Virgem Maria, que é revolucionário:[61] "Se a sociedade patriarcal suprimiu a Deusa-Mãe, substituindo-a, às vezes à força, por um Deus-Pai, guerreiro e ciumento de sua superioridade, a mentalidade popular a recriou sob os traços da Mãe de Deus e dos homens, constantemente invocada, constantemente presente, sempre triunfante."

Da mesma forma que, antes da descoberta da paternidade, se acreditava que a criança era inserida no ventre da mãe, Maria é fecundada como uma Deusa-Mãe por um espírito que nela se insinua.

"Entretanto, se o culto da Virgem Maria constituiu de início uma revolução no meio paternalista, uma tentativa para devolver à mãe seu papel verdadeiro, a Igreja oficial vai logo esvaziar o conteúdo de toda sua significação. Ela fará da Virgem um ser cuja característica feminina só será atestada pelo aspecto da mãe sofredora, sacrificada, passiva e escrava do filho."

No culto da Virgem Maria, poderia ter sido recuperado o prestígio da mulher em todos os seus aspectos, devolvendo à mãe sua importância.

"A mensagem de Cristo em relação às mulheres foi, na verdade, desviada por seus apóstolos, e foram abafados os germes da revolução. Nesse ponto, vencera a religião do pai, e por muito tempo. A pressão do meio patriarcal era exageradamente forte para que fosse introduzida a menor mudança na condição feminina, e apenas admitida uma melhora na imagem da mulher. O Deus dos patriarcas continuava a triunfar frente àqueles mesmos que tinham seguido Cristo. A lenda de Eva, ainda por muito tempo, ia ocultar a exemplar Maria."

Os "pais" da Igreja encarregam-se de fazer com que Maria seja completamente distante das outras mulheres e, dessa forma, marcam a semelhança destas com Eva. Santo Agostinho definia a mulher como: "Um animal que não é firme, nem estável, odiável, nutridor de maldade (...) ela é a fonte de todas as discussões, querelas e injustiças."[62] Apesar de Maria passar a ser o maior símbolo de bondade e altruísmo, as mulheres continuaram a ser reprimidas, humilhadas e violentadas.

Horror ao sexo

A ideia do homem como superior à mulher em todos os sentidos foi absorvida pelas leis e pelos costumes das antigas civilizações do Oriente Próximo. A mulher se tornou, primeiro, propriedade do pai, depois, do marido, e, em seguida, do filho. Quando a Igreja cristã, solidamente baseada em fundações hebreias, tomou conta do mundo ocidental como sucessora de Roma, os relacionamentos social e sexual ficaram fossilizados no âmbar do costume hebreu antigo. Aos preconceitos do Oriente Próximo os pais da Igreja acrescentaram os seus. O sexo foi transformado em pecado e a homossexualidade em um risco para o Estado.[63]

Para os padres da Igreja o sexo era abominável. Argumentavam que a mulher (como um todo) e o homem (da cintura para baixo) eram criações do demônio. O sexo era "uma experiência da serpente" e o casamento "um sistema de vida repugnante e poluído".[64]

Notáveis pensadores cristãos como Tertuliano, Jerônimo, Agostinho, juntamente com São Paulo, deixaram as mais duradouras impressões em todas as ideias cristãs subsequentes sobre o sexo. Eles eram homens que haviam levado ativa vida sexual antes de se converterem ao celibato, e que depois reagiram com total repulsa ao sexo.

Foi Agostinho quem disseminou o sentimento geral entre os padres da Igreja de que o intercurso sexual era fundamentalmente repulsivo. Arnóbio o chamou de sujo e degradante. Metódio, de indecoroso; Jerônimo, de imundo; Tertuliano, de vergonhoso. Entre eles havia um consenso não declarado de que Deus devia ter inventado um modo melhor de resolver o problema da procriação. Agostinho, posteriormente, concluiu que a culpa não era de Deus e, sim, de Adão e Eva.[65]

A Igreja desenvolveu horror aos prazeres do corpo, e as pessoas que se abstinham e optavam pelo celibato eram consideradas superiores. Mateus disse: "Homens se farão eunucos voluntários."

Luta contra o sexo até no casamento

A condenação de toda fornicação era uma novidade da religião cristã. O Antigo Testamento, como a maioria dos códigos da civilização antiga, proíbe apenas o adultério, que significa relações com mulher casada. Para os cristãos, toda relação sexual, mesmo dentro do casamento, era lamentável.

São Paulo, no século I, estabeleceu os fundamentos de que o celibato era superior ao casamento. Dizia que era uma condição mais cristã, uma vez que não acarretava obrigações mundanas passíveis de interferir com a devoção ao Senhor. Reconheceu que isso requeria uma dose de controle que nem todos podiam alcançar. Assim, o casamento era um paliativo: "É melhor casar do que arder (em desejo)."

Paulo afirma que a relação sexual, mesmo no casamento, é um obstáculo no caminho da salvação (1 Co 7:32-34). Não há a menor sugestão de que no casamento possa haver um bem positivo ou que o afeto entre marido e mulher seja belo e desejável. Tampouco manifesta o menor interesse pela família; a fornicação ocupa o lugar central nos seus pensamentos, e sua ética sexual gira em torno dela. São Paulo insiste na superioridade da virgindade: "Ligando-se ao Senhor para agradar somente a ele, o fiel atesta que o mundo presente, do qual faz parte o casamento, encaminha-se para seu fim."[66] A castidade é glorificada pelo celibato de Cristo e pela virgindade de Maria. A sexualidade aparece sempre ao lado da mácula, antagônica ao sagrado.

A Igreja assumiu um ponto de vista diferente de São Paulo. Segundo ele, o casamento era uma válvula para o desejo carnal. Em suas palavras não se percebe qualquer objeção ao controle da natalidade. Na doutrina cristã ortodoxa, o matrimônio tem duas finalidades: a reconhecida por São Paulo e a procriação. A consequência foi tornar a moralidade sexual ainda mais difícil do que em São Paulo. A relação sexual só é legítima dentro do matrimônio e, além disso, passa a ser pecado, mesmo dentro dele, se não houver esperança de gerar gravidez. "O fato é que o intuito positivo do matrimônio, a procriação, desempenha papel muito subalterno, continuando seu principal propósito ser, como em São Paulo, a prevenção do pecado. A fornicação continua ocupando o centro das atenções, sendo o matrimônio ainda essencialmente uma alternativa um pouco menos lamentável."[67]

Para a Igreja Católica, o casamento é indissolúvel, trata-se de um sacramento. "Não importa o que façam os cônjuges, mesmo que um deles fique louco, ou sifilítico, ou bêbado contumaz, ou viva ostensivamente com outrem, a união dos dois continua sagrada e, mesmo que em certas circunstâncias uma separação seja concedida, nunca pode ser dado o direito de tornar a casar.

Naturalmente, em muitos casos, isso provoca tremendo sofrimento, mas como este sofrimento é a vontade de Deus, tem que ser suportado."[68]

Atualmente, é comum se falar da família como se fosse uma invenção cristã, mas os predecessores da Igreja de hoje tendiam a atribuí-la ao demônio. "Case-se se for necessário", diziam aos leigos os padres da Igreja, acrescentando que os filhos eram um "prazer dos mais amargos", sendo as esposas, por definição, fracas e frágeis, lentas de entendimento, emocionalmente instáveis, fúteis, hipócritas e totalmente indignas de confiança.[69] O sexo conjugal era uma constrangedora aventura, embora João Crisóstomo e Metódio concedessem que, se o marido e a esposa racionassem seus carinhos, a felicidade matrimonial não seria necessariamente um obstáculo insuperável para a salvação. A dificuldade fundamental, então, era ligar a sexualidade ao casamento. Necessário à procriação, o ato sexual é um bem; ele está, porém, sempre maculado pela busca do prazer, que é um mal. Em 1444, o franciscano Nicolo de Osino acrescenta que "o ato dos cônjuges só está isento de pecado se entre eles não houver o prazer da volúpia". O que, fisiologicamente, é quase irrealizável, equivalendo a culpabilizar todos os casais.[70] E, para São Jerônimo, o homem apaixonado em excesso por sua mulher comete um verdadeiro adultério. A ambivalência entre casamento e sexualidade observa-se no mais antigo e durável dos ritos de casamento cristão na Gália. Desde o século XI o casal é abençoado na porta ou dentro do quarto nupcial, após um rito de purificação pela aspersão de sal. A sexualidade no casamento é abençoada, mas exige purificação. Da mesma forma, o homem que se relacionasse sexualmente com sua esposa deveria abster-se por algum tempo de entrar na igreja, em respeito pelo lugar santo.[71]

O corpo: nem beleza nem limpeza

O cristianismo condenará o corpo e tudo o que se tornou matéria perecível em consequência do pecado original. O antissexualismo se torna um refrão obsessivo no decorrer dos tempos. Até o Renascimento, no século XVI, a condenação da sexualidade só irá crescer.[72]

"A mulher, tinha dito São Pedro, deveria ornamentar-se não com os cabelos trançados, braceletes de ouro e roupas finas, mas com a joia imperecível de um espírito sossegado e gentil, o que é muito precioso diante de Deus."[73]

Os apóstolos eram inflexíveis no que consideravam ser o dever de toda boa cristã. Ela deveria esconder seus encantos, usar véu na igreja e jamais usar cosméticos. São Jerônimo os chamou de "cataplasmas da luxúria" e acrescentou: "O que pode uma mulher esperar do céu quando, em súplica, ergue uma face que seu criador não reconhece?"[74]

A Igreja atacou o hábito do banho, considerando que qualquer coisa que tornasse o corpo mais atraente era incentivo ao pecado. Santa Paula acreditava que a pureza do corpo e das vestes significava a impureza da alma. Os piolhos eram chamados de pérolas de Deus, e estar sempre coberto por eles era marca indispensável de santidade.[75]

Os exemplos da falta de higiene como pré-requisito para a salvação da alma são muitos: o eremita Santo Abraão viveu 50 anos depois de ter se convertido e, durante todo esse tempo, recusou-se terminantemente a lavar o rosto e os pés. Uma virgem muito conhecida, Sílvia, ficou doente em consequência dos seus hábitos. Estava com 60 anos e, por princípio religioso, recusou-se durante grande parte da sua vida a lavar qualquer parte do corpo, com exceção dos dedos. Santa Eufrásia entrou para um convento de 130 freiras que nunca lavavam os pés e que estremeciam à ideia de banho.[76]

A mulher representava a porta do inferno, a mãe de todos os males humanos. Devia envergonhar-se da própria ideia de ser mulher. Devia viver em penitência contínua, por causa das maldições que havia atraído sobre o mundo. Devia envergonhar-se de sua roupa, por ser a recordação de sua queda. Devia envergonhar-se especialmente de sua beleza, porquanto é o instrumento mais potente do demônio. Com efeito, a beleza física era o tema perpétuo de denúncias eclesiásticas.

Regras e normas para o sexo

Em geral, a Igreja via o casamento como uma série de concessões à fraqueza humana — necessidade de companheirismo, sexo e filhos — e fazia o possível para sabotá-lo. Mais especificamente, ela se recusava a considerar o sexo como parte integrante do casamento.[77]

As proibições são muitas e detalhadas. Durante o coito, só é permitida uma posição: o homem estendido sobre a mulher, ela deitada de costas, pernas abertas. São editados alguns tabus referentes ao tempo ou local das relações sexuais: proibido copular na véspera dos dias santos e de festas, nos dias de jejum e abstinência, antes da comunhão, durante os períodos de menstruação, em locais ditos sagrados etc.[78]

Certos teólogos, mais rígidos, recomendavam a abstenção nas quintas-feiras, em memória da prisão de Cristo; nas sextas-feiras, em memória de sua morte; aos sábados, em honra à Virgem Maria; aos domingos, em homenagem à Ressurreição; e às segundas-feiras, em comemoração aos mortos. As terças e quartas-feiras eram amplamente abrangidas por uma proibição de relação sexual durante jejuns e festivais — os 40 dias antes da Páscoa, Pentecostes e Natal; os sete, cinco ou três dias antes da comunhão e assim por diante.[79]

Todos são pecadores

Em todas as épocas foi dada uma importância enorme, nos manuais de confissão, aos pecados de luxúria e volúpia, mesmo cometidos com o cônjuge legítimo. Jacques Ruffié faz uma análise interessante do que chama de bom uso da culpabilização:[80]

"A partir de considerações dogmáticas (o pecado original, o corpo se tornou putrescível e, portanto, perecível), a Igreja faz uso eficaz da sexualidade, regulamentando-a nos mínimos detalhes. Os guias para uso dos confessores estão repletos de detalhes espantosos.

"Os penitentes são convidados a se lembrar se acaso não pecaram com toques, beijos e outros gestos desonestos, que podem ser pecados mortais e não convêm à santidade do casamento. Ocorre o mesmo com pecados contra a natureza, tais como o onanismo e a masturbação. Num penitencial anônimo de 1490, a fornicação é mais detestável do que o homicídio ou o roubo, que são substancialmente maus. Pois, em caso de necessidade, podemos ser levados a matar ou roubar, mas nada obriga a fornicar. Esse tabu sexual, ou melhor, essa proibição do prazer, impregnará por muito tempo a cultura ocidental. O seu peso é perceptível ainda hoje. A Igreja se aproveitava da proibição sexual para exercer, por meio da confissão auditiva, um controle rigoroso sobre suas ovelhas, em países e numa época em que o simples fato de se confessar descrente podia levar à fogueira.

"Sem muita dificuldade, podemos nos abster de matar o vizinho ou de roubar-lhe as galinhas. É mais difícil não desejar sua mulher, pelo menos mentalmente, quando ela é desejável. E é quase impossível escapar-lhe, se a dita mulher, compreendendo nosso sentimento, dele partilha e vem entregar-se.

"Na realidade cotidiana, poucos homens ou mulheres, um dia ou outro, terão tido vontade de cometer um homicídio ou roubo. Mas todos, ou quase, terão sido solicitados para uma ou várias aventuras extraconjugais. Encarregando-se do controle da sexualidade e traçando-lhe limites estreitos, o cristianismo faz de todo homem um pecador, tendo-o à sua mercê, pois somente a Igreja, com o sacramento da penitência, possui a chave da Redenção. E esse método é tão eficaz que o pecador reincidirá, quase que inelutavelmente."

Em 1183, a Igreja cria os tribunais da Inquisição, com o objetivo inicial de combater a luxúria, pois temia que a liberdade sexual se generalizasse entre o povo e lhe tirasse toda a autoridade.

A Inquisição considera o apetite sexual demoníaco e o persegue intensamente. Qualquer moça atraente é suspeita de bruxaria e de ter relações sexuais com satã. Este é representado com pênis longo, duro, guarnecido de ferro e de escamas, de onde escorre um esperma glacial. Apesar de provada a virgindade anatômica, jovens são condenadas à fogueira, acusadas de ter relações com o diabo e de atrair para suas redes padres e bispos, além de acasalarem--se com animais, especialmente gatos pretos. As pessoas são facilmente transformadas em cúmplices do maligno, bastando uma simples mancha cutânea ou qualquer outro sinal, como uma crise de epilepsia. As condenações à morte pela fogueira se multiplicam.[81]

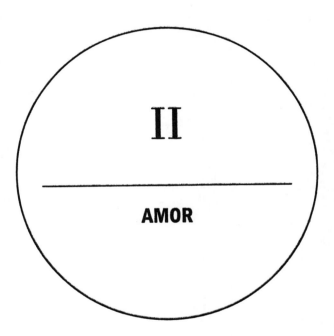

Amor cortês — começando a falar de amor

Um jovem solteiro assedia uma dama casada; portanto, impossível de ser conquistada. O adultério da esposa é a pior das transgressões, sendo seu cúmplice punido rigorosamente. A mulher pertence à nobreza, o marido é um poderoso senhor, mas seu apaixonado nada teme. Seu único objetivo é tornar-se merecedor do amor dela. A dama recusa seus favores. O jovem insiste. De joelhos, jura eterna fidelidade. Mil vezes repete seu lamento e canta seu amor. A amada o avalia, assegurando-se de que o cavaleiro possui um coração gentil, livre da luxúria. Ordena-lhe que se levante e beija-lhe a fronte. Ele é seu servo. Trocam olhares furtivos, comunicam-se com gestos e sinais. Compartilham um segredo. Estão unidos pelas leis da cortesia.

O amor cortês foi a primeira manifestação do amor como hoje o conhecemos, uma relação pessoal. Tendo surgido no século XII com os trovadores pertencentes à nobreza da Provença, mais tarde se estendeu a outras regiões da Europa. Na Alemanha, esses poetas líricos são conhecidos como *minnesingers,* os cantores do amor.[1] Até então, o que havia era o desejo sexual e a busca de sua satisfação, muito diferente da experiência de apaixonar-se, vivida por esses jovens. O amor os fazia elevar-se espiritualmente, naquela espécie de arrebatamento que deriva do encontro de olhares, como se diz na tradição trovadoresca, uma experiência entre duas pessoas.[2]

Do amor fazem parte a aventura e a liberdade, e não as obrigações e as dívidas, e por ser um dom livremente dado, não cabia no casamento, que era um contrato comercial sem espaço para considerações pessoais. A virtude era o atributo que isentava esse amor de toda carnalidade. Os trovadores nunca cantavam o amor consumado. A maioria rejeitava claramente todo desejo de possuir suas damas. Exaltavam o amor infeliz, eternamente insatisfeito. "Na Alemanha, por exemplo, o cavaleiro considerava a fidelidade como virtude primária — a Deus, a seu suserano e a sua dama, nesta ordem. O que o *minnedienst* (serviço ao amor) requeria dele era ganhar a simpatia de sua dama, lutar por ela e dela não esperar outra recompensa além de uma palavra de louvor. Se algum malicioso viajante do tempo, no século XII, tivesse raptado a dama, substituindo-a pelo regimento ou pela bandeira, o cavaleiro medieval talvez nem se apercebesse do fato."[3]

O amor cortês respeitoso pelas mulheres surgiu como tema central na poesia e na vida. Ao contrário da ideia estabelecida da mulher dominada e desprezada e do homem dominador e brutal, a visão trovadoresca reverteu essa imagem, trazendo um enfoque característico do período Neolítico: a mulher poderosa é honrada e o homem honrado e gentil. Nessa época, em que a selvageria e a devassidão masculina eram a norma, os conceitos trovadorescos de cavalheirismo, apesar de não serem novos, foram, de fato, revolucionários.[4]

A vida conjugal

A Igreja lutava havia vários séculos para conseguir que a classe sacerdotal se tornasse casta, visto que o celibato era para eles símbolo de autoridade moral. Na última parte do século XI, com o papado achando-se mais forte, Gregório VII expediu uma proibição contra o casamento clerical. A abstinência sexual parecia garantir a superioridade dos padres. Houve violentas reações em algumas partes do mundo — os alemães anunciaram que preferiam desistir da vida do que das esposas —, mas a Igreja terminou vencendo e ficou estabelecido o princípio do celibato, nem sempre cumprido, como ilustra o caso de um bispo de Liège que, na época de sua deposição, em 1274, era pai de 65 filhos ilegítimos.[5] Inversamente, os bispos prescreveram aos leigos o casamento para melhor controlá-los e represar-lhes a devassidão. Por ser uma instituição que assegura a reprodução da sociedade, principalmente em relação à estabilidade dos poderes e das fortunas, não lhes cabe acolher a paixão, a fantasia ou o prazer. O casamento impõe o sério, a compostura. Era consenso no século XII que no casamento poderia haver estima, mas nunca amor, porque o amor sensual, o desejo, o impulso do corpo é a perturbação, a desordem. Deve ser rejeitado no matrimônio, que exige austeridade; a paixão não deve se misturar aos assuntos conjugais.[6]

Várias regras são impostas para que os cônjuges se enquadrem num modelo aceito pela Igreja: indissolubilidade do vínculo conjugal, procriação como única justificativa para a cópula e pretensão de eliminar desta última todo o prazer. Os nobres e os cavaleiros reagem porque, além de desejar gozar a vida como chefes de família, responsáveis pelo destino de uma linhagem, acham legítimo repudiar livremente suas mulheres, se elas não lhes dão herdeiros masculinos, e esposar suas primas, se essa união permitir reagrupar a herança.[7]

Nesse meio social, todos os casamentos são arranjados. O homem que toma a mulher, qualquer que seja sua idade, deve comportar-se como *sênior* (mais velho, senhor) e mantê-la sob seu estrito controle. O amor do marido por sua mulher se chama estima, o da mulher por seu marido se chama reverência.[8] "É obstinadamente proclamado que a mulher é um ser fraco, que deve necessariamente ser subjugada porque é naturalmente perversa, que está destinada a servir ao homem no casamento e que o homem tem o poder legítimo de servir-se dela. Em segundo lugar vem a ideia, correlata, de que o casamento forma o embasamento da ordem social, e que essa ordem se funda sobre uma relação de desigualdade e reverência."[9]

Aos 12 anos, a menina podia ser tirada do universo fechado onde havia sido criada desde o nascimento, conduzida com grande pompa a um leito e colocada nos braços de um homem que jamais vira. Como o casamento não é o lugar do amor, marido e mulher são proibidos de se lançarem um ao outro com ardor. "É com certeza o que pretende expressar esse capitel esculpido na nave da igreja de Civaux, no Poitou: veem-se aí os dois cônjuges lado a lado, mas de frente, sem se olhar: ela olha para o céu e ele... para quem olha ele? para a *meretrix,* o amor venal, para a *amica,* o amor livre, o amor jogo."[10]

As relações do casal eram pouco afetivas e os padres da Igreja, apesar de todo o medo que tinham da feminilidade, se esforçavam para reconfortar as mulheres que tinham sido abandonadas, repudiadas, humilhadas ou surradas.

O historiador Georges Duby relata que, numa carta, o abade Adam da Abadia de Perseigne tenta consolar e orientar a condessa de Perche.[11] Esta, inclinada a se retirar, a se recusar, mas, hesitante, perguntava-se quais os deveres da mulher casada, até onde ela deve dobrar-se às exigências do esposo, qual é exatamente o montante do *debitum,* já que era assim que o discurso moralizante definia o fundamento do afeto conjugal. Tentando iluminar essa consciência inquieta, o abade esclarece que, na pessoa humana, Deus é proprietário da alma e do corpo. Mas que, segundo a lei do casamento que Ele mesmo instituiu, concede ao esposo o direito sobre o corpo da mulher. O esposo se torna o usufrutuário, autorizado a servir-se dele, a explorá-lo, a fazê-lo dar fruto. Mas Deus guarda para Si a alma: "Deus não permite que a alma passe para a posse de outrem." A condessa de Perche deve sempre lembrar que na realidade tem dois esposos a quem deve servir, um investido do direito de uso sobre seu corpo, e o outro, senhor absoluto de sua alma. Deve dar a cada um o que lhe é devido: "Seria injusto transferir o direito de um ou de outro para uso estranho." A condessa, apesar de incapaz de vencer sua repugnância, não pode recusar o corpo do marido. **Por outro lado, estaria cometendo também uma injustiça se, ao** mesmo tempo que entregasse seu corpo ao marido, entregasse também sua alma: "Quando o esposo de carne se une a ti, põe a tua alegria na satisfação em permanecer ligada, espiritualmente, ao teu esposo celeste."

Essa carta foi escrita para que a mensagem fosse largamente difundida, como um sermão, para que ensinasse aos cristãos como amar no casamento.

O poder da nobreza

A partir do ano 800, a Europa Ocidental começa a despertar da ignorância e do barbarismo. Os séculos XI e XII marcam o progresso da cultura, sendo o regime feudal o que mais caracteriza a estrutura social e política dessa época. O governo se descentraliza e se fragmenta. Os direitos do poder público, esfacelados, são distribuídos pelos nobres que governam seus feudos. Cada grande casa funciona como um pequeno Estado soberano. A maior parte dos palácios adquire autonomia e um sistema de suserania e vassalagem, em que o direito de propriedade dá direito a governar. Os nobres que ocupam os palácios consideram o poder que o rei delegou a seus ancestrais como parte do seu patrimônio. Seu parentesco, da mesma forma que o parentesco real, organiza-se em linhagem. Seu contato com o soberano escasseia porque reivindicam para si próprios os emblemas e as virtudes da realeza.

Seu afastamento, assim como o dos bispos, diminui muito o que havia de público na corte real. "Passando o decênio de 1050 a 60, o rei Capeto não era mais assistido senão por parentes muito próximos, por alguns camaradas de caça e de combate, enfim, pelos chefes de seus serviços domésticos, e o poder de paz e de justiça via-se, decididamente, exercido de maneira local por príncipes independentes."[12]

Em sua essência, o feudo era um benefício que se tornava hereditário. O homem que doava o feudo era um senhor ou suserano, qualquer que fosse sua categoria, e aquele que o recebia a fim de possuí-lo e transmiti-lo a seus descendentes era um vassalo, quer fosse um cavaleiro, um conde ou um duque. Na França e em outros países vigorava a lei da primogenitura, pela qual o feudo era herdado inteiro apenas pelo filho mais velho. Geralmente, o rei era o mais alto suserano, logo abaixo dele vindo os príncipes, que eram os grandes nobres. Por sua vez, esses nobres dividiam os seus feudos e concediam as subdivisões a nobres inferiores, que passavam a ser vassalos daqueles e comumente eram chamados viscondes e barões. No grau mais baixo da escala ficavam os cavaleiros, cujos feudos não podiam ser divididos. Desse modo, cada senhor, exceto o rei, era vassalo de algum outro senhor, e todo vassalo, exceto o cavaleiro, era senhor de outros vassalos.

A relação entre o suserano e seus vassalos é uma relação contratual, envolvendo obrigações recíprocas. Em troca da proteção e da assistência econômica que recebem, os vassalos devem obedecer a seu senhor, servi-lo lealmente e compensá-lo com tributos correspondentes aos serviços por ele prestados no interesse dos primeiros.

Os príncipes abrigam sob suas asas certo número de casas subalternas, cada qual dirigida por um grande, que exerce sobre uma parcela da população um poder análogo ao seu. Essas casas-satélites são os castelos que gozam de autonomia. Há uma hierarquia de quatro graus: a casa real abarcando os príncipes; as casas principescas envolvendo, por sua vez, os castelos; cada torre, enfim, mantendo sob seu jugo a fração do povo estabelecida ao seu redor.[13]

No feudalismo, o povo foi dividido em duas partes, com a grande maioria explorada num modelo de servidão. O senhor tinha poder absoluto sobre seus servos. Podia apreender o que desejasse em suas casas, até as moças, para casá-las com quem quisesse — se o pai quisesse reservar-se esse direito, precisava comprá-lo.

Os pátios reservados aos servos não eram mais que anexos da casa do senhor, proprietário do que se encontrasse neles — homens, mulheres, jovens, bens, animais —, como o era de seu forno, de seus próprios estábulos e de suas granjas. A outra parte do povo era formada por alguns varões, que assumiam integralmente o ofício cívico primordial, o serviço das armas, munido do melhor equipamento: os cavaleiros.[14]

Os cavaleiros

Jovens, filhos da nobreza, à maioria dos cavaleiros é vetada a vida conjugal e a herança. Cumprem a função que lhes é destinada na fortaleza. Reunidos ali, lançam o grito do castelo sempre que a paz pública se vê ameaçada. São submetidos ao senhor do castelo da mesma forma que este se submete ao príncipe. O senhor se refere a eles como "seus cavaleiros", numa relação bastante familiar. Chegando à idade adulta, cada um dos guerreiros do castelo confia seu corpo ao chefe da fortaleza por meio de gestos que exprimem a entrega de si e selam a fidelidade recíproca. Os cavaleiros aparecem na subscrição dos atos do senhor, fazendo parte do mesmo grupo dos consanguíneos deste. O suserano se considera no dever de sustentar seus fiéis, alimentá-los fartamente em sua mesa e, eventualmente, conceder-lhes meios de viver por conta própria, um feudo. Uma das obrigações dos cavaleiros é manter o povo sob jugo. Nas cavalgadas de intimidação em torno do castelo, mostram a superioridade do homem a cavalo, agente do poder de coerção.[15]

É necessário que o senhor mantenha a disciplina e a ordem na sociedade doméstica. Tumultos surgem de todos os lados. Esses homens de guerra e torneio, bem armados, tornam-se abertamente violentos. Há uma rivalidade permanente entre eles, os mais novos invejando os mais velhos, todos disputando os favores do senhor, cada qual esforçando-se em eclipsar os outros, denegrindo-os, desferindo-lhes golpes baixos em cada ocasião. Para conter a turbulência, algumas medidas são tentadas: a expulsão dos mais agitados; viagem financiada pelo pai de família, que afasta para longe de casa por um ou dois anos, após a cerimônia de sagração como cavaleiro, o filho mais velho e os outros cavaleiros novos. Todos os jovens são assim convidados a extravasar na errância, provisoriamente, o excesso de seu ardor.[16]

O jogo do amor

As estratégias matrimoniais e a moral que as sustentava na sociedade aristocrática prepararam o terreno para o jogo da relação amorosa entre o cavaleiro e a dama. O patrimônio da nobreza suporta cada vez menos ser dividido. Os senhores tentam casar todas as filhas excluídas da partilha de sucessão, entregando-lhes dotes. Por temor de fragmentar a herança, mantêm solteiros os filhos homens, com exceção do mais velho. Multiplicando-se os homens solteiros, o século XII transformou-se no tempo dos jovens, dos cavaleiros celibatários, sonhando em vão encontrar donzelas para que possam se tornar senhores. Esses rapazes invejam quem tem esposa no leito. Não é uma questão sexual, o que desejam intensamente é ter uma companheira legítima, a fim de fundar sua própria casa, estabelecer-se. Por conta dessa privação, as fantasias de agressão e rapto povoam o imaginário.

O amor cortês nasceu como uma reação contra a anarquia dos costumes feudais. Cada qual guiando-se por si, eram comuns as violações de todas as normas. Em meio a essa brutalidade, as mulheres representavam a força civilizadora, pois elas estabeleciam as regras do jogo. Os homens jogavam de acordo com as exigências delas. O código criado se aplicava no exterior da área conjugal, funcionando como um complemento do direito matrimonial, e era necessário para refrear a violência, nesse progresso em direção à civilidade: "Esperava-se que esse código ritualizando o desejo orientasse para a regularidade, para uma espécie de legitimidade às insatisfações dos esposos, de suas damas e, sobretudo, dessa inquietante multidão de homens turbulentos que os costumes familiares forçavam ao celibato."[17]

Os problemas políticos e com respeito à ordem pública podiam ser mais facilmente regulados e ordenados com a ajuda desse novo código das relações entre homens e mulheres. Nas cortes do século XII foram elaborados os textos que explicitam suas regras, sob a observação do príncipe e para corresponder à sua expectativa. "Era um meio de reforçar o domínio da autoridade soberana sobre essa categoria social, então a mais útil talvez à reconstituição do Estado, mas a menos dócil, a cavalaria."[18]

O código do amor cavaleiresco foi apresentado como um dos privilégios do homem cortês. O amor delicado, como era chamado na época, era um jogo educativo. Contribuía para manter a ordem, domesticando a juventude. Incentivava a repressão dos impulsos. O homem era testado para assegurar que seria capaz de sofrer por amor, e que este não tinha caráter sexual. Arriscava a vida nesse jogo, na intenção de completar-se e aumentar seu valor. Os caçulas, que não podiam esperar herança, tentavam distinguir-se do grupo, afirmando sua proeza e valentia. Esforçavam-se para sobrepujar os concorrentes e ganhar o prêmio: a dama. Esta, por sua vez, tinha a função de estimular o ardor dos jovens, apreciando as virtudes de cada um e arbitrando as rivalidades sempre presentes. "Para isso, era convidada a enfeitar-se, a disfarçar-se e a revelar seus atrativos, a recusar-se por longo tempo, a só se dar parcimoniosamente, por concessões progressivas, a fim de que, nos prolongamentos da tentação e do perigo, o jovem aprendesse a dominar-se, a controlar seu próprio corpo."[19] O vencedor era o que a tinha servido melhor e era por ela, então, coroado.

O senhor aceitava colocar a esposa no centro da competição, era um chamariz, uma isca. Ele a oferecia até certo ponto, como a aposta de um concurso em que as regras sofisticadas levavam os participantes a dominarem-se cada vez mais. O dever de um bom vassalo era servir, e isso o amor cortês ensinava bem. Assim, praticavam a submissão, a fidelidade, o esquecimento de si e o desejo do bem do outro mais do que o seu próprio. O que mais poderia desejar um senhor dos seus vassalos? "Servindo à sua esposa, era o amor do príncipe que os jovens queriam ganhar, esforçando-se, dobrando-se, curvando-se. Assim como sustentavam a moral do casamento, as regras do *amor delicado* vinham reforçar as regras da moral vassálica. Elas sustentaram assim, na França, na segunda metade do século XII, o renascimento do Estado."[20]

A origem do amor cortês

O movimento maniqueísta, cujo nome se originou do profeta persa Manes, foi uma das mais poderosas entre as primeiras religiões. Na Europa, foi chamado de catarismo, pois seus seguidores se autodenominavam cátaros, significando "puros". Na França do século XII, a maioria das pessoas praticava o catarismo, apesar de aparentemente cristãs. Foram consideradas hereges e perseguidas, e todos os livros do culto e tratados dessa doutrina foram queimados pela Inquisição.

Durante muito tempo, o que se soube dos cátaros foi através dos interrogatórios dos acusados, sempre deturpados pelos escrivães. Somente em 1939 foi descoberto e publicado um tratado teológico, o *Livro dos dois princípios,* e desvendados os rituais utilizados, permitindo conhecer os dogmas da Igreja do Amor, nome eventualmente dado à heresia, também chamada albigense.[21]

Os cátaros acreditavam que o amor verdadeiro era a adoração de uma mulher redentora, uma mediadora entre Deus e o homem, "que recebia com um beijo sagrado todo 'puro' que chegava ao céu e em seguida conduzia ele, ou ela, até o Reino da Luz". Veneravam essa figura feminina que nos aguardava no céu para nos conduzir à presença de Deus.

O amor humano entre marido e mulher, bem como qualquer sexualidade nele contida, era visto como bestial e não espiritual. O mundo, feito de bem e mal absolutos. O espírito é bom, mas o mundo físico é mau. A busca do bem implicava a libertação dos prazeres da carne. Na preparação espiritual do homem cátaro, a mulher não era vista como esposa, companheira mortal ou parceira sexual, mas como uma imagem da Redentora — "adorada com paixão, mas sempre um símbolo, sempre um lembrete de um 'outro mundo', cheio de pureza e luz".[22] Evitavam, assim, o casamento e o sexo.

Impedido de ser praticado, condenado à segregação, o catarismo reapareceu sob outra forma. Uma poesia inteiramente nova nasce no sul da França, pátria cátara: ela celebra a Dama dos pensamentos, a ideia platônica do princípio feminino, o culto do amor contra o casamento e, ao mesmo tempo, a castidade.[23]

Os ensinamentos e os ideais cátaros se evidenciam no culto do amor cortês. Alguns historiadores acreditam que o amor cortês foi uma continuação profana deliberada do catarismo, e que os cavaleiros e as damas que primeiro o praticaram eram cátaros, dando prosseguimento às suas práticas religiosas sob o disfarce de um culto leigo do amor. "Para os de fora, parecia ser uma nova e elegante maneira de fazer a corte, de lisonjear e conquistar belas damas, mas para os que conheciam o 'código', era uma prática alegórica dos ideais cátaros."[24]

De qualquer forma, o ideal do amor cortês espalhou-se rapidamente pelas cortes feudais de toda a Europa medieval e transformou o comportamento de homens e mulheres em relação ao amor, à afinidade, aos sentimentos elevados, à experiência espiritual e à ânsia de beleza. Essa revolução amadureceu, dando origem ao que chamamos de romantismo.[25]

O romantismo, por sua vez, também transformou o comportamento dos homens diante das mulheres, mas deixou uma estranha divisão nos sentimentos. Por um lado, os ocidentais passaram a ver a mulher como a encarnação de tudo o que era puro, sagrado e completo. Mas, por outro, ainda submetidos à mentalidade patriarcal, os homens continuaram vendo a mulher como inferior, veículo do sentimentalismo, da irracionalidade e da apatia.[26]

"Ainda não ocorreu ao homem ocidental a possibilidade de deixar de encarar a mulher como símbolo de alguma coisa e começar a vê-la simplesmente como uma mulher — como um ser humano. Ele está enredado na ambivalência que experimenta em relação ao seu próprio interior feminino, às vezes correndo em direção a ele em busca de sua alma perdida, às vezes desdenhando-o como uma desnecessária complicação em sua vida, uma 'peça solta na engrenagem' de seu maquinário patriarcal. Esta é a fratura não cicatrizada dentro do homem e que ele projeta sobre a mulher, é a guerra que ele trava à custa da mulher."[27]

O amor romântico não era desconhecido na época pré-medieval; porém, foi apenas na Idade Média que se tornou uma forma reconhecida de paixão. A essência do amor romântico é considerar o objeto amado imensamente precioso e muito difícil de possuir. Grandes e variados esforços são desenvolvidos para conquistar o amor desse objeto amado. "A crença do valor imenso da mulher é efeito psicológico da dificuldade de conquistá-la, e creio que se pode afirmar que quando um homem não tem dificuldade de alcançar uma mulher, seu sentimento por ela não assume a forma de amor romântico."[28]

Um homem que amasse profundamente e respeitasse uma mulher acharia impossível ligá-la à ideia de relação sexual. Seu amor, portanto, assumiria formas poéticas e imaginativas, enchendo-se naturalmente de simbolismo. Ele sentia que a vibração transcendental contida na adoração não podia se misturar com um relacionamento pessoal, com o casamento ou o contato físico.[29]

Em época relativamente recente, após a Revolução Francesa e a industrialização, surgiu a ideia de que o casamento deve ser o resultado do amor romântico. Hoje, quase todas as pessoas misturam romance com sexo e casamento como se fosse natural, sem ter ideia de que é uma inovação revolucionária.

"O principal conceito que não se modificou no decorrer dos séculos é a crença inconsciente de que o 'amor verdadeiro' deve ser uma adoração religiosa mútua tão irresistível que nos faça sentir que todo o céu e a terra nos são desvelados graças a esse amor. Mas, ao contrário de nossos antepassados 'corteses', tentamos trazer essa adoração para nossa vida pessoal, misturando-a com o sexo, o casamento, o preparo do café da manhã, as contas a pagar e os filhos para criar."[30] O resultado é desastroso e bastante conhecido. Mais adiante vamos examiná-lo com detalhes.

O mito do amor romântico

Tristão e Isolda

O ideal do amor romântico surgiu na literatura com o mito de Tristão e Isolda. Por ter sido a primeira história a lidar com o amor romântico e também por ser considerada a maior história de amor do mundo, originou toda a nossa literatura romântica, desde Romeu e Julieta até a história de amor a que assistimos no cinema e nas novelas de TV.

"Não é preciso ter lido o Tristão de Béroul ou o de Bédier nem ter ouvido a ópera de Wagner para sentir na vida cotidiana a força nostálgica de tal mito. Ele se manifesta na maioria de nossos romances e filmes, no êxito que obtém junto às massas, na satisfação que desperta no coração dos burgueses, poetas, malcasados e jovens aprendizes que sonham com amores miraculosos. O mito age onde quer que a paixão seja sonhada como um ideal e não temida como uma febre maligna; onde quer que sua fatalidade seja chamada, invocada, imaginada como uma bela e desejada catástrofe, e não como uma catástrofe."[31]

A primeira versão conhecida foi escrita por volta de 1185, quando floresceu o amor cortês.

Tristão, órfão de mãe — Brancaflor não sobrevive ao seu nascimento —, acaba de perder o pai. O irmão de sua mãe, o rei Marcos da Cornualha, leva-o para viver em seu castelo, em Tintagel, e o educa. Quando chega à idade de se tornar cavaleiro, Tristão combate Morholt, o gigante irlandês. Mata-o, mas é ferido por sua espada envenenada. Sem esperança de sobreviver, parte sem destino num barco sem velas nem remos, levando consigo apenas a espada e a harpa. O barco chega à costa irlandesa. A rainha da Irlanda é a única pessoa que possui o remédio que pode salvá-lo, mas o gigante Morholt era irmão da rainha e, por isso, Tristão não revela seu nome nem como foi ferido. Isolda, a filha da rainha, o trata e o cura. Ele retorna a Tintagel.

Anos depois, Tristão é enviado em uma expedição de busca. O rei Marcos decide casar-se com a mulher de cujos cabelos um pássaro lhe trouxera um fio de ouro, e Tristão deverá encontrá-la. Uma tempestade carrega o herói para a Irlanda. Lá, ele combate e mata um dragão que ameaçava a cidade. Ferido pelo monstro, é novamente tratado por Isolda. Um dia, ela descobre que ele é o assassino de seu tio e ameaça matá-lo, mas, ao revelar sua missão, Tristão é perdoado. O fio de cabelo é de Isolda, e ela deseja tornar-se rainha.

Tristão e Isolda partem para a Cornualha. O calor é sufocante. Eles têm sede e a aia Briolanja lhes dá de beber, por engano, uma poção de amor preparada pela mãe da jovem e que se destinava aos noivos. Logo, apaixonam-se loucamente e caem nos braços um do outro. Contudo, Tristão, movido pelo dever, conduz Isolda a Marcos e eles se casam. Briolanja, astuciosa, substitui Isolda, ocupando seu lugar no leito nupcial na noite do casamento. Livra, assim, sua senhora da desonra e, ao mesmo tempo, expia o erro fatal que cometera. Os barões traidores denunciam ao rei o amor de Tristão e Isolda. Tristão é banido, mas, graças a um novo ardil, convence Marcos de sua inocência e retorna à corte.

O anão Frocino, cúmplice dos barões, arma uma cilada para surpreender os amantes. Evidenciado o adultério, Isolda é entregue a um bando de leprosos, e Tristão, condenado à morte. Ele foge, salvando Isolda. Os amantes se escondem na floresta de Morois. Um dia, por acaso, o rei Marcos os encontra na floresta, dormindo.

A espada de Tristão repousava entre ele e Isolda, o rei considera isso um sinal de castidade e os poupa. Sem os despertar, retira a espada de Tristão e deixa em seu lugar a espada real.

Ao final de três anos, a poção de amor perde seu efeito. Tristão se arrepende, então, de ter traído o rei, e Isolda começa a sentir saudades de ser rainha. Com a ajuda do eremita Ogrin, Tristão propõe ao rei restituir sua mulher. Marcos promete perdoá-lo e os amantes retornam a Tintagel, separando-se à chegada do cortejo real. Isolda ainda suplica a Tristão que permaneça no reino até ela ter certeza de que Marcos a trata bem. Por fim, a rainha declara que, a um primeiro sinal do cavaleiro, partiria ao seu encontro, sem que nada pudesse detê-la, "nem torre, nem muralha, nem fortaleza".

Tristão e Isolda têm vários encontros secretos na casa de Orri, o lenhador. Como os barões traidores zelam pela virtude da rainha, ela pede e obtém um "julgamento de Deus" para provar sua inocência. Antes de segurar o ferro em brasa que deixa intacta a mão de quem não mentiu, ela jura que jamais esteve nos braços de nenhum homem, exceto o rei e o aldeão que ainda há pouco a ajudara a descer de sua barca. O aldeão é Tristão disfarçado...

Tristão parte para bem longe em novas aventuras e acaba acreditando que Isolda deixou de amá-lo. Casa-se, então, por seu nome e por sua beleza, com a "Isolda das mãos alvas". Tristão, no entanto, a deixará virgem porque ainda suspira pela outra Isolda. Mortalmente ferido e novamente envenenado por esse ferimento, Tristão manda chamar a rainha da Cornualha. Quando o navio de Isolda se aproxima, ela iça uma vela branca, sinal de esperança. Isolda das mãos alvas, atormentada pelo ciúme, vai até o leito de Tristão e anuncia que a vela é negra. Tristão se desespera e morre. Isolda desembarca nesse instante e sobe ao castelo. Vendo-o morto, deita-se a seu lado e o abraça, morrendo também.

Ao acabar de ler o romance de Tristão e Isolda, é inevitável que muitas perguntas nos venham à mente. A primeira e principal é:

como essa história de amor tão tola pode alimentar há tantos séculos as grandes paixões?

As outras perguntas dizem respeito a aspectos inexplicáveis da própria trama, como, por exemplo: por que Tristão colocou a espada da castidade entre seu corpo e o de Isolda na floresta? Já eram amantes, não estavam ainda arrependidos e não poderiam imaginar que o rei iria surpreendê-los. Por que Tristão, ao ouvir de Isolda que, a um primeiro sinal seu, nada a deteria, não faz nenhum sinal?

A trama é cheia de obstáculos a uma vida a dois. Obstáculos gratuitos, mas que levam Tristão a ter de superá-los para chegar à sua amada. E, quando nada externo os separa, surgem novos impedimentos. "Pode-se dizer que não perdem uma única oportunidade de se separar. Na falta de um obstáculo, eles o inventam, como foi o caso da espada desembainhada e do casamento de Tristão. Eles se comprazem em inventá-lo — embora sofram... O demônio do amor cortês, que inspira no coração dos amantes as artimanhas de onde nasce seu sofrimento, é o próprio demônio do *Romance*, tal como os ocidentais o amam."[32]

Mas, afinal, Tristão ama Isolda? É amado por ela? Não. Tristão e Isolda não se amam. Eles amam o amor, o próprio fato de amar. Tristão gosta de sentir amor, muito mais do que ama Isolda. Ele deseja lutar por ela, sofrer por ela, morrer por ela, mas não quer Isolda, quer amar. Ela, por sua vez, não tenta mantê-lo perto de si: satisfaz-se com um sonho apaixonado. Precisam um do outro para arder em paixão, mas não um do outro como cada um é.

Encontramos no nosso mundo muitos que desejam a paixão tanto quanto os amantes desse mito, embora a forma de persegui-la seja diferente. O comportamento de Tristão e Isolda é parecido com o que observamos nos amantes modernos, a diferença está na intensidade.[33]

À procura do amor romântico

Lígia tem 38 anos e vive com os dois filhos. Desde a separação do marido, há quatro anos, procurava um namorado. Desejava viver um grande amor, sem o qual julgava que nada tinha sentido. Os eventuais casos amorosos e mesmo os amigos com quem costumava se encontrar não a satisfaziam. Gostava do seu trabalho como gerente de uma agência de viagens. Era divertido e sempre conhecia gente interessante. O salário, somado à pensão do ex-marido, permitia-lhe uma vida confortável, mas isso não era suficiente. A falta de um homem na sua vida a atormentava. A cada encontro ou paquera, fantasiava um romance, e a frustração vinha na mesma medida da sua expectativa.

Nas últimas férias, foi visitar uma grande amiga de infância numa cidade do interior de São Paulo. Lá conheceu Roberto e sentiu ter encontrado, enfim, o amor há tanto tempo procurado. Voltou muito feliz e durante as três semanas seguintes não conseguia pensar ou falar em outra coisa. Conversavam todos os dias pelo telefone. Faziam planos de se encontrarem em breve. Tinha certeza de que não poderia mais viver sem ele e contava os minutos que faltavam para sua chegada. Trocou as cortinas do apartamento, comprou novas plantas para a varanda e objetos para a sala.

Alguns dias antes da chegada de Roberto, Lígia foi ao aniversário de uma amiga. Nessa festa foi apresentada a Sérgio. Dançaram juntos a noite toda. Ele, recém-separado, mostrou-se disponível para um relacionamento amoroso. Beijaram-se com ardor e, após a festa, dormiram juntos na casa de Lígia. Ela estava "loucamente apaixonada". Sérgio, que provisoriamente morava na casa de um amigo, mudou-se para sua casa.

Quando Roberto telefonou, tratou-o com frieza. Disse-lhe que não viesse mais ao Rio, pois teria que viajar. Sérgio, afinal, era o grande amor de sua vida. Sem perceber, falava dele do mesmo modo que de Roberto até a véspera, com a mesma paixão e a mesma intensidade.

Passados seis meses, Lígia estava entediada. Havia se afastado dos amigos e quase não saía mais de casa.

"Acho que ainda o amo. Mas ele tem umas coisas tão estranhas..."

O que aconteceu? Afinal, Lígia ama Sérgio? Então, não amava Roberto? Nada disso. Assim como Tristão e Isolda, Lígia ama o fato de amar, ama estar amando. Apaixona-se pela paixão. E não é um caso raro. Quase todas as pessoas na nossa cultura estão aprisionadas pelo mito do amor romântico e pela ideia de que só é possível haver felicidade se existir um grande amor. Principalmente as mulheres. Mesmo tendo vários interesses na vida e parecendo feliz, a mulher, quando está sozinha, sempre se pergunta se essa felicidade é real.

Não importa muito se a relação amorosa é limitadora ou tediosa. Qualquer coisa é melhor do que ficar sozinha. Fundamental é ter um homem ao lado, o resto se constrói — ou se inventa. Busca-se, portanto, desesperadamente, o amor. Acredita-se tanto nisso que sua ausência abala profundamente a autoestima de uma pessoa e faz com que se sinta desvalorizada. Os três exemplos a seguir ilustram bem como, ainda hoje, muitas mulheres se sentem quando não têm um parceiro amoroso.

Sílvia reencontrou uma grande amiga da época de faculdade. Psicólogas, eram ambas bastante ocupadas. Combinaram, então, encontrarem-se ao menos uma vez por mês para jantar. Os primeiros encontros foram ótimos. Falaram de seus projetos profissionais e de suas vidas pessoais. Mas Sílvia começou a ficar constrangida e, ansiosa, tentava sempre convidar algum conhecido do sexo masculino para compartilhar a mesa com elas. Nem sempre achava interessante o amigo escalado e reconhecia que esses encontros

estavam perdendo a graça. Perguntada sobre o que estava acontecendo, declarou envergonhada o que tanto a preocupava:

"Tenho medo de que as pessoas, ao me verem jantando sozinha
com uma amiga, pensem que estou jogada fora."

Sandra, mulher lindíssima, de 35 anos, chegou à sessão de análise muito triste. Comunicou-me, solene:

"Estou a pé."

Não compreendi, a princípio, a grande importância de estar sem
carro, mas, na verdade, "estar a pé" significava estar sozinha, sem
um homem. O namoro que mal havia começado já terminara e,
assim, tudo na sua vida perdia a cor.

Suzana estava completando 20 anos de casada quando seu
marido quis a separação. Apaixonado por outra mulher, arrumou
as malas e foi embora. Atônita, chorava muito, sendo consolada
pelos três filhos adolescentes. Com grande esforço, tentava reagir
e recomeçar a viver. Cuidar sozinha da casa e dos filhos, procurar
um trabalho, descobrir com quem podia contar e, o mais difícil de
tudo, responder a uma pergunta que a atormentava agora, após
tanto tempo à sombra do marido: quem sou eu?

Pouco depois da separação, foi passar um fim de semana no
sítio de uma amiga. Voltou mais infeliz ainda. Na despedida, a amiga
abraçou-a e, num tom de cobrança carinhosa, disse-lhe:

"Da próxima vez quero te ver com um namorado!"

Os dias foram passando e nada de o namorado aparecer. Suzana
começou a ficar aflita. Passou a se sentir desinteressante. As tentativas para viver um romance se intensificavam. Saía com frequência
com três amigas, também separadas.

"Sempre saímos juntas. Vamos a algum lugar no meu carro. Procuramos uma vaga, estacionamos, sentamos num bar ou restaurante, onde todas sondam o ambiente. Até que uma diz: "Não tem homem." Levantamos, tiramos o carro da vaga e procuramos outro lugar para ir. Às vezes, mudamos de bar quatro ou cinco vezes numa mesma noite."

Nessa busca incessante do amor romântico, a mulher, na nossa cultura, quando encontra um par, torna-se a Bela Adormecida ao avesso. "Quando é beijada pelo homem (príncipe), não é *despertada,* ao contrário, *adormece* para quem é, para quem ele é, para a realidade. Adormece e se esforça para ficar adormecida."[34]

Inventando o amor

Lúcia estava apaixonada. Psicóloga, 29 anos, recém-separada, parecia quase impossível acontecer isso devido à sua exigência intelectual em relação às pessoas. Mas conheceu Artur, jovem de 20 anos, e só pensava nele. Na primeira noite que se viram, conversaram até às seis horas da manhã. Estava exultante:

"É inacreditável como ele pode ter uma cabeça tão interessante, tendo só 20 anos. Não paramos de conversar um minuto. Tem tudo a ver comigo. Nossa visão de mundo e nossas ideias são as mesmas. Há muito tempo não encontro alguém tão estimulante."

Passadas algumas semanas, quando já havia se desencantado e não pensava mais em Artur, percebeu com clareza o que se passara no primeiro encontro.

"Não sei como não enxerguei. Eu falava sozinha o tempo todo. Ele só me olhava e dizia: 'Podes crer.' Acho que nunca ouvi dele qualquer ideia sobre qualquer coisa. Aliás, acho que nem uma frase inteira. É um completo idiota."

Muitas vezes, até em relações duradouras, ouvimos alguém descrever seu parceiro amoroso como a pessoa mais maravilhosa, bonita, inteligente e carinhosa, e nos sentimos constrangidos quando somos apresentados a ela. É comum não apresentar absolutamente nenhuma das características atribuídas pelo outro.

O amor romântico é construído em torno da projeção e da idealização sobre a imagem, em vez de sobre a realidade. A pessoa amada não é percebida com clareza, mas através de uma névoa que distorce o real. Uma história popular relata o caso de uma jovem que desejava muito viver uma relação de amor e, então, deixou um bilhete num local onde seria fácil de ser encontrado. A mensagem era a seguinte: "A qualquer pessoa que encontre este bilhete: Eu te amo."[35]

John Money, em *Love and Love Sickness* (Amor e a doença do amor), coloca um enigma a ser resolvido, baseado no teste de Rorschach (a pessoa testada olha para uma série de borrões de tinta de vários formatos e diz o que eles sugerem): O que seu amado e um borrão de tinta de Rorschach têm em comum?[36]

Resposta: Você projeta uma imagem sua sobre o borrão de tinta e sobre seu amado. Você se apaixona não por seu amado em si, mas por ele como um *borrão do amor* de Rorschach.

Os amigos dizem: "O que ela viu nele?" ou "O que ele viu nela?". Porque eles veem a pessoa, enquanto você vê seu *borrão do amor,* sua imagem idealizada do outro.

Para se manter envolto na névoa que cobre o amor romântico depois de algum tempo de relação, é necessário que o outro corresponda, evitando qualquer intimidade real, calando-se sobre os pensamentos e sentimentos mais íntimos, bem como mantendo certo afastamento físico.

As pessoas sempre souberam disso. Até bem pouco tempo, o argumento que as mães usavam para controlar o namoro de suas filhas era o de que qualquer intimidade física antes do casamento faria o rapaz perder o interesse pela moça. Parece que não havia preocupação quanto ao depois. Aí já estariam casados e tudo tinha de ser suportado. Ainda hoje encontramos defensores da falta de intimidade física para adiar o desencanto.

Uma atriz de televisão, de 18 anos, em entrevista concedida a um jornal do Rio, em 1993, declarou: "Sou uma amante à moda antiga e acho que sem virgindade o casamento perde o impacto. É por isso que muitos homens preferem morar junto a casar. Para que casar, ter aquela trabalheira toda, se o encanto já foi embora?"[37]

Num tempo mais antigo, além da falta de intimidade física, aos casais de namorados não era permitida nem mesmo uma troca de pensamentos ou sentimentos. Os namoros eram sempre na presença de um adulto da família. Para garantir o casamento, não poderia haver nenhum tipo de conhecimento mais profundo do outro.

Robert Johnson faz em seu livro *We — A chave da psicologia do amor romântico* uma análise de como esse sentimento tão valorizado entre os ocidentais afeta a vida das pessoas. O amor romântico não resiste à intimidade porque a relação não é com a pessoa real, do jeito que ela é. O "apaixonado" centraliza seu ser na ilusão do romance, acreditando que vai encontrar a si mesmo e a vida em toda sua plenitude. Mas, como a magia nunca dura e a idealização do outro acaba, surge o desencanto. Nessa quebra de encanto, começamos a perceber que a pessoa amada e as projeções lançadas sobre ela são realidades distintas.

A convivência torna evidentes as diversas características de personalidade da outra pessoa. Seu jeito de ser e de pensar, como também sua generosidade ou seu egoísmo, sua coragem ou suas inseguranças, por exemplo. Alguns aspectos nos causam admiração, outros, repúdio, mas, de qualquer forma, não conseguimos mais perceber o outro tão maravilhoso e idealizado como no início da relação. As nossas projeções sofrem a interferência da realidade. O que uma pessoa projeta na outra são partes de si mesma, desconhecidas potencialidades que nunca tocou nem conheceu porque sempre tentou vivê-las através do outro.

Quantas vezes já ouvimos alguém dizer: "Estou precisando me apaixonar"? A partir do século XII, o amor passou a ser considerado nobre do ponto de vista moral e social. A aristocracia tratava os trovadores como seus iguais. É provável que tenha surgido daí a ideia romântica atual de que a paixão constitui uma nobreza moral, pondo a pessoa acima da lei e dos costumes. O ser apaixonado está numa escala superior de humanidade, sem barreiras sociais: o plebeu pode raptar a princesa, o operário casar com a milionária e a jovem ganhadora de um concurso de miss tem possibilidade de se tornar rica ou nobre.

Qualquer transgressão à ordem social estabelecida é imediatamente perdoada se for em nome do amor. Todos torcem para que o amor supere tudo e sempre vença. Ao mesmo tempo, estão todos dispostos a reconhecer que a paixão é uma forma de intoxicação, uma doença da alma, como pensavam os antigos. Mas ninguém quer acreditar nisso. Estamos todos mais ou menos envenenados.

Inegavelmente, o amor romântico tem seu próprio tipo de excitação, temporária por natureza. Enquanto estamos apaixonados por alguém, o mundo se reveste de tamanho significado que a cada encontro somos transportados para fora da realidade e cria-se um estado de exaltação. É como se uma parte que nos faltasse nos tivesse sido devolvida, sentimo-nos enaltecidos, como se de repente tivéssemos nos elevado acima do mundo comum.

Existe uma expectativa no homem e na mulher de que o amor revele algo sobre eles mesmos ou sobre a vida em geral. A paixão é sempre uma aventura. Transforma a vida de cada pessoa, enriquecendo-a de novidades, riscos e prazeres. É o acesso ao possível, a submissão ao desejo e às várias formas de ilusão.

As características do amor romântico são inconfundíveis. O êxtase e a agonia que nos causam tornam a vida emocionante, nos dando essa sensação de transcendência. Para se manter nesse estado de plenitude, homens e mulheres exigem coisas impossíveis de seus relacionamentos: nós realmente acreditamos inconscientemente que o outro tem a obrigação de nos manter sempre felizes, de tornar nossa vida significativa, vibrante, plena de encanto. Mas, quando nos desapaixonamos, o mundo instantaneamente parece desolado e vazio, apesar de, em alguns casos, continuarmos ao lado da mesma pessoa que antes nos propiciava tanta felicidade.

Em nossa cultura, o romance está em toda parte. A literatura, os filmes e as músicas o expressam em abundância. Ficamos dramaticamente encantados quando o romance está aceso e desesperados quando ele acaba. A pessoa apaixonada não é uma pessoa livre. Ao contrário, procura ser possuída, enlevada, ficar fora de si, enlouquecida pela nostalgia, que é ignorada pela própria ilusão de liberdade.

Todo um conjunto de verdades sobre o romance nos é oferecido. Inconsciente e automaticamente, nós o aceitamos sem discutir e ficamos profundamente irritados quando alguém o faz. Afinal, por que questionar algo tão maravilhoso de se viver?

A mentira

Estamos presos à crença de que o amor romântico é o amor verdadeiro. Isso gera muita infelicidade e frustração na vida das pessoas, impedindo-as de experimentar uma relação amorosa autêntica. Quando ocorre o desencanto, isto é, quando percebemos que o outro é um ser humano e não a personificação de nossas fantasias, nos ressentimos e reagimos como se tivesse ocorrido uma desgraça. Geralmente culpamos o outro. O que ninguém pensa é que somos nós que precisamos modificar nossas próprias atitudes inconscientes — as expectativas que alimentamos e as exigências que impomos aos nossos relacionamentos.[38]

Isso parece impossível porque o mito do amor romântico lança um encanto sobre nós no que diz respeito ao amor, o que explica o fato de, após cada decepção, juntarmos nossas energias e partirmos em busca de outra parceria que nos permita viver novamente essa exaltação. Todos os escritores de romance e de contos de fadas sempre souberam desse encanto, e também que esse tipo de amor não dura.

"Como na história de Tristão e Isolda (...). O amor morre ou, mais comumente, os dois amantes morrem (nos braços um do outro, de preferência) e são cristalizados para sempre naquele estado apaixonado. Por quê? Porque é a única maneira de garantir que ele continue para sempre. Por que você acha que os contos de fadas sempre terminam com 'E viveram felizes para sempre'? Eles terminam desse modo porque precisam. E precisam porque a história do amor verdadeiro e a do amor romântico são diferentes."[39]

O mito do amor romântico não passa de uma mentira porque mente sobre as mulheres e os homens e mente sobre o amor. "A base sobre a qual se constrói o mito é a estereotipagem sexual das pessoas em homens 'verdadeiros' e mulheres 'verdadeiras', o que divide a humanidade ocidental contra si mesma e envenena nossa vida amorosa."[40]

Além de mentir que o verdadeiro amor dura para sempre, o mito também exclui o conflito e a discórdia. "Já que isso não é verdade em nenhum relacionamento humano, a própria base sobre a qual somos exortados a construir o amor romântico é fraudulenta. A promessa fraudulenta de ausência de dificuldade gera não o amor, mas a deterioração da saúde mental."[41] Pode-se acrescentar que o mito exclui também o tédio causado pela convivência contínua, afetiva e sexual com uma única pessoa.

Patrícia, arquiteta de 29 anos, estava muito deprimida. Namorou, noivou e casou numa bela história de amor com todos os ingredientes da receita para uma vida feliz. Afirmava:

> "Não consigo entender. Tenho um marido que me adora, dois filhos maravilhosos e um trabalho interessante. Acabamos de construir uma casa com piscina e sauna, num lugar lindo. No último Natal ganhei o carro que sempre desejei. Mas nada me faz feliz, não aguento o tédio. Só tenho vontade de dormir, dormir e dormir."

Num estudo sobre a relação entre a depressão e o amor romântico, encontramos interessantes conclusões.[42] As mulheres sofrem mais de depressão que os homens, na proporção de dois para um. Essa proporção é encontrada nas mulheres casadas. Nas outras categorias — solteiras, divorciadas e viúvas —, as mulheres têm taxas mais baixas que os homens. Os principais padrões psicodinâmicos conhecidos por levar à depressão incluem:

1) Submissão a outra pessoa que seja dominadora.
2) Viver pelo bem da outra pessoa dominadora ou para obter aprovação e gratificação dessa pessoa.
3) Dependência.
4) Viver tendo o amor romântico como objetivo dominante.

Vistos em conjunto, esses padrões são, virtualmente, sinônimos de uma mulher "verdadeira" em nossa cultura, de modo que não é de surpreender que a depressão ocorra predominantemente entre as mulheres. Em especial as que se sentem exortadas pelo mito do amor romântico a encontrar o verdadeiro amor da maneira descrita pela autora do best-seller *The total woman* (A mulher total): "Só quando uma mulher entrega sua vida ao marido, o reverencia, o adora e está disposta a servi-lo é que ela se torna realmente linda para ele. Ela se torna uma joia sem preço, a glória da feminilidade, sua rainha!"[43]

Pode nos parecer estranho que hoje, com todo o movimento de emancipação feminina, afirmações como essa encontrem eco. Surpreendentemente, encontram, e vão formando as condições para a depressão futura.

Uma pesquisa da Organização Mundial de Saúde concluiu que os sintomas de depressão, mudanças de humor e ansiedade são mais frequentes nas mulheres do que nos homens, principalmente se estão casadas. "O casamento tem um efeito protetor entre os homens, mas não entre as mulheres", afirma a OMS.

Heloísa, professora universitária, de 38 anos, separada, mora sozinha com os dois filhos. Não recebe nenhum tipo de auxílio do ex-marido, arcando com toda a despesa familiar. É jovial, moderna, cuida muito da aparência e não demonstra a idade que tem. Desde a separação, não teve nenhum namorado, mas sempre acalentou em segredo o desejo de reconstruir sua vida nos moldes tradicionais. Na verdade, nunca quis namorados. Quer mesmo um novo marido para protegê-la. Do quê, não sabe explicar.

Recentemente, envolveu-se numa tumultuada relação amorosa. O estereótipo do machão por quem se apaixonou determinou que só se disporia a ficar com ela se Heloísa modificasse sua forma de viver. Entre as exigências, estavam: afastar-se dos amigos, sair de casa o mínimo possível, dedicando-se em tempo integral ao lar, e usar roupas bem mais "condizentes" com sua idade. Heloísa não titubeou. Num tom resignado, ouvi-a comentar:

> "Sabe, pensei bem e acho que o papel da mulher é mesmo o de agradar ao homem. Fiz a melhor opção."

O psiquiatra Silvano Arieti afirma, em sua análise sobre a depressão feminina e os fatores socioculturais condicionantes, que o principal objetivo para muitas mulheres não é a busca de um "eu" autêntico, mas a busca do amor romântico. E que, quando este se torna a única preocupação, a vida fica excessivamente restrita a padrões rígidos. Assim, será difícil encontrar alternativas mais tarde. Inclusive para a procura de outros tipos de amor.[44]

Outros autores são mais incisivos: "Quando se pensa em 'estar loucamente apaixonado', podemos ver sob dois aspectos: como um privilégio (o que a maioria faz), ou como o empobrecimento de uma mente obcecada por uma única imagem. Como uma beatitude, ou como uma voluptuosa destruição do *self* pelo *self*."[45]

O amor retratado como um esmagamento do eu, e, portanto, semelhante a uma espécie de doença, já é encontrado nas poesias de amor que sobrevivem entre as relíquias do Antigo Egito, algumas remontando ao ano 1000 a.C.

Algumas pessoas, desejosas de viver o êxtase que o amor romântico proporciona, mas já prevenidas das surpresas desagradáveis do desencanto, lançam mão de estratégias.

Marcos, publicitário, de 42 anos, apaixona-se com muita frequência. É apaixonado pela paixão, o que declara abertamente. Numa festa conheceu Suzy e em meia hora já estava loucamente apaixonado. Ela, pedagoga, séria e desconfiada, não sabia o que pensar, mas deixava-se levar pelo ardor contagiante de Marcos. "Será que existe mesmo amor à primeira vista?", pensava, enquanto se decidia a viver aquela experiência tão nova.

No final da festa, Marcos insistia para que ela aceitasse seu convite inesperado: viajar com ele, dois dias depois, para Nova York, onde, segundo afirmava, passariam uma semana inesquecível. Incrédula, Suzy tentou argumentar:

"Mas nós nem nos conhecemos! Você não sabe como eu sou, nem eu sei como você é!

Mais incrédula ainda, ouviu a resposta persuasiva de uma pessoa experiente em paixão:

"Por isso mesmo, temos que ir logo. Vamos aproveitar enquanto a gente não se conhece."

Deixar o hábito de "apaixonar-se loucamente" para a novidade de entrar num tipo de amor sem projeções e idealizações também tem sua própria excitação. "A sensação geral é a de começar a utilizar novos músculos, que sempre tivemos, mas nunca usamos por causa de nosso modo de vida; e, ao começar a utilizá-los, podemos fazer com nosso corpo coisas que nunca conseguimos. Os músculos psicológicos também existem, e devemos olhar através da camuflagem do mito do amor romântico a fim de encontrá-los — e, então, ver com que se parecerá o amor quando mais pessoas começarem a flexioná-los."[46]

O mapa amoroso

Por que Roberto se interessou por Beth em vez de por Ana? E Marta por Ricardo e não por Júlio?

Helen Fisher, em seu livro *Anatomia do amor,* relata o que o sexólogo John Money denomina mapa amoroso como sendo um dos mecanismos pelo qual os seres humanos são atraídos por uma pessoa em particular:

"Antes de qualquer escolha amorosa, já havíamos desenvolvido um mapa mental, um modelo cheio de circuitos cerebrais que determinam o que desperta nossa sexualidade, o que nos leva a nos apaixonarmos por uma pessoa e não por outra.

"Money acha que as crianças desenvolvem esses mapas amorosos entre os cinco e oito anos de idade (às vezes, até mais cedo) e são determinados pelos relacionamentos com a família, os amigos, assim como por suas próprias experiências e oportunidades. Por exemplo, quando crianças, nos acostumamos à bagunça ou à tranquilidade da casa, ao jeito como nossa mãe nos escuta, ralha conosco ou nos estimula, e como nosso pai brinca ou caminha. Algumas características de temperamento de nossos amigos e parentes nos atraem e outras associamos a incidentes perturbadores. Assim, pouco a pouco, essas memórias começam a formar um padrão mental em nossa mente, um modelo subliminar do que nos agrada e do que nos desagrada.

"À medida que crescemos, esse mapa inconsciente toma forma e a protoimagem do parceiro ideal começa a emergir. Depois, na adolescência, quando as sensações sexuais inundam o cérebro, esses mapas amorosos vão se solidificando, tornando-se bem específicos com relação aos detalhes da fisionomia, da constituição física, da raça e da cor do parceiro ideal, sem mencionar o caráter, a educação etc. Temos um quadro mental do parceiro idealizado, dos cenários que nos atraem e dos tipos de conversas e de atividades eróticas que nos excitam.

"Desse modo, bem antes de conhecermos nosso verdadeiro amor em uma sala de aula, em um shopping ou no escritório, já temos prontos alguns elementos básicos de nosso parceiro ideal. Depois, quando realmente encontramos quem se enquadre dentro desses parâmetros, nos apaixonamos por ele e nele projetamos nosso mapa amoroso. O objeto da paixão é, em geral, bem diferente de nosso ideal, mas deixamos de lado essas inconsistências para fazê-lo se encaixar em nosso modelo. Daí a famosa frase de Chaucer: 'O amor é cego.'

"Esses mapas amorosos variam muito de pessoa a pessoa. Algumas sentem-se atraídas por trajes profissionais ou uniformes de médicos, por seios grandes, pés pequenos ou por um riso contagiante. A voz da pessoa, seu jeito de sorrir, suas amizades, sua paciência, seu senso de humor, seus interesses, suas aspirações, sua organização, seu carisma — milhares de coisas óbvias, e também minúsculos elementos subliminares que atuam em conjunto para tornar essa pessoa mais atraente que outra. Todos nós poderíamos relacionar algumas coisas específicas que consideramos atraentes; e há muitas mais escondidas em nosso inconsciente."[47]

O fato de uma pessoa apaixonar-se loucamente pode ser entendido como um pedido de ajuda, um amparo que será dado por outrem. Essa paixão louca dirige-se a um tipo de pessoa que, naquele momento particular, tudo indica poder proporcionar essa experiência.

O borrão do amor mostra que, em geral, a paixão não é por uma pessoa. "Nós nos apaixonamos por uma imagem que construímos com base naquela pessoa; de maneira mais específica, penso eu, por uma imagem construída sobre aquele determinado aspecto da pessoa do qual temos forte necessidade."[48] Talvez isso responda às perguntas tão comuns: "O que ela tem que eu não tenho?" ou "O que ela viu nele?".

Quando alguém é trocado por outro numa relação amorosa, o sofrimento é intenso e é difícil elaborar essa perda. Por um lado, a falta e o vazio que sente; por outro, o que é mais doloroso ainda, a convicção de que falhou e que sua falta de atrativos foi a grande responsável. Se foi preterido, acredita que a pessoa escolhida é mais bonita, mais inteligente, mais sensual. Em muitos casos, a troca ocorre porque a pessoa objeto da nova paixão possui algum aspecto que satisfaz inconscientemente uma exigência momentânea do outro, sem haver uma vinculação necessária com o parceiro rejeitado.

Romances água com açúcar e contos de fadas

Inúmeras novelas e histórias românticas fazem sucesso desde o início do século XIX. O romance ideal — a perfeita expressão da fantasia romântica — é encontrado nos romances do tipo água com açúcar e nos contos de fadas, que descrevem de forma banal a promessa do mito do amor romântico.

Bonnie Kreps relata em seu livro como essas tramas se desenvolvem. Em todas as suas copiosas versões, o romance ideal tem uma trama fixa, e o herói e a heroína ideais, invariavelmente, possuem algumas características básicas, essenciais ao desenrolar dessa trama.[49]

"O herói é o estereótipo masculino padrão: duro, impetuoso, dominador, inexpressivo, com desprezo pelas mulheres. (...) 'romanticamente sombrio'. A ação gira em torno da personalidade da heroína, e com isso ela apresenta uma provocante mistura de características — das quais uma ou duas deve repudiar para que aconteça o final feliz. Ela é atraente aos homens, especialmente por ser fascinante, sem ter consciência disso. É inocente e inexperiente e tem uma extraordinária capacidade de cuidar dos outros. E (essa é a parte da qual ela se livra no momento decisivo) tem uma inteligência incomum ou uma disposição feroz, ou ambas.

"Na trama fixa, a heroína passa por uma série de dificuldades, das quais se desembaraça com desenvoltura, até encontrar o herói. Ele desempenha seu importante trabalho entre os homens e, ao mesmo tempo, flerta com as mulheres, até encontrar a heroína. Ao se encontrar, eles sentem, de início, uma aversão ou um interesse mútuo, até que o herói, de maneira súbita e inexplicada, declara seu eterno amor. Ela reage negando a animosidade que havia, e imediatamente o transforma no homem certo, e ele passa a ser a única pessoa que de fato importa na vida da heroína. Conforme vai diminuindo seu interesse pelo que antes era importante (trabalho, aventura, aprendizado etc.), ela se torna cada vez mais passiva e dependente dele. A ação desaparece nesse ponto. Isso é o que os escritores de romances em geral querem dizer com 'E eles viveram felizes para sempre'.

"O principal aspecto da literatura convencionalizada, assim como a fonte de sua atração, é que o leitor sabe o que esperar.

"(...) Nos contos de fadas, as ideias organizadoras são a castidade e a magia: a castidade será atormentada pela maldade, salva pela bondade e recompensada, e a magia será usada nos pontos-chave.

"A castidade está incorporada ao caráter da heroína. Ela é a pessoa que compõe o centro inativo da ação que gira em torno dela. Embora todos os outros personagens dos contos de fadas clássicos possam ser homens ou mulheres, a pessoa que compõe o centro da ação é sempre a mulher. Os vilões costumam ser do sexo feminino e até mesmo os heróis muitas vezes são mulheres. Ao estudar os contos de fadas como mito, três histórias são básicas à tradição desses contos: *A bela adormecida*, *Branca de Neve* e *Cinderela*.

"(...) Temos aqui uma visão muito clara do comportamento arquetípico masculino e feminino, que, segundo o mito do amor romântico, vai culminar magicamente no romance arquetípico. A observação de Rougemont é muito apropriada aos contos de fadas: 'Um mito faz com que seja possível vermos ao primeiro olhar certos tipos de relações constantes e separarmos estas da confusão das aparências rotineiras.'

"E essas são as relações constantes: num verdadeiro romance, é a mulher que é desejada, a recebedora do desejo do homem. Ele é o agente, aquele que age; ela espera e recebe. Ele a tira do sério; ela é tirada do sério. A paixão dele baseia-se numa imagem, em vez de basear-se no conhecimento da heroína, e é aí que reside a magia, e esse é o 'verdadeiro amor'. A vida 'real' para uma mulher começa com a chegada do homem que vai amá-la dessa maneira especial. A recompensa por ser uma mulher 'real' não é uma vida real, mas o 'verdadeiro amor', ou seja, a proteção contra a vida real. (Nenhuma heroína romântica arquetípica leva uma vida normal e interage ativamente no mundo; ela sempre vai para o castelo, e nunca mais se sabe dela.)"

Em nossos dias, as mulheres patriarcais que pleiteiam uma "renovação romântica" falam com a linguagem dos contos de fadas. Como a autora de *Fascinating Womanhood* (Feminilidade fascinante):

"Quando um homem ama de todo o coração, existe uma agitação em sua alma. Às vezes, é um sentimento 'que se aproxima da adoração pela mulher'. Outras, ele está fascinado, encantado e divertido. Isso pode ser descrito por alguns homens como uma sensação quase de dor. Pode fazer um homem sentir como se estivesse trincando os dentes. Junto com todas essas sensações excitantes e devoradoras, existe uma ternura, um dominador desejo de proteger sua mulher de todo o mal, o perigo e as dificuldades da vida. Esses sentimentos o fazem transformar seu amor romântico em palavras para ela ou para alguém em quem ele confia."[50]

O mito do amor romântico determina com tanta clareza o papel que homens e mulheres devem desempenhar no romance que, quando em *Ela foi injusta com ele,* considerado o filme do ano de 1933, Mae West diz ao jovem Cary Grant: "Qualquer hora em que você não tiver nada para fazer — e bastante tempo —, venha", além de sofrer pressões exercidas pela Liga da Decência, que tentava proteger o público da corrupção moral do cinema, alguns críticos sugeriram que ela era um homem disfarçado.

Mais de 60 anos depois, Vivien, fotógrafa, de 35 anos, conta que desde a adolescência era censurada por sua irmã mais velha, que a acusava de ter "alma masculina". Ainda jovem, não entendia o que isso significava e sofria sentindo-se inadequada:

"Agora entendo. Minha irmã sempre sonhou com o príncipe encantado. A cada namorado que arranjava, transformava-se numa gueixa. Mostrava-se frágil, dependente e submissa, só pensando em agradá-lo. Até hoje é assim, com o marido. Eu nunca desejei isso para minha vida. Sempre quis ser eu mesma e por isso sempre fui atacada."[51]

Algumas mulheres, ávidas leitoras de romances água com açúcar, falam da decepção e do contraste entre o que sonharam e o cotidiano da vida real.

Priscila está casada há 24 anos. Sente-se profundamente sozinha apesar de viver com o marido e um casal de filhos de 20 e 22 anos. Entre o marido e ela não existe diálogo algum. Sexo? Nem se lembra de quando foi a última vez. Os motivos que o levam a dirigir-lhe a palavra são poucos: reclamar da despesa da casa ou criticar a comida do jantar. Quanto aos filhos, quase nunca os vê. Têm sua própria vida e múltiplas atividades. Num choro contido, Priscila desabafa:

"Nunca imaginei que minha vida fosse ser tão infeliz. Na juventude, antes mesmo de conhecer meu marido, sempre vinha à minha cabeça uma cena em que eu acreditava representar meu futuro junto com minha família: num sábado ou domingo, estaríamos todos na sala. Meu marido lendo o jornal, fumando um cachimbo; minha filha tocando piano; meu filho pedindo dinheiro para sair e eu, muito feliz, assistindo a tudo isso."[52]

Embora alguns tenham dito que o amor romântico foi um enredo engendrado pelos homens contra as mulheres, para encher suas cabeças de sonhos fúteis e impossíveis, isso não explica o apelo da literatura romântica, ou o fato de as mulheres terem desempenhado um papel importante na sua difusão.

O surgimento da ideia do amor romântico, fazendo parte de uma relação estável e duradoura, tem de ser compreendido em relação a vários conjuntos de influência que afetaram as pessoas a partir do final do século XVIII.

A invenção da maternidade

Influências históricas

A Idade Média ocidental inicia-se com o fim do Império Romano do Ocidente (com capital em Roma), em 476, e termina com a queda do Império Romano do Oriente ou Império Bizantino (com capital em Constantinopla), em 1453. Esse período divide-se em duas fases: a alta Idade Média (século V a X), que se caracteriza pela invasão da Europa por diversos povos que contribuíram para a formação do feudalismo, e a baixa Idade Média (século XI a XV), época em que se iniciou o processo de desintegração do sistema feudal a partir das modificações econômicas, políticas, sociais e culturais por que passou a Europa. O capitalismo comercial e a centralização política se desenvolveram, caracterizando a Idade Moderna. É nesse período que nascem as nações como hoje são conhecidas.

Estende-se pelos séculos XV e XVI o processo de renovação cultural iniciado com o Renascimento e que atingiu os diversos campos da atividade humana — literatura, filosofia, artes plásticas, política, ciência. Os intelectuais ligados a esse movimento tomaram como ideal cultural o homem da Antiguidade Clássica (greco-romana). Isso representou um renascer de formas, estilos e valores culturais adormecidos ou silenciados durante a Idade Média, dando início a um novo impulso criativo, determinado por novos conteúdos e estímulos sociais e políticos, sobretudo da burguesia, classe social emergente composta pelos habitantes das cidades (burgos).

No campo artístico, surgem brilhantes criadores que inauguram uma nova fase da história da arte ocidental. Nesse momento, se afirmam, por exemplo, Michelangelo, Rafael, El Greco, Brunelleschi e Leonardo da Vinci, personagem-síntese do Renascimento, com seus incríveis dotes de pintor, escultor, filósofo, engenheiro e inventor.

Na literatura, surgem Shakespeare, Camões, Rabelais e Cervantes, que faz do cavaleiro andante o tema da sátira expressa em *Dom Quixote,* encerrando definitivamente a época medieval.

A invenção da imprensa por Gutenberg facilitou a reprodução das obras em maior quantidade e com maior rapidez; o movimento da expansão marítima contribuiu para o alargamento dos horizontes geográficos e culturais; a invenção do telescópio e a comprovação, por Galileu, da teoria de que o Sol — e não a Terra — era o centro do universo levaram ao conhecimento mais objetivo do homem e de seu meio.

A segunda metade do século XVIII inaugura profundas transformações tecnológicas e sociais na Europa.

Iniciada na Inglaterra, a Revolução Industrial caracteriza-se pela passagem de um sistema de produção agrário e artesanal para outro, de produção industrial, dominado pelas fábricas. A utilização do vapor como fonte de energia para acionar a máquina substitui a energia muscular humana, transformando radicalmente as relações do ser humano com seu trabalho, consigo próprio e com o mundo a seu redor. A máquina a vapor supera o trabalhador, intensificando o processo de produção. O produtor, que antes possuía o domínio do tempo e era independente, no artesanato ou na manufatura, agora se torna operário. É possível, então, a fabricação em série de bens de consumo (roupas, calçados etc.). Com a industrialização nasce o capitalismo, e junto às fábricas formam-se aglomerados urbanos.

Com a Revolução Industrial, os burgueses (comerciantes, profissionais liberais etc.) consolidavam cada vez mais seu poder econômico. Insatisfeitos com a incapacidade da monarquia absolutista para realizar as reformas que exigiam, começaram a se voltar contra a estrutura vigente. Só o domínio político poderia garantir-lhes o poder e, dirigindo o Estado, atenderiam a seus interesses.

As revoluções burguesas repercutiram em todo o Ocidente, completando o processo de transição do feudalismo para o capitalismo. Com elas, inaugurou-se a Época Contemporânea, após a Revolução Francesa ter promovido, a partir de 1789, a queda do modelo clássico do absolutismo europeu e imposto a todo o mundo ocidental o novo ideal de liberdade, igualdade e fraternidade.

A partir de então, a área doméstica começa a se opor à área pública. A produção econômica é transferida para as fábricas, distantes de casa. Como o novo mercado de trabalho mal absorvia os homens, as mulheres são incentivadas a permanecer em casa, dedicando-se exclusivamente ao marido e aos filhos. Passa-se a cultivar a casa como lar e necessária privacidade. Acentua-se o afastamento do grupo familiar da sociedade. Surge, então, um tipo social de família que se denomina burguesa, trazendo nova ideologia: o amor materno e o amor romântico.

O poder do pai

Em 1980, Elisabeth Badinter lançou na França *Um amor conquistado — O mito do amor materno,* provocando grande polêmica por discordar de que o amor materno é inerente às mulheres. Ela afirma que é um sentimento que pode ou não se desenvolver, dependendo dos interesses socioeconômicos de um grupo. A seguir exponho alguns dados que Badinter oferece para ilustrar como os valores de uma sociedade podem ter um peso decisivo sobre os nossos desejos.

Na história da família ocidental, o poder paterno sempre acompanhou a autoridade absoluta e despótica do homem sobre filhos e esposa. A esta era recomendado observar um comportamento adequado à sua inferioridade, isto é, de modéstia e silêncio. Para justificar toda essa autoridade paterna, afirmava-se que o pai era responsável perante Deus pelos filhos, sendo, então, necessário dar-lhe os meios de assumir tal responsabilidade.

O Estado monárquico garantiu o direito paterno de correção. As prisões públicas acolhiam com facilidade os filhos de família, de qualquer idade e sob os pretextos mais fúteis. Ficavam encarcerados, muitas vezes misturados com prisioneiros condenados por outros crimes.

Desde que, no século XII, o casamento foi considerado um sacramento, o decreto canônico reconhecia válido um matrimônio, mesmo sem haver consentimento dos pais. A condição única era de que o rapaz tivesse pelo menos 13 anos e meio, e a moça, 11 e meio. No século XVI, o Concílio de Trento proclamou que casar sem consentimento dos pais era pecado, embora o casamento continuasse a ser considerado válido.

O Estado não pretendia diminuir a autoridade paterna. Fortaleceu os direitos do chefe de família para evitar que se instalasse a desordem na menor célula social. Em 1579, Henrique III equiparou o casamento de um menor sem consentimento dos pais a um rapto, e o raptor é condenado à morte. No século seguinte, a punição se agrava. A pena de morte será aplicada sem perdão, mesmo que os pais deem posteriormente seu consentimento, e isso até os 30 anos para o rapaz e 25 para a moça.

Ainda no século XVII, as ordens de prisão emitidas pelo rei abriram novas possibilidades de correção. Poderiam ser presos os filhos de menos de 25 anos e as filhas de qualquer idade de artesãos e trabalhadores que maltratassem os pais ou que fossem preguiçosos, libertinos ou corressem o risco de vir a sê-lo. Isso levava a inúmeras arbitrariedades. A prisão era definitiva e os pais não tinham o poder de sustá-la.

Num decreto de 1763, os pais eram autorizados a pedir ao Departamento de Guerra e Marinha a deportação dos filhos "que tivessem exibido condutas capazes de ameaçar a honra e a tranquilidade de sua família" para a ilha de Désirade. Nessa ilha, os jovens eram mal-alimentados e trabalhavam arduamente.

Antes do século XVIII, o amor não era um valor familiar ou social. Não tinha a importância que hoje lhe atribuímos. As relações familiares eram dominadas pelo medo. Em caso de insubordinação, o pai recorria ao açoite, tanto para o filho como para a esposa, tanto entre aristocratas quanto entre camponeses. O poder paterno devia ser mantido a qualquer preço, pois numa sociedade hierarquizada a obediência é a primeira virtude.

No final do século XVII e início do XVIII, os teóricos da monarquia absoluta procuraram justificar pelo direito a autoridade do rei, ligando-a à de Deus e à do pai. Comparando o soberano ao pai de família, faziam da monarquia um direito natural. Afirmavam ser Deus o modelo perfeito da paternidade. Se o rei é o pai dos seus súditos, então, é a imagem de Deus sobre a Terra. O simples pai de família é, portanto, o sucedâneo da imagem divina e real junto a seus filhos.[53]

A imperfeição da infância

Para Santo Agostinho, e durante longos séculos para a teologia cristã, foi dramática a imagem da infância. Logo que nasce, a criança é vista como o símbolo da força do mal, um ser imperfeito esmagado pelo peso do pecado original. A infância seria o mais forte testemunho de uma condenação lançada contra a totalidade dos homens, pois ela evidencia como a natureza corrompida se precipita para o mal. Santo Agostinho descreve o filho do homem como um ser ignorante, apaixonado e caprichoso: "Se o deixássemos fazer o que lhe agrada, não há crime em que não se precipitaria", e ainda: "Não é um pecado desejar o seio chorando? Pois se eu desejasse agora, com o mesmo ardor, um alimento conveniente à minha idade, seria alvo de zombaria (...) trata-se portanto de uma avidez má, visto que, ao crescer, nós a debelamos e rejeitamos."[54]

A natureza é tão corrompida na criança que o trabalho de recuperação será penoso. Justificam-se de antemão as ameaças, varas e palmatórias. A correção e a bondade humana são apenas o resultado de uma oposição de forças, isto é, de uma violência.

Certas pessoas consideravam insuportável a atenção que alguns dispensavam às crianças. Essas reações críticas são mais bem percebidas no fim do século XVI e, principalmente, no século XVII. A irritação é a base da hostilidade de Montaigne, por exemplo: "Não posso conceber essa paixão que faz com que as pessoas beijem as crianças recém-nascidas, que não têm ainda nem movimento na alma, nem fome reconhecível no corpo pela qual se possam tornar amáveis, e nunca permiti de boa vontade que elas fossem alimentadas na minha frente."[55]

O pensamento de Santo Agostinho predominou durante muito tempo na história da pedagogia, mantendo uma atmosfera de dureza na família e nas escolas. Os pedagogos recomendavam aos pais frieza em relação aos filhos, lembrando-lhes incessantemente sua malignidade natural, que seria pecado alimentar. Até as mães eram criticadas duramente caso demonstrassem ternura: "As mães perdem os filhos quando os amamentam voluptuosamente."[56]

A finalidade da educação é salvar a alma do pecado, para isso não se poupavam argumentos para convencer as mães de que as crianças deveriam ser severamente castigadas: "É notória a fábula do adolescente que ia ser enforcado, que implorou a presença da mãe e lhe arrancou a orelha, por não o ter castigado bem na infância."[57]

Um tratado sobre a educação, de 1646, traduzido para o francês por um padre jesuíta, afirmava: "Só o tempo pode curar o homem da infância e da adolescência, idades da imperfeição sob todos os aspectos."[58]

O sofrimento da criança

O hábito de contratar amas de leite para os filhos generalizou-se no século XVIII, quando chegou a ocorrer escassez de amas. A aristocracia já há muito usava esses serviços, tanto que a primeira agência de amas em Paris data do século XIII. É importante lembrar que, nessa época, não havia alternativa. Se a criança não fosse amamentada no seio, morreria.

Em 1780, das 21 mil crianças que nasciam anualmente em Paris, menos de mil eram amamentadas pelas mães. Todas as outras eram levadas para as casas das amas. Dessas, 17 mil menos afortunadas iam para muito longe. Nas cidades pequenas, acontecia o mesmo. Os filhos iam viver no campo com as amas.

Vários argumentos eram usados pelas mulheres dos séculos XVII e XVIII para não amamentar seus filhos. Algumas alegavam a fraqueza de sua constituição, outras apelavam para a estética, acreditando que perderiam a beleza. Se isso não fosse suficiente, tinham a ordem moral e social da época para as apoiar.

As famílias que se acreditavam superiores ao povo não consideravam digno amamentar elas mesmas seus filhos. Se assim o fizessem, estariam confessando não pertencer à melhor sociedade. A amamentação foi considerada ridícula e repugnante. Mães, sogras e parteiras desaconselhavam a jovem mãe a amamentar, já que a tarefa não era nobre bastante para uma dama superior.

Tirar o seio para alimentar o bebê a todo momento daria uma imagem animalizada da mulher e seria um gesto despudorado. Os maridos, por sua vez, consideravam que o aleitamento restringia seu prazer; era sinônimo de sujeira, e demonstravam aversão pelo cheiro de leite.

Os médicos da época contribuíam para essa situação, proibindo as relações sexuais durante a gravidez e o aleitamento. Acreditavam que o esperma estragava o leite e o fazia azedar, pondo a vida da criança em perigo.

A criança era um empecilho para a mãe na vida conjugal e também nos prazeres da vida mundana, já que era muito deselegante cuidar de uma criança. Muitas vezes, os pais a entregavam imediatamente à ama, sendo comum organizarem uma festa para comemorar o nascimento, mesmo sem a criança estar na casa.

As famílias aristocráticas e ricas escolhiam a ama com a ajuda do médico. Selecionavam a que parecia "mais sadia e de bom temperamento, de boa cor e carne branca. Não deve ser gorda nem magra. É preciso que seja alegre, bem disposta, viva, bonita, sóbria, mansa e sem nenhuma paixão".[59]

Nas famílias menos ricas e importantes, na maioria das vezes "recorre-se aos serviços de um intermediário qualquer, que desaparece ou se engana. Chegado o dia, a ama não existe, nunca foi mãe, nada prometeu. A que chega é uma mulher asquerosa e doente, que a mãe não vê e com quem o pai pouco se preocupa".[60]

Nas classes populares, procura-se a ama depois que ocorre o nascimento. Percorrem-se os mercados e as ruas e contrata-se a primeira camponesa que aparece. Sem examinar-lhe a saúde, ou o leite, sem sequer verificar se realmente o tem.

A viagem para a casa da ama, no campo, é extremamente sofrida. Segundo o médico Buchan, as crianças amontoam-se em carroças mal cobertas e são tão numerosas que as pobres amas se veem obrigadas a segui-las a pé. As crianças mais frágeis não resistiam a esse tratamento e com frequência as amas as devolviam aos pais, mortas, poucos dias após a partida.

Isto é apenas uma amostra do sofrimento reservado aos bebês que sobreviviam. Em 1770, o médico Gilbert reconheceria que a razão de tantos erros, frequentemente mortais, era a pobreza indescritível dessas amas. Ele mostra que elas eram obrigadas a trabalhar na lavoura, passando a maior parte do dia longe de casa. "Durante esse tempo, a criança fica totalmente abandonada a si mesma, afogada em seus excrementos, estrangulada como um criminoso, devorada pelos mosquitos. (...) O leite que mama é um leite aquecido por um exercício violento, um leite ácido, seroso, amarelado. Assim, os acidentes mais terríveis as põem a um passo do túmulo."[61] Além disso, as amas eram mal nutridas, sofriam de sífilis e, por vezes, eram sarnentas ou portadoras de escorbuto. Suas doenças alteravam o leite e contaminavam o bebê.

Somente no século XVIII as amas passaram a dar leite de vaca aos bebês em pequenos chifres furados (precursores da mamadeira). Nesse caso, as crianças também não estavam a salvo, já que as amas desconheciam a quantidade de água que deveria ser misturada ao leite.

Acrescente-se a isso o uso de narcóticos e aguardentes para fazer a criança dormir e ficar tranquila. Muitas morreram por dose excessiva. Mas, se suportasse tudo isso, a criança ainda teria que passar por outra prova terrível: a sujeira e a falta de higiene. Às vezes, passavam-se semanas sem que suas roupas ou a palha sobre a qual se deitava fossem trocadas.

Novamente o médico Gilbert testemunha, pessoalmente: "Quantas vezes, ao despirmos as crianças, não as vimos cobertas de excrementos que denunciam sua prolongada permanência junto às exalações empesteadas; a pele dessas infelizes estava toda inflamada, coberta de úlceras sórdidas. À nossa chegada, elas teriam trespassado o coração mais feroz com os seus gemidos; seu tormento pode ser avaliado pelo alívio imediato que sentiam quando eram libertadas e desamarradas. (...) Estavam inteiramente esfoladas e, se tocadas com um pouco menos de delicadeza, lançavam gritos pungentes. Nem todas as amas levam a negligência a esse extremo revoltante. Mas podemos afiançar que há muito poucas suficientemente vigilantes para conservar as crianças num estado satisfatório de limpeza."[62]

Os bebês viviam imobilizados por faixas que causavam mal-estar e doenças. Eles eram vestidos, primeiro, com uma camisa que fazia várias dobras e pregas, e sobre ela um cueiro. Em seguida, os braços eram colocados contra o peito e as crianças envolvidas com uma faixa larga, que lhes imobilizava braços e pernas. Dobravam-se fraldas e faixas entre as coxas e completava-se com uma faixa circular apertada ao máximo, dos pés ao pescoço. Acontecia também de o bebê ser pendurado num prego durante horas, pela roupa, com a boa intenção de evitar que fosse comido ou ferido pelos animais da fazenda.

As crianças permaneciam na casa da ama até os 4 ou 5 anos, às vezes até mais. Durante todo esse tempo, os pais parecem não se preocupar com o que acontece com o filho distante. Raramente o visitam. "O caso de Madame de Talleyrand, que em quatro anos não pede sequer uma vez notícias de seu filho, não é excepcional. E, no entanto, ao contrário de tantas outras, Talleyrand tinha todas as facilidades para fazê-lo. Sabia escrever, e o filho vivia com uma ama parisiense."[63] Quando uma criança volta ao lar paterno, geralmente está raquítica, com algum defeito físico ou gravemente doente.

Não é de surpreender que a mortalidade infantil nos séculos XVII e XVIII seja considerada tão banal.

A morte dos filhos

Não temos nenhuma dúvida, hoje, de que a morte de um filho é uma dor irreparável para a mãe. Mas não foi sempre assim. O que predominou até o final do século XVIII foi um sentimento de indiferença pela morte dos filhos, vista como um acidente corriqueiro que um nascimento posterior iria reparar.

Um advogado casa-se em 1759. Tendo um filho por ano, perde sucessivamente seis deles, com idades que variam de alguns meses a seis anos. Ele anota a perda dos cinco primeiros sem nada acrescentar aos seus nomes. No sexto, faz um balanço: "Assim, encontro-me sem filhos depois de ter tido seis rapazes. Bendita seja a vontade de Deus."[64]

Há mães que, ao saber da morte de um filho em casa de uma ama, consolam-se sem buscar a causa disso, dizendo: "Mais um anjo no paraíso."

Ninguém pensava em conservar a foto de uma criança que tivesse sobrevivido e se tornado adulta ou que tivesse morrido pequena. No primeiro caso, a infância era apenas uma fase sem importância, que não fazia sentido fixar na memória; no segundo, não se considerava que essa coisinha desaparecida tão cedo fosse digna de lembrança.

O sentimento de que se faziam várias crianças para conservar apenas algumas era muito forte e assim permaneceu durante muito tempo. Ainda no século XVII, em *Le caquet de l'accouchée* (O cacarejo da parturiente), vemos uma vizinha tranquilizar assim uma mulher inquieta, mãe de cinco pestes, e que acabara de dar à luz: "Antes que eles te possam causar muitos problemas, tu terás perdido a metade, e, quem sabe, todos."[65]

A indiferença pela morte dos filhos era tanta que em certas paróquias, como em Anjou, nenhum dos pais se dava ao trabalho de comparecer ao enterro de um filho de menos de 5 anos.

O primeiro movimento feminista

Antes do século XVII não havia ainda o sentimento de infância, mas a maioria das mães amamentava e ficava junto com seus filhos até 8 ou 10 anos. O que aconteceu, então, nos séculos XVII e XVIII?

Enquanto os teólogos do século XVI censuravam as mães por sua ternura pelos filhos, no final do século XVIII os intelectuais farão a censura inversa e criticarão a frieza e a indiferença.

Badinter, em *Sobre a identidade masculina,* nos esclarece o que ocorreu com as mentalidades desse período e por que o século XVIII marca uma transformação que afeta e condiciona nossos valores até os dias de hoje.

As mulheres começaram a experimentar uma vontade de emancipação e poder. As tarefas maternas não eram valorizadas pela sociedade, podendo ser consideradas vulgares ou, na melhor das hipóteses, normais. Desejando ser consideradas, as mulheres precisavam buscar outro caminho diferente do da maternidade. As mais ricas, nobres ou burguesas, buscaram, para afirmar sua independência, uma vida social refinada e uma vida cultural sem precedentes. O saber tradicional era exclusivamente reservado aos homens. Diz a autora: "É fácil imaginar que as mulheres mais privilegiadas quiseram brilhar fora do lar, em lugar de permanecer confinadas em casa, entre os deveres de dona de casa e de mãe, que não lhes valia nenhum reconhecimento específico. Dentro em pouco, já não pensavam senão em seu salão, não tinham mais tempo para se ocupar da família e da casa. Exclusivamente dedicadas a si mesmas, não tinham mais um segundo a consagrar a outrem."[66]

No início do século XVII e após 30 anos de guerras civis, os costumes franceses estavam impregnados de grosseria e brutalidade. Sua renovação partiu dos salões parisienses mantidos por mulheres com novas ambições.

Nesse movimento de emancipação feminina surgem na França as preciosas, que estiveram na origem do questionamento do papel do homem e da mulher. O preciosismo francês nasceu como reação à grosseria dos homens da corte de Henrique IV e teve seu apogeu entre 1650 e 1660. É a primeira expressão do feminismo na França e na Inglaterra, os dois países mais liberais da Europa em relação às mulheres. A francesa e a inglesa tinham toda a liberdade de ir e vir e se relacionar com o mundo. Se pertencessem às classes dominantes, beneficiavam-se de uma vantagem excepcional: a de não ter de suportar as tarefas maternas.

A preciosa é uma mulher independente, que propõe soluções feministas ao seu desejo de emancipação e inverte totalmente os valores sociais tradicionais. Milita por um novo ideal de mulher, que leve em conta a possibilidade de ascensão social e o direito à dignidade. Reclama o direito ao conhecimento e ataca a pedra angular da sociedade falocrática: o casamento. Contra a autoridade do pai e do marido, as preciosas mostram-se decididamente hostis ao casamento de conveniência e à maternidade. Maridos, filhos, famílias dos maridos são impiedosamente relegados à lista das desgraças da mulher. Preconizam o casamento de experiência e sua ruptura após o nascimento do herdeiro, que seria colocado sob a guarda do pai.

Não querendo renunciar a nenhuma liberdade, nem ao amor, elas exaltaram os sentimentos ternos e platônicos. "Quero", declarava Mademoiselle de Scudéry, "ter um amante sem ter um marido, e quero um amante que, contentando-se com a posse do meu coração, me ame até a morte."[67] Essa é a situação oposta aos laços habituais entre homem e mulher, que se casavam sem amor. "Aos olhos das preciosas, o amor é, acima de tudo, o sentimento do homem pela mulher, não o contrário. Ao exigir do homem apaixonado uma submissão sem limites, próxima do masoquismo, elas invertem o modelo masculino dominante, o modelo do homem bruto e exigente, ou do marido grosseiro, que se julga com direito a tudo."[68] Alguns homens — os preciosos — aceitaram as novas regras. Seu número era mínimo, mas sua influência era grande.

Invertendo totalmente os valores sociais de sua época, as preciosas parisienses não foram, apesar do que se disse, um microcosmo ridículo. A resistência tão grande e as zombarias que a elas se opuseram são indícios de um prestígio não desprezível.

Molière as ironiza porque suas ideias adquiriam alguma importância não só na capital, mas também nas províncias. Com elas, são cruelmente ridicularizadas todas as *pretensiosas* de província, que querem escapar à sua condição social e feminina. Elas afirmam inabilmente suas aspirações mundanas, não só para sair de sua classe pequeno-burguesa, mas também para melhor se opor à sua vida futura de mãe de família.

Ridículas, talvez, para todos os que não toleram que se deseje deixar a condição original, sua inabilidade não impediu a propagação de algumas de suas ideias. Nos meios que se pretendiam refinados, os homens mudaram sensivelmente de atitude para com suas esposas ou amantes. Os valores familiares perderam seu peso, embora essas preciosas tenham tido inimigas entre as que pensavam que a integridade moral prescrevia a uma dama que se restringisse a ser mulher de seu marido, mãe de seus filhos e senhora de seus escravos.

Outros adversários renitentes foram os burgueses apegados aos valores tradicionais que consideravam as mulheres apenas como as primeiras escravas de suas casas, e proibiam às suas filhas ler outros livros afora os que lhes serviam para orar.

O conteúdo do ensino das meninas foi de uma mediocridade espantosa até a primeira metade do século XIX, pois só havia uma finalidade: torná-las esposas dedicadas e donas de casa eficientes.

A despeito de toda educação intelectual lhes ter sido proibida, as preciosas tinham grande ambição intelectual. Pais e maridos, porém, não viam com bons olhos essa avidez de cultura. Não podendo eliminar a causa, tudo fizeram para minorar os efeitos. Do fim do século XVI a meados do século XVIII, a maior parte dos homens, e os mais eminentes, uniu-se para tentar, com um mesmo discurso, dissuadi-las de seguir esse caminho. De Montaigne a Rousseau, passando por Molière e Fénelon, exortam-nas a voltar às suas funções naturais de dona de casa e mãe. O saber, dizem eles, estraga a mulher, distraindo-a de seus deveres mais sagrados.

Fénelon, no início do século XVIII, é bastante severo ao declarar que uma moça só deve falar quando necessário e, mesmo assim, manifestando dúvida, respeito e recato, até em relação à ciência. Não deve tratar de assuntos colocados fora do alcance comum das moças, mesmo as mais instruídas. A curiosidade científica é comparada a um impudor próximo do delito sexual.

A Revolução Francesa, em 1789, interrompeu esse processo de emancipação das mulheres. Quando publicamente elas reivindicaram seus direitos de cidadãs, a Convenção, por unanimidade, recusou. Foi reafirmada a separação e a diferença radical dos sexos. Fora do lar, foram consideradas perigosas à ordem pública. Exortadas a não se misturar com os homens, lhes foi proibida a mais insignificante função que não fosse doméstica e maternal.

A construção do amor materno

A mãe que hoje conhecemos, amorosa, dedicada e culpada, começou a ser moldada no final do século XVIII. Houve uma revolução das mentalidades, em que a imagem da mãe, seu papel e sua importância modificaram-se radicalmente. Passados 200 anos, ninguém questiona o amor materno. Acredita-se que é um instinto, um amor espontâneo da mãe pelo filho. Não se fala, porém, da árdua luta de mais de 100 anos para que todos absorvessem essa nova ideologia.

É evidente que o sentimento de amor materno sempre existiu, não em todas as mulheres, mas em todas as épocas e lugares. A exaltação desse amor como valor natural e favorável à espécie e à sociedade é que constitui novidade. Sem dúvida, as crianças lucraram muito, mas é importante assinalar que a construção do amor materno não foi motivada por uma questão humanitária, para minorar o sofrimento a que eram submetidas. A principal razão foi a necessidade de fazer frente à nova ordem econômica que surgia nas sociedades industrializadas.

Desponta, nessa época, uma nova ciência: a demografia. Passa-se a tomar consciência da importância da população de um país e a temer o despovoamento. A criança adquire um novo valor por representar, potencialmente, uma riqueza econômica e garantir o poderio militar. As perdas humanas são vistas então como um prejuízo para o Estado. Em 1770, Diderot resume a nova ideologia nos seguintes termos: "Um Estado só é poderoso na medida em que é povoado (...) em que os braços que manufaturam e os que defendem são mais numerosos."[69]

A mulher é promovida como mãe, na mesma medida em que declina o poder do pai. Anteriormente, se insistia na autoridade do pai, pois o que mais importava era formar súditos dóceis para Sua Majestade. Nesse final do século XVIII, quando o rei já tinha sido executado e as fábricas proliferavam, era necessário produzir seres humanos para trabalhar e enriquecer o Estado.

A mortalidade infantil deve ser impedida a qualquer preço. A providência imediata é salvar as crianças, futura mão de obra. A primeira etapa da vida que, como vimos, os pais negligenciavam, torna-se para a classe dirigente uma prioridade.

Como reverter esse quadro? De que forma conseguir que as mães se interessem pelos filhos, cuidando pessoalmente deles e os amamentando?

Inúmeras publicações incutem nas mulheres a importância da maternidade. Rousseau foi um dos mais influentes com a publicação de *Émile,* em 1762: "Do cuidado das mulheres depende a primeira educação dos homens; das mulheres dependem ainda os seus costumes. (...) Assim, educar os homens quando são jovens, cuidar deles quando grandes, aconselhá-los, consolá-los (...) eis os deveres das mulheres em todos os tempos."[70]

Médicos, pensadores, administradores, pedagogos e até mesmo os chefes de polícia de Lyon e de Paris repetem incansavelmente os mesmos argumentos para convencer as mulheres a cuidarem de seus filhos. Algumas, pouco numerosas, são receptivas a essas ideias, mas não as põem em prática. São necessárias várias décadas e muita argumentação e sermões para que as mulheres se resolvam, por fim, "a cumprir seus deveres de mãe".

A resistência das mulheres é tão grande, que se apela para promessas e ameaças. Elogia-se a beleza das lactantes, a frescura de sua pele, as proporções do peito e a aparência saudável que têm. Prometem às mães que amamentam múltiplas vantagens: não só o carinho dos filhos, mas também um apego sólido e constante de seu marido, que lhe será mais fiel, e juntos viverão uma união mais doce.

Caso as mulheres não se sensibilizassem com os argumentos da saúde, da beleza ou da felicidade, acrescentava-se o da glória. Rousseau não teme lisonjear a vaidade feminina ao ousar prometer à mãe que amamentasse "a estima e o respeito público (...) o prazer de se ver imitada um dia pela filha, e citada como exemplo à filha de um outro".[71]

Às mães que se negam a amamentar não faltam ameaças. Prometem toda espécie de enfermidade. Desde o perigo de o leite vazar para qualquer órgão estranho e provocar doenças fatais ou, até mesmo, a morte súbita. Garantem que a natureza sabe se vingar cruelmente das mulheres que lhe desobedecem e, o que é mais grave ainda, as acusam de estar cometendo um pecado contra Deus.

A nova mãe

Após essa luta incessante, as mentalidades começam a mudar. A mãe passa a amamentar ela própria seu filho e abandona a moda tradicional da faixa que aprisiona o bebê, que agora pode tocá-la e conhecê-la, enquanto ela o abraça e acaricia. Hábitos de higiene corporal são adotados, o banho torna-se diário.

O exercício físico também é incentivado. Rousseau recomenda que se vista a criança com roupas soltas e largas que deixem seus membros em liberdade e não lhe dificultem os movimentos: "Quando a criança começa a se fortalecer, deixai-a engatinhar pelo aposento; deixai-a desenvolver-se, estender os pequenos membros, e vereis como se fortalece a cada dia. Comparai-a com uma criança bem enfaixada, da mesma idade, e ficareis espantada com a diferença em seus progressos."[72]

A mulher se apaga, agora, em favor da boa mãe. Suas responsabilidades aumentam, não tem mais tempo livre, mas aceita sacrificar-se para que seu filho viva bem e junto a ela.

A morte da criança é vivida como um drama que atinge toda a família. A vigilância materna se torna ilimitada. Incansável, a mãe cuida do filho dia e noite. Qualquer coisa que aconteça — um tombo, um corte, ou mesmo uma gripe — a enche de culpa pelo pior crime materno: a negligência. Não amar os filhos tornou-se um crime sem perdão. A boa mãe é carinhosa, ou não é uma boa mãe. Ela não suporta mais o rigor e a inflexibilidade demonstrados antes para com a criança. Elisabeth Badinter assim define a nova mulher: "Esse trabalho de tempo integral a monopoliza totalmente. Cuidar dos filhos, vigiá-los e educá-los exige sua presença efetiva no lar. Totalmente entregue às suas novas obrigações, não tem mais tempo nem desejo de frequentar os salões e fazer vida mundana. Seus filhos são suas únicas ambições e ela sonha para eles um futuro mais brilhante e mais seguro ainda do que o seu. A nova mãe é essa mulher que conhecemos bem, que investe todos os seus desejos de poder na pessoa de seus filhos. (...) Dá a eles o melhor de si mesma. As longas separações de outrora parecem-lhe insuportáveis. Tem necessidade de sua presença à sua volta, ao mesmo tempo porque os ama mais e porque eles são sua principal razão de mulher, é 'a sua casa', fechada às influências externas."[73]

Com a nova mulher surge a nova família. O pai também se adapta ao lar entre sua mulher e seus filhos. Um prefeito constata isso na década de 1820, em Marselha: "Antes da revolução vivia-se mais fora do que dentro, e os homens passavam grande parte do tempo no café, no círculo de amigos, no teatro. Hoje, os locais de reunião são ainda frequentados, mas em geral os pais de família raramente ali vão."[74]

Essa é a família que conhecemos. A mãe é o seu eixo e a criança o centro das atenções. O cultivo da mãe como um ser especial faz dela, ao mesmo tempo, a dona de casa dedicada e sofredora e a rainha do lar, a patroa. O pai é o único responsável pelo bem-estar material da família, porque, nessa época, é mais uma vez vetada às mulheres qualquer possibilidade de atividade fora do lar.

A modificação desses costumes foi bastante lenta. Muitas mulheres recusaram-se a se conformar ao novo modelo. As primeiras a se adaptar foram as da burguesia (classe média), que não tinham ambições mundanas, nem pretensões intelectuais, nem necessidade de trabalhar ao lado do marido. Aquelas que, um século antes, tinham abandonado os filhos por conformismo, preguiça ou falta de motivação, mais do que por necessidade. A mulher da classe média viu nessa nova função a oportunidade de ascender e de ser mais livre, o que não era o objetivo da aristocracia. Ela deixa de ser para o marido, como outrora, uma criança entre as crianças que é preciso proteger e governar. A mãe burguesa mantém a casa com autoridade e orgulho.

As mulheres das classes dominantes foram as primeiras a se separar dos filhos e as últimas a modificar seus hábitos. Procuravam demonstrar, assim, a distância que as separava das atitudes da média burguesia. Recusavam claramente o papel de boa mãe de família.

A maternidade, contudo, foi se tornando cada vez mais um papel gratificante, por estar impregnado de ideal. "O modo como se fala dessa 'nobre função', com um vocabulário tomado à religião (evoca-se frequentemente a 'vocação' ou o 'sacrifício' materno), indica que um novo aspecto místico é associado ao papel materno. A mãe é agora usualmente comparada a uma santa, e se criará o hábito de pensar que toda mãe é uma 'santa mulher'. A padroeira natural dessa nova mãe é a Virgem Maria, cuja vida inteira testemunha seu devotamento ao filho. Terá sido por acaso que o século XIX a glorificou, criando a festa da Assunção?"[75]

Mesmo que toda essa propaganda intensiva, desencadeada há 200 anos e alimentada até hoje, não tenha conseguido transformar todas as mulheres em mães extremadas, sem dúvida alguma produziu nelas um grande efeito. É inegável a profunda mudança havida: as mulheres se sentiam cada vez mais responsáveis pelos filhos. Caso não pudessem assumir sua obrigação, consideravam-se culpadas. "Nesse sentido, Rousseau obteve um sucesso muito significativo. A culpa dominou o coração das mulheres."[76]

A mãe contemporânea

No cenário atual, o homem começa, aos poucos, a participar mais da educação dos filhos, mas às mães ainda cabe uma parcela maior de responsabilidade — e de cobranças — pelo que acontece com o filho. Sua educação, seu lazer, seus estudos, sua sexualidade. Enfim, sua felicidade ou sua desgraça.

No século XX e ainda hoje as mães ouvem incansavelmente as mesmas advertências de seus maridos e ex-maridos, pais de seus filhos:

"Você não toma conta da sua filha, ela chega muito tarde em casa. Se acontecer alguma coisa, a culpada é você."

"Ele vê televisão o dia todo. Você nem presta atenção nele. Se repetir o ano, a culpa é sua."

"Seu filho não pára em casa. Você não sabe nem com quem ele anda. De repente vira um drogado e a responsabilidade é sua."

"Você está saindo muito. Está abandonando as crianças. Vê lá o que pode acontecer!"

"Você mima muito esse menino. Desse jeito vai virar veado."

E da responsabilidade à culpa foi muito rápido.

Algumas mulheres se adaptam e, orgulhosas, correspondem ao que delas se espera. Outras, talvez a maioria, que não conseguem, apesar do esforço, desempenhar tão bem esse papel imposto, angustiam-se e são atormentadas pela culpa. "A razão é simples: tomava-se o cuidado de definir a 'natureza feminina' de tal modo que ela implicasse todas as características da boa mãe."[77] E a boa mãe, a normal, é dedicada e se sacrifica pelo filho sem reclamar. Sabe sempre o que é melhor para ele. Na realidade, somente isso lhe dá o verdadeiro prazer na vida. "Fechadas nesse esquema por vozes tão autorizadas, como podiam as mulheres escapar ao que se convencionara chamar de sua 'natureza'? Ou tentavam imitar o melhor possível o modelo imposto, reforçando com isso sua autoridade, ou tentavam distanciar-se dele e tinham de pagar caro por isso. Acusada de egoísmo, de maldade, e até de desequilíbrio, àquela que desafiava a ideologia dominante só restava assumir, mais ou menos bem, sua 'anormalidade'. Ora, a anormalidade, como toda diferença, é difícil de se viver. As mulheres submeteram-se, portanto, silenciosamente, algumas tranquilas, outras frustradas e infelizes."[78]

A maior expectativa que ainda hoje se tem em relação à mulher é que seja mãe. Por ser capaz de ter filhos, supõe-se que, naturalmente, deseje tê-los. Olha-se com piedade para as mulheres que não os têm e com desprezo e crítica para as que não querem tê-los, considerando-as até portadoras de um grave problema mental.

A pressão ideológica é tanta que muitas mulheres se convencem que desejam ter filhos sem que esse desejo realmente exista. Nesse caso, a maternidade é vivida com muita frustração e culpa.

"Talvez tenham feito o máximo esforço para imitar a boa mãe, mas, não encontrando nisso a própria satisfação, estragam sua vida e a de seus filhos. Aí está, provavelmente, a origem comum da infelicidade e, mais tarde, da neurose de muitas crianças e de suas mães."[79] Em todos os aspectos, a culpa materna nunca foi tão grande como no século XX e até hoje.

As mulheres sofrem constante patrulhamento, velado ou explícito, da sua conduta como mães. Diferentemente de décadas atrás, hoje existem muitas possibilidades de lazer, de desenvolver interesses variados e de fazer novos amigos. É cada vez mais difícil resistir a esses apelos e continuar desempenhando o papel de mãe abnegada que vive só para os filhos.

A sensação de estar transgredindo o modelo de boa mãe determinado como natural torna a mulher vulnerável a críticas. Disso se aproveitam não só as pessoas que a cercam, como também as instituições empenhadas em mantê-las sob controle. Cada uma delas, acenando com o crime de abandono dos filhos, tenta imobilizar a mulher na função de mãe. Quase sempre, os motivos dos ataques são pessoais e inconscientes, mas, amparados pelos dogmas da maternidade, adquirem aparência de verdade indiscutível.

Dessa forma, os filhos são usados como pretexto para que maridos ciumentos, ex-maridos rejeitados, mães e amigas invejosas projetem suas impossibilidades na mulher que ousa desafiar a moral vigente.

Mara, professora, de 28 anos, está separada há um ano. Vive com a filha de 2 anos, e para ela a separação foi um grande alívio. Não suportava mais a infelicidade em que vivia nos últimos tempos de casada, nem a exaustão que lhe causou a batalha para conseguir que o marido saísse de casa. Reencontrou antigos amigos e logo começou a renascer.

Sua mãe, viúva dedicada à família, estava sempre presente. Apoiava a separação, desde que pudesse ter a filha e a neta à sua volta. Havia perdido o marido aos 35 anos e, submetida aos preconceitos da sua geração, nunca tivera liberdade de namorar e muito menos de ter vida sexual. Indignava-se cada vez que Mara saía e chegava tarde em casa. Embora a percebesse alegre e muito mais disposta para as funções maternas, conseguiu transformar a vida de Mara num inferno.

"Ela me ataca o tempo todo. Diz que sou péssima mãe, que abandono minha filha. Cada vez que saio para me divertir é um problema. Ela grita, fica transtornada. Chegou a dizer que se meu ex-marido pedisse a posse e guarda de Luísa, ela iria depor no tribunal contra mim. O curioso é que se eu passar dia e noite fora, mas trabalhando ou estudando, ela acha ótimo. Atualmente, só tenho paz quando fico doente ou triste. Aí, ela é carinhosa, até solícita. Não tenho mais dúvidas. Para viver bem com a minha mãe, só se eu aceitar ser infeliz."

Enquanto isso, o prestígio do pai aumenta, à medida que se torna melhor provedor. O bom pai é aquele que sustenta sua família, não permitindo que nada material lhe falte.

Os argumentos comuns para justificar a não participação do pai na educação dos filhos variam desde sua incapacidade para esse trabalho até os negócios e as preocupações que absorvem os chefes de família. Não teriam mais tempo nem a disponibilidade emocional para assumir uma função educativa. Houve quem alegasse também que "nada na natureza do homem predispõe a relações afetivas com o filho. Este é um estranho para ele, que vive num universo em que a infância e as regras da afeição que a governam estão excluídas. Daí sua incompreensão, sua severidade e sua impaciência. Habituado a lutar com a dura necessidade exterior, não pode aceitar os caprichos, os sonhos e a fraqueza infantil que são, em contrapartida, familiares à mãe".[80]

Um dentista de 40 anos comenta a estranheza que sente quando presencia a relação de intimidade de alguém com o pai:

"Desde que me entendo por gente, nunca vi meu pai dirigir a palavra a mim ou a qualquer um dos meus irmãos. Não me lembro de ele ter me posto no colo ou feito algum carinho. Era um homem muito ocupado. Quando ele chegava à noite em casa, minha mãe rapidamente nos punha para brincar no quarto para não perturbá-lo. Ele se trancava no escritório e só me lembro que não podíamos fazer nenhum barulho. Cresci acreditando que fosse assim com todo mundo."

O estabelecimento do amor materno foi alcançado com amplo sucesso. Toda mãe se sacrifica com prazer pelos filhos, e as exceções são consideradas desvios patológicos.

Na história, não é novidade que o ser humano se torna passivo e frágil diante de um sistema social com o poder de submetê-lo a ideologias fabricadas de acordo com seus interesses. Dessa forma, crenças tão arraigadas, vividas como verdades indiscutíveis, vão sendo incutidas nas pessoas que as defendem como se fossem suas.

Os valores de uma sociedade são, na maioria das vezes, tão imperiosos que determinam até os desejos. Não questioná-los é permitir sua influência autoritária. E abrir mão da autonomia e, impotentes, se deixar manipular como marionetes.

A família

Antes das transformações do final do século XVIII, as famílias eram bem grandes — pai, mãe, tios, sobrinhos, avós —, permaneciam próximas ou, como no campo, viviam juntas no mesmo lugar. Esse tipo de família, pela força de sua união, dá segurança e proteção às pessoas. O trabalho industrial foi trazendo os indivíduos para a cidade, cortando os laços familiares.

A família nuclear (pai, mãe e um a três filhos) é isolada e pequena demais — o que acarreta uma sobrecarga de preocupações aos participantes. "Cada um por si e Deus por todos", é o lema. Esse medo faz as pessoas se manterem trabalhando, e a ambição é subir na vida.[81] Assim, a família nuclear se atrela ao processo econômico, dando-lhe grande impulso. A economia gira em torno do lar. Não havendo mais ajuda recíproca entre os membros, as rivalidades e invejas familiares entram no cenário. Quando as pessoas começam a trabalhar, criam-se distâncias entre os membros da mesma família, em função da renda e do status que cada um vai adquirindo.[82]

A família grande não interessa a uma sociedade industrial. É mais vantajoso para o consumo que existam várias famílias pequenas comprando os produtos fabricados. O número de famílias determina o número de casas, geladeiras, TVs, carros, aparelhos de som etc. que são vendidos.

Nessa nova família, como vimos anteriormente, o homem se afasta de casa para trabalhar nas fábricas e nos escritórios e a mulher se fecha no espaço privado do lar, cuidando dos filhos. Para que esse sistema funcione bem, é inaugurado o amor romântico. "Podemos afirmar mesmo que, *grosso modo*, o amor aparece como instituição ao mesmo tempo que a industrialização. O amor entre homens e mulheres é filho das grandes cidades. (...) A mulher seria a salvadora do homem das tentações do poder, com seus valores de dedicação e autossacrifício, completamente opostos ao egoísmo e ao desejo de poder dos homens."[83]

Inaugura-se o amor romântico

A necessidade de sobrevivência foi o que sustentou durante milênios o casamento e a família. Os casamentos eram contraídos por questões econômicas, não sendo o amor uma condição.

Ao contrário, era até evitado. "A maior parte das civilizações parece ter criado histórias e mitos que carregam a mensagem de que aqueles que buscam criar ligações permanentes devido a um amor apaixonado são condenados."[84]

O amor apaixonado é um fenômeno encontrado em todas as épocas e lugares, mas se diferencia do amor romântico, que é culturalmente específico do Ocidente. A sociedade ocidental moderna é a única cultura da história que tem a experiência do amor romântico como um fenômeno de massa. Somos os únicos a cultivar o ideal do amor romântico e a fazer do romance a base de casamentos e relacionamentos amorosos. Os orientais não vivem o amor dessa forma. Eles não impõem aos seus relacionamentos os mesmos ideais. Suas exigências e expectativas também são diferentes.[85]

O amor romântico não é apenas uma forma de amor, mas todo um conjunto psicológico — uma combinação de ideais, crenças, atitudes e expectativas. Essas ideias coexistem no inconsciente das pessoas e dominam seus comportamentos e reações. Inconscientemente, predetermina-se como deve ser o relacionamento com outra pessoa, o que se deve sentir e como reagir.[86]

Nas ligações do amor romântico, o elemento do amor sublime tende a predominar sobre o ardor sexual. A virtude passa a significar qualidades de caráter que distinguem a outra pessoa como especial.

É comum considerar que o amor romântico implica atração instantânea — amor à primeira vista. Entretanto, como a atração imediata faz parte do amor romântico, ela tem de ser completamente separada das compulsões sexuais/eróticas da paixão sexual. "O primeiro olhar é uma atitude comunicativa, uma apreensão intuitiva das qualidades do outro. É um processo de atração por alguém que pode tornar a vida de outro alguém, digamos assim, 'completa'."[87]

Presume algum grau de questionamento. "O que eu sinto em relação ao outro? Como o outro se sente a meu respeito? Será que os nossos sentimentos são 'profundos' o bastante para suportar um envolvimento prolongado?" "Proporciona uma trajetória de vida prolongada, orientada para um futuro previsto, mas maleável; e cria uma 'história compartilhada' que ajuda a separar o relacionamento conjugal de outros aspectos da organização familiar, conferindo-lhe uma prioridade especial."[88] É associado claramente ao casamento e à maternidade e à ideia de que o verdadeiro amor é para sempre. Torna-se incompatível com o ardor sexual, já que se idealiza o ser amado como parceiro de um encontro de almas que tem um caráter reparador. "O outro, seja quem for, preenche um vazio que o indivíduo sequer necessariamente reconhece — até que a relação de amor seja iniciada. E esse vazio tem diretamente a ver com a autoidentidade: em certo sentido, o indivíduo fragmentado torna-se inteiro."[89]

Até muito pouco tempo, a todos os ideais do amor romântico acrescentava-se a ideia de que o casamento é para sempre. Um casamento eficaz, embora gerando muita infelicidade, era sustentado por uma divisão de trabalho entre os sexos. O marido dominando o trabalho remunerado e a mulher, o trabalho doméstico. O confinamento da sexualidade feminina ao casamento era importante como símbolo da mulher respeitável.

Os homens resolviam as tensões entre o amor romântico e o prazer sexual separando o conforto do ambiente doméstico da sexualidade da amante ou da prostituta.

Judith, de 74 anos, cuida há seis meses do marido enfermo. Orgulhosa, fala dos filhos, dos netos e das bodas de ouro que comemorou no ano passado. Sempre se sentiu considerada e respeitada pela família, a rainha do lar. Em todos os problemas domésticos dava a última palavra. Suas convicções são inabaláveis em relação à vida íntima nesses anos todos com o marido:

> "Sempre fiz questão de ser uma mulher respeitável. Deixei muito claro, desde o início, que sou a esposa, a mãe. As porcarias, ele que procurasse fora de casa."

A mulher feminina

O novo papel da mulher, a mãe idealizada, originou uma nova concepção de feminilidade. A imagem da esposa e mãe reforçou um modelo de dois sexos das atividades e dos sentimentos. Associou-se maternidade à feminilidade, como sendo atributos da personalidade — atributos impregnados de concepções bastante firmes a respeito do sexo feminino.[90]

Um artigo sobre casamento, publicado em 1839, observa que "o homem exerce domínio sobre a pessoa e a conduta de sua esposa. Ela exerce o domínio sobre as inclinações do marido; ele governa pela lei; ela governa pela persuasão. (...) O império da mulher é o império da suavidade (...) suas ordens são as carícias, as ameaças, as lágrimas".[91]

As ideias sobre a maternidade e o amor romântico estavam associadas à subordinação da mulher ao lar e ao seu relativo isolamento do mundo exterior. "Como agora a mulher fica reduzida a seu papel de procriadora, o lar passa a ser considerado uma ilha de amor dentro de um mundo destruidor e brutal. A mulher virtuosa passa a ser sua rainha. E os pilares da sua nova feminilidade são: a pureza, a piedade religiosa e a submissão."[92]

A construção da mulher feminina

A primeira coisa que se quer saber quando nasce um bebê é se é menina ou menino. O papel social que ele deverá desempenhar está claramente definido: feminino ou masculino. Os padrões de comportamento são distintos e determinados para cada um dos sexos. A expectativa da sociedade é de que as pessoas cumpram seu papel sexual, que sofre variações de acordo com a época e o lugar. Até algumas décadas, não se admitia que um homem usasse cabelo comprido e muito menos brinco. Eram coisas femininas. As mulheres não sonhavam usar calças, nem dirigir automóveis. Era masculino.

"Em geral, a cultura do Ocidente não tolera muito bem a ambiguidade, a falta de definição clara. Costumamos nos irritar diante de nuanças e exigimos, muitas vezes de forma peremptória, a distinção exata entre o que convencionalmente chamamos homem e o que também convencionalmente chamamos mulher."[93]

Atitudes e comportamentos femininos e masculinos são ensinados às crianças desde muito cedo e, dessa forma, vão sendo assimilados a ponto de serem confundidos, mais tarde, como fazendo parte de suas naturezas. Sem dúvida, existe uma diferença nítida nas atitudes sociais dos homens e das mulheres e é fácil, então, concluir que são realmente diferentes. "Na realidade, a natureza só traz a anatomia e a fisiologia. Tudo mais é produto de cada cultura e de cada grupo social."[94]

Logo que um bebê nasce, os pais e as pessoas que o cercam começam a ensinar-lhe através de gestos, do jeito de falar, da escolha de brinquedos e roupas, a que sexo pertence. A maneira como a criança é percebida é determinante para a sua identidade sexual.

Uma pesquisa feita com pais e mães 24 horas após o nascimento de seus filhos trouxe dados bastante significativos. Perguntados sobre a impressão que tinham dos bebês — todos normais, mesmo peso e altura, só vistos através do vidro do berçário e após um único contato com as mães —, eles usavam muito mais a palavra *grande* para os filhos do que para as filhas, e *bonita, engraçadinha* e *tranquila* para as filhas. As meninas tinham *traços finos* e os *meninos, feições marcantes*. "Ambos os genitores tendem a estereotipar seu bebê, mas os questionários mostram que essa tendência é mais acentuada no pai."[95]

Outra experiência batizada de "baby X" chegou às mesmas conclusões. Vestiram um bebê de amarelo. Dividiram 42 adultos em três grupos. Ao primeiro disseram que era uma menina, ao segundo, que era um menino, e ao terceiro, que era um bebê de três meses, sem informar o sexo. Os adultos, então, brincaram com o bebê. O relacionamento deles foi diferente de acordo com a informação recebida. No terceiro grupo, os homens ficaram mais ansiosos que as mulheres e a maioria atribuía um sexo à criança, "justificando sua escolha por indícios condizentes com os estereótipos".[96]

A roupinha azul para o menino e a rosa para a menina inauguram as diferenças marcantes que a partir de então a sociedade vai delinear.

Os bebês meninas são mais carregados no colo que os bebês meninos. Os pais são mais vigorosos e violentos ao brincar com os meninos. Isso tem um resultado imediato: as meninas são menos agressivas que os meninos. Espera-se que seja assim.

As meninas ganham bonecas, panelinhas e casinhas, enquanto os meninos recebem presentes como carrinhos, armas, bolas de futebol. Se um menino gosta de brincar com as meninas de casinha, fazendo comida para as bonecas, raros são os pais que não se afligem. Imediatamente, sugerem que ele vá brincar com coisas de menino (depois ninguém entende por que os homens não ajudam no trabalho doméstico).

Espera-se que as meninas sejam gentis, meigas, delicadas, fechem as pernas ao sentar e não falem palavrão. Caso contrário, são logo repreendidas com severidade: "Isso não são modos de uma menina." Juan Carlos Kusnetzoff, no livro *A mulher sexualmente feliz,* relata uma pesquisa realizada em Montevidéu, demonstrando que a mulher, desde a idade escolar, não pode dispor do mesmo espaço físico que o homem. Há uma limitação de seus movimentos e, além disso, ela não tem o poder de dispor sobre o seu tempo livre.

O comportamento de meninas e meninos do ensino básico foi observado no próprio ambiente de estudo e recreação. Os meninos acusavam as meninas de egoístas, de não emprestar seu material escolar. As meninas concordavam com isso, alegando que os meninos são grosseiros, agressivos, e que se apropriam do material delas. Isso ocorre desde os primeiros dias de aula do primeiro ano, o que deixa claro os valores e as expectativas que as meninas trazem de casa.

"O material é extensão do corpo da menina e mesmo nessa tenra idade ela sabe que não deve emprestar (o material e o corpo) aos colegas do sexo oposto. 'Eles querem apenas isso.' 'Querem só usá-las.'"[97] As meninas perdem o material escolar com muito menos frequência que os meninos e, para eles, os pais o repõem com mais rapidez.

"Como se pode ver, numerosos e significativos padrões já estão sendo assimilados e fixados nessa idade: o sentido de posse e de cuidado; a responsabilidade pela perda; a diferenciação no que se refere aos mesmos valores em relação ao sexo oposto; a possibilidade de movimento e conquista de espaço."[98]

As professoras costumam sentar os meninos junto das meninas, alegando que a menina, mais atenta, mais disciplinada e boazinha, acalma o menino, sempre inquieto e impulsivo. "Ou seja, desde pequena, a mulher cuida do homem, limitando os movimentos dele e limitando-se."[99]

Em alguns países, é no uso do uniforme tipo avental que essa ideologia se evidencia mais dramaticamente. Os meninos usam uniforme abotoado na frente, enquanto o das meninas é pregueado, com um laço e botões atrás. Isso faz com que as meninas precisem de ajuda para vestir, abotoar, desabotoar e despir o avental. "Pode ser que esse costume não vigore em muitas regiões ou grupos sociais, hoje em dia, mas serve para exemplificar como se transmite a ideologia. (...) O avental das meninas é o princípio em que se acertam e se aperfeiçoam a opressão e dependência."[100]

As meninas devem sempre recorrer a alguém que as ajude. Mas a situação se torna realmente trágica e ridícula na hora do recreio, quando costumam ir ao banheiro. As meninas invejam a rapidez e comodidade dos meninos, que dispõem de mais tempo de recreio e diversão, esperando até o último momento para ir ao banheiro, enquanto elas se veem atrapalhadas e freadas por aquela roupa. "Esses conceitos de tempo e espaço, assimilados em criança, vão evoluir no psiquismo com consequências na sexualidade adulta."[101]

A menina torna-se mulher feminina

Ao contrário do homem, que é estimulado a ser independente desde que nasce, a mulher não é criada para defender-se e cuidar de si própria. Quando adolescente, continua sendo treinada para a dependência. Não deve sair sozinha (um irmão é solicitado a acompanhá-la), seus horários são mais controlados, é cobrada a permanecer mais tempo em casa. Por mais que estude e faça planos profissionais para o futuro, alimenta o sonho de um dia encontrar alguém que irá protegê-la e dar significado à sua vida, não dando ênfase a uma profissão que a torne de fato independente.

O principal objetivo para a maioria continua sendo o casamento, visto como insubstituível fonte de segurança e usado como arma ideológica contra a mulher: "Uma pessoa só se realiza no casamento"; "Como você vai se manter se não casar?"; "Uma mulher não pode viver sozinha"; "A verdadeira felicidade da mulher é ter filhos." Esses slogans são repetidos incansavelmente, mesmo que de forma subliminar.

Em muitos casos, o movimento de emancipação e as exigências práticas da vida não permitem que a mulher se esconda sob a proteção do pai ou marido. Mas a liberdade a assusta. Foi ensinada a acreditar que, por ser mulher, não é capaz de viver por conta própria, que é frágil, com absoluta necessidade de proteção. Muitas acreditam até que serem sustentadas é um direito pelo fato de serem mulheres.

Desde a infância, a mulher desenvolve uma grande dúvida interna quanto a sua competência e, quando porventura surge uma chance de conseguir independência, se assusta e volta atrás.

Carmem casou pouco depois de terminar a faculdade, sem que começasse a trabalhar. Hoje, com 43 anos e três filhos, tenta descobrir um meio de ganhar dinheiro. Depende totalmente do marido. As brigas são frequentes em casa, algumas tão sérias que ela tem de passar alguns dias na casa de alguém. Nessas ocasiões, ele retira o talão de cheques da conta conjunta, a chave do carro, e não lhe deixa dinheiro nem para o ônibus.

Sua última tentativa rumo à independência econômica parecia promissora. Começou a confeccionar camisetas de malha com estampas feitas a mão por ela mesma. As amigas adoraram e as vendas se intensificaram. Mas, de repente...

> "Não sei o que aconteceu comigo. Uma loja encomendou um número grande de camisetas. Só que eu não consigo ter ânimo nem para comprar a malha. Acho que agora não dá mais, já passou do dia combinado para a entrega."

No caso de Carmem, outro fator pesa na sua imobilidade. Sempre que se empolga com um trabalho, o marido fica emburrado, afirmando que ela está dando pouca atenção aos filhos.

Outras mulheres que acreditam na sua competência muitas vezes temem desapontar as expectativas do homem e representam o papel feminino.

Um estudo sobre a masculinidade e a feminilidade a partir de uma perspectiva da infância descreve os estágios da aprendizagem do respeito ao sexo masculino. São eles: afirmação (dos 6 aos 10 anos), no qual as garotas têm rancor dos meninos; ambivalência (dos 10 aos 14 anos), quando as garotas começam a se desviar para o lado dos meninos; e acomodação (dos 14 em diante), no qual as garotas aceitam a "necessidade do apoio masculino".[102]

Tanto a mulher que se sente insegura e frágil quanto a que se sabe competente, mas representa o papel feminino para agradar ao homem, são mulheres dependentes. Ambas acreditam necessitar de um homem ao seu lado, sem o qual não imaginam poder viver.

O movimento feminista da década de 1960 fez com que muitas mulheres se rebelassem contra o eterno papel de donas de casa e mães. Muitas, contudo, aceitam ainda servir de tela para os homens projetarem seus desejos. Acabaram convencidas de que seu papel não é o de um ser humano, mas o espelho que reflete o ideal e a fantasia do homem.[103]

Para a maioria das mulheres, ser mulher significa ajustar sua imagem de acordo com as necessidades e exigências dos homens. "A multidão de atributos expostos nesse papel — maneiras respeitosas, olhar recatado, sorriso constante, a risada que confirma, entonação crescente, gestos físicos cautelosos e assim por diante — foi adequadamente chamada de atitudes de acomodação."[104]

Ana tem 45 anos, duas filhas casadas e está separada há muito tempo. Não vê o marido desde a separação, e sustentou e criou sozinha as meninas. Muito ativa e esforçada, consegue viver em relativo conforto vendendo artigos que pega em consignação.

Durante três anos, teve um namorado fixo, mas depois que terminaram, há cinco anos, só mantém casos esporádicos. Alimenta, entretanto, grande esperança de encontrar o homem da sua vida. Para isso, frequenta com algumas amigas restaurantes caros.

Suas concepções a respeito da mulher, do homem e do amor a consagram como representante máxima do estereótipo da mulher feminina na nossa cultura. Estabelece várias regras que acredita torná-la mais atraente para os homens. Recentemente, conheceu alguém que se encaixava perfeitamente no seu ideal. Separado, rico, gentil, dono de uma empresa. No segundo encontro foram ouvir música num bar elegante. Abraçaram-se e beijaram-se. Ao ser convidada para um champanhe no apartamento dele, reagiu como uma virgem ofendida. Ela explica:

"Os homens não valorizam as mulheres que vão para a cama com eles no início."

Após cada encontro, aguardava o próximo telefonema dele. Ansiosa, quando tardava, dizia que uma mulher não pode nunca ligar para o homem com quem está se relacionando, num prazo inferior a cinco dias de espera.

Seguindo à risca sua cartilha, descreve alguns aspectos da sua visão de mulher feminina.

"Quando estou com um homem em um restaurante, jamais abro a bolsa. Seria muito deselegante tentar dividir a conta. Os homens não gostam de mulheres que tomam essas iniciativas. Sou muito feminina, romântica mesmo, por isso deixo que eles paguem tudo sempre. E tenho certeza de que um homem só valoriza a mulher que só aceita sair com homem de posição."

A mulher autônoma

Uma mulher pode ser autônoma e também feminina?

Essa pergunta foi feita por mim a 80 pessoas, homens e mulheres, com idades variando entre 20 e 55 anos. As respostas foram instantâneas e veementes: claro, óbvio, lógico. Em seguida, coloquei a segunda questão: o que é uma mulher feminina? O comportamento de todos foi semelhante. Silêncio por algum tempo, como se tivessem sido pegas de surpresa. Hesitantes e confusas, as pessoas tentavam explicar. Somente duas, quando iam começar a falar, sorriram e admitiram não saber realmente, apesar de terem respondido com um sonoro "lógico" à primeira pergunta.

Reunindo todas as respostas, chegamos ao seguinte perfil da mulher feminina: elegante, delicada, frágil, sensível, cheirosa, dependente, pouco competitiva, desinteressada de política, pouco ousada, chora com facilidade, se emociona facilmente, mãe carinhosa, recatada, indecisa.

Vinicius de Moraes, considerado o poeta que amava as mulheres, em *Samba da bênção* reforça esta mesma expectativa: "Uma mulher tem que ter qualquer coisa além da beleza, qualquer coisa de triste, qualquer coisa que chora, qualquer coisa que sente saudade; um molejo de amor machucado, uma beleza que vem da tristeza de se saber mulher feita apenas para amar, para sofrer pelo seu amor e ser só perdão."

Nos sonhos de alguns jovens, aparece a mulher desempenhando esse mesmo papel feminino.

Três rapazes, com pouco mais de 20 anos, conversavam na praia de Ipanema sobre a mulher ideal de cada um. Um deles definiu com clareza o que buscava na amada:

"Eu me apaixonaria por uma garota que, depois de fazermos sexo pela primeira vez, tivesse nos olhos uma expressão de felicidade e, ao mesmo tempo, duas lágrimas rolassem pelo seu rosto."

As lágrimas, provavelmente, dariam o toque da feminilidade, isto é, do recato, da culpa, do pedido de perdão.

A mulher considerada feminina é uma mulher estereotipada. Então, uma mulher não pode ser autônoma e feminina ao mesmo tempo. Autonomia implica ser você mesma, em sua totalidade, sem negar ou repudiar aspectos de sua personalidade para se submeter às exigências sociais.

Na nossa cultura patriarcal, a mulher feminina renuncia a partes do seu eu, na tentativa de corresponder ao que dela se espera.

O mesmo ocorre com o homem masculino. Suas características são, sem dúvida, a força, a coragem, a ousadia, o desafio e tantas outras do gênero. Tanto o homem como a mulher podem ser fortes e fracos, corajosos e medrosos, agressivos e dóceis, dependendo do momento e das características que predominam em cada um, independentemente do sexo. Os conceitos de feminino e masculino são prejudiciais a ambos os sexos por despotencializar as pessoas, aprisionando-as a estereótipos.

Numa pesquisa, descobriram-se três principais grupos de adjetivos ligados à ideia que as pessoas fazem da mulher.[105] Nos dois primeiros grupos, as mulheres apareciam como muito dependentes dos homens. Seja como uma expressão sexualmente pura e maternal (dona de casa) ou como um tentador objeto sexual. O terceiro grupo combinava todos os papéis que implicavam uma independência dos homens. A mulher aparece dividida entre as que mostram uma forte dependência em relação aos homens e as que não a mostram. A forte dependência em termos de mulheres servindo aos homens apresenta dois tipos opostos: não sexual (a dona de casa) e sexual (mulheres tentadoras). Esses dois papéis foram vistos como incompatíveis por homens e mulheres. Entretanto, a maior divisão foi entre as mulheres que servem aos homens e as que não o fazem.

Os homens encararam as mulheres desse terceiro grupo, as que não dependem deles, como não femininas. As que têm sucesso em sua carreira foram vistas como uma raça à parte, como mulheres que renunciaram à sua feminilidade, escolhendo atividades que "as levam além dos tradicionais papéis que servem aos homens".

Não me parece que hoje o sucesso profissional de uma mulher ameace muito o homem. O que o assusta não é a mulher independente economicamente, e, sim, a mulher autônoma. A diferença entre as duas é profunda. Existem mulheres com grande êxito em suas profissões, que sustentam toda a família, muito respeitadas em cargos de comando, mas que não são mulheres autônomas.

Uma mulher autônoma olha com novos olhos o mundo, o amor, o homem. Busca sua identidade definida por si mesma e não como adjunto do seu homem. "Ela pode até terminar com Fulano de Tal, mas, se o fizer, não será como a sra. Fulano de Tal", e, por isso, tem dificuldade em se relacionar com homens que não sejam autônomos, homens presos ao mito da masculinidade.

Um estudo feito por três psicólogos coloca a seguinte pergunta: "Será que a experiência do amor depende da orientação que a pessoa tem quanto ao papel sexual?"[106] A resposta deles é sim. Quando você aprova os papéis tradicionais de masculinidade e feminilidade, sua experiência de amor tenderá a ser à maneira romântica. Quando não aprova, está livre para viver um amor baseado na intimidade autêntica, em vez de na pseudointimidade da atração dos opostos.[107]

"O mito do amor romântico faz uma oposição fundamental à autonomia pessoal. Se a masculinidade tranca os homens dentro desse mito e lhes rouba a oportunidade de um amor verdadeiro, o mesmo é verdade em relação à feminilidade e aos seus resultados para a mulher e o amor."[108]

Bonnie Kreps descreve como até no dia a dia a mesma mensagem é passada a respeito do que faz uma mulher ser romântica. Observa que em todos os catálogos de roupas femininas postas à venda pelo correio, quando uma seção é encabeçada pela palavra "romântico", os modelos são, em sua maioria, muito jovens e louras, suas roupas são em tons pastel e, em geral, cor-de-rosa, decoradas com rendas, e o catálogo está cheio de palavras como suave, delicado, feminino, e acrescenta: "Vamos encarar a verdade: uma mulher romântica bem-sucedida não é competente nem sexual. Sua competência deve ser falha e sua sexualidade deve ser apenas do tipo passivo."[109]

No século XX, cada vez mais mulheres questionam a suposição de nossa cultura de que a verdadeira felicidade se equipara a estar envolvida com um homem. Ter ou não um homem ao lado está aos poucos deixando de ser a questão básica da vida. Mas ainda são poucas as mulheres e os homens que buscam autonomia. A grande maioria ainda mantém no amor os padrões de comportamento tradicionais, variando apenas o grau.

Em uma de minhas palestras sobre "Amor, casamento e separação" ocorreu um fato bastante inusitado. Uma mulher bonita e elegante de aproximadamente 35 anos pediu a palavra e, indignada, discordou das minhas ideias. Em voz alta, num tom de quem tem certeza absoluta do que fala, causou um frisson na plateia:

"O homem tem que ser controlado, sim! Temos que ficar em cima. Se você bobear, ele apronta. Outro dia, desconfiei que meu namorado estava com uma mulher na casa dele. Não tive dúvida. Fui lá e quase arrombei a porta. Entrei derrubando tudo o que via na minha frente. Ele ainda tentou esconder a mulher, mas não adiantou. Botei ela para fora aos tapas."

Logo depois, uma mulher de uns 60 anos pediu para falar:

"Fui casada durante 30 anos. Sempre fui controlada, tendo que viver em função do meu marido. Era insuportável. Esperei meus filhos casarem e pedi a separação. Atualmente, tenho um namorado há dez anos. A cabeça está acima do coração não é à toa. É para a gente pensar. E eu não sou burra. Cada um mora na sua casa e a gente só se encontra quando os dois têm vontade. O sexo também. Só fazemos quando os dois desejam. Quando ele não está comigo, não quero nem saber onde está ou o que está fazendo. Que Deus o proteja!"

Foi aplaudida de pé.

A autonomia não é fácil de ser alcançada. São anos e anos de condicionamento em que vamos assimilando os valores da cultura em que vivemos, como se fossem nosso idioma natal.

Ocorre algumas vezes de uma mulher autônoma deslizar sem perceber para o terreno do amor romântico e, ao abrir os olhos, compreender que viveu um romance ideal com todos os ingredientes necessários.

Foi o que aconteceu com a aqui já citada Bonnie Kreps, cineasta canadense premiada, produtora de documentários para cinema e TV, jornalista e uma das mais destacadas pensadoras feministas. A experiência amorosa que viveu foi muito significativa, motivando-a a escrever um livro sobre o mito do amor romântico. Transcrevo a seguir seu relato por considerá-lo rico e escla- recedor.[110]

"Conheci meu Homem Certo ao entrevistá-lo para um artigo que eu estava escrevendo. Lembro-me bem de ter pensado três coisas sobre aquele primeiro encontro: primeira, ele me parecia bastante atraente sexualmente; segunda, ele também parecia um 'moderninho duvidoso' (expressão que uso quando não confio na aparente abertura e falta de masculinidade exagerada do 'novo macho'); terceira, como ele me via como uma conhecida feminista e eu respondi a suas perguntas sobre isso com franqueza, ele talvez me considerasse rigorosa demais para um envolvimento posterior. Todavia, ele me surpreendeu: convidou-me para jantar, quis um envolvimento sexual e em nenhum momento declarou-se daquela maneira estridente e importuna usada pelo herói do romance ideal. Agora sei o significado de 'ele me deixou sem fôlego': perda do controle enquanto se pensa 'Isso deve ser amor!'. Antes que eu pudesse dizer 'Que romântico!', já havia me mudado para o apartamento dele.

"Os termos que usamos para o romance são muito adequados. Eu, com certeza, estava com a cabeça nas nuvens. Principalmente porque estava convencida de que, depois de vários erros — que incluíam um casamento —, por fim eu estava acertando.

"'Acertar' significa ter uma relação amorosa verdadeira com um homem. O relacionamento estava certo, ele era o Homem Certo; portanto, tudo o que ele fizesse também era, de algum modo, certo. Na pior das hipóteses, aquilo era fascinante por ser diferente do que eu, por via de regra, teria gostado. (...) Eu tive uma ampla oportunidade de praticar minha capacidade de reinterpretação romântica. Consegui, então, restringir uma série de pensamentos, mas, nos cinco anos seguintes, tornei-me cada vez menos capaz de traçar esse tipo de limite e vivi mais e mais de um modo de que nunca havia gostado e de que não gosto até hoje. No entanto, durante todo esse tempo, sentia que havia tirado a sorte grande.

"Meu corpo foi mais esperto do que eu. Engordei 11 quilos e comecei a desenvolver uma tendência para o glaucoma. (...) Continuei a trabalhar, porém estava cada vez mais difícil me concentrar. (...) Lembro-me de um constante desejo de mudar a fundo algo que não conseguia determinar com precisão, mas mesmo assim sentia que deveria ser mais serena. Com o tempo isso se tornou uma exigência mental constante: seja 'serena'. Agora, considero isso uma interessante declaração inconsciente em vista de um significado da palavra 'serena': liberta de qualquer coisa que perturbe.

"Eu ainda estava tentando, a duras penas, ser serena, quando o final de meu romance ideal veio com a súbita declaração dele: 'A centelha se apagou.' Sem aviso, nenhuma explicação na hora ou depois, eu apenas estava fora.

"Em estado de choque, fugi. Não é nada agradável quando todas as fantasias que temos vêm de uma só vez se alojar em nós. A dor foi terrível. Durante a primeira semana de meu retiro, eu tinha pesadelos todas as noites (...). Cada sonho se revelava uma variação do mesmo tema: meu antigo Homem Certo estava no centro das atividades que simbolizavam nosso universo particular. Ele estava sempre com outras pessoas e sempre me ignorava completamente, eu permanecia atormentada e quase invisível nas proximidades. Eu estava exilada da humanidade como só se pode estar em sonhos.

"Todos os dias eu esquiava e tentava encarar os entulhos das minhas fantasias. E, todos os dias, uma frase de Woody Allen pairava na minha cabeça. Era um daqueles seus comentários sobre sexo: uma boa coisa sobre a masturbação é que, pelo menos, você sabe que está na cama com um amigo. Por que — eu me perguntava sorrindo, toda vez que me recordava — penso sempre nessa frase? Quando descobri a resposta, fiquei imóvel sobre os esquis, enquanto o mundo implodia com a força da minha sagacidade. De repente, meus sonhos fizeram sentido. Eles estavam tentando me contar a verdade de minha situação. Acorde, eles me alertavam, você não está na cama com um amigo e nunca esteve. Eu soube, então, que era verdade; sei disso agora.

"Meu sofrimento logo foi substituído pela curiosidade. Essa mudança se deu devido ao comentário de uma amiga. Quando soube de minha súbita expulsão do verdadeiro amor, ela disse: 'É claro que me solidarizo com sua dor, mas o que quero dizer, acima de tudo, é: seja bem-vinda.' Isso me impressionou profundamente. O que foi que ela viu durante anos e não conseguiu me dizer? Onde eu estivera?"

Muitas mulheres autônomas, que após algum tempo também se perguntaram onde estiveram, abandonaram os amigos e muitas atividades que lhes eram extremamente prazerosas, convencidas de que nada mais, além do amado, tinha importância.

Para que esse ilusionismo mental funcione é necessário não enxergar o que desagrada e transformar aquilo que não pode ignorar em algo com que possa conviver. Você também precisa ignorar o fato de que o está empregando. Muitas mulheres me contaram a mesma história. Eis aqui:

> "Se eu tivesse dito para mim: *Esse homem é autoritário*, eu teria ido embora. Não vou viver com uma pessoa autoritária, essa é a única coisa que não quero (se eu reconhecer o autoritarismo). Assim, o truque é: não reconheça o que não quer."

Como o amor romântico não dura em média mais do que dois ou três anos, geralmente a mulher autônoma é salva. Ou ela acorda e percebe o outro como um estranho e, sem entender o que a fez ficar ali tanto tempo, vai embora ou, caso se torne incapaz de sair desse mundo ilusório, normalmente é expulsa para que o outro parta em busca de uma nova emoção.[111]

Embora o amor romântico tenha sido considerado sempre um tema feminino, os homens também sofreram sua influência. Como o homem masculino e o homem autônomo percebem o mundo, a mulher e o amor, examinaremos a seguir.

O homem masculino

"Seja homem!", "Prove que você é homem!", "Vem cá se você é homem!". Desde pequenos os homens são desafiados a provar sua masculinidade.

O homem, a vida inteira, deve estar atento e mostrar que é homem, deve ter atitudes, comportamentos e desejos masculinos. Qualquer variação no jeito de falar, andar e mesmo sentir, e sua virilidade é posta em dúvida. Assim como a feminilidade, a masculinidade foi construída a partir do surgimento do patriarcado.

O homem, então, definiu-se como um ser privilegiado, superior, possuindo alguma coisa a mais, que as mulheres ignoram. Ele acredita ser mais forte, mais inteligente, mais corajoso, mais decidido, mais responsável, mais criativo ou mais racional.[112]

"A virilidade não é dada de saída. Deve ser construída, digamos *fabricada*. O homem é, portanto, uma espécie de artefato e, como tal, corre risco de apresentar defeito. Defeito de fabricação, falha na maquinaria viril, enfim, um homem frustrado. A garantia do empreendimento é tão baixa, que o sucesso merece ser exaltado."[113]

Toda a superioridade atribuída ao homem serviu para justificar durante milênios a dominação da mulher. Há 40 anos as mulheres passaram a questionar e exigir o fim da distinção dos papéis masculinos e femininos, ocupando os espaços sempre reservados aos homens.

A certeza do homem superior à mulher foi abalada. Diante dessa nova mulher desconhecida, muitos homens passaram a questionar a identidade masculina, desejosos de se libertarem dos papéis tradicionais que a eles sempre foram atribuídos. Nos Estados Unidos existem mais de 200 grupos que se reúnem para discutir o masculino e sua desconstrução.

Vivemos, sem dúvida, um momento de intensa crise da masculinidade. Uma crise muito mais ampla que as anteriores, mais limitadas socialmente, atingindo apenas a aristocracia e a burguesia urbana. Nessa época, 80% da população europeia vivia no campo.

Primeira crise — séculos XVII e XVIII

Já vimos que as preciosas francesas foram a origem do primeiro questionamento da identidade masculina. Alguns homens, os preciosos, aceitaram esse questionamento e adotaram uma moda feminina e refinada — perucas longas, plumas extravagantes, roupas com abas, pintas no rosto, perfumes, ruge. Recusavam-se a manifestar ciúme e a se comportar como tiranos domésticos. Sorrateiramente, os valores femininos progrediam na sociedade e, no século seguinte, eram dominantes.[114]

A Inglaterra foi mais explícita do que a França no debate sobre a identidade masculina e conheceu a verdadeira crise da masculinidade entre 1688 e 1714. Além da igualdade de direitos, as mulheres querem homens mais suaves. Esforçam-se para que homens e mulheres reformulem seus papéis no casamento, na família e na sexualidade.

Na França, o Século das Luzes representa um corte na história da virilidade, quando os valores varonis enfraquecem. "A guerra não tem mais a importância e o status de outrora. A caça torna-se uma distração. Os jovens fidalgos passam mais tempo no salão ou na alcova das mulheres do que se exercitando nos quartéis. Por outro lado, os valores femininos se impõem no mundo da aristocracia e da alta burguesia. A delicadeza das palavras e das atitudes suplanta as marcas tradicionais da virilidade. Pode-se dizer que, nas classes dominantes, o unissexismo derrota o dualismo oposicional que habitualmente caracteriza o patriarcado."[115]

Com a Revolução Francesa de 1789 novamente se instala uma relação de oposição entre homens e mulheres, até que nova crise da masculinidade ocorre, 100 anos depois.

A crise da virada do século XIX

Outra crise da masculinidade surge na Europa e nos Estados Unidos, trazendo novas reivindicações femininas e nova ansiedade masculina. As mulheres começam a ter direito à educação e assumem profissões antes vetadas. Entram nas universidades e se tornam médicas, advogadas e jornalistas. Reivindicam seu direito ao mesmo salário que o homem e tentam de todas as formas pôr fim às fronteiras sexuais existentes.

É no período de 1871 a 1914 que surge essa nova mulher, provocando a reação social por ameaçar os homens na sua identidade. Eles temem perder o poder e os privilégios cotidianos. Entretanto, as feministas dessa época eram diferentes das preciosas Não rejeitavam a família nem a maternidade.

A crise da masculinidade nos Estados Unidos atinge seu ponto máximo devido ao trabalho nas fábricas. As tarefas mecânicas, rotineiras e fragmentadas não davam ao homem o controle dos resultados do trabalho. Também na administração de rotinas monótonas não podiam mais realçar suas qualidades tradicionais. Nem força, nem iniciativa, nem imaginação são mais necessárias para se ganhar a vida.[116]

A industrialização fez com que o homem se afastasse do lar e delegasse a educação dos filhos à esposa. Assim, aliando-se a situação do trabalho com a de casa, a nova virilidade passou a ser identificada com o sucesso simbolizado pelo dinheiro. Quando as mulheres pretenderam outros papéis além da função de mãe e dona de casa, eclodiu a crise.

As mulheres declararam-se cansadas das tarefas que desempenhavam e se rebelaram contra as convenções. Partiram para a luta, criando clubes femininos, enviando as filhas para a faculdade e trabalhando fora de casa. Na sua proposta de independência, a mulher americana exige o direito de permanecer solteira ou de casar de acordo com sua vontade. Quando casa, tem menos filhos e não aceita se submeter ao marido. Reclama o direito ao divórcio, maior participação na vida pública e, é claro, o direito de voto.

"Como na Europa, os homens manifestaram hostilidade a esse ideal feminino. Repudiam a nova Eva que degrada seu sexo, abandona o lar e põe em perigo a família. Essas mulheres são chamadas de terceiro sexo ou de homaças lésbicas. O aumento do número de divórcios — 7 mil em 1860, 56 mil em 1900 e 100 mil em 1914 — e o declínio da natalidade suscitam milhares de artigos sobre a dissolução da família. Em 1903, Theodore Roosevelt anuncia que a raça americana está a caminho do suicídio. Mesmo os democratas adeptos do voto feminino achavam que as mulheres estavam indo longe demais. De fato, quanto mais as mulheres exprimiam em alto e bom som suas reivindicações, mais exposta ficava a vulnerabilidade dos homens: papel masculino indefinido, medo pânico da feminização, o americano médio da década de 1900 não sabia mais como ser um homem digno desse nome.

"(...) Alertam-se os pais para o perigo de criar os meninos com mimos excessivos, admoestam-se as mães que sabotam a virilidade dos filhos, quer dizer, sua vitalidade. Exalta-se a separação dos sexos e das ocupações. Futebol e beisebol tornam-se muito populares, provavelmente porque, como observava um jornalista em 1909, 'o campo de futebol (esporte particularmente violento) é o único lugar onde a supremacia masculina é incontestável'. Com o mesmo objetivo, adota-se a instituição do escotismo, que tem como objetivos 'salvar os meninos da podridão da civilização urbana' e formar crianças másculas, homens viris. (...) Na véspera da Primeira Guerra Mundial, eles ainda não têm resposta para os dilemas da virilidade moderna. Como sublimações fantasmáticas surgem novos heróis na literatura. Faz-se reviver o Oeste selvagem e inventa-se a figura emblemática do caubói, homem viril por excelência: violento, mas honrado, combatente infatigável munido do seu revólver fálico, defendendo as mulheres sem jamais ser dominado por elas. As classes médias lançam-se, literalmente, sobre esses novos livros, assim como sobre a série *Tarzan,* publicada a partir de 1912 por Edgard Rice Burroughs, que vende mais de 36 milhões de exemplares. A despeito de tudo isso, muitos homens não conseguem serenar sua angústia. Foi a entrada dos Estados Unidos na guerra em 1917 que serviu de exutório e de teste de virilidade para muitos deles. Convencidos de que se batiam por uma boa causa, os homens podiam, ao mesmo tempo, dar vazão à sua violência represada e provar a si próprios, finalmente, que eram verdadeiros machos."[117]

Então, a crise da masculinidade do início do século foi momentaneamente resolvida. Durante todo o século XX a guerra foi sempre retomada em todos os cantos do mundo, mas nada se compara ao ocorrido na Segunda Guerra Mundial, que anunciou a morte dos valores viris no Ocidente, a partir do questionamento dos nossos valores tradicionais. "A virilidade mostrou a imagem mais caricata de si mesma, isto é, a mais assassina. Contrariamente às guerras precedentes, a morte não se deu somente nos campos de batalha. Ela foi organizada sistemática e racionalmente para ser usada contra os civis (...). Durante esse período de loucura, nenhum dos aspectos positivos da virilidade pôde exprimir-se."[118] A mudança das mentalidades demora algumas vezes mais de 100 anos para se concretizar. Provavelmente estamos em pleno processo de transformação no que diz respeito à valorização da virilidade. Já é possível sentir em alguns grupos o desprestígio do machão. O homem que fica triste e chora já adquiriu um novo valor: o do homem sensível. Entretanto, isso não significa que a maioria dos pais não se esforce para criar homens masculinos. E, na nossa cultura, ser homem é *não* ser feminino, *não* ser homossexual, *não* ser dócil, *não* ser dependente, *não* ser submisso, *não* ter aparência ou gestos efeminados, *não* ter relações íntimas com outros homens, *não* ser impotente com as mulheres.

A construção do homem masculino

A masculinidade é uma ideologia que justifica a dominação exercida pelo homem. Ela é ensinada e construída, portanto, pode ser diferente em cada época e lugar. Os modelos masculinos são muito variados.

O menino nasce de uma mulher. A mãe o amamenta, cuida dele, dá-lhe carinho. Ele, por isso, sente-se gratificado na condição de bebê, totalmente dependente dela. Essa relação com a mãe vai deixar uma marca profunda em seu psiquismo. No início da vida conhece o prazer dessa dependência passiva, mas durante toda a sua existência terá de lutar contra o desejo de retornar a essa condição.

Para tornar-se homem é preciso se diferenciar da mãe, reprimindo profundamente o forte vínculo com ela, junto com o prazer da passividade. É uma luta contínua; é preciso estar sempre alerta. Isso não acontece com a menina. Para ela é mais fácil, já que a relação inicial com a mãe é a base da identificação com seu próprio sexo.

Para ser considerado masculino, o menino deve rejeitar e se opor a tudo o que é feminino. "Para serem masculinos, os machos aprendem, em geral, o que não devem ser, antes de aprenderem o que podem ser... Muitos meninos definem a masculinidade simplesmente dizendo: 'o que não é feminino.'"[119]

Numa sociedade patriarcal, para ter um comportamento considerado masculino, o homem utiliza muitas manobras defensivas. Geralmente, o menino se defende temendo as mulheres e também repudiando em si próprio qualquer aspecto considerado feminino como ternura, passividade, preocupação com os outros. Desenvolve o pavor de ser desejado por um homem. Por conta de todos os seus temores, encontramos um comportamento padrão nos meninos que se transformam em homens: são brutos, barulhentos, brigões, depreciam as mulheres, ridicularizando suas atividades, privilegiam amizades com outros homens, mas odeiam homossexuais.

Alguns autores consideram que nossa sociedade exige muito cedo que o menino se desligue da mãe e adote um comportamento masculino. Entretanto, a boa relação inicial com ela é que permite a superação das angústias básicas, criando a condição da identidade humana do homem.

O processo de construção da masculinidade implica fazer com que o menino transforme sua primitiva identidade feminina em uma identidade masculina secundária. O sistema patriarcal utiliza métodos variados para transformar um menino em "homem de verdade", mas essa identidade masculina é adquirida com grande esforço. Para a menina é mais simples porque a menstruação, que surge no início da adolescência, não deixa dúvidas de que pode ter filhos, fundamentando naturalmente sua identidade feminina. Nesse momento ela passa de menina a mulher. No homem, ao contrário, um processo educativo, muitas vezes traumático, deve substituir a natureza.[120]

Pela atividade sexual que desempenha, o homem toma consciência de sua identidade e virilidade. É considerado homem quando seu pênis fica ereto e come uma mulher. E isso deve acontecer o mais cedo possível. De maneira explícita ou não, é pressionado pelos amigos ou pelo próprio pai, às vezes de forma patética.

Rodrigo, ator de 24 anos, relata o sofrimento de sua primeira experiência sexual. O pai, machão típico, estava separado de sua mãe desde que ele tinha 2 anos. Boêmio, cercado de prostitutas, ansiava por ver o filho tornar-se homem. Quando Rodrigo fez 12 anos, levou-o à sua casa para fazerem um bom programa juntos. Lá, dois amigos do pai e cinco prostitutas os aguardavam. O clima era de festa: música, comida e muita cerveja. Logo que chegaram, uma das mulheres começou a acariciar o menino, tirando-lhe a roupa. Levou-o para a cama e todos se acomodaram para assistir. Seu pai, orgulhoso, passou a filmar a cena com uma super-8. Queria registrar a prova da virilidade do filho. Rodrigo diz não se lembrar dos detalhes, somente de um desejo desesperado de fugir dali.

"Só me lembro de flashes. A prostituta chupando meu pau e meu pai gritando: 'Mete!, Mete!'"

O homem aprende a considerar seu pênis uma ferramenta que ignora a angústia, o medo, o cansaço ou qualquer outro sentimento. Sobre a mulher passiva ele realiza o ato de empurrar a ferramenta: mete, enfia, trepa. A consequência é uma obsessão pela virilidade que faz com que seu pênis deixe de ser um órgão de prazer e se transforme em algo separado dele.

Muitos homens conversam com seu pênis, imploram-lhe que fique ereto, que não o decepcionem. Recentemente, uma propaganda de prevenção da Aids, veiculada em todos os canais de TV, ilustrou bem essa situação. Um homem discutia com seu pênis, tentando convencê-lo a usar camisinha.

Várias sociedades utilizam ritos de iniciação para que o menino se afaste do mundo das mulheres e renasça homem. Esses rituais comportam três etapas bastante dolorosas: a separação da mãe e do mundo feminino; a transferência para um mundo desconhecido; a passagem por provas dramáticas e públicas. Quando tudo é concluído, o menino é considerado um homem. Em diferentes culturas e épocas, observa-se a preocupação com a ideia de que os filhos sejam contaminados pelas mães. Acreditam que, se não forem afastados delas, não é possível tornarem-se homens adultos. Geralmente, o primeiro ato de iniciação masculina é separar da mãe o filho, entre os 7 e os 10 anos.

Os sambia da Nova Guiné anunciam o começo da iniciação dos meninos pelo som das flautas. Eles são arrancados de suas mães e levados para a floresta, onde durante três dias são chicoteados até sangrar e a pele se abrir, estimulando o crescimento. As surras são dadas com folha de urtiga e eles devem sangrar pelo nariz. Só assim acreditam poder-se livrar dos líquidos femininos que os impedem de se desenvolver. No terceiro dia, revelam-lhes o segredo das flautas. Podem ser condenados à morte se deixarem as mulheres saber esse segredo. Os jovens iniciados que foram entrevistados falam do trauma sofrido ao separar-se da mãe e do sentimento de abandono e desespero. O objetivo da iniciação masculina é cortar radicalmente a relação profunda com a mãe.

Depois de separados, os meninos não podem mais falar, tocar ou mesmo olhar para suas mães até atingir plenamente o estado de homem, isto é, quando se tornarem pais.[121]

Os rituais de iniciação variam apenas no grau de dramaticidade e crueldade. Nas tribos guerreiras da Nova Guiné são ainda mais longos e mais traumatizantes, como entre os bimi-kuskusmin,[122] que dedicam de 10 a 15 anos às atividades rituais masculinas. Uma nova solidariedade masculina emerge a partir do corte do cordão umbilical, constituída por um poder sem contestação e pelo afastamento do perigo feminino.

No Ocidente, onde os rituais de iniciação não são claramente definidos, a masculinidade necessita ser provada durante toda a vida de um homem, sempre havendo o risco de se ver diminuído ao nível da condição feminina. Para corresponder ao ideal masculino da nossa cultura, o homem tem de rejeitar uma parte de si mesmo, lutando para não se entregar à passividade e à fraqueza.

O modelo do homem masculino ideal manteve-se imutável durante um longo período da história. Dois americanos tornaram-se famosos ao enunciar quatro imperativos da masculinidade sob a forma de slogans:[123]

1º *No sissy stuff* (Nada de fricotes) — Mesmo sabendo que homens e mulheres têm as mesmas necessidades afetivas, o estereótipo masculino impõe ao homem a mutilação parcial do seu lado humano. Um homem de verdade é isento de toda feminilidade, portanto, ele deve abandonar uma parte de si mesmo.

2º *The big wheel* (Uma pessoa importante) — Seria o verdadeiro macho. Há uma exigência de superioridade em relação aos outros. A masculinidade é medida pelo sucesso, pelo poder e pela admiração que provoca.

3º *The study oak* (O carvalho sólido) — O macho deve ser independente e só contar consigo mesmo. Jamais manifestar emoção ou dependência, sinais femininos de fraqueza.

4º *Give'em hell* (Mande todos para o inferno) — Obrigação de ser mais forte que os outros, nem que seja pela violência.

Sua aparência deve ser de audácia e agressividade, estando sempre pronto a correr todos os riscos, mesmo que a razão ou o medo lhe aconselhem o contrário.

O verdadeiro supermacho, há tanto tempo prestigiado, obedece com seriedade a esses quatro imperativos. A propaganda dos cigarros Marlboro ilustrou de forma perfeita o que povoava a imaginação das massas: "O homem duro, solitário porque não precisa de ninguém, impassível, viril a toda prova. Todos os homens, em determinada época, sonharam ser assim: uma besta sexual com as mulheres, mas que não se liga a nenhuma delas; um ser que só encontra seus congêneres masculinos na competição, na guerra ou no esporte. Em suma, o mais duro dos duros, um mutilado de afeto."[124]

Badinter faz uma análise precisa dos heróis que representam e influenciam os ideais masculinos da nossa cultura no século XX:

> "A maioria das culturas aderiu a esse ideal masculino e criou seus próprios modelos, mas foi a América, sem rival cultural, que impôs a todo o universo suas imagens de virilidade: do caubói ao Exterminador, passando por Rambo, encarnados por atores cult (John Wayne, Sylvester Stallone, Arnold Schwarzenegger), esses heróis do cinema serviram de exutório e ainda povoam as fantasias de milhões de homens. Embora essas três representações da hipervirilidade obedeçam aos quatro imperativos mencionados, ninguém pode deixar de notar que

do caubói ao Exterminador passou-se de um homem em carne e osso para uma máquina...

"O personagem mítico do caubói, muito mais antigo que seus dois sucessores, suscitou inúmeras análises. Lydia Fiem, psicanalista, destrinchou diferentes aspectos da masculinidade do cavaleiro solitário, que vem não se sabe de onde, o justiceiro acima da lei, 'este ser puro que não conhece nem as transformações nem as misturas (...) e que não atingiu o estágio das nuanças'. O caubói encarna todos os estereótipos masculinos e o *western* conta sempre a mesma história, de uma perseguição incessante dos homens, em busca da sua virilidade. O Colt, o álcool e o cavalo são os acessórios inevitáveis, e as mulheres só desempenham papéis secundários.

"A relação do caubói com as mulheres é silenciosa. Para uns, isso não significa ausência de sentimentos, mas dificuldade de exprimi-los diretamente, sob pena de, com isso, perder a virilidade. Outros veem aí a prova da impotência afetiva. Imobilizado na ação, o herói viril não pára de enfrentar os outros homens. L. Flem fala do prazer dos homens em se encontrar num terreno comum e propriamente masculino, o terreno dos combates. O enfrentamento não impede os sentimentos viris. Aliás, a amizade entre homens — de coloração homossexual latente — reforça a masculinidade ameaçada pelo amor a uma mulher. Em caso de conflito entre os dois sentimentos, quase sempre é o dever de solidariedade masculina que vence: o caubói parte para novas aventuras. (...) Embora impassível e silencioso, o herói do *western* deixa o espectador adivinhar o seu lado humano: seus conflitos, seus sentimentos, portanto, sua fraqueza. No espaço de um olhar, ele mostra uma tentação, um arrependimento, mostra, em suma, que tem coração. Suspeita-se de que ele ame seu cavalo, um amigo ou uma mulher. Nisso está sua grande diferença em relação ao Rambo ou ao Exterminador, que não têm sequer essas fraquezas. Dotados de uma força sobre-humana, eles se esvaziaram de todo sentimento. Rambo, em sua armadura de músculos, não é incomodado nem por um cavalo, um amigo ou uma mulher. Seu único companheiro é um imenso punhal afiado que lhe serve de amuleto, reforço fálico de uma virilidade ainda humana e, portanto, fraquejante. Nada disso ameaça o Exterminador, máquina onipotente. O macho em estado puro não tem mais nada de humano, nem mesmo o sexo, que é a parte mais frágil e incontrolável do homem. Os espectadores do sexo masculino podem se deleitar, durante um filme, com a identificação à potência total. O Exterminador está livre das injunções da moral, do medo, da dor e da morte, assim como de toda ligação sentimental. A máquina viril é incomparavelmente menos vulnerável que o mais forte dos machos. Fazer exatamente o que se deseja quando se deseja: eis o sonho oculto de todos os meninos adormecidos em muitos homens. Só isso explica o sucesso mundial de um filme cujas proezas técnicas são incontestáveis, mas cujo roteiro é inconsistente e cujo maior mérito é oferecer durante duas horas uma hipervirilidade que não existe na vida real."[125]

Na vida real, homens e mulheres têm as mesmas necessidades psicológicas — amar e ser amado, expressar emoções, ser ativo ou passivo —, mas o ideal do homem impede-lhe a satisfação dessas necessidades, abrindo espaço para a violência masculina no dia a dia. Essa violência não é a mesma em todos os lugares. É muito maior onde se cultua o mito da masculinidade, como nos Estados Unidos.

Na década de 1970, a Comissão Norte-americana para as Causas e Prevenção da Violência observou que a taxa de homicídios, estupros e assaltos era maior do que em todas as outras nações modernas, estáveis e democráticas. A maioria dos crimes era cometida por homens entre 15 e 24 anos, com a seguinte explicação: "Provar sua virilidade exige que o homem, com frequência, manifeste brutalidade, explore as mulheres e tenha reações rápidas e agressivas."[126]

O crime que mais aumenta nos Estados Unidos é o estupro. Segundo estimativa do FBI, uma em cada quatro mulheres será estuprada uma vez na vida. Qual a causa de tanta agressividade contra as mulheres?

O homem dependente

O território original da menina e do menino é o feminino materno. A ruptura precoce do menino com a mãe na tentativa de se adequar ao modelo imposto é frustrante para a maioria dos homens. Perseguir o ideal masculino gera conflitos e tensões, tornando imprescindível usar uma máscara, de onipotência e independência absoluta. "Quando cai a máscara descobre-se um bebê que treme."[127]

O vínculo do menino com a mãe é intenso, mas deve ser rompido para que ele se desenvolva como homem. Permanecer muito perto da mãe só é permitido às meninas. Para os meninos, isso significa ser maricas ou filhinho da mamãe. Os amigos e os próprios pais não perdem uma oportunidade de debochar ou fazer uma piada a qualquer manifestação de necessidade da mãe.

Desde cedo, então, o menino aprende que deve rejeitar uma parte de si. O desejo de ser cuidado, acalentado, dependente é recalcado. Sentimentos de ternura, generosidade, preocupação com os outros são reprimidos para melhor diferenciá-lo da mãe.

Na vida adulta, os homens escondem a necessidade que têm das mulheres mostrando-se autossuficientes e desprezando-as. Convencem-se de que elas é que precisam deles, da sua proteção. Negando suas próprias necessidades de dependência, sentem-se mais fortes e poderosos.

A ansiedade do homem em relação à figura feminina é tanta que, como vimos nos primeiros capítulos, muitos mitos sobre a mulher foram criados. Desde a deusa associada à Terra-Mãe até a prostituta insaciável, que só se satisfaz com o pênis de um burro ou urso.

Poucas vezes o homem tem oportunidade de relaxar, de baixar a guarda. Ficar doente, mesmo sem gravidade, é um ótimo pretexto. Entregam-se despreocupados ao saudoso cuidado materno, agora exercido geralmente pela namorada ou pela esposa. Solicitam atenção integral, sem se importar em ser tratados como bebês.

Sofia, mulher bonita, de 39 anos, contava numa roda de amigas o que tem passado com o marido acamado em casa, com uma virose que lhe impede de ir ao trabalho. Segundo recomendação médica, Alfredo passa o dia em repouso e solicita sem trégua os cuidados da mulher.

> "É inacreditável. Ele exige que eu lhe dê comida na boca. Mas isso não é o pior. Quando está satisfeito, não me avisa. Faz 'Bruuu', soprando a comida para todos os lados. Parece que regrediu para uma fase anterior à fala."

De qualquer forma, ainda persiste a ideia de que o homem evita relacionamentos íntimos, foge de compromissos, principalmente do casamento. Mas, na verdade, quando se sente atraído por uma mulher, dois sentimentos contraditórios o assaltam. Por um lado, o desejo de intimidade, de aprofundar a relação. Por outro, o temor de se ver diante do seu próprio desamparo e do desejo de ser cuidado por uma mulher.

Talvez isso explique por que tantos homens que resistem ao casamento, optando por uma vida livre, em um determinado momento casam-se e tornam-se submissos, dependentes e dominados pela mulher.

Décio, arquiteto, de 40 anos, casado, com duas filhas, viveu até os 25 anos sob a proteção da mãe, mulher extremamente autoritária. Décio tinha perfeita consciência da sua condição, mas assim mesmo a aceitava e ia conduzindo a vida em direção a uma sonhada libertação: o casamento.

Era um rapaz muito bonito, alegre e estudioso. Casou-se assim que concluiu o curso, não com uma das várias garotas que o assediavam na faculdade, mas com uma moça pouco mais velha que ele e de poucos atributos físicos. Cinira era escriturária de um banco, sem muitas perspectivas profissionais. "O que ele viu nela?", era o que todos perguntavam.

Quando se tornou mãe, Cinira se revelou por inteiro. Deixou o trabalho e dedicou-se à febril atividade de não fazer nada. Era preciso muito tempo livre para dirigir a vida do marido, e o fazia com mão de ferro. Décio encaixou-se perfeitamente à nova forma de tirania imposta pela mulher. Esse era o verdadeiro e insidioso talento de Cinira, oculto por tanto tempo aos olhos de todos, mas não ao inconsciente de Décio, que logo vislumbrou uma substituta para a mãe, com a vantagem de acumular também a condição de sua mulher. Assim, pôde desempenhar o papel social que lhe cabia como marido, sem desfazer a relação de domínio à qual estava ligado desde os tempos da mãe. A situação cristalizou-se a ponto de Décio não ter mais controle sobre seus gostos e vontades. Quando amigos convidaram o casal para uma festa, Décio, que ficara animado, fez suas as palavras de Cinira:

"Não vai dar, *estamos* muito cansados."

O homem masculino e o homem dependente não são autônomos. Autonomia implica não se submeter às exigências sociais, de modo a rejeitar características da própria personalidade consideradas femininas pela nossa cultura. O homem pode ser forte, decidido e corajoso, mas também frágil, indeciso e, muitas vezes, sentir medo, dependendo do momento e das circunstâncias. Pode falar dos seus sentimentos, ficar triste e até chorar. O homem autônomo só começa a ter possibilidade de surgir nesse momento, em que o patriarcado decai.

O casamento como solução

"Nenhum sistema de associação elaboradamente hostil à felicidade humana sobrepujará o casamento."

PERCY SHELLEY

Todos no prédio já se acostumaram. A gritaria começa sempre por volta das oito da noite, quando Antônio volta do trabalho. "Sua merda! O feijão está sem tempero!" ou "Você não serve para nada! Imbecil!".

Clara e Antônio moram num apartamento alugado de dois quartos na Zona Sul do Rio. Ela, pedagoga, trabalhava numa escola quando o conheceu, há 12 anos. Por exigência dele, abandonou o emprego para cuidar da casa. Logo tiveram um casal de filhos, e a situação econômica foi ficando cada vez mais difícil, mas Antônio nem admitia ouvir falar na volta da mulher à antiga atividade. Hoje, a vida de Clara é cozinhar, lavar, passar, arrumar, ir ao supermercado, levar os filhos ao colégio e buscá-los e, para completar sua jornada diária, ser humilhada pelo marido. Não sente desejo algum, mas deve estar sempre disposta quando ele solicita.

Vizinhos e porteiros se perguntam, penalizados, ao vê-la passar, olhar baixo, meio triste, meio envergonhada: "Por que ela aguenta tudo isso?", "Por que não se separa?".

Separar como? Já está com 40 anos. A chance de um trabalho que lhe permita se sustentar é ínfima. Além disso, ele não a deixaria levar as crianças. Como ir embora e deixá-las com um pai tão agressivo e temperamental? Clara vai aguentando, conformando-se com a vida, tentando acreditar que casamento é assim mesmo. O consolo ela encontra em duas frases que ouviu quando criança e nunca esqueceu: "Ruim com ele, pior sem ele" e "Trocar de marido é trocar de defeito".

A infelicidade conjugal não é nenhuma novidade. Já em 1922, nos Estados Unidos, o juiz Lindsay fez o seguinte comentário: "O casamento tal como existe é um verdadeiro inferno para a maioria das pessoas que o contraem. Esse é um fato indiscutível. Desafio a quem quer que seja a chegar a uma conclusão contrária, depois de observar a procissão de vidas arruinadas, de homens e mulheres infelizes e miseráveis, de crianças abandonadas que passam pelo meu tribunal."[1]

É provável que o casamento de Clara e Antônio se situe no extremo desse inferno que se denomina infelicidade conjugal. Nem todos os casamentos são assim. O grau de insatisfação e infelicidade é muito variado. E, na maior parte dos casos, nem tão evidente. Existem até casais que se sentem felizes com seu relacionamento, embora tudo indique que "a maior parte dos casamentos, durante a maior parte do tempo, é de precários a péssimos".[2]

Numa pesquisa feita pelo IBGE com pessoas casadas, cerca de 80% dos entrevistados se declararam decepcionados com o casamento.[3] Daí podermos estimar um percentual ainda maior se considerarmos a dificuldade de se aceitar e declarar a falência de algo em que tantas expectativas foram depositadas.

Por que, então, as pessoas continuam querendo casar?

Dentro do útero da mãe o indivíduo obtém a satisfação imediata de todas as suas necessidades. Desconhece a fome, o frio, a sede e a falta de aconchego. Mas nasce. Precisa respirar com os próprios pulmões, reclamar da fralda molhada, desesperar-se com a cólica. É tomado por um profundo sentimento de falta. Uma angustiante sensação de desamparo o invade. Sem retorno ao estágio anterior, isso o acompanhará por toda a vida.

Ao nascer, ele é introduzido num mundo com padrões de comportamento claramente estabelecidos. Inicia-se, assim, o processo de socialização. Os desejos espontâneos são gradualmente substituídos pelos que se aprende a desejar, e o indivíduo passa a se comportar e agir de acordo com a expectativa social. As singularidades não mais existem. O condicionamento cultural impõe como única forma de atenuar o desamparo uma relação amorosa fixa e estável: o casamento. Tenta-se reaver o paraíso simbiótico que se tinha no útero da mãe. Ilusão que dura pouco, que não se sustenta na realidade de uma vida a dois, cotidiana.

Aprisionadas pela tirania de uma moral que determina o certo e o errado, o bom e o mau, pessoas solteiras, separadas ou viúvas buscam no casamento sua parcela de felicidade. A mudança na forma de pensar e de viver gera medo e ansiedade, sendo mais fácil optar pelo já conhecido, apesar das frustrações. Contribuem para isso a família, os amigos, a escola e os meios de comunicação. Não existe novela sem casamento feliz no final.

Sistematicamente, surgem figuras de destaque, desempenhando importante papel na manutenção dos valores tradicionais. Uma conhecida atriz de TV, cinema e teatro declara à imprensa, em tom de desabafo: "Quero ser a mulherzinha. Eu estou em um ponto que largo tudo por um grande amor. Quero ser a doninha de casa, aquela que cuida, que sabe cozinhar. Tenho direito a isso."

Uma jovem e bonita médica de São Paulo, em uma entrevista, afirmou: "Quero um companheiro como presente de Natal, alguém que me dê filhos e me ajude a enfeitar minha árvore." Inscreveu-se há vários meses numa agência de casamento e, nas últimas semanas, vem telefonando com insistência, cobrando resultados.[4]

Quase todos, homens e mulheres, desejam não só casar, como se submeter com resignação a muitas outras normas sociais de conduta, a maioria incompatível com suas aspirações mais legítimas. Fazer escolhas realmente livres não é simples. Seu preço é fixado no alto pela sociedade, que mantém unidos os fiéis, à custa do sacrifício individual.

O amor conjugal

Na Idade Média o casamento era considerado algo muito sério para que dele fizesse parte o amor. No século XII, havia se tornado para os senhores feudais um simples meio de enriquecimento e anexação de terras, que eram oferecidas em dote ou prometidas em herança.

Fora do mundo ocidental, o amor continua sendo considerado um sentimento aleatório demais para nele se apoiar uma união conjugal. No Rajastã, Índia, por exemplo, foram celebrados, num só dia de maio de 1985, 40 mil casamentos infantis que, sem serem questionados, durarão a vida toda.[5]

Da mesma forma que o amor romântico é culturalmente específico do Ocidente, a sociedade ocidental é a única que assume o risco de ver o casamento ser estabelecido sobre o amor de um casal. Em todas as épocas e lugares, era comum o homem repudiar sua mulher e casar novamente. Para isso não faltavam pretextos. Um dos mais explorados era o do incesto, que não sofria objeção da Igreja: a simples alegação, sem necessidade de muitas provas, de um parentesco até o quarto grau era suficiente para obter a anulação.[6]

A Igreja não intervinha na união conjugal entre os nobres. Era um contrato entre duas famílias. Caso a mulher não procriasse, era devolvida à família ou ia para um convento. A indissolubilidade foi imposta a partir do século XIII, quando a Igreja passou a controlar o casamento, transformando-o em sacramento, sendo celebrado na porta da igreja e, a partir do século XVII, ao pé do altar. Quando o Estado substituiu a Igreja, manteve o princípio da indissolubilidade. O casamento monogâmico e indissolúvel é "o grande fato da história da sexualidade ocidental".[7]

O amor não era cogitado. Se por acaso existisse, deveria ser mantido em segredo e nunca estimular arrebatamentos eróticos, que eram condenados. A ética religiosa era tão rígida que identificava o *coitus interruptus* com o infanticídio.

A partir do final do século XVIII, o amor no casamento passou a ser uma possibilidade e, no século XX, tornou-se tão valorizado que é difícil imaginá-lo como inovação revolucionária recente.

A família foi perdendo aos poucos as funções que a caracterizavam como uma microssociedade. A Revolução Industrial afetou a moral do casamento da mesma forma que as monarquias. A indústria trouxe consigo cidades, fábricas, multidões, variedade, complexidade, luxo, individualismo. A socialização dos filhos deixou de ser circunscrita à esfera doméstica.

Nas cidades, a adolescência se prolonga, a educação consome mais anos, a maioridade econômica vem tarde, e também se retarda o casamento. Os solteiros invejam menos os que procriam, e o velho negócio da reprodução da espécie modera a marcha.

A mulher emancipou-se, mas enquanto não se casa continua tão sujeita como antes. Se até os 25 anos permanecesse solteira, ficaria para titia, a menos que optasse por uma vida tida como promíscua. "A família, portanto, deixa de ser uma instituição para se tornar um simples ponto de encontro de vidas privadas."[8] A realidade familiar transformada tão profundamente conduz à inevitável evolução do casamento.

Na primeira metade do século XX, casar significava formar um lar e se situar socialmente dentro da coletividade. "Ainda em 1930, a profissão e a fortuna, bem como as qualidades morais, pareciam mais importantes do que as inclinações estéticas ou psicológicas para decidir sobre uma união. As pessoas se casavam para dar sustento e auxílio mútuo ao longo de uma vida que se anunciava penosa, e ainda mais dura para os solitários; casavam-se para ter filhos, aumentar um patrimônio e deixar de herança para que os filhos se realizassem e, com isso, os próprios pais se realizassem. Como os valores familiares eram centrais nessa sociedade, os indivíduos eram de fato julgados em função do êxito de sua família e do papel que desempenhavam nesse êxito."[9]

As pessoas dessa época aceitavam a miséria conjugal como algo da natureza ou como algo estabelecido pela vontade de Deus. Consolavam-se acreditando que o mesmo Deus que inventara a instituição compensaria suas vítimas com um chuveiro de felicidade no paraíso. Se os casados pudessem suportar-se por algumas dezenas de anos, teriam direito à eterna liberdade no Céu.[10]

Num casamento a que assisti, alguns anos atrás, o diálogo entre duas senhoras idosas na fila dos cumprimentos ilustra a expectativa em relação à vida conjugal. Observando os noivos serem festejados pelos convidados, com ar resignado, uma cochichou no ouvido da outra: "Coitada, hoje começa a cruz dela." Embora o amor já fosse uma possibilidade no casamento, não era uma condição nem se vinculava ao seu sucesso. Para se casar, um homem e uma mulher deveriam intuir que poderiam se entender e se estimar. Era possível até que já estivessem se amando, mas "a valorização dos aspectos institucionais do casamento mascarava as realidades afetivas".[11]

Num levantamento de 1938, na França, sobre as condições da felicidade conjugal, a atração sexual se colocava depois da fidelidade, das qualidades espirituais, da divisão de autoridade e, principalmente, da divisão das tarefas e preocupações.

As mudanças começaram a ocorrer mais claramente na década de 1940. A valorização do amor conjugal sob todos os seus aspectos, principalmente o sexual, é uma novidade. Os meios de comunicação acompanham a mudança das normas sociais. "As revistas femininas dão a palavra a médicos e psicólogos, que legitimam e vulgarizam os principais conceitos freudianos. (...) Palestras de preparação pré-nupcial mostram o casamento como uma etapa de um processo de amadurecimento afetivo que se consuma com a realização do desejo de ter filhos. Considera-se que os filhos, para serem bem criados, precisam não só do amor dos pais, mas também do amor entre os pais. O termo *casal* passa a ser utilizado em expressões como 'vida de casal', 'problemas de casal'. Em suma, agora o amor ocupa um lugar central no casamento: é seu próprio fundamento."[12]

A sexualidade legitima-se e transforma-se na linguagem do amor por excelência. A partir de agora, já não basta a instituição matrimonial para legitimar a sexualidade: é preciso amor.[13] Da mesma forma que antes era inadmissível casar por amor, hoje há uma crítica severa a quem se casa sem amor. Suspeita-se logo de interesses escusos e oportunismo. E, assim como antes deveria ficar em segredo o ardor entre o casal, agora se tenta ocultar a diminuição ou o fim do desejo sexual entre marido e mulher, para não frustrar as expectativas colocadas no amor dentro do casamento.

As expectativas do amor no casamento

Assim como na nossa cultura acredita-se que só é possível estar bem vivendo uma relação amorosa, o casamento por amor passou a ser sinônimo de felicidade e, por conseguinte, uma meta a ser alcançada por todos.

A ideia de felicidade conjugal depende da expectativa que se tem do casamento. Algumas décadas atrás, uma mulher se considerava feliz no casamento se seu marido fosse bom chefe de família, não deixasse faltar nada em casa e fizesse todos se sentirem protegidos. Para o homem, a boa esposa seria aquela que cuidasse bem da casa e dos filhos, não deixasse nunca faltar a camisa bem lavada e passada e, mais que tudo, mantivesse sua sexualidade contida. Um casal perfeito: a mulher respeitável e o homem provedor.

Hoje, os anseios são bem diferentes e as expectativas em relação ao casamento tornaram-se muito mais difíceis, até mesmo impossíveis de ser satisfeitas. As pessoas escolhem seus parceiros por amor e esperam que esse amor e o desejo sexual que o acompanha sejam recíprocos e para a vida toda. Aí, deparamo-nos com uma questão crucial. O amor até que a morte nos separe se torna cada vez mais inviável. Quando a média de vida era menor, o casamento durava apenas alguns anos, Com o crescente aumento da longevidade, até que a morte nos separe, embora ainda idealizado pela maioria, passou a significar longos anos de convivência, difíceis de suportar.

Numa palestra que dei a mulheres de terceira idade, quando uma das participantes declarou estar casada há 54 anos, foi ovacionada com entusiasmo pela plateia. Mas ninguém se interessou em saber como era o seu dia a dia conjugal, ou então estavam aplaudindo a árdua proeza conseguida.

Um testemunho esclarecedor foi dado por uma moça de 32 anos, numa outra palestra sobre amor e casamento. A discussão girava em torno da possibilidade ou não de um casamento durar a vida inteira, havendo amor, carinho e prazer na companhia do outro. Alguns participantes defendiam a existência de ótimos casamentos duradouros. Priscila, então, pediu para dar seu depoimento:

> "Eu nunca consegui que um relacionamento meu durasse mais de um ano e meio. Sempre me senti uma incompetente por isso, principalmente depois que conheci meus vizinhos: dona

Margarida e seu Raimundo. Eles eram umas gracinhas. Tão unidos e se amando tanto! E já estavam casados há mais de 50 anos! Cada vez que subia com eles no elevador, eu ficava arrasada. Imaginava ter algum problema grave porque aquele casal era o testemunho da minha incompetência. Um dia meu telefone ficou mudo e precisei ir à casa deles para telefonar. Quando a empregada abriu a porta, parei perplexa. Eles estavam no sofá assistindo à televisão, de mãos dadas. Essa noite tive de tomar um Lexotan para dormir. Eu estava me relacionando com um homem há 11 meses e já vinha questionando o término dessa relação. Uns três meses depois, o porteiro me avisou da morte do seu Raimundo. Fiquei sem saber o que fazer. Precisava fazer uma visita de pêsames a dona Margarida, mas imaginava sua dor, seu desespero. Como ia conseguir viver sem seu grande amor? Tomei coragem e fui. Cheguei dizendo logo que imaginava como sua dor era indescritível e tentei algumas frases de consolo. Mas a reação dela me deixou atônita. Com tranquilidade, virou-se para mim e disse: 'Que nada, minha filha, na verdade foi um grande alívio. Eu já não aguentava mais. Ele era um chato. Nada estava bom. Já tive dia de fazer o arroz três vezes! Além disso, não fazia nada sozinho. Me acordava a noite toda sem necessidade. Era incapaz de buscar um copo d'água.' Perplexa, ainda tentei argumentar: 'Mas, dona Margarida, estive aqui outro dia e encontrei vocês no sofá de mãos dadas!' E, então, ouvi sua resposta, que encerrava definitivamente o assunto: 'Isso era só um cacoete.'"

A entrada do amor romântico fez do casamento o meio para as pessoas realizarem suas necessidades afetivas. Idealiza-se o par amoroso e, para manter essa idealização, não se medem esforços, o que acaba sobrecarregando a relação entre os cônjuges. Imagina-se que no casamento se alcançará uma complementação total, que as duas pessoas se transformarão numa só, que nada mais irá lhes faltar e, para isso, fica implícito que cada um espera ter todas as suas necessidades pessoais satisfeitas pelo outro.

Numa relação estável, é comum as pessoas se afastarem dos amigos e abrirem mão de atividades que anteriormente proporcionavam grande prazer. Um deve ser a única fonte de interesse do outro e, portanto, tudo o mais é dispensável. Esse comportamento é aceito socialmente como natural, tanto que, num grupo de amigos, quando a ausência de um membro é sentida, ouvimos explicações do tipo: "É, ele sumiu. Depois que casou nunca mais deu notícias."

Esse treinamento para se acreditar na complementação total com o outro geralmente se inicia antes do casamento.

Rosa, mulher autônoma, de 45 anos, estava muito preocupada com o futuro da filha, que iria se casar dentro de um ano:

"Ela se formou na faculdade e logo ficou noiva, mas o que não entendo é que sempre foi uma moça que tinha muitos amigos e parecia gostar muito deles. Nossa casa estava sempre cheia de gente. De repente, se afastou de todos, só enxerga o noivo. Não conversam com mais ninguém. Ele é um grande velejador. Já venceu várias regatas; velejava com sol ou com chuva. Você acredita que colocou seu barco à venda?"

O exagero de participação na vida do outro também faz parte do que se espera do casamento. Considerando-se natural que se deem opiniões e até que se façam exigências em assuntos absolutamente pessoais como trabalho, relações familiares e de amizade. O que o outro deve dizer para o chefe, como gastar a herança do pai, como resolver um problema com um amigo de infância etc.

O ideal do par amoroso que está sempre junto, que se completa em tudo, em que um é a única fonte de gratificação do outro, atenua por um tempo o temor do desamparo. Mas, para manter essa situação, são feitas muitas concessões, e a consequência inevitável é um acúmulo de frustrações que torna a relação no casamento sufocante.

E. Le Garrec sublinha que o casal aniquila a pessoa humana, numa confusão alienante: "O 'eu' desaparece, absorvido, afogado no 'nós'. Porque o casal não permite essa parte de solidão indispensável à existência do indivíduo. Mesmo ausente, o outro está aí, ponto de referência, traço incômodo na casa, pesado pela espera que suscita."[14]

Fabiana está casada há quatro anos. Ela e o marido estabeleceram um tipo de relação em que só saem juntos. Ou vão os dois, ou não vai ninguém. Sempre acreditou que num casamento é importante fazer concessões em nome do amor. Não se importou muito em abrir mão de assistir a shows e peças de teatro, pois seu marido detesta. Pelo menos ele gosta de praia, coisa que também lhe dá muito prazer. De seis meses para cá, entretanto, parece que algo mudou. Sente-se insatisfeita e recrimina-se por isso.

Uma tia-avó de seu marido, muito idosa e que ela mal conhece porque morava em outra cidade, ficou doente e foi trazida para viver aqui com uma sobrinha. Desde então, todos os domingos vão visitar a tia Loló num subúrbio do Rio, a mais de uma hora de distância de sua casa.

> "Não dá mais para aguentar. No verão, 40 graus, não posso ir à praia. Não fui criada pela tia Loló, não tenho nenhuma relação com ela, aliás, nem a conheço, mas tenho que passar o dia inteiro lá, sem fazer nada. Quando perguntei a ele, depois de ter ido várias semanas seguidas, se era importante eu ir, ficou magoado e achou que isso é um sinal de que estou deixando de amá-lo."

Na busca de estabilidade e segurança afetiva qualquer preço é pago para evitar tensões que decorrem de uma vida autônoma. Assim, o desejo de conviver com intimidade se confunde com a ânsia de manter a estabilidade, levando as pessoas a suportar o insuportável. Tentando justificar sacrifícios ou frustrações pessoais, cria-se um mundo fantástico em que defesas como a negação e a racionalização são acionadas para que se continue a viver uma relação idealizada, distante do que ocorre na vida real.[15]

Cristina casou-se aos 18 anos com um homem dez anos mais velho. Seus sonhos românticos se realizaram numa linda festa de casamento e na lua de mel passada na Europa. Nos primeiros meses de vida conjugal, ainda era tratada pelo marido com muitas atenções e cuidados, mas logo o encanto começou a se desfazer. Frederico não conseguia mais esconder seu egoísmo e o pouco caso que fazia dos sentimentos de Cristina. Tiveram dois filhos, que ele praticamente ignorava. Só pensava em seu trabalho e nas atividades de lazer que lhe interessavam. Ela fez tudo para acompanhá-lo, mas nada conseguia fazê-lo perceber a mulher e os filhos.

Quando completou 25 anos, Cristina combinou com o marido comemorarem sozinhos, num restaurante romântico escolhido por ela. Comprou roupa nova, foi ao cabeleireiro, fez sauna. Ansiosa, esperava pela volta de Frederico do trabalho. Ele chegou cabisbaixo e recolheu-se, alegando uma forte dor de cabeça. Não lhe deu nenhum presente nem lembrou do jantar combinado. As frustrações se acumulavam, mas a dificuldade em aceitar o fracasso era maior. Seu discurso defensivo se tornou repetitivo e cansativo:

"Eu e Fred vivemos muito bem. Acho que ganhei na loteria. Ele é tudo o que desejei. Está sempre preocupado comigo e com as crianças. É um pai fantástico e um marido supercarinhoso."

Quanto mais concessões são feitas para se manter o casamento, mais hostilidade vai surgindo em relação ao outro. Hostilidade, na maioria das vezes, inconsciente, que vai minando gradativamente a relação, até torná-la insustentável. "Assim, é justamente das pessoas mais tolerantes e dóceis que podemos esperar as 'viradas de mesa' mais intempestivas e radicais."[16]

O esforço para corresponder às expectativas depositadas no casamento pode superar o limite da capacidade de conceder e fazer a pessoa optar pelo fim da relação. Em outros casos, o tédio e a monotonia da vida a dois, em função da dependência emocional que se tem do outro, podem levar a uma atitude de resignação e acomodação.

Há algum tempo, atendi durante seis meses um grupo de dez mulheres que se reuniam por uma questão específica: a solidão. As idades variavam de 35 a 55 anos. Oito eram casadas, uma separada e uma viúva. Apesar de expressarem o desejo de um companheiro estável, ficou evidente como as vidas das que viviam sozinhas eram mais interessantes e cheias de possibilidades em comparação com as das mulheres casadas. Estas se mostravam desesperançadas, sentiam-se impotentes para tentar qualquer transformação que pudesse lhes proporcionar algum prazer no plano afetivo e sexual. A monotonia do dia a dia, a falta de diálogo com o marido e a ausência de uma vida sexual satisfatória eram a tônica de suas queixas. Relato aqui a história de uma delas por ser, nos aspectos principais, semelhante à de todas as outras mulheres do grupo:

Joyce estava casada havia 27 anos. Após o casamento das duas filhas, passou a morar sozinha com o marido. Foi nessa época que um sentimento profundo de solidão se apoderou dela. Gostava de sair, ir ao teatro, conhecer pessoas, mas seu marido recusava qualquer sugestão sua. Não conversavam nunca. Ele chegava cedo do trabalho e trancava-se no escritório. Dirigia-se a ela exclusivamente para saber se precisava de dinheiro para o supermercado ou qualquer outro pagamento doméstico. Faziam sexo muito raramente, e de forma mecânica, sem nenhum carinho. Ele não a tratava mal nem bem. Era indiferente. Quando casou com ele, aos 18 anos, não imaginava que sua vida seria assim. Sempre ouviu seus pais dizerem que se não se casasse teria uma vida de solidão.

O sexo no casamento

> "O casamento é para as mulheres a forma mais comum de se manterem, e a quantidade de relações sexuais indesejadas que as mulheres têm de suportar é, provavelmente, maior no casamento do que na prostituição."
>
> BERTRAND RUSSELL[17]

A maioria das mulheres, depois de algum tempo de casamento, faz sexo sem nenhuma vontade. Esse sexo indesejado, por obrigação, é vivido também por mulheres economicamente independentes, que não necessitam do marido para mantê-las. A dependência emocional acaba sendo tão limitadora quanto a financeira. Ambas podem conduzir a uma vida sexual pobre e medíocre. Imaginar-se sozinha, desprotegida, sem um homem ao lado, é percebido como insuportável.

A atração sexual acaba por vários motivos: rotina, falta de mistério, brigas e, inclusive, pela obrigação de fidelidade. Há outra razão bem mais simples, entretanto, e que raramente é abordada: no convívio amoroso, só existe tesão mesmo no início e por algum tempo. Nas relações estáveis não há emoção. O sexo se torna tão tedioso quanto qualquer outro aspecto da relação. Dor de cabeça, cansaço, preocupação com trabalho ou família são as desculpas mais usadas. As mulheres tentam tudo para postergar a obrigação a que se impõem para manter o casamento. Quando o marido se mostra impaciente, não tem jeito, a mulher se submete ao sacrifício. Ninguém fica sabendo. Comentar o assunto significa admitir o que se tenta negar. Socialmente, é difícil acreditar que aquele casal jovem, com tanta energia e manifestações de carinho entre si, não vive uma sexualidade plena. Em muitos casos, a escassez de sexo progride até a ausência total.

Míriam, 29 anos, diretora de uma grande empresa, marcou uma entrevista. Casada havia três anos, amava muito o marido; não conseguia imaginar a vida sem ele. Era seu melhor amigo, o companheiro com quem partilhava muitos interesses: teatros, shows e viagens nos fins de semana. Tinham muitos amigos. Ela gostava quando ficavam juntos, abraçados ternamente, ele fazendo cafuné na sua cabeça. Mas, ao primeiro sinal de um carinho mais sexual, usava algum pretexto para se afastar. Não desejava fazer sexo com ele de jeito nenhum. Só a ideia já lhe desagradava. Não falava com ninguém sobre isso. A família e os amigos os viam como exemplo de um casamento perfeito.

Vencido o constrangimento inicial, Míriam falou sem parar durante toda a sessão. Ouvi seu relato sem interrompê-la. Combinamos uma segunda entrevista para a semana seguinte. Horas depois, telefonou desmarcando. Suponho ter se assustado com o que escutou de si mesma.

Sônia, 36 anos, casada há 12, dois filhos, de 10 e 8 anos. Desde o nascimento do mais velho já não sentia desejo sexual pelo marido. Durante o namoro e até o início do casamento, foi diferente. Iam a motéis e transavam várias vezes numa noite. Com o tempo, o tesão foi acabando, mas nunca lhe ocorreu a ideia de separação. Tentava controlar a ansiedade. Não podia deixar que ele percebesse, pois sabia que jamais aceitaria manter um casamento sem sexo. Nos últimos dez anos, especializou-se em fingir. Considerava-se uma expert e inventou um método infalível: quando suas recusas já não eram mais aceitas, alugava um filme pornográfico e o assistia sozinha antes de o marido voltar do trabalho. Logo que ele chegava, já bastante excitada, levava-o para o quarto. Fechava os olhos e se imaginava na cama com o personagem do dia. O orgasmo fingido surgia em pouco tempo. A missão estava cumprida.

No casamento ou em qualquer relação estável, observa-se o conflito entre a diminuição do desejo sexual e o aumento da ternura e do companheirismo entre os parceiros.

Não é raro encontrarmos casais que, apesar de viverem juntos, têm na ausência total do desejo sexual a tônica da relação. E, por mais que se esforcem, não adianta: a atração sexual não pode ser imposta. Assim, numa relação estável, o sexo acaba se tornando um hábito ou um dever. Embora menos frequente, a ausência do desejo sexual também ocorre no marido em relação à mulher.

Maria Lúcia estava casada havia 14 anos. Ela e o marido tinham três filhos e uma vida social intensa. Eram grandes companheiros e dificilmente brigavam. Todos acreditavam tratar-se de um casamento muito bem-sucedido. Mas alguma coisa a incomodava. Apesar de não ter feito sexo com nenhum outro homem, ela sentia que era muito diferente da época de namoro, ou mesmo dos primeiros tempos de casados. A relação sexual era rápida, sempre igual, sem nenhuma emoção. Tomou coragem e um dia, quando iam fazer sexo, sugeriu tentarem algo diferente, que desse mais tesão e quebrasse a mesmice. A reação do marido foi uma ducha fria:

> "Fiquei arrasada. Estávamos nus na cama e quando tentei mudar alguma coisa ele me deu dois tapinhas na bunda e disse com ar de tédio: 'Deixa como tá, deixa como tá.'"

A relação amorosa e sexual com a mesma pessoa por um tempo prolongado leva à falta de estímulo e interesse. Tudo fica repetitivo e sem graça. O desejo sexual está ligado à magia, ao encantamento, à descoberta nossa e do outro. Numa relação estável, isso não ocorre. Busca-se muito mais segurança que prazer. As pessoas se conformam com a falta de emoção e tentam nem pensar no assunto. Convencem-se de que não é tão importante assim. Reich apresenta várias pesquisas feitas na primeira metade do século XX e afirma que a duração média de uma ligação de base sexual é de quatro anos, levando-o a perguntar: "Como é que a reforma sexual dos conservadores pretende pôr término a esse estado de coisas?"[18]

A conjugalidade é regida por leis e regras que limitam não só o sexo, mas a própria vida. Há inúmeras cobranças, como tarefas, comportamentos e horários. Um se mete nas questões do outro com palpites, exigências e críticas. O sexo é o que temos de biológico mais ligado ao emocional e, com certeza, é afetado. Na rotina, o tesão sai de cena. Mesmo assim, a maioria opta por manter a relação: "É isso mesmo, tesão de verdade a gente só tem no começo", dizem, num tom conformista.

As formas utilizadas para manter um casamento sem sexo são variadas. É raro encontrar alguma relação estável em que haja grande interesse e prazer sexual. As relações extraconjugais muitas vezes contribuem para a manutenção do casamento. Com o(a) amante é possível viverem-se emoções intensas há muito adormecidas. O prazer desfrutado nesses encontros torna mais suportável a vida a dois.

A Organização Mundial de Saúde recomenda exercícios moderados e saudável atividade sexual a doentes do coração. O médico Ivan Gyarfas, diretor da unidade de doenças cardiovasculares da organização, afirma que sexo é bom, mas praticado em casa é melhor que na rua. "Tende a ser menos excitante." Explicação desnecessária. Todos sabem, embora ninguém fale, que sexo no casamento é pouco ou nada excitante.[19]

Há algum tempo, atendi uma moça de 20 anos, estudante de psicologia. Tinha um namorado há três anos e pretendiam se casar. Quando falava sobre seu relacionamento sexual, admitia uma frustração por não ter mais vontade de transar com ele e também por nunca ter sentido orgasmo. Um dia, chegou à sessão bastante aliviada. Decidiu não se preocupar mais com isso. Convenceu-se de que, afinal de contas, sexo não era fundamental. O namorado, segundo ela, era maravilhoso e a amava muito. Era o que importava. Alguns meses mais tarde, conheceu uma pessoa por quem sentiu grande atração e com quem passou a sair com frequência. Trocou o namoro antigo e estável por uma relação sem compromisso, na qual o sexo adquiriu nova importância.

Numa de minhas palestras sobre amor, casamento e separação, sempre que se falava em tesão no casamento, uma mulher de aproximadamente 38 anos levantava a mão para um aparte. Declarava com bastante segurança: "O tesão não dura mais de um ano." Todos na plateia a olhavam. Alguns surpresos, outros concordando com a cabeça.

Na verdade, todas as pessoas são afetadas por estímulos sexuais novos vindos de outras pessoas que não são os parceiros fixos. Esses estímulos existem e não podem ser eliminados.

A ideologia monogâmica induz ao recalque desses desejos, levando muitas pessoas a afirmarem conceitos estereotipados, expressos em frases como: "Quando se ama só se sente desejo pela pessoa amada." Ou: "Se surgir tesão por outra pessoa é porque a relação não vai bem." Isso está muito longe da realidade. Todos sabem que é natural sentir desejo por outros. A prova é que todos os casais se controlam, mesmo quando amam e se sentem correspondidos. Se a monogamia fosse espontânea, não haveria necessidade de tanto controle.

O desejo e o prazer sexual obtido no casamento diminuem na razão direta do aumento do desejo por outras pessoas. As boas intenções não conseguem evitar essa situação. Muitos evitam buscar a realização dos seus desejos pelo temor de perder a estabilidade na relação ou para evitar que o parceiro faça o mesmo. Nesse caso, pode surgir uma irritação e até se desenvolver ódio contra o outro.

É comum responsabilizá-lo pela frustração, como se ele fosse a causa do impedimento. Surge, então, o conflito, pela inexistência de razão pessoal ou consciente para odiar.

Gustavo e Mariana estavam juntos havia quatro anos. Evitavam que seu casamento caísse no modelo tradicional e, para isso, procuravam sempre respeitar os espaços de cada um. Não se impunham a obrigação de fazer tudo juntos. Tinham várias atividades e muitas vezes saíam em companhia de amigos, em separado. Sentiam-se orgulhosos de continuar com o mesmo desejo sexual de quando se conheceram. Atribuíam isso à ausência de controles e cobrança na relação, embora a fidelidade estivesse subentendida.

Numa ocasião, Gustavo conheceu uma mulher por quem logo se sentiu atraído. Passou a encontrá-la com frequência, já que estavam fazendo um trabalho juntos. Percebeu que era correspondido e, à medida que os dias passavam, seu desejo aumentava, assim como suas fantasias. O problema é que não tinha coragem de ser infiel a Mariana. Tornou-se impaciente e agressivo. A crise eclodiu quando foi organizada uma festa para comemorar o aniversário de um amigo, e Mariana também foi convidada. Gustavo desesperou-se. Afinal, era a oportunidade que tanto aguardava.

"Quero ir sozinho. Estou me sentindo acorrentado. Por que Mariana tem que ir? Por que ela tem que ficar no meu pé?"

Só que sua mulher nunca ficou no seu pé. Seu ódio surgiu quando percebeu o conflito entre seu desejo e sua adesão à ideologia da monogamia no casamento.

O enfraquecimento do desejo sexual pode não ser definitivo. Ele deixa de ser passageiro e se torna permanente se os parceiros não perceberem a tensão ou o ódio recíproco, e também se rejeitarem como absurdos os desejos sexuais sentidos por outras pessoas. A repressão desses impulsos traz consequências desastrosas para a relação entre duas pessoas.[20]

Só é possível encontrar uma saída encarando-se esses fatos com franqueza e sem preconceitos. É condição essencial reconhecer como natural o interesse sexual por outras pessoas: "Ninguém pensaria em condenar alguém por não querer usar a mesma roupa durante anos, ou por não querer comer todos os dias o mesmo prato."[21]

Wilhelm Reich, no seu livro *Casamento indissolúvel ou relação sexual duradoura?*, faz uma crítica contundente à ideologia da monogamia no casamento:

"Os diversos autores chegam a buscar os argumentos mais estranhos e absurdos para justificar a manutenção do casamento indissolúvel. Esforçam-se, por exemplo, por demonstrar que o casamento e a monogamia são fenômenos naturais, isto é, biológicos. Procedem a árduas pesquisas entre as espécies animais que, incontestavelmente, vivem sem leis sexuais, para daí isolar as cegonhas e os pombos que — temporariamente — vivem em monogamia, donde logo concluem que a monogamia é 'natural'. Paradoxalmente, o homem deixa de ser um ente superior, incomparável aos animais, quando se pretende defender a ideologia do sistema de casamento monogâmico. Em contrapartida, quando se discute o casamento do ponto de vista biológico, esquece-se que a promiscuidade é a regra entre os animais; agora, subitamente, o homem volta a ser diferente dos animais e deve elevar-se a 'um nível superior' de atividade sexual, ou seja, o casamento monogâmico. O homem, proclama-se, é um 'ser superior', com uma 'moralidade inata', e a economia sexual é combatida, porque demonstra, efetivamente, que essa 'moralidade inata' é uma ficção. Ora, se a moralidade não é inata, só pela educação pode ser incutida. Quem realiza essa educação? A sociedade e sua fábrica de ideologia, a família autoritária fundada na monogamia compulsiva. Isso basta para demonstrar que a família não é um fenômeno natural, mas uma instituição social. Quando se tende a admitir que o casamento não é uma instituição natural nem sobrenatural, mas, sim, uma simples instituição social, tenta-se de imediato provar que a humanidade viveu sempre na monogamia, negando-se quaisquer evoluções e mudanças das formas sexuais. Chega-se ao ponto de falsificar a etnologia, para estabelecer a seguinte conclusão: se os homens sempre viveram na monogamia, daí se pode concluir que esta instituição é indispensável à existência da sociedade humana, do Estado, da cultura e da civilização. Omitem-se todos os ensinamentos da história que demonstram terem também existido a poligamia e a promiscuidade sexual, as quais desempenharam papel de grande importância. Mas, para contornar essa objeção, a ideologia monogâmica substitui então o ponto de vista da moralidade inata pelo da evolução."[22]

A crise do casamento

Por volta da década de 1950 o amor e o casamento caminham juntos, já que a sexualidade continua vinculada à procriação. As mães solteiras são repudiadas, embora já se notem sinais de maior tolerância às relações sexuais antes do casamento, desde que os noivos se amem e pretendam se casar. Mesmo assim, a maioria das moças ainda recusa maior intimidade. A reputação delas se apoia em sua capacidade de resistir aos avanços sexuais dos rapazes.

Uma radical modificação dos costumes inicia-se na década de 1960, com o advento da pílula anticoncepcional. A mulher reivindica o direito de fazer do seu corpo o que bem quiser, e, assim, a sexualidade se dissocia pela primeira vez da procriação. Já não é mais necessário casar para manter relações sexuais regulares. Multiplicam-se os casais que moram juntos sem assinar contrato.

Na França, em 1968-69, entre os casais que contraíam matrimônio, 17 já viviam juntos; em 1977 esse número triplicou. Na maior parte dos casos, essa coabitação juvenil ainda resultava em casamento, mas, de qualquer forma, traduzia um profundo abalo no casamento como instituição.[23]

As vantagens do casamento institucional passam a ser questionadas. Em termos de aceitação social, nada acrescenta, pois parentes e amigos já haviam se acostumado à ideia. No plano jurídico, cada vez mais as leis consideram uma coabitação comprovada como tendo os mesmos direitos do casamento.

As perdas parecem ser maiores que os ganhos. Casar soa como abrir mão da liberdade, sacrificar possibilidades pessoais e, em última instância, limitar a pessoa. Acentua-se o temor de que o casamento estrague a relação, que o compromisso transforme o sentimento em hábito e rotina. "Parece-lhes impossível amar por contrato: prometer afeto não será transformá-lo num dever? Eles querem ser amados pelo que são e não por obrigação. Insistem em preservar a espontaneidade, o frescor, a intensidade da união, e alguns creem que a falta de compromisso, a precariedade institucional de sua relação a dois, é a garantia mesma de sua qualidade."[24]

A relação a dois é um assunto estritamente privado, sendo difícil admitir que uma terceira pessoa estranha, um representante da lei, administre o que há de mais íntimo entre duas pessoas: o afeto e a sexualidade.

Nos anos que se seguem, menos casamentos são celebrados. No Brasil, de 1980 a 1994, o número de casamentos oficiais diminuiu 38%.[25] Em todo o mundo ocidental, aumenta o número de solteiros, ao mesmo tempo em que a coabitação resulta cada vez menos em casamento. Estar casado deixa de significar a assinatura de algum documento. São consideradas casadas as pessoas que mantêm uma relação fixa e estável, algumas vezes até morando em casas separadas.

Com todas essas transformações, a família é abalada. Ninguém se lembra mais da época em que muitos colégios recusavam filhos de pais separados. E isso acontecia até algumas décadas atrás.

Aquele lar formado por um casal e filhos não é mais a norma. Há um número crescente de famílias com apenas um genitor. Muitas vezes, são mães solteiras que decidiram ter e criar seus filhos sozinhas. A diferença básica é que, anteriormente, o indivíduo era incorporado à família; sua vida pessoal confundia-se com sua vida familiar ou, então, subordinava-se a ela: "A relação do indivíduo com a família se inverteu. Hoje, exceto na maternidade, a família não é senão a reunião dos indivíduos que a compõem nesse momento; cada indivíduo tem sua própria vida privada e espera que esta seja favorecida por uma família do tipo informal. E se, pelo contrário, ele se sentir asfixiado por ela? Nesse caso, vira-lhe as costas e vai procurar contatos mais 'enriquecedores'. A vida privada se confundia com a vida familiar; agora é a família que é julgada em face da contribuição que oferece à realização das vidas privadas individuais."[26]

São várias as causas da crise do casamento. Rougemont afirma que todos os adolescentes no Ocidente são educados para o casamento, mas ao mesmo tempo vivem imersos numa atmosfera romântica proporcionada por suas leituras, pelos espetáculos e pelos mil referenciais cotidianos, cujo sentido subliminar é mais ou menos o seguinte: a paixão é a experiência suprema que todo homem deve um dia conhecer, e somente aqueles que passarem por ela poderão viver a vida em sua plenitude. "Ora", diz ele, "a paixão e o casamento são, por essência, incompatíveis. Sua origem e seus objetivos são excludentes. Sua coexistência faz surgir incessantemente em nossas vidas problemas insolúveis, e esse conflito ameaça constantemente nossa 'segurança social'."[27]

Outras causas são: a crença equivocada de que o amor é a solução para todos os problemas: a relação íntima do amor com o casamento; o aumento da longevidade; a diminuição da religiosidade; os contraceptivos que permitiram a emancipação feminina; a liberação sexual; a aspiração ao individualismo, que caracteriza a modernidade, levando à valorização do *eu* sobre o *nós* conjugal.

A autorrealização das potencialidades individuais passa a ter outra importância, pondo a vida conjugal em novos termos. Acredita-se, cada vez menos, que a união de duas pessoas deva exigir sacrifícios. Observa-se uma tendência a não se desejar mais pagar qualquer preço apenas para ter alguém ao lado. É necessário que o outro enriqueça a relação, acrescente algo novo, possibilite o crescimento individual. "O homem atual passa por uma nova Renascença — todas as aventuras são desejáveis, continentes novos devem ser descobertos e explorados, navegações por mares estranhos são encorajadas, limites devem ser transpostos... desde que para dentro de si mesmo. O novo mundo a ser descoberto é o próprio homem."[28]

O casamento torna-se, então, um pesado fardo, pois dificulta a realização do projeto existencial com suas metas individuais e independentes até das relações pessoais mais íntimas.[29] Surgem conflitos na tentativa de harmonizar a aspiração de individuação com uma vida a dois, mas homens e mulheres estão cada vez menos dispostos a sacrificar seus projetos pessoais.

Cibele tem 32 anos e casou-se há um ano e meio. Sempre foi independente, morando sozinha desde os 19 anos. Durante algum tempo, guardou parte do seu salário como designer para, logo que possível, realizar um antigo projeto: viajar um ano pela Índia. Agora, que vive uma relação amorosa estável, precisava esclarecer as coisas com o marido. Chamou-o para uma conversa, em que foi bastante objetiva:

"Está chegando o dia em que vou dar um tempo no trabalho e colocar meus planos em prática. Quero ficar viajando por um ano. Se quiser ir, vai ser ótimo, vou ficar muito feliz. Mas, por favor, não se sinta obrigado a nada. Se você não quiser viajar comigo, não tem problema. Nos encontramos quando eu voltar."

Ciúme

A relação amorosa entre homens e mulheres sempre foi prejudicada pelo ciúme. Inicialmente, o ciúme do homem estava ligado ao medo de falsificação da descendência — dar seu nome e criar um filho que não fosse seu. Esse temor serviu como justificativa para a violência extrema que as mulheres sofreram nas sociedades patriarcais. Para elas, entretanto, esse sentimento, caso existisse, era proibido de se manifestar. Cabia-lhes exclusivamente ser virtuosas e obedientes.

A revolução sexual dos anos 60 irrompeu no mundo ocidental, trazendo a separação definitiva entre sexo e reprodução e, consequentemente, a igualdade de condições entre homens e mulheres nessa área, além do fim do tabu da virgindade. No entanto, com toda essa liberação, ao contrário do que se poderia supor, o homem ficou mais ciumento e a mulher passou a expressar essa emoção na mesma intensidade que ele.

Mas por que o ciúme é aceito como parte do amor? Por que se defende sua presença numa relação amorosa, mesmo sabendo que o preço pago é tão alto? Encontramos ao menos parte da resposta na forma como o adulto vive o amor, que é em quase todos os aspectos semelhante à forma da relação amorosa vivida com a mãe pela criança pequena.

O bebê quando nasce busca paz, aconchego e proteção no contato físico com outra pessoa, visando atenuar seu desamparo. Sentindo-se sozinho, entra em pânico e chora até que alguém o pegue no colo e o acalente. É a primeira manifestação de amor do bebê. Ele ama a mãe (ou equivalente) porque ela atenua a sensação de abandono. Busca estar sempre próximo a ela. À medida que vai crescendo e ampliando seu universo, a necessidade constante da mãe vai diminuindo. Mesmo assim, a criança se vê frequentemente ameaçada de perder esse amor, sem o qual perde o referencial na vida e também fica vulnerável à morte física. Mostra-se controladora, possessiva e ciumenta, desejando a mãe só para si.

Mesmo depois de adultos, quase todos associam para sempre o temor de não ser amados à perda de tudo, à morte. Esse risco, que é verdadeiro na infância, continua sendo alimentado por uma educação que não permite ao jovem se desligar da dependência emocional dos pais. Quando surge uma relação amorosa, ele passa de uma dependência para outra. Agora é por intermédio da pessoa amada que tenta satisfazer todas as necessidades infantis.

A maioria das pessoas resolve bem as questões práticas da vida. Consegue trabalho, aluga apartamento, briga com o síndico, compra carro, cria filhos, mas não consegue ficar sozinha. Só está bem ao lado da pessoa amada. Reeditando a mesma forma primária de vínculo com a mãe, o antigo medo infantil de ser abandonado reaparece. Se o amor é a solução de todos os problemas e se o convívio amoroso é a única forma de atenuar o desamparo, a pessoa amada se torna imprescindível. Não se pode correr o risco de perdê-la. O controle, a possessividade e o ciúme passam, então, a fazer parte do amor.

A dependência entre um casal é encarada por todos com naturalidade porque se confunde com o amor. As pessoas se relacionam muito mais por necessidade do que pelo prazer da companhia um do outro. Espera-se que o parceiro adivinhe o que o outro sente ou deseja, que perceba quando e por que está aborrecido, enfim, que esteja sempre pronto a fazer tudo que torne a outra pessoa feliz. Não é assim com o bebê? A mãe deve estar sempre voltada exclusivamente para ele. Deve perceber de imediato se seu choro é por fome, sede ou frio.

O receio de ser abandonado ou trocado por outra pessoa leva a se exigir do parceiro que não tenha interesse nem ache graça em nada fora da vida a dois, longe da pessoa amada.

Márcia recebeu o telefonema de uma colega de faculdade. Estava sendo organizado um almoço para comemorar dez anos de formatura. Indignou-se ao ser comunicada de que todas as colegas deveriam ir sozinhas. Não via sentido algum em ir sem Carlos, seu marido há cinco anos:

"Não vou, de jeito nenhum. Acho um absurdo o Carlos não poder ir. Só teria graça se eu pudesse depois comentar com ele sobre cada uma das minhas colegas. Ele faria o mesmo. Já me disse que se o encontro fosse da turma dele, no máximo daria uma passada cedo para dar um abraço nos amigos, mas não ficaria para o almoço."

Tenta-se controlar o outro da mesma forma que a criança faz com a mãe, imaginando diminuir assim as chances de abandono. É considerado natural que o parceiro dê satisfações de todos os seus passos, até fazendo relatórios minuciosos de suas atividades cotidianas para que esse código se mantenha. Não é raro encontrarmos pessoas que até se sentem lisonjeadas com qualquer manifestação de ciúme do outro e alimentam essa atitude por confundi-la com prova de amor. Nesses casos, o desejo de uma vida livre fica em segundo plano, sufocado pelas inseguranças pessoais que privilegiam esse mecanismo de controle.

Por conta da crença de que, quando as pessoas se amam, devem estar juntas o tempo todo, ocorrem muitas frustrações que se tentam negar. Se o marido ou a mulher, por exemplo, for tomar um chope com os colegas ao sair do trabalho, pode causar uma grande dor no outro, que entende essa atitude como desinteresse e uma ameaça à estabilidade da relação. Nenhum tipo de prazer individual é admitido quando se espera ser a única fonte de interesse do outro.

Alexandre, médico, de 35 anos, trabalhava em vários hospitais, chegando sempre cansado em casa. Mesmo assim era muito dedicado aos três filhos e à mulher. Concordava com tudo, não recusando nada que pedissem ou sugerissem. Nos fins de semana, então, não tinha sossego. Era folga da babá e, desde que acordava, ocupava-se das crianças. Levava-as à praia, ao cinema, ao parque. Sua mulher não participava; aproveitava para descansar dos filhos. Alexandre não reclamava, mas o que desejava mesmo fazer era voltar às aulas de violão. Procurou o antigo professor e passou a ter uma aula por semana, mas sua alegria durou pouco. Sua mulher implicou com as aulas. Tanto reclamou, que Alexandre não viu outro jeito senão desistir.

Se a dependência infantil que tinha da mãe tiver sido bem elaborada, o indivíduo, provavelmente, será menos ciumento. Caso contrário, será difícil conseguir autonomia suficiente e poderá estar vulnerável ao reaparecimento da insegurança infantil, exigindo exclusividade no amor.

Como são poucos os que se sentem autônomos, observa-se uma busca generalizada de vínculos amorosos que permitam aprisionar o parceiro, mesmo que seja à custa da própria limitação. A questão do ciúme está ligada à imagem que se faz de si próprio. Não sendo boa a impressão, há sempre o temor de ser abandonado pela pessoa amada ou trocado por outro.

Quem é amado sente-se valorizado, com mais qualidades, e menos desamparado. Portanto, quanto mais intenso o sentimento de inferioridade, maior será a insegurança e mais forte o ciúme. O caminho mais fácil é tentar restringir ao máximo a liberdade do outro. Há casos de uma pessoa aparentar ser autossuficiente e segura mas, ao iniciar uma relação amorosa, fica evidente sua baixa autoestima.

Fátima tem 33 anos, é separada e tem dois filhos. Gosta muito do seu trabalho como fonoaudióloga, é bastante sociável e tem vários amigos. A todos dá a impressão de estar sempre de bem com a vida. Suas características aparentes mais marcantes são o bom humor, a vivacidade e a segurança. É isso que a torna atraente aos homens. Sempre teve namorados, só que existe um problema. Após mais ou menos um mês de relacionamento, eles começam a se desencantar e se afastam.

"Parece mentira. Tive três namorados seguidos nos últimos quatro meses e com todos aconteceu a mesma coisa. No início, eles querem me ver todos os dias, todas as horas. Mas aos poucos vão ficando distantes e frios. Com Roberto, o último dos três, insisti numa explicação, e o que ele disse me deixou péssima. Alegou que se apaixonou por uma mulher independente, forte, mas logo nas primeiras semanas se viu namorando uma pessoa insegura, dependente e ciumenta."

Quem tem a autoestima elevada e se considera interessante e com muitos atrativos não supõe que será trocado com facilidade, e, se a relação terminar, sabe que vai sentir saudade, vai ficar triste, mas também sabe que vai continuar vivendo sem desmoronar.

Quando um convívio cai na rotina e perde a intensidade, também o ciúme se manifesta. A rotina num casamento é quase inevitável e, como tudo o que se faz de forma habitual e automática, traz a perda da sensação e da consciência do prazer. Os diálogos se tornam escassos e repetitivos. Quando se conversa, é sobre as mesmas banalidades do dia a dia. Quem nunca reparou no silêncio de um casal num restaurante? Se há companhia de outro casal, geralmente os homens conversam entre si e as mulheres também. "O ciúme vem a calhar quando as pessoas já não têm muito a trocar, mas têm que ficar e não conseguem sair. Nada mais vivo na *sepultura do amor* do que a desconfiança, o desprezo, o policiamento recíproco — o jogo de Tom e Jerry."[30]

O ciúme pode ser construído para aumentar o desejo sexual quando ele já está em declínio. A competição com um rival real ou imaginário é estimulante e serve para aliviar o tédio que domina a relação.

Lia e Fábio, casados há 18 anos, moram com os dois filhos adolescentes numa bela casa. São companheiros em tudo, inclusive na profissão: ambos são médicos. Com frequência, organizam almoços e festas, em que, além dos próprios convidados, recebem os amigos dos amigos. São tidos como modelo de casamento e até invejados por muita gente. Há, entretanto, uma singularidade nessa relação: em cada encontro social, Lia procura seduzir algum homem. Se está sozinho ou acompanhado, não faz diferença. Invariavelmente, após algumas doses de uísque, ela se insinua e, dependendo do seu teor alcoólico, pode tornar-se mais ousada. Fábio, para espanto geral, assiste a tudo passivamente até o momento em que se retira para seu quarto com uma expressão indefinível no rosto. No dia seguinte, Lia comenta com as amigas a noite de sexo ardente que viveu com o marido depois que todos foram embora.

"O êxito do romance e o do cinema aparecem como sinais incontestáveis de uma decadência do homem moderno e de uma espécie de doença do ser. Quase todas as tramas que servem de enredo aos nossos autores reduzem-se ao esquema monótono dos ardis que a paixão utiliza para se *manter* viva — ardis de uma paixão incapaz de inventar obstáculos mais *secretos*. Penso na psicologia do ciúme que perpassa nossas análises: ciúme desejado, provocado, insidiosamente favorecido e não apenas no outro, porque se acaba por desejar que o ser amado seja infiel para que possamos novamente persegui-lo e *sentir* o amor outra vez."[31]

Fidelidade

Esther, professora de inglês, de 35 anos, parou de trabalhar quando se casou com Rui. Logo tiveram dois filhos e, a partir daí, seu dia divide-se entre a administração da casa, aulas de ginástica, encontros com as amigas e compras no shopping. Após oito anos de casamento, não sente mais desejo sexual algum por Rui e fica bastante irritada com sua presença nos fins de semana, quando vão todos juntos à praia encontrar os amigos. Tem o hábito de criticá-lo e contar aspectos íntimos de sua relação com ele para as pessoas que a cercam, sempre denegrindo sua imagem e ridicularizando-o. Às vezes, numa roda de conversa, se Rui está de costas para ela, faz gestos que demonstram sua exasperação quase incontrolável. Impotente por não poder se separar — Rui sustenta sozinho a casa e lhe dá todas as mordomias —, seu ódio cresce a cada dia. Entretanto, nunca teve sequer uma aventura extraconjugal.

Esther é uma mulher fiel ao marido.

Ângela, jornalista, de 34 anos, está casada com Mauro há sete. Além do trabalho numa revista, participa de outras atividades culturais de que gosta muito. Considera sua relação com o marido bastante satisfatória. São grandes amigos e têm uma vida sexual intensa. Viajam nos fins de semana, vão ao cinema e ao teatro com frequência. Cada um convive com amigos em separado, havendo alguns em comum. Respeitam-se sem que um tente controlar a vida do outro. A obrigação de fidelidade nunca foi discutida entre eles. Ângela considera essa uma questão menor e define assim a visão que tem do seu casamento:

"Amo muito meu marido e sinto muito tesão por ele. Acho que foi a pessoa que mais me satisfez no sexo até hoje. Eventualmente, sinto desejo por outro homem e, quando isso acontece, não vejo por que me reprimir. Desde que casamos, tive quatro relações extraconjugais que não abalaram em nada o que vivo com o Mauro. Suponho que ele também deva ter tido alguns romances. Ano passado, acho até que andou meio apaixonado. Chegava em casa calado e ficava pensativo. Parecia estar noutro mundo, mas não perguntei nada. Após algumas semanas, ele voltou ao normal, foi um alívio. Mauro é a pessoa que mais amo no mundo, admiro e respeito. É com ele que prefiro conviver, fazer sexo, viajar, passar o réveillon. Quando fico doente, quero ser cuidada por ele e também cuidar dele. Mas não vejo por que não deva transar com outro homem por causa disso."

Ângela é o que se considera uma mulher infiel ao marido.

Nesses exemplos fica claro o equívoco generalizado de se identificar fidelidade com sexualidade. Ao contrário do senso comum, Ângela é que é uma mulher fiel ao marido. A fidelidade está no sentimento que nutre por ele e nas razões que sustentam seu casamento. Não é o caso de Esther, que continua vivendo com o marido por causa de suas necessidades financeiras, apesar de odiá-lo.

Embora eu recuse os termos fiel/infiel e, mais ainda, a palavra traição para caracterizar relações extraconjugais, vou usá-los aqui com o objetivo de facilitar a compreensão. De maneira geral, quando duas pessoas estabelecem uma relação estável — namoro ou casamento —, defendem a ideia de que quem ama deve contar tudo para o outro, que não pode haver nenhum segredo entre eles. Agora, se tudo é conhecido, se não existe nada no parceiro que não se saiba, não há surpresa, não há nenhuma novidade, não há descoberta, e a consequência natural é não haver também nenhum interesse pelo outro. E é isso que acontece na maioria dos casamentos.

Desde a infância, foi ensinado à mulher que ela deveria ter relações sexuais apenas com um homem. Isso fez com que se sentisse culpada ao perceber seu desejo sexual por alguém que não fosse o marido. Encontramos essa culpa levada ao extremo no relato de algumas mulheres de mais de 60 anos que, mesmo depois de ficarem viúvas, não conseguem admitir ter relações sexuais com outro homem. A mesma dificuldade ocorre também em mulheres mais jovens.

Cleide tem 49 anos e nunca trabalhou. Casou virgem, aos 18 anos e, vinda de uma família religiosa e conservadora, acreditou que ficaria casada até que a morte os separasse. Seu marido, um homem dedicado à família, sempre manteve com ela uma vida sexual conservadora. Entretanto, após 19 anos de vida conjugal exemplar, apaixonou-se pela secretária e saiu de casa. Passou a manter contato somente com as três filhas, evitando qualquer encontro com Cleide, possivelmente porque lhe constrangia o sofrimento da ex-mulher. O pagamento da pensão nunca falhava. Durante dois anos Cleide se trancou em casa chorando sua desgraça, até que conheceu Jorge, um vizinho viúvo e gentil, que gostava dela. Passaram a sair com frequência: passeios, jantares, cinema. Quando ele a convidava para conhecer sua casa, ela se apavorava e dava uma desculpa. A situação já estava se tornando difícil e ela não sabia o que fazer:

"Gosto muito do Jorge. Sinto-me bem a seu lado. Devo a ele ter recuperado um pouco da alegria de viver, mas fico gelada quando começa a se criar algum clima de sexo. Sei que é loucura minha, mas, se for para cama com ele, sinto estar sendo infiel a meu marido."

A dependência econômica da mulher foi uma motivação importante da tendência monogâmica presente em nossa cultura. O marido jamais admitiria uma infidelidade e, dessa forma, ela não teria como sobreviver. Um flagrante de adultério, por exemplo, faz com que a mulher perca todos os seus direitos.

O homem teme um rival mais competente no sexo e tem pavor de ser estigmatizado como corno. Isso demonstraria a todos que ele não soube se fazer respeitar e que não foi suficientemente homem para segurar a mulher. O fracasso em corresponder ao ideal masculino o exporia ao ridículo e ao desprezo.

O mesmo não acontece se o marido é infiel. "Uma mulher enganada não é desprezada, mas lamentada, pois a infidelidade do marido constitui um perigo real para a mulher economicamente dependente."[32] Por isso, sempre houve mais condescendência para com a infidelidade do marido.

Com a emancipação feminina as coisas começaram a mudar. A proporção de mulheres casadas há mais de cinco anos que têm encontros sexuais extraconjugais é, hoje em dia, virtualmente a mesma que a dos homens.[33]

Quando num casamento não há dependência econômica ou emocional, quando as duas pessoas se sentem livres e têm consciência de que a relação só vai existir enquanto for satisfatória do ponto de vista sexual e afetivo, um episódio extraconjugal pode ocasionar dois resultados: é apenas passageiro e não rivaliza com a relação estável, que sai até reforçada — a pessoa não se sente coagida à obrigatoriedade de ter um único parceiro — ou a nova relação se torna mais intensa e mais prazerosa que a anterior e rompe-se, então, com a antiga.[34]

O parceiro que é excluído, que não deseja a separação por continuar amando, vai passar por momentos difíceis. Por mais que compreenda racionalmente as razões do outro e concorde que não há alternativa — afinal, isso faz parte da vida —, o sentimento de inferioridade sexual é inevitável. Alguns tentam a reconquista. Nesse processo, desaparece o automatismo que havia na relação prolongada e também a certeza de posse. Outros, mesmo sofrendo, preferem manter-se na expectativa do que vai acontecer. "Seja qual for a evolução, ela será sempre melhor do que o martírio de duas pessoas acorrentadas uma à outra por motivos morais ou racionais."[35]

Numa relação amorosa estável, as cobranças de fidelidade são constantes e sua aceitação é natural. Com toda a vigilância que os casais se impõem, ficam impedidos de vivenciar experiências ricas e reveladoras que outros parceiros podem proporcionar. O conflito entre o desejo e o medo de transgredir é doloroso. Quando surge uma possibilidade, se esquivam com racionalizações do tipo: "Não fui porque não era a hora", "Não era a pessoa", "Não tenho estrutura", "Eu não estava preparado" e, se não der para negar que apareceu alguém despertando muita atração, muito desejo, desvia-se o olhar, o pensamento e a emoção para evitar complicações. "Somos por tradição sagrada tão miseráveis de sentimentos amorosos que, em havendo um, já nos sentimos mais do que milionários, e renunciamos com demasiada facilidade a qualquer outro prêmio lotérico (de amor)."[36]

As restrições às quais muitas pessoas têm o hábito de se impor por causa dos outros ameaçam bem mais uma relação do que uma "infidelidade".[37] Reprimir os verdadeiros desejos não significa eliminá-los. O parceiro que teve excessiva consideração tende a se sentir credor de uma gratidão especial, a considerar-se vítima, a tornar-se intolerante.

Quando a fidelidade não é natural nem a renúncia gratuita, o preço se torna muito alto e pode inviabilizar a própria relação. Algumas pessoas já estão se dando conta disso e, talvez por lidar melhor com o desamparo e não se submeter cegamente às normas sociais, buscam soluções pouco convencionais:

Jane morava com Sidney há três anos. Os dois, músicos, têm uma vida bastante atribulada entre aulas e ensaios. Há um ano, Sidney recebeu o convite para fazer um curso importante de um mês em outra cidade. Combinaram, então, que Jane viajaria para encontrá-lo na última semana. Quando chegou lá, Jane encontrou Sidney diferente, meio distante. Sentiu logo que havia algo no ar e não foi difícil perceber que Sidney estava tendo um envolvimento amoroso. Esperou que ele falasse alguma coisa para juntos resolverem o que fazer, mas, como isso não aconteceu, chamou-o para uma conversa. Num primeiro momento, ele tentou negar, alegando que ela estava vendo coisas e propôs que voltassem ao Rio no dia seguinte. Jane, então, foi objetiva:

"Não, eu volto e você fica até o fim do curso. É fundamental para nossa relação que você viva esse romance, veja como é. Claro que eu morro de medo de você se apaixonar, mas não tem outra saída. Se você renunciar por minha causa, vou me sentir sempre como a responsável pelas suas frustrações. Não quero ser responsabilizada por algo que não me diz respeito. Esse problema é só seu e, dessa vez, não posso lhe ajudar a resolvê-lo."

O exemplo dado, na verdade, ilustra a atitude de uma minoria. A fidelidade conjugal, geralmente, exige grande esforço quando a pessoa se sente viva sexualmente e não abdicou dessa forma de prazer.

As pessoas sem preconceitos e tabus sexuais sabem que a fidelidade não é natural e, sim, uma exigência externa. No início de uma relação, duas pessoas podem estar apaixonadas e, durante um período, não desejar mais ninguém. Mas com o tempo a familiaridade sexual embota a paixão e começa-se a buscar em outra parte o ressurgimento das antigas emoções. Por questões morais, pode-se controlar esse impulso, mas é impossível impedi-lo de existir.[38]

Reich afirma que nunca se denunciará bastante a influência perniciosa dos preconceitos morais nessa área. E que todos deveriam saber que o desejo sexual por outras pessoas constitui parte natural da pulsão sexual, que é normal e nada tem a ver com a moral. Se todos soubessem, as torturas psicológicas e os crimes passionais com certeza diminuiriam, e desapareceriam também inúmeros fatores e causas das perturbações psíquicas que são apenas uma solução inadequada desses problemas.

Separação

"Meu mundo caiu e me fez ficar assim."

"Você está vendo só do jeito que eu fiquei e que tudo ficou."

"Risque meu nome do seu caderno, pois não suporto o inferno do nosso amor fracassado."

"Triste é viver na solidão, na dor cruel de uma paixão."

"Me agarrei nos teus cabelos, nos teus pelos, teu pijama, nos teus pés, aos pés da cama (...) reclamei baixinho."

"Tire seu sorriso do caminho que eu quero passar com a minha dor."

"Evitar a dor é impossível, evitar esse amor é muito mais. Você arruinou a minha vida, me deixe em paz."

"Volta, vem viver outra vez ao meu lado, não consigo dormir sem teu braço, pois meu corpo está acostumado."

"Nosso amor que eu não esqueço e que teve o seu começo numa festa de São João. Morre hoje sem foguete, sem retrato, sem bilhete, sem luar e sem violão."

A dor da separação sempre foi dramaticamente cantada. Prestando atenção às letras, não é difícil concluir que a separação fere e que o amor romântico, ainda tão valorizado, traz mais sofrimento que alegria.

Quando alguém deixa de ser amado, é tomado por profunda angústia e tristeza. Desde criança todos aprendem que o casamento é o lugar em que uma pessoa pode realizar-se afetivamente.

Ao longo dos tempos, fomos condicionados a desejar o amor, e nossas vivências mais profundas foram sendo articuladas, vinculadas às concepções de amor conjugal do tipo romântico e erótico.[39] "Em outras palavras, o casamento, tal como o conhecemos hoje, tornou-se indispensável para satisfazer essa *necessidade* amorosa, ela própria instituída pelo social. Portanto, não devemos pensar em *amor conjugal* como fenômeno da natureza."[40]

Só no Ocidente se deseja e se sofre pelo amor romântico. Os orientais desconhecem esse tipo de sentimento relacionado ao casamento. Os beduínos do deserto ocidental do Egito, por exemplo, esperam que os jovens se casem pela escolha da família. O amor é reservado aos pais, irmãos e filhos — nunca ao cônjuge. Assim, é inadmissível para eles qualquer manifestação pública de afeto entre marido e mulher.[41]

Aqui é muito diferente. Da mesma forma que a criança pequena se desespera com a ausência da mãe, o adulto, quando perde o objeto do amor — seja porque foi abandonado ou porque o abandonou —, é invadido por uma sensação de falta e de solidão. Surgem medos variados, como o de decepcionar os parentes e os amigos, fazer os filhos sofrerem, ficar sozinho, ter problemas financeiros e, o mais ameaçador: o de nunca mais ser amado. Embora o casamento não seja o único meio de atenuar o desamparo humano — outras relações cumprem essa função: amizades profundas, participação em grupos que têm ideais em comum, relações com amantes etc. —, é a que a sociedade mais privilegia. Quando um projeto amoroso fracassa, a pessoa perde seu referencial na vida e a pergunta que se faz sem conseguir uma resposta é: quem sou eu?

Jacques Ruffié afirma não haver dúvidas de que a monogamia praticada, pelo menos de modo formal, nas sociedades patriarcais, causa muitos problemas. O hábito, acarretando ao mesmo tempo exigência e tédio, gera uma tendência à separação.

O autor enuncia as diversas fases por que passa a vida da maioria dos casais (com um número de variações individuais):[42]

1ª. Uma fase de início, durante a qual tudo é maravilhoso, cada um idealizando o outro e se esforçando para satisfazê-lo. Ao mesmo tempo, o casal se afasta do resto do mundo: enfim, sós!

2ª. Uma fase de primeira crise com o contato do real; é preciso garantir o fim do mês. Os defeitos mais gritantes começam a ser percebidos. Essa fase é geralmente superada graças à atração recíproca, ainda viva, que um parceiro sente pelo outro. É o momento mais favorável para instaurar um verdadeiro diálogo em pé de igualdade, a fim de se chegar a um equilíbrio. Senão:

3ª. Uma série de crises vão se suceder, agravando-se e podendo acarretar duas situações:

a) A ruptura: a vida em comum torna-se insuportável. O casamento explode sob o efeito conjugado das forças centrífugas, nascidas do permanente estado de conflito e das ofertas aceitáveis para cada um dos parceiros, que continuam a vir do mundo externo;

b) Em alguns casos, sentindo esse perigo de explosão, o casal se retrai por uma espécie de reflexo de autodefesa. Ele tenta anular os poderes centrífugos, reprime sua agressividade.

4ª. Mas o equilíbrio obtido pode ser apenas provisório. Uma calmaria aparente muitas vezes disfarça um aumento de rancor e de incompreensão. É, então, que uma crise, mais violenta porque adiada, explode no momento em que menos se espera. Ela se reveste da aparência de um cataclismo, deixando os dois protagonistas boquiabertos.

5ª. O casal pode persistir, ao preço de muitas renúncias. Cada um se despersonaliza, procurando assemelhar-se ao outro. Rompe-se com os amigos pessoais (somente os amigos do casal são ainda aceitos, e bastante mal). Os filhos tentam fugir desse meio familiar árido e pouco hospitaleiro.

6ª Existem, enfim, crises fecundas, em que os dois protagonistas tomam consciência dos seus limites, de suas próprias forças e da realidade de um fracasso parcial. A fantasia ideal do início dá lugar a uma versão mais realista. Cada um se torna mais autônomo. Se as desavenças são abordadas de frente, em vez de serem ocultadas, e essa crise aparecer bem cedo na vida, numa época em que a atração entre os dois parceiros ainda é grande, ela pode ter um efeito construtivo — fazendo nascer um diálogo real, revelando novas diferenças e novas afinidades. Mas é preciso saber que o equilíbrio jamais é definitivo, pois o casal é formado por dois seres vivos, inteligentes, que evoluem.

Para Ruffié, o laço conjugal, juridicamente fixo e inalterável, no plano biológico é uma ficção que nossa fraqueza amorosa e nossa instabilidade afetiva assinam. Se os casais deixassem de associar a fidelidade à sexualidade, seria positivo para o casamento, na medida em que a mudança periódica de parceiros provoca, a cada vez, um aumento do desejo sexual.

Formas de separação

O divórcio como instituição tem sido permitido em quase todas as épocas e países, dependendo das causas. As diferenças, entretanto, variam desde o extremo católico que o proíbe, até a lei da velha China, que permitia ao homem divorciar-se da esposa tagarela.[43]

Em algumas sociedades, tribunais especiais tratam do divórcio, ou mesmo o chefe da aldeia decide o que deve ser feito nesses casos. Há lugares em que o divórcio é simples e tranquilo, em outros, pode perturbar toda a comunidade. Foi o que aconteceu no caso de Ganga, jovem hindu, casada havia cinco anos, que abandonou o marido em 1988 por ter sido espancada por ele. No dia seguinte, mais de 500 pessoas se reuniram em um campo perto da aldeia para ouvir o casal e suas famílias responderem às perguntas feitas pelos anciãos de sua casta. Ganga acusou o pai e o tio de seu marido de terem tentado atacá-la sexualmente e iniciou-se uma violenta discussão. Os insultos logo se transformaram em luta. Pouco depois, diversos homens ficaram estendidos no chão, mortos a pauladas ou sangrando. Mas os trâmites do divórcio continuaram de forma agressiva dentro de casa.[44]

Os motivos apresentados pelos casais para se separar são múltiplos e variados. Um estudo realizado pela antropóloga Laura Betzig em 160 sociedades concluiu que a infidelidade da mulher é a razão mais alegada para a solicitação de divórcio. A esterilidade vem em segundo lugar, seguida da crueldade por parte do marido. Há ainda uma variedade de acusações contra a personalidade ou a conduta do cônjuge: mau caráter, ciúmes, rabugice, falta de respeito, preguiça da esposa, o marido que não provê a casa, negligência sexual, propensão para brigas, ausência ou fuga com um amante.[45]

No início do século XX, na maioria dos países ocidentais, o casamento constituía um contrato duradouro e não era permitido que fosse rompido, a não ser em casos de faltas graves cometidas por um dos cônjuges. Entre elas estavam o abandono do lar, adultério, alcoolismo e violência física. Tentava-se tudo para conter o crescente aumento do número de divórcios, que em Viena, entre 1915 e 1925, passou de 617 para 3.241. Reich ilustra as soluções tragicômicas adotadas, então, para conter essa tendência que assusta os moralistas, numa notícia do jornal *Pester Lloyd,* de 25 de janeiro de 1929:

"O bridge como matéria escolar obrigatória"
"De Cleveland, nos Estados Unidos, chega-nos uma surpreendente notícia. As escolas municipais decidiram fazer do bridge uma matéria obrigatória. A razão apresentada para essa estranha inovação é a de que o lar americano se encontra em decadência,

por nele já quase não se jogar o bridge. Muitos casamentos se desfizeram porque os esposos, em vez de jogar o bridge entre si, ou em boa companhia, passaram a sair cada um para o seu lado. As escolas municipais contrataram 12 professores da referida matéria. Ao ensinar o bridge às crianças, espera-se não só que fiquem preparadas para uma vida conjugal sólida, mas também que possam exercer uma benéfica influência sobre os seus pais, cuja maioria se encontra desunida."[46]

Nessa época, quase não havia separações amigáveis. Embora a maioria dos pedidos de divórcio tenha sido solicitada pelas mulheres, a situação delas era bastante difícil. Esperava-se que suportassem tudo, em nome da família. A separação ocorria quando não havia outra alternativa, sendo o sofrimento insuportável. Mesmo assim, a mulher era discriminada como pouco confiável e era uma vergonha para a família.

O movimento de emancipação feminina e a liberação sexual trouxeram mudanças profundas na expectativa de permanência de uma relação conjugal. Entretanto, num processo de transformação das mentalidades, os novos comportamentos não atingem de maneira uniforme toda a população. Concordo com Bernardo Jablonski quando avalia como vive a mulher que busca maior igualdade sexual com os homens e quanto à diminuição da dupla moral para os sexos: "E aqui a mulher se encontra em um momento particularmente difícil: não quer mais ser a subserviente passiva e assexuada, mas também não é ainda a mulher livre cantada em verso e prosa nos filmes, letras de música ou, de novo, na imagem popularizada que grandes jornais fazem de tais pequenos segmentos da Zona Sul do Rio de Janeiro."[47]

Jablonski, apoiado nos trabalhos de pesquisa da psicologia social que apontam as diferenças entre frustração e privação, traça um paralelo da satisfação obtida pela mulher no casamento antes e depois da década de 1960.

"Na privação, o sujeito não possui algo (um objeto, emprego, situação), mas também tem poucas ou nenhuma expectativa de vir a tê-lo. (...) A felicidade dependerá dos objetivos propostos. Mas, além disso, os estudos sobre frustração têm demonstrado — e isso nos interessa de perto — que, quanto mais nos acercamos de um alvo aparentemente atingível e que por uma razão não o alcançamos, os sentimentos de perda, insatisfação, dor ou raiva serão significativamente maiores. (...) Quando as mulheres estavam sem esperanças e quase apáticas com relação aos seus direitos ou possibilidades no casamento, seu grau de insatisfação era cronicamente menor."[48]

Pude comprovar esse fato quando, após ter dado várias palestras para um público com idade entre 30 e 50 anos, entre o qual as insatisfações no casamento eram evidentes e discutidas, entrei em contato com mulheres de mais de 60 anos. Para minha surpresa, a maioria, inclusive muitas viúvas e quase nenhuma separada, ao falar do seu casamento, declarou ter sido bastante satisfatório. Após as explicações dadas, ficou mais fácil entender. Para essas mulheres um bom casamento consiste em ter um marido respeitador e cumpridor de suas obrigações familiares. E é por isso também que ideias como liberdade sexual, separação por falta de desejo sexual, questionamentos sobre a importância ou não da fidelidade conjugal provocam reações de indignação. É perturbador perceber que existem outras formas de viver mais prazerosas, mas fora de alcance.

Antigamente, a vida não tinha mesmo muitos atrativos. As opções de atividades fora do convívio familiar eram bastante limitadas não só para as mulheres que cuidavam da casa e dos filhos, como para os homens que do trabalho iam direto para o aconchego do lar. Agora existem muitas possibilidades de lazer, de desenvolver interesses vários, de conhecer outras pessoas e outros lugares. Sem falar numa maior permissibilidade social para transgressões antes nem ousadas. Portanto, quando uma pessoa se vê privada das perspectivas que são, de alguma forma, possíveis, a frustração é inegável.

Nas pesquisas feitas atualmente sobre divórcio, embora por motivos diferentes de outras épocas, a mulher continua sendo a que propõe a separação. Calcula-se que pelo menos dois terços dos pedidos de divórcio são feitos por elas. E, à seguinte pergunta feita numa pesquisa: "Se pudesse fazer tudo de novo, você se casaria com seu/sua marido/esposa?", 81% dos entrevistados que responderam "não", eram mulheres.[49]

Dilma tem 47 anos e mora com um casal de filhos adolescentes num prédio de classe média da Zona Norte. Antes da separação, ela e o marido frequentavam a piscina e a sauna do edifício, onde conheceram vários casais. Juntos organizavam festas no playground, churrascos e bingo; toda sua vida social era ali mesmo. Fernando, o marido de Dilma, de uma hora para outra comunicou-lhe que queria se separar e saiu de casa sem maiores explicações. Ela não tem muitas notícias dele, fora alguns indícios de que está morando com outra mulher. Passados os primeiros momentos de perplexidade, Dilma tenta reagir. Com o aperto das finanças, entregou-se à atividade frenética de fazer comida congelada para fora. Além de lhe dar algum dinheiro, permite que ela se distraia um pouco e não pense tanto na dor que sente. Só que a rejeição do marido não é a única que tem de suportar.

Os casais, amigos do prédio, organizaram uma grande festa junina. O convite chegou ao seu apartamento, mas só para seus dois filhos. Ela logo entendeu: agora é uma mulher separada: os maridos temem a influência negativa sobre as esposas e as mulheres temem que seduza os maridos.

Geralmente, quando uma mulher quer romper um casamento, tenta conversar com o marido para juntos buscarem uma solução amigável. E é comum isso acontecer sem que ela esteja necessariamente envolvida em outra relação amorosa. Talvez contribua o fato de a mulher ter prioridade na guarda dos filhos e de continuar morando na mesma casa, com os mesmos móveis e o mesmo telefone, evitando, assim, que os aspectos externos da sua vida mudem tão bruscamente.

Nem sempre os homens conseguem comunicar sua decisão de se separar de uma forma tranquila e amistosa. É possível que a culpa por estar se afastando dos filhos e mesmo da mulher — que há alguns anos se comprometeram a proteger — os leve a fugir de enfrentar uma situação tão delicada. O resultado pode ser rompimentos radicais e muito sofrimento desnecessário.

Cíntia e Chico tinham três filhos, sendo que o mais novo não havia completado um ano. Há alguns meses estavam felizes morando numa casa muito boa, construída, com algum esforço, durante o casamento. Num sábado, Cíntia acabava de convidar um casal de primos para o almoço, quando soube que Chico não poderia participar porque tinha um encontro de trabalho no restaurante que frequentava sempre. Combinaram, então, que no final da tarde ela o pegaria de carro e iriam ao aniversário de um amigo. Antes da hora marcada, Cíntia recebe um telefonema do marido, já com a voz um pouco alterada pela bebida, pedindo que ela fosse logo ao seu encontro. Chegando lá, foi saudada por Chico, que gritou: "Que bom, Cíntia, que você chegou! Vai poder conhecer a mulher que eu amo." Acreditando tratar-se de uma brincadeira de mau gosto, Cíntia apressou o marido para ir embora. Chico não respondia aos seus apelos e, animado, continuava enchendo o copo de uísque. Foi quando, então, Cíntia, aturdida, assistiu à entrada triunfal de uma loura exuberante que foi direto à mesa de seu marido, abraçando-o e beijando-o. Enquanto isso, ouvia dele, em voz alta e nítida, a frase que jamais conseguiu esquecer: "Cíntia, esta é Rose, a mulher que eu amo." E abraçado a Rose, se retirou do restaurante, deixando Cíntia sem ação, tendo que ser amparada por dois garçons. Desse dia em diante, Chico se encontra quinzenalmente com os filhos, mas nunca mais voltou para casa nem explicou nada a Cíntia.

A dependência econômica e a separação

Os defensores do casamento insistem na sua importância social e na necessidade desse vínculo para a felicidade humana. Os mais liberais alegam que, se não der certo, as pessoas podem se separar. No entanto, além de todas as questões emocionais que envolvem a separação, a interferência de vínculos econômicos contribui para dificultá-la.

Sem dúvida, é grande o número de mulheres que se veem forçadas a permanecer casadas e com esforço cumprir suas obrigações sexuais com o marido em troca de casa, comida e algum conforto. Fato bastante comum que só reforça as evidências do prejuízo causado pelos ideais de amor romântico ligados ao casamento. Em outros casos, apesar de a mulher não conseguir se separar por ser dependente, consegue, de algum modo, driblar o desprazer de fazer sexo sem vontade com o marido.

Gisela, fonoaudióloga exuberante, de 34 anos, vive uma situação complicada sem encontrar solução. Casada há nove anos com Rubens, profissional liberal bem-sucedido, tem com ele uma filha de 7 anos. Sente amizade e carinho pelo marido, mas nenhum desejo. Já se esforçou para mudar esse quadro, sem nada conseguir. Desde a última vez que aceitou fazerem sexo, sentiu estar se violentando demais. Decidiu, então, que a separação era irremediável. Ao conversar com Rubens sobre o assunto, constatou desanimada que não havia saída para ela.

"Eu queria ficar morando com nossa filha e ele nos daria uma pensão. Ele não aceita. Disse que se eu quiser separar, posso ir embora. Ele fica no apartamento com a menina e não dá pensão nenhuma. Fiz faculdade, curso de especialização e o meu salário não dá nem para alugar um quarto e sala, sem contar as outras despesas. O jeito foi continuar casada. Dormimos na mesma cama, mas ele me respeita, não encosta. Isso já dura dois anos. Há seis meses namoro um homem separado. Adoro estar com ele e o sexo é maravilhoso. Mas só posso encontrá-lo de dia e nunca nos fins de semana. É claro que acaba comprometendo nossa relação. Meu marido não me pergunta nada, mas sei que certas regras estão implícitas. O pior de tudo é que não vejo como mudar essa situação."

Em diversas culturas, a independência econômica está diretamente ligada ao divórcio. Na tribo yoruba, da África Ocidental, as mulheres sempre controlaram o comércio. Elas cultivavam a terra e depois levavam a produção para um mercado totalmente dirigido por mulheres. Além de comida, levavam para casa dinheiro e artigos supérfluos. Essa riqueza tornava-as independentes, resultando que mais de 46% dos casamentos entre os yoruba terminavam em divórcio.[50]

Na tribo nadza, da Tanzânia, durante a época de chuvas, os cônjuges se afastam da aldeia — cada um para um lado —, em busca de comida. Lá existem muitas raízes, frutos silvestres e pequenos animais. Quando chega a estação seca, todos se reúnem perto dos poços de água e os homens saem para caçar animais maiores. Aí conversam, dançam e dividem a carne. Mas, homens e mulheres nadza são independentes uns dos outros para a sobrevivência diária. Na década de 1960, o índice de divórcio entre eles foi quase cinco vezes maior que o dos Estados Unidos.[51]

A autonomia econômica pessoal permite a qualquer um dos cônjuges se separar a hora que quiser, portanto, há muito menos divórcios em lugares onde existe dependência econômica entre os cônjuges. Na Europa pré-industrial os índices de separação eram baixíssimos. "Os casais de agricultores precisavam um do outro para sobreviver. Uma mulher que vivesse em uma fazenda precisava do marido para deslocar as pedras, derrubar as árvores e arar a terra. O marido precisava dela para colher, limpar, escolher, preparar e armazenar vegetais. Juntos trabalhavam a terra. E, mais importante ainda, qualquer um dos dois que decidisse pôr fim ao casamento, iria embora de mãos vazias. Nenhum dos cônjuges podia retirar a metade dos grãos e plantá-los em outro lugar. Os homens e as mulheres agricultores estavam ligados ao solo, um ao outro e a uma complicada rede de propriedades familiares. Nessas circunstâncias, o divórcio não era uma alternativa adequada.[52]

Com a Revolução Industrial, houve uma mudança radical no relacionamento econômico entre homens e mulheres, trazendo os novos padrões do divórcio. As pessoas saíram do campo e foram para as cidades procurar trabalho nas fábricas. "E o que traziam de volta para casa era dinheiro — que é uma propriedade móvel e divisível."[53] As mulheres foram adquirindo mais autonomia econômica a partir de sua entrada no mercado de trabalho nas primeiras décadas do século XX. A consequência foi o aumento contínuo do número de divórcios.

Os anuários demográficos das Nações Unidas, com dados compilados desde 1947, indicam que o divórcio ocorre por volta do quarto ano de casamento, seguido por um declínio gradativo nos anos seguintes. Os países pesquisados são culturalmente tão diferentes como a Finlândia, a Rússia, o Egito, a África do Sul, a Venezuela e os Estados Unidos. Nas 24 sociedades cujos dados constam desse anuário, o risco de divórcio é maior na faixa etária de 25 a 29 anos para os homens, para as mulheres a incidência é a mesma em duas faixas etárias: 20 a 24 anos e 25 a 29 anos.[54]

O mito romântico de Tristão e Isolda já demonstra a duração de um amor apaixonado. Quando eles têm sede e bebem por engano a poção do amor, apaixonam-se loucamente e caem nos braços um do outro. Mas, ao cabo de três anos, a poção perde seu efeito.

A dor da separação

Quando alguém é amado, sente-se valorizado, alguém especial, e certifica-se de possuir qualidades. "Quando alguém deixa de nos amar, mesmo que seja por um breve momento, sentimo-nos como se tivéssemos perdido essa *coisa essencial* de dentro de nós, que só podemos resgatar quando alguém volta a afirmar que nos ama. Essa condição essencial pode até estar lá o tempo todo, mas a gente não sabe disso porque ela só se revela quando alguém nos declara seu amor."[55]

Muitas vezes, o parceiro não satisfaz nem preenche as necessidades afetivas e sexuais do outro, mas a separação é dolorosa porque impõe o rompimento com a fantasia idealizada do par amoroso. Acrescente-se a isso a baixa da autoestima que ocorre nessas situações e as inseguranças pessoais que reaparecem.

Diva, secretária, de 43 anos, chorava sem parar havia dois meses, desde que o marido saiu de casa para viver com outra mulher. Indagada a respeito do seu relacionamento afetivo e sexual no casamento, explicou:

"A gente não conversava nunca. Eu não sabia o que ele estava pensando. Ele é muito fechado. Sexualmente, já estava ruim há mais de cinco anos. Raramente fazíamos sexo e quando acontecia era rápido e em silêncio. Ele gozava, virava para o lado e dormia. Nem me dava boa-noite."

Há separações em que a hostilidade e o ódio pelo outro chegam a níveis extremos. É um sentimento de ter sido traído na crença de que graças àquela relação amorosa estaria a salvo do desamparo, encontrando a mesma satisfação que tinha no útero da mãe, quando dois eram um só. A separação surge como testemunho da impossibilidade desse retorno ao estado de fusão, a essa identidade que se busca no outro. Ao se afastar, o parceiro estaria traindo as expectativas de complementação, desde sempre alimentadas.

Adriana, dentista, 28 anos, estava casada havia cinco quando tomou coragem — após vários meses de depressão — e comunicou ao marido que queria se separar. Há mais de dois anos recusava-se a qualquer contato sexual com ele e não suportava mais viver a seu lado. Tinha muito afeto por Dirceu, mas do tipo que se tem por um irmão. O marido, num primeiro momento, pareceu aceitar bem o fim do casamento. Chegou até a agradecê-la por ela ter tomado a iniciativa, já que concordava que a vida em comum não tinha mais sentido.

Os primeiros sinais de que as coisas não se encaminhariam de forma amena começaram a surgir já na primeira semana após a decisão tomada. Alegando não estar encontrando apartamento, Dirceu continuava em casa. Adriana tentava ser paciente, esforçando-se para que a separação fosse amigável. Afinal, tinham uma filha que ainda não completara dois anos.

Certa noite, Adriana foi acordada por Dirceu, que a sacudia num pranto desesperado e pedia que ela o ajudasse a decidir se se matava sozinho, atirando-se pela janela ou se matava ele e Adriana. Daí em diante, as agressões se sucederam sem trégua, até culminar com a entrada em cena da polícia. Foi quando, já com a separação homologada em juízo, Dirceu descobriu que a ex-mulher estava namorando. Esperou-a sair cedo com a filha para passear e a atacou na portaria do prédio. Alertado pelo delegado encarregado do caso de que não poderia mais chegar perto dela, sob pena de prisão, Dirceu não hesitou: perdeu tudo o que tinha — era um comerciante com várias lojas — para não dar pensão à filha e, assim, atingir a ex-mulher, que não teria como assumir sozinha toda a despesa.

A ideia de felicidade através do amor no casamento influi na intensidade da dor na separação. Antes da Revolução Industrial as famílias eram extensas — pai, mãe, filhos, primos, tios, avós — e as exigências emocionais eram divididas por todos os membros, que viviam juntos. A família nuclear (pai, mãe e filhos), que caracteriza a época contemporânea, reduz a troca afetiva a um número pequeno de pessoas, favorecendo a simbiose e sobrecarregando marido e mulher como depositários das projeções e exigências afetivas do outro.

Como o amor romântico é construído em cima de projeções, o parceiro, imagina-se, preenchia uma falta, e na separação ele deixa um espaço vazio, leva com ele o que fazia parte também do outro. O ressentimento, a raiva e o ódio são causados pela constatação de que, ao ir embora, o parceiro deixou uma lacuna, frustrando a expectativa de complementação. Na maioria dos casamentos, as pessoas abrem mão da liberdade e da independência e, por isso, se tornam mais frágeis em caso de ruptura. "Aquela ou aquele que fica é então devolvido à solidão total, ao isolamento e à rejeição, complemento sem objeto direto, resíduo inutilizável de um par. Solidão total, a partir do momento em que o indivíduo não existe em si mesmo e que também não existe a coletividade na qual ele continuaria a ter seu lugar. 'Nós' desaparecido, resta uma metade de alguma coisa, enferma, débil, não viável, como um recém-nascido que não tivesse ninguém para alimentá-lo e vesti-lo, entregue às garras do medo."[56]

O cônjuge rejeitado não é o único a sofrer. Em muitos casos, o parceiro que não deseja mais permanecer junto se vê ressentido e magoado, responsabilizando o outro pela diminuição do seu próprio desejo sexual e pelo fato de a convivência cotidiana não lhe proporcionar mais prazer. A dor de desfazer a fantasia do par amoroso leva — mesmo sabendo-se que não existe chance nenhuma — à constante tentação de restabelecer o antigo vínculo. A reconstituição do casamento, nesses casos, dura pouco tempo e, quando ocorre a segunda separação, o outro volta a sofrer tudo novamente.

Luciana tinha 36 anos e estava casada havia 16. Com dois filhos adolescentes, sempre alimentara sonhos românticos de envelhecer junto a Cristóvão. Por isso, negou durante o tempo que pôde as frustrações que se acumulavam na sua vida. O mau humor do marido era uma constante, assim como seu excessivo egoísmo. Além disso, se recusava a qualquer tipo de diálogo e a constrangia com frequência na frente dos amigos, com observações machistas. Não permitia que a mulher trabalhasse, mas controlava de forma obsessiva o dinheiro que trazia para casa. Ao mesmo tempo, era frágil emocionalmente e dependia dela até para comprar roupa ou ir ao dentista.

Luciana não queria mais continuar casada com ele. Após um longo processo de questionamento e dúvidas, conseguiu concretizar a separação, apesar das súplicas do marido. Foram ao juiz, assinaram toda a papelada e, enfim, Luciana se sentiu uma mulher livre, animada com todos os projetos que pretendia realizar. Ao cabo de três semanas, contudo, concluiu que não podia viver sem Cristóvão. Voltaram a morar juntos — para decepção dos filhos. Luciana estava irreconhecível. Parecia uma adolescente romântica vivendo o primeiro amor. Sua postura e jeito de falar se transformavam ao lado do marido. Até dentro de casa fazia questão de andar de mãos dadas com ele, sem contar os olhares apaixonados que lhe lançava. Mas, um mês após essa recaída, Luciana voltou à realidade e propôs novamente a separação. Dessa vez definitiva. Nunca mais viu Cristóvão, nem teve interesse em saber o que ele fazia da vida.

Embora a separação seja uma experiência difícil para a maioria dos casais, algumas pessoas sofrem muito, outras menos, e há até quem sinta um certo alívio. Se existir a crença de que o casamento é uma união para a vida toda e de que só é possível ser feliz formando um par amoroso, o fim do casamento pode ser vivido como uma tragédia. Se, ao contrário, o vínculo conjugal for considerado temporário — enquanto for satisfatório para ambos —, e não se buscar através dele a satisfação das necessidades infantis, a separação pode não ser simples, mas é sentida como natural e, portanto, as dificuldades devem ser superadas o mais rápido possível.

O desespero que se observa em algumas pessoas durante e após a separação se deve também ao fato de cada experiência de perda reeditar vivências de perdas anteriores. Assim, não se chora somente a separação daquele momento, mas também todas as situações de desamparo vividas algum dia e que ficaram inconscientes. Em alguns casos, o objeto do amor na verdade nada significa, mas sua falta pode ser sentida de forma dramática.

Beatriz, mulher lindíssima, de 36 anos, estava separada do terceiro marido havia algum tempo. Sempre assediada pelos homens, mesmo assim não alcançava seu único objetivo: uma relação estável duradoura. Ela era frágil emocionalmente e tinha grande necessidade de ser amada e protegida. Isso assustava os possíveis pretendentes. Desde pequena sofreu diversas perdas dolorosas, como a morte súbita de pessoas muito próximas. Aos 20 anos, começou a beber sempre que se sentia deprimida. Agora, o alcoolismo era um problema grave que ela se esforçava para resolver. Naquele momento, atravessava uma boa fase. Tinha um trabalho interessante, muitos amigos e estava conseguindo, com certa dificuldade, evitar a bebida. Foi quando procurou ajuda terapêutica.

Numa sexta-feira, Beatriz chegou radiante à sessão de análise. Tinha ido a um coquetel na véspera, onde conheceu Vítor, o homem da sua vida, segundo afirmava. Jantaram num restaurante, conversaram muito e bem tarde ele a deixou em casa prometendo procurá-la no dia seguinte. Ela já fazia planos para aquela noite, para o próximo fim de semana e para os seguintes. Falava dele como se o conhecesse bem. Ao final da sessão, despediu-se apressada porque tinha hora no cabeleireiro.

Às três da manhã fui acordada pelo telefonema de Beatriz. Chorando muito, com a voz pastosa por causa do álcool, me comunicava a falta de desejo de viver. Não suportava tanto sofrimento e pedia minha ajuda. Perguntada sobre o motivo do desespero, respondeu: "O Vítor não telefonou."

Nem todos desejam morrer quando o vínculo conjugal se rompe. Quando um dos parceiros comunica ao outro que quer se separar, aquele que de alguma forma não deseja isso pode sofrer num primeiro momento e, pouco depois, sentir que lucrou bastante com o fim do casamento. A aquisição de uma nova identidade — agora não mais vinculada ao ex-marido — pode proporcionar uma sensação de renascimento.

Lara, atriz, de 30 anos, estava casada havia cinco com Afonso. Desde que o primeiro filho nasceu, parou de trabalhar para se dedicar a ele e ao outro, que veio logo depois. Engordou 15 quilos e passou a encontrar as suas próprias realizações nas do marido, conhecido cantor e compositor. Uma noite, quando preparava os enfeites para a festa do primeiro aniversário do filho mais novo, Afonso a convidou para jantar num restaurante. Com muita franqueza colocou-a a par do que estava acontecendo. Apaixonou-se por uma moça que conhecera num dos shows fora do Rio e a partir daquele momento iria morar com ela. Reafirmou seu carinho e amizade, mas a decisão era irreversível.

Passados seis meses, Lara resume assim sua experiência:

"Foi terrível. Quando ele me convidou para jantar, fiquei feliz. Não fazíamos isso havia muito tempo e achei que talvez estivéssemos voltando aos bons tempos do início. Quando ele começou a falar, eu tinha acabado de colocar um pedaço de peixe na boca e não conseguia engolir. Acho que fiquei três dias com a espinha entalada na garganta. Nas primeiras semanas, sofri muito. Me senti a última das mulheres: gorda e abandonada. Aí, resolvi reagir. A primeira providência foi fazer um regime. Perdi quase 20 quilos e fiquei linda. Procurei, então, todos os amigos e conhecidos do teatro e fiz novas amizades também. Consegui um papel numa peça que estreia mês que vem. Minha vida mudou. Nunca fui tão paquerada e nunca tive tantos namorados. Até orgasmos múltiplos experimentei pela primeira vez. O sexo com Afonso estava morno, a gente quase nunca transava. Olha, não dá nem para comparar minha vida hoje com o que era quando eu estava casada. Se o Afonso soubesse o quanto lhe agradeço a proposta de separação! Acho que nunca partiria de mim, e eu ainda estaria naquela pasmaceira toda."

O psicólogo italiano Edoardo Giusti, após quatro anos de pesquisas e estudos acerca da separação de casais, afirma que é certamente uma novidade para nossa cultura, centrada no sacrifício e na abnegação, poder evidenciar o alívio muitas vezes sentido ao término de uma união. E até se identifica um certo entusiasmo quando uma separação é vivida como nova oportunidade de crescimento e de desenvolvimento pessoal.

Pesquisando as causas ou as circunstâncias principais que determinaram, em algumas pessoas, uma vivência mais feliz durante a separação e, em outras, uma vivência menos feliz, Giusti resume os numerosos dados levantados:[57]

O PERÍODO PÓS-SEPARAÇÃO É VIVIDO

De maneira penosa (com mais sofrimento)	Quando	De maneira vantajosa (com mais alívio)
harmoniosa/doméstica	**união**	conflitante/ com desacordos
agradável/envolvente	**vida familiar**	escassa/ insatisfatória
proximidade/ dependência	**parentes**	afastamento/ independência
desaprovam	**pais**	ajudam
criticam	**amigos**	apoiam
preocupação com seu futuro	**filhos**	não existem ou não são levados muito em conta
apego forte e exclusivo	**companheiro**	apego limitado
comuns	**atividades e interesses**	diferentes
conservadora	**educação**	progressista
prega a indissolubilidade	**religião**	seu papel não é predominante
esporádica	**vida social**	intensa
poucas	**amizades**	muitas

não	existência de outro companheiro	sim
avançada	idade	jovem
muitos	anos de convivência	poucos
de tolerância/ resignação	periodo final da união	de forte impaciência
sofrida (o cônjuge é deixado)	decisão	tomada (o cônjuge deixa)
inconsciente evitação/fuga	controle global do processo da separação	com consciência do fim de uma união
grande	perda-saudade da união	relativa
pouca	autoestima	boa
passivo/rígido/ introvertido	caráter com relação ao companheiro	ativo/móvel/ extrovertido
apertada	situação econômica	boa

Como vivemos numa época em que cada um busca desenvolver ao máximo suas possibilidades pessoais e sua individualidade, a dor da separação é, portanto, bem menor do que há 40 anos. "Nesse sentido, vê-se nas pessoas que se separam (...) a consciência da necessidade de reconstruir sua identidade, de restabelecer novos propósitos de vida. Não cabe mais chorar tanto um casamento perdido porque ainda se tem a si mesmo como objeto a ser realizado e vivido."[58]

Após uma separação, o alívio é maior do que o sofrimento e pode haver uma forte sensação de estar renascendo se havia qualquer tipo de opressão no casamento, se na relação que acabou já não havia mais desejo, se há a perspectiva de uma vida social interessante, pelo círculo de amizades, se existe liberdade sexual para novas experiências e se estar só não é sinônimo de se sentir desamparado.

O casamento é necessário?

A vida a dois numa relação estável torna-se cada vez mais difícil de suportar diante das transformações e dos apelos da sociedade atual. A família não é mais necessária para a sobrevivência da espécie nem o casamento é um vínculo divino, uma aliança entre duas famílias ou uma união econômica, que durante tanto tempo justificaram sua existência. O que ele proporciona hoje é um modo de vida repressivo e insatisfatório. Muitos discordam dessa ideia alegando que o casamento deve ser conservado por causa da felicidade que pode proporcionar. "Mas o problema não consiste em saber se o casamento encerra uma potencialidade de felicidade, mas, sim, se a realiza."[59] Não, não realiza, e todos sabem disso. Na televisão, por exemplo, os programas de humor, a publicidade, as novelas não se cansam de mostrar o pesado fardo que é manter uma união conjugal. Entretanto, o desamparo em que o ser humano vive desde o nascimento, aliado à única possibilidade que lhe é oferecida socialmente — o casamento —, faz com que a maioria dos indivíduos continue desejando uma relação amorosa estável com uma única pessoa. Nesse sentido, a propaganda é maciça e costuma opor o amor, a solidariedade e o apoio que se supõe encontrar numa relação de casal à frieza da solidão.

Na segunda metade do século XIX, os estatísticos perseguiam o solteiro nos registros de presos, hospitais, asilos, necrotérios, para demonstrar sua nocividade e seu infortúnio. Alegavam que eles morriam mais do que os homens casados, mais bem cuidados por suas mulheres, e afirmavam que eram os melhores candidatos ao suicídio e ao crime.[60] Michelle Perrot resume a maneira como eram vistas as solteironas: "Solteira, a mulher, ao mesmo tempo está em perigo e é um perigo. Em perigo de morrer de fome e de perder sua honra. Ameaça para a família e para a sociedade. Ociosa, se as instituições de caridade não a monopolizam, ela passa seu tempo fazendo intrigas e mexericos. (...) Sem família onde exercer seu poder, ela vive como parasita na família dos outros. (...) Não consignadas como residentes em seus lares, as mulheres sozinhas circulam. Elas são vendedoras nos toaletes, alcoviteiras, abortadeiras, um pouco bruxas."[61]

Ainda até algumas décadas atrás, quem não casasse tinha uma vida infeliz. A discriminação atingia homens e mulheres. O homem só podia ter sexo com prostitutas e, depois que passava dos 30 anos, suspeitava-se de sua virilidade. As mulheres solteironas viviam reclusas ou eram mal faladas. Ficavam, então, ansiosas com o passar do tempo, já que no caso delas a situação era mais difícil. Havia a incapacidade de se sustentarem sozinhas, além do peso de transgredir a "lei da natureza": a realização na maternidade.

Ambos tinham dificuldade de convívio social, visto que a maioria das pessoas ficava casada a vida toda e esses desgarrados representavam uma ameaça constante aos casais. Poderiam interessar a um dos cônjuges ou servir como um perigoso exemplo. Não formar um par era associado a não ter uma família, até então único meio de não se viver na mais profunda solidão. Tudo isso causava tanto medo — e para muita gente ainda causa — que era preferível contentar-se com uma relação morna, frustrante e mesmo difícil de suportar dentro do casamento do que se arriscar a viver sozinho.

Freud afirma existir duas formas de o ser humano buscar a felicidade: visando evitar a dor e o desprazer ou experimentar fortes sensações de prazer.[62] Numa cultura judaico-cristã, em que o sofrimento é visto como virtude, não é de estranhar que a grande maioria das pessoas não ouse tentar viver de forma realmente prazerosa. A submissão aos padrões sociais estabelecidos é aceita, para evitar o desprazer da tensão empregada na construção de uma existência autônoma. Num processo de crescimento emocional, é necessário se aprender a lidar com a falta, o desamparo inevitável da condição humana e, percebendo as próprias singularidades, buscar uma convivência harmônica consigo mesmo. Para muitos, parece uma meta impossível. Estimulados pelas promessas equivocadas do amor romântico, depositam na relação com o outro todas as expectativas de proteção e segurança afetiva.

Entretanto, de algumas décadas para cá, vem diminuindo muito a disposição para sacrifícios. Muita gente continua ainda presa à ideia de que viver só é algo triste, mas diminui progressivamente o esforço para salvar uma união vacilante. Na mesma medida, aumenta o número dos que aceitam o risco de viver sem parceiro fixo, recusando-se a uma vida a dois. De 1962 a 1983, na França, o número de pessoas sozinhas aumentou 70%. Nos grandes centros como Paris e Nova York, para cada dois casais havia uma pessoa sozinha. Antes, atingia principalmente as mulheres idosas, mas estatísticas desse período mostraram um aumento no grupo dos que têm menos de 30 anos e dos divorciados.[63] Essa propensão a viver sozinho pode ter entre suas causas a precocidade dos divórcios e a diminuição dos novos casamentos rápidos, além dos anseios de individualidade. Em 1986, na França, estimava-se que mais de 36% das pessoas não iriam mais se casar.[64]

Hoje, os que vivem só têm respeito social e são até objeto de inveja da maioria dos casados que, por temerem novas formas de viver, suportam casamentos que lhes restringem a liberdade e lhes impõem sacrifícios.

Nesse momento em que o sistema patriarcal começa a ser seriamente questionado, tanto pelas mulheres quanto pelos homens, as formas de relacionamento afetivo-sexual tradicionais abrem-se para infinitas possibilidades. Jablonski levanta a hipótese de uma mudança que, segundo afirma, talvez já esteja sendo germinada no âmago de nossas almas: "Vamos supor, por exemplo, que as atuais criancinhas de colo, ao chegar à idade de namoro, possam ter — socialmente legitimados — dois ou três namorados, simultaneamente. E que os filhos dessa geração possam ter *mais de um* cônjuge, igualmente legítimos. Como eles nos verão do alto (e ao lado) dos seus diversos pares (um para romances, um para sexo, um para filosofar, um para lazer etc.)? Não nos avaliariam, esses neopolígamos, com os olhos marejados de piedade e compaixão?"[65]

Torna-se quase impossível encontrar alguém que acredite hoje em amor e casamento eterno. Alguns autores observam a tendência ao casamento monogâmico sequencial, em que, em tese, o casal viveria junto enquanto a relação fosse satisfatória para ambos. Findo esse período, cada um partiria em busca de outro parceiro. Mas aí surge um novo problema: como concretizar uma separação não é nada fácil — já que a própria vida a dois induz a uma relação simbiótica —, a negação dos aspectos insatisfatórios pode levar a uma permanência muito maior do que a desejada.

Uma fábula quase científica conta que, se um sapo estiver em uma panela de água fria e a temperatura da água elevar-se lenta e suavemente, ele nunca saltará. Será cozido. Algumas pessoas conseguem saltar, ainda que um pouco tarde.

Ângela, publicitária, de 43 anos, teve três casamentos. Agora está decidida a nunca mais casar nem ter qualquer tipo de relação fixa e estável.

"Com todos os meus casamentos aconteceu a mesma coisa: uma terrível sensação de jogar a vida fora sem necessidade. Sempre fiquei casada muito mais tempo do que devia. O primeiro casamento durou seis anos, mas não era nem para ter começado. Após um namoro de quatro anos, quando casamos já éramos meio irmãos, superligados um no outro, mas tesão quase não havia. No segundo, fiquei casada cinco anos, mas pensando bem, só foi bom mesmo nos dois primeiros anos. E, agora, nesse último, ficamos juntos quase quatro anos, e acho que bastava apenas um. A gente se acomoda, vai levando, tenta não pensar que a vida sexual está fraca e que deixa de fazer muitas coisas que deseja. Se eu fizer as contas, somando o tempo que fiquei a mais, joguei fora pela janela 12 preciosos anos da minha vida, em que eu era bem mais moça e bonita."

Assim como Ângela, existem homens e mulheres solteiros ou separados que optam por não estabelecer relações amorosas estáveis com uma única pessoa. Consideram a vida a dois um obstáculo à liberdade. Apreciam a descoberta, a aventura, a falta de rotina, o convívio com pessoas diferentes e, principalmente, não se sentem obrigados a fazer alguma coisa só para agradar o outro. Geralmente, levam uma vida mais interessante e mais rica na interação com o mundo, por estarem livres das limitações impostas numa relação a dois. "Na verdade, o casal, longe de ser um remédio contra a solidão, frequentemente suscita os seus aspectos mais detestáveis. Ele estabelece uma tela entre si e os outros, enfraquece os laços com a coletividade."[66]

Na França, uma pesquisa comparativa indica que os solteiros compram três vezes mais livros do que os casados, vão duas vezes mais ao restaurante, nove vezes mais ao cinema. Suas despesas de fim de semana e de férias são dez vezes superiores às de um casal.[67] Não há dúvida de que a qualidade de vida das pessoas solteiras atualmente é bem melhor do que a que observamos na maioria dos casais. Flávio Gikovate sintetiza de forma clara como vivem os solteiros da classe média:

"Pessoas sozinhas vivem, em geral, em apartamentos pequenos — ao menos os que não têm filhos ou não vivem com eles — cuja manutenção é fácil e pouco dispendiosa. Têm todo o tipo de con-forto moderno para seu entretenimento: aparelho de som, de DVD, livros etc.; é bom percebermos que as pessoas casadas também passam a maior parte do tempo em que estão em casa em atividades desse tipo e não conversando ou namorando. Experimentam a agradável sensação de poderem se deitar à hora que quiserem, ler na cama ou assistir à televisão sem que ninguém os atormente, ligar o ar-condicionado se estiverem com calor ou se cobrirem com mantas grossas se estiverem com frio. Ao acordarem, não terão que andar pé ante pé para evitarem barulhos — e os gritos correspondentes. Se têm fome podem comer em casa ou ir a um dos milhares de restaurantes disponíveis; mas podem decidir não comer, não têm hora marcada em caráter permanente com ninguém para jantar. Em geral, têm um carro à sua disposição e podem visitar pessoas, frequentar bares, paquerar, encontrar alguém que esteja no momento lhes interessando, podem viajar nos fins de semana e decidir isso de uma hora para outra, sem ter de dar satisfações ou pedir permissão para ninguém.

"Pessoas solteiras podem ter amigos e amigas sem estar sujeitas às repressões ciumentas e inseguras do cônjuge. Aliás, cultivam esse tipo de relacionamento afetivo de modo sistemático e se amparam muito nesses vínculos múltiplos e agradáveis. Saem juntos com os amigos, vão a cinemas, discutem suas experiências pessoais, falam das pessoas conhecidas em comum, jogam cartas, tudo de modo muito agradável e respeitoso, pois nessas formas de ligação as cobranças não são aceitáveis. Quando de sexos opostos, podem muitas vezes ter intimidades físicas esporádicas que não implicam alterações das regras de convívio.

"Homens e mulheres solteiros não têm as dificuldades de antigamente para o exercício de suas vontades sexuais (...) viajam juntos, conhecem-se em todos os sentidos, passam um tempo juntos e, para aqueles que estão convictos de que o viver só é bom (o que, em nível inconsciente, é bastante comum), as coisas ficam assim mesmo; ou seja, vive-se o prazer da agradável companhia sem que haja a tendência para a divisão do cotidiano, dos problemas, da vida financeira etc."[68]

Livres das regras e das obrigações de um casamento, as pessoas que optam por relações sexuais múltiplas percebem que se pode amar mais de uma pessoa ao mesmo tempo.

Lélia tem 36 anos e já foi casada duas vezes. Há sete anos optou por viver sozinha com o filho de 12 anos e não ter mais relações fixas:

"Na verdade, nunca acreditei que uma relação exclusiva com alguém pudesse me completar. Mas a pressão da família é tão grande que a gente acaba ficando em dúvida e faz como todo mundo: casa. Agora que vivo só com meu filho, tenho certeza que prefiro assim. Tenho amigos que participam da minha vida e eu da deles. Minhas dificuldades e alegrias divido com eles, e nunca senti solidão. Existe uma relação de amor verdadeiro entre nós. Quanto ao sexo, também não quero um parceiro fixo. Já tenho experiência disso e sei que em pouco tempo vai perdendo a emoção. Atualmente, relaciono-me com três homens alternadamente, mas tem época que não tenho ninguém. Com esses namorados, a transa afetiva e sexual é bastante forte. Não há compromisso nenhum entre nós e isso é justamente o que torna esses encontros tão interessantes. Cada pessoa é um universo a ser descoberto, e não havendo a rotina do cotidiano, sempre há novidades. Sexualmente acontece o mesmo. Cada um deles tem um jeito diferente de me tocar e de fazer amor. Sinto que os amo e eles a mim. A maior dificuldade é alguém entender que você pode amar uma pessoa e não querer namorá-la da forma tradicional, que o amor não se encaixa em modelos. As pessoas são tão viciadas numa única forma de relacionamento que às vezes fica difícil."

Rafael, pequeno empresário, de 46 anos, nunca se casou. Jovial, curte bastante a vida. Mora sozinho com uma antiga empregada da família que cuida de tudo na sua casa e faz todas as comidas de que ele gosta. Eventualmente, começa um namoro que não dura mais do que poucos meses.

"Quando eu tinha vinte e poucos anos acreditava que um dia ia casar, como todo mundo, mas ia adiando. Ainda bem que não casei. Hoje, quando vejo a vida que os amigos daquele tempo levam, fico arrepiado só de pensar. Alguns se separaram e casaram novamente rapidinho, mas vivem tão aprisionados quanto da primeira vez. Não me sinto sozinho. Tenho um grupo grande de amigos (homens e mulheres) e estamos sempre juntos. Uma vez por semana organizamos um jantar na casa de alguém do grupo, onde sempre conheço gente nova. Aluguei uma casa em Búzios, aonde tenho ido todos os fins de semana. Lá também fiz amigos interessantes. Às vezes me proponho a namorar uma mulher, mas não tenho muita paciência. A maioria delas é possessiva e cobra uma relação de exclusividade. Gosto muito da minha vida, mas houve um momento em que fiquei preocupado. Uma amiga de infância da minha irmã, que é psicanalista, tentou me convencer a fazer análise porque achava que eu tinha algum problema afetivo sério por não querer casar. Ela afirmava que eu tinha medo de me ligar a alguém. Hoje, não tenho dúvida de que quem tem problema sério é ela, por acreditar que todo mundo tem de desejar as mesmas coisas na vida."

Nos vários relatos feitos a mim por pessoas que não desejam uma relação fixa com um único parceiro, dois fatores são comuns a todas: a importância que dão às relações de amizade — consideram-nas as verdadeiras relações de amor — e a liberdade sexual.

Já foi dito que o anseio amoroso de todo ser humano é o desejo de recuperar a sensação de harmonia perdida no nascimento, o que na criança é intensamente dirigido para a mãe. As relações amorosas do adulto funcionam mal porque a maioria tende a reeditar inconscientemente com o parceiro a relação com a mãe, típica da infância. E isso fica claro na forma como se vive o amor, só se aceitando como natural se for um convívio amoroso possessivo e exclusivo com uma única pessoa. Buscar atenuar o desamparo é fundamental, mas essa busca pode se manifestar de várias formas e não apenas numa relação entre um homem e uma mulher. "A tendência gregária existe, mas a forma como ela vai se manifestar no homem adulto está em aberto e dependerá de soluções a serem encontradas pelos próprios homens; e mais, não existiria apenas uma única solução, nem mesmo é impossível que algumas pessoas, suportando melhor o desamparo e o ser só, tenham essas expectativas amorosas altamente diminuídas ou mesmo quase inexistentes."[69]

Existe uma resistência geral em admitir que o amor pode ser vivido de forma intensa e profunda fora de uma relação entre duas pessoas. As reações a essa ideia tendem a desqualificá-lo, classificando-o como algo menor. E isso é o que frequentemente se faz com a amizade. É comum ouvirmos artistas, por exemplo, quando são indagados sobre o romance com alguém, responderem: "Somos apenas amigos", e isso significa: "Sem muita importância." Acreditam que ser amigo é algo menor do que ser amante, ser namorado ou ser casado. "Os amigos fornecem não apenas diversão e variedade; em suas multifacetadas entradas e saídas de nossas vidas, são o campo no qual podemos dar maior expressão àquilo que somos como indivíduos. E os velhos amigos fornecem o espaço emocional no qual podemos errar com a certeza de que ainda estarão lá para nós, tal como estaremos para eles."[70]

Alguns escritores lamentam e denunciam a pouca importância socialmente dada à amizade, denominando-a "o relacionamento negligenciado", e sugerem formas de codificações e rituais para trazê-la ao foco e inseri-la no mapa.[71] Usa-se a palavra amigo para definir vários tipos de relações distintas. Então, existem amigos e amigos. Com alguns temos contato durante um período da nossa vida, dependendo dos interesses do momento. Se perdemos o contato, acaba a amizade. Com outros, a amizade não precisa ser alimentada incessantemente para que exista. São amizades longas e contínuas, em que existe uma grande confiança, mesmo sem haver encontros constantes.

Há ainda os amigos que, independentemente de serem antigos ou recentes, participam do nosso dia a dia. Conversam sobre nossas questões existenciais, nos ajudam nas decisões difíceis e estão sempre prontos a nos acolher em caso de necessidade, sendo tudo isso recíproco. Como as pessoas são diferentes, as trocas são sempre mais ricas do que as feitas com uma única pessoa. Quando conhecemos alguém com quem simpatizamos, se o potencial para a profunda amizade estiver lá, o processo se torna apenas o de crescente intimidade; se o potencial não estiver lá, a pessoa é deixada de lado ou incluída no grupo dos amigos circunstanciais.[72]

Acontece, às vezes, de conhecermos alguém que julgamos possuir todos os elementos para uma amizade profunda. Admiramos seu jeito de ser, suas ideias, sua forma de viver, mas, inexplicavelmente, nada acontece. Em pouco tempo esquecemos sua existência. É uma questão de química, similar ao processo que ocorre quando nos apaixonamos ou não por alguém. Existe, porém, uma diferença. O sociólogo Francesco Alberoni reproduz a distinção entre amor (romântico) e amizade: "O amor é uma paixão (...) O amor é êxtase, mas também tormento. Em compensação, a amizade tem horror ao sofrimento (...) Amigos querem estar juntos para serem felizes. Se não conseguem, vão embora (...) O amor não é forçosamente um sentimento recíproco, e uma de suas características é a busca da reciprocidade. A amizade, pelo contrário, sempre requer reciprocidade (...) Em amor, podemos odiar a pessoa que amamos (...) Em amizade, não há lugar para o ódio."[73]

Na nossa sociedade, é difundida a ideia de que não se pode misturar amizade e sexo. Muitos acreditam que dessa forma se perde o amante e o amigo. A responsável por isso é a corrente vinculação falsa entre amor romântico e sexo. Amor e sexo são impulsos totalmente independentes e pode haver prazer sexual pleno totalmente desvinculado das aspirações românticas.

Francis, universitária casada, de 26 anos, relata a experiência inusitada que viveu no último réveillon:

"Eu estava numa mesa grande no clube, com meu marido, meus irmãos, minhas cunhadas e alguns amigos. Já tinha passado da meia-noite, a festa estava animadíssima. Numa outra mesa próxima, havia um cara muito atraente acompanhado da mulher. Ele me olhava desde o início, mas era superdiscreto. Não sei o que me deu, pode ter sido o champanhe, mas quando o vi ir ao banheiro, fui atrás. Nos esbarramos no meio do caminho e, quando dei por mim, estava fazendo amor com ele embaixo da orquestra, num vão entre o tablado e a piscina. Sempre achei o sexo com meu marido ótimo, mas nessa noite foi uma loucura. Me soltei de um jeito e vivi coisas que não sabia ser capaz. Nunca senti tanto tesão. Foi rápido, mas maravilhoso. Não trocamos nenhuma palavra, nem sei seu nome. Logo depois estávamos novamente cada um na sua mesa, como se nada tivesse acontecido. Vou guardar isso sempre como uma ótima lembrança."

O sexo com amigos só vai ser frustrante e prejudicar a amizade se uma das partes tiver alguma expectativa romântica que a outra não corresponda. "Creio que, quando a sexualidade é removida de seu contexto convencional, existe uma associação perfeitamente natural entre amor, afeição, sensualidade e sexualidade. O erótico está presente para ser utilizado, ou não, com qualquer pessoa com quem sintamos uma verdadeira conexão. (...) As novas ideias sobre amor sugerem que podemos misturar amizade, companheirismo e sexo."[74]

A mesma coisa acontece com pessoas que têm relações sexuais episódicas com parceiros fortuitos e, num determinado momento, buscam uma relação estável. É comum alegarem que cansaram de sexo sem amor, que se viram tomadas por uma sensação de vazio etc. "De uma noitada sexual com alguém que mal conhecemos e com quem não pretendemos nada mais do que a troca de carícias não podemos esperar nada mais do que o fato de aquelas horas serem agradáveis e as carícias prazerosas."[75] A sensação de vazio deriva do fato de se ter esperado algo além do sexo, e não dos encontros serem desagradáveis em si.

O que vem acontecendo com muitas pessoas é que na verdade tentam ser livres, mas se sentem inseguras numa relação que não seja tradicional, isto é, "na medida em que se frustram em suas pretensões modernas, buscam, por falta de imaginação, voltar aos padrões arcaicos".[76]

São muitas as maneiras possíveis de se viver o amor. Por ser ainda a mais tradicional e aceita, a maioria prefere uma ligação estável com outra pessoa. Nesse caso, para que não se torne apenas mais uma repetição do fracasso a que assistimos hoje, é fundamental que as pessoas tenham prazer na convivência, sem que dependam uma da outra. "É uma ligação entre criaturas adultas que optaram por uma vida em comum por prazer e não por necessidade. Para que ela seja prazerosa, terá de garantir os direitos de cada pessoa: direito de locomoção, direito de opinião, de querer ficar só, de ter outros anseios sexuais (...), de cultivar amigos em separado, direito de falar de si e também direito de se calar."[77]

A possessividade e o ciúme não entram nesse tipo de vínculo, já que os dois têm consciência de que o único motivo de a relação existir é o prazer de estar juntos.

A multiplicidade de opções da vida amorosa pode levar a escolhas difíceis de harmonizar com o social, mas nem por isso menos enriquecedoras. Foi o que aconteceu com Malu, artista plástica, que me relatou sua história:

"Com 18 anos conheci Jorge e tivemos um namoro intenso. Sexualmente, era maravilhoso, havia uma magia entre nós. Fazíamos faculdade juntos quando casei, aos 22 anos. Depois de quatro anos, a relação estava desgastada. Me sentia sufocada por ele, eu precisava dos amigos e ele só se expandia na intimidade. A relação ficou por um fio. Daí em diante, tivemos uma vida separada, ficávamos pouco tempo juntos. Eu o amava, mas ele não era o meu dono. Nessa época, conhecemos uma turma *hippie*. Voltei a trabalhar, agora em parceria com Márcia. Foi, então, que Jorge se apaixonou por ela e me tornei confidente dele. Todos na época queriam viver novas experiências. Eu me sentia erotizada pelo tesão deles. Houve uma reviravolta na minha relação com Jorge. Nós nos redescobrimos. Ficamos muito mais próximos e o desejo também voltou. A entrada de Márcia foi o que salvou. Fiquei grávida de nossa primeira filha e Márcia foi morar conosco para me ajudar. Começamos, então, a viver nossa história sexual. Assumimos nossa relação triangular quando minha segunda filha estava com cinco meses. Fomos viver fora da cidade, num sítio em frente à praia. O tempo todo os amigos souberam, mas quando fomos morar os três juntos, nos abandonaram. Acho que ficaram ameaçados, principalmente os casais.

"Nossa vida foi maravilhosa. Plantávamos, pescávamos e trabalhávamos juntos. Nas casas próximas foram morar outros *hippies*; fizemos um novo círculo de amigos. Márcia teve, então, dois filhos gêmeos com Jorge. A gente era muito feliz, apesar de termos ficado malditos, isolados. As brigas eram por desgosto pela reação dos amigos e da família. Vivíamos uma paixão louca 24 horas por dia. Um pai de santo casou nós três. Ele dizia que éramos o arauto de uma nova raça. Todos os guias abençoaram nosso amor, dignificaram nossa família. Tivemos alguns momentos difíceis, mas quando um triângulo se equilibra é maravilhoso, porque a dinâmica é intensa. Em muitas ocasiões, púnhamos as crianças para dormir e nos arrumávamos lindamente. Preparávamos uns drinques e fazíamos um sexo fantástico, os três. Ele conseguia fazer com que nós duas gozássemos ao mesmo tempo, como quem rege uma orquestra. Era amor de verdade, era lindo. O nível de soltura, de entrega, era absoluto. Essa relação não teria se sustentado se fosse só sexo, mas tinha muita nudez, muito carinho, muito banho de mar noturno. Descobri a natureza, perdi o medo do escuro. Foi uma grande libertação da moral, uma descoberta de vida. Vivíamos integrados com a natureza, no meio de filhos, fraldas e arte. A criatividade estava presente o tempo todo. A Márcia foi uma mãe maravilhosa para as minhas filhas, assim como eu fui para os filhos dela. Vivemos juntos durante 15 anos, até Jorge ter um câncer e morrer. As crianças, que hoje já são adultas, sentem muita saudade da tribo. Eu e Márcia continuamos parceiras, mas cada uma tem sua própria vida. O desafio para mim hoje é conseguir que tudo o que eu vivo não seja menor."

O condicionamento cultural a que estamos submetidos impede a autonomia e a liberdade de escolha quando indica apenas um caminho para o amor. A crença de que uma relação amorosa estável e duradoura com uma só pessoa seja a única saída para o desamparo humano é limitadora e gera muita infelicidade.

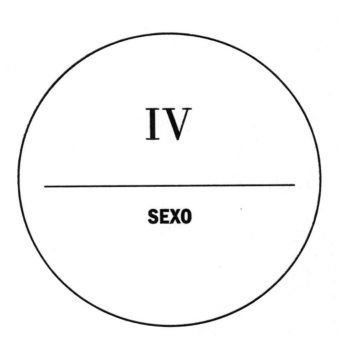

A repressão sexual

O sexo sempre teve destaque na história da humanidade. Dependendo da época e do lugar, foi glorificado como símbolo de fertilidade e riqueza, ou condenado como pecado. A condenação do sexo surgiu com o patriarcado, como já vimos. No início se restringia à mulheres, para dar ao homem a certeza da paternidade. No cristianismo, a repressão sexual generalizou-se. O padrão moral tornou-se, em tese, o mesmo para homens e mulheres, embora na prática houvesse maior condescendência para com o homem.

A repressão sexual é um fenômeno curioso, na medida em que algo meramente biológico e natural sofre modificações quanto ao seu sentido, à sua função e à sua regulação quando é deslocado do plano da Natureza para o da Sociedade, da Cultura e da História.[1] Entretanto, a repressão não é apenas algo que vem de fora, submetendo as pessoas. As proibições e interdições externas são interiorizadas, convertendo-se em proibições e interdições internas, vividas sob a forma de vergonha e culpa.

"Com efeito, a repressão sexual será tanto mais eficaz quanto mais conseguir ocultar, dissimular e disfarçar o caráter sexual daquilo que está sendo reprimido (...) Nossos sentimentos poderão ser disfarçados, ocultados ou dissimulados, desde que percebidos ou sentidos como incompatíveis com as normas, os valores e as regras da nossa sociedade."[2] Quando a repressão é bem-sucedida, já não é sentida como tal e a aceitação ou recusa por determinado tipo de comportamento é vivido como se fosse uma livre escolha da própria pessoa.

Para Freud, o sofrimento humano tem três origens: a força superior da natureza, a fragilidade dos nossos corpos e a inadequação das normas que regulam as relações mútuas dos indivíduos na família, no Estado e na sociedade.[3] A doutrina de que há no sexo algo pecaminoso é totalmente inadequada, causando sofrimentos que se iniciam na infância e continuam pela vida afora. "Mantendo numa prisão o amor sexual, a moral convencional concorreu para aprisionar todas as outras formas de sentimento amistoso, e para tornar os homens menos generosos, menos bondosos, mais arrogantes e mais cruéis."[4]

Reich considera que as enfermidades psíquicas são a consequência do caos sexual da sociedade, já que a saúde mental depende da potência orgástica, isto é, do ponto até o qual o indivíduo pode se entregar e experimentar o clímax de excitação no ato sexual. Para ele, o homem alienou a si mesmo da vida e cresceu hostil a ela. Sua estrutura de caráter — refletindo uma cultura patriarcal milenar — é encouraçada, contrariando sua própria natureza interior e contra a miséria social que o rodeia. Essa couraça de caráter seria a base do isolamento, do desejo de autoridade, do medo à responsabilidade, do anseio místico e da miséria sexual. A unidade entre natureza e cultura continuará a ser um sonho, enquanto o homem continuar a condenar a exigência biológica de satisfação sexual natural (orgástica). Numa existência humana ainda sujeita a condições sociais caóticas, prevalecerá a destruição da vida pela educação coerciva e pela guerra. O homem é a única espécie que não satisfaz à lei natural da sexualidade. A morte de milhões de pessoas na guerra seria o resultado da negação social da vida, que por sua vez seria expressão e consequência de perturbações psíquicas e somáticas da atividade vital. "O processo sexual, isto é, o processo expansivo do prazer biológico é o prazer vital produtivo *per se.*"[5]

O neuropsicólogo James W. Prescott, do Instituto Nacional de Saúde Infantil e Desenvolvimento Humano, de Maryland, EUA,

REGINA NAVARRO LINS (243) a cama na varanda

publicou em 1975 o resultado estatístico da análise de 400 sociedades pré-industriais e comprovou algumas teses de Reich sobre o
desenvolvimento humano e social. Ele concluiu que aquelas culturas
que dão muito afeto físico a seus filhos e que não reprimem a atividade sexual de seus adolescentes são culturas pouco inclinadas à
violência, à escravidão, à religião organizada — e vice-versa.[6]

Prescott afirma que uma personalidade orientada para o prazer
raramente exibe condutas violentas ou agressivas e que uma personalidade violenta tem pouca capacidade para tolerar, experimentar
ou gozar atividades sensualmente prazerosas.[7]

Lionel Tiger, autor de *A busca do prazer*, considera a repressão
sexual um enigma muito estranho. Todos sentimos prazer com estímulos sexuais e com a própria sexualidade. "Por que será então
que, por toda parte, e praticamente o tempo todo, há sempre alguém preocupado em restringir essa sexualidade?"[8] Ele argumenta
que os políticos, por exemplo, prosperam quando investem contra
a sexualidade libertina, real ou imaginária, de seus concidadãos.
Progridem na carreira e conseguem votos quando se oferecem
para restringir essa pretensa licenciosidade em nome da moral. Ao
mesmo tempo, são censurados e correm o risco de ter sua carreira
política interrompida se são flagrados entregues aos prazeres do
sexo. Edward Kennedy, Gary Hart, John Towers, Earl Long, John
Profumo, Andreas Papandreou e muitos outros foram vítimas da
indignação popular. "Mas por que haverá a ralé de se ressentir das
atividades sexuais de seus líderes? Por que se preocupar? Será que
todo mundo é um censor em potencial? E, inversamente, na medida
em que o sexo dá prazer, por que desejariam os detentores de poder
restringir esse prazer entre seus subordinados, tanto na vida privada
quanto em expressões abstratas como filmes, quadros e livros?"[9] Ao
contrário dos artistas gregos e romanos, que consideravam o nu
masculino como exemplo da perfeição humana, após o cristianismo
o nu das obras de arte passou a causar constrangimentos. Antes de
ser exibidas para o público, as estátuas tinham seus órgãos genitais

tapados, ou o pênis quebrado com um martelinho especial. O Davi, de Michelangelo, antes de ser exibido em Florença, em 1504, recebeu uma folha de figueira, só retirada em 1912.

Tiger se pergunta, ainda, o que haverá de errado no prazer sexual, se as pessoas chegarem ao trabalho na hora, obedecerem aos sinais de trânsito e não abusarem do bem-estar e da dignidade alheia.

Uma explicação possível reside no fato de que, quanto mais o indivíduo vai ampliando, aprofundando e diversificando sua vida sexual — e isso significa transgredir —, mais coragem ganha para fazer outras coisas, questionar outros valores. Começa a viver com maior vontade e decisão. Pode começar a se tornar perigoso.[10] "Não deve ser à toa nem por acaso que as forças repressoras de todas as épocas se voltaram tão sistemática e precisamente contra a sexualidade humana."[11]

A repressão sexual é um conjunto de interdições, permissões, valores, regras estabelecidas pelo social para controlar o exercício da sexualidade. No Ocidente, sobretudo, o sexo é visto como algo muito perigoso. As expressões utilizadas para se referir ao impacto que causa nas pessoas ilustra bem os riscos que encerra: estar perdido de amor, cair de amores, ser fulminado pela paixão, morrer de amor, ser atingido pelas flechas do amor.[12]

Embora hoje a moral sexual tenha sofrido grandes transformações e homens e mulheres não acreditem conscientemente que o ato sexual seja tamanho pecado, no inconsciente os antigos tabus ainda persistem. O sexo continua sendo um problema complicado e difícil, gerando muitas dúvidas. A maioria das pessoas dedica um tempo enorme de suas vidas às suas fantasias, aos desejos, aos temores, à vergonha e à culpa sexuais. Muitos acreditam ser o sexo uma coisa impura e nada humana. A vergonha e a culpa sexuais podem se manifestar diante de um pensamento, de um desejo ou da simples intenção de agir de determinada maneira. São muitos séculos de repressão imposta pela Igreja cristã, que exerceu uma influência menos saudável do que a exercida por outras religiões mundiais.[13]

Em muitas culturas o prazer sexual é valorizado e existem formas de iniciação para que se alcance o máximo de satisfação. No Oriente, o tantrismo, o kama sutra e o taoísmo são correntes ideológicas que incentivam a prática sexual, acreditando que quanto mais e melhor é vivenciado o prazer mais o ser humano tornará feliz sua existência. Não há conotação de pecado no sexo. Ao contrário, graças ao desenvolvimento do prazer sexual alcança-se maior integração com a natureza universal.

No cristianismo, o corpo é visto como inimigo do espírito. Há uma expectativa de que todos se sintam culpados e envergonhados por causa dos seus órgãos sexuais e de suas funções. Morris Berman afirma que os ocidentais perderam o próprio corpo. Estando fora de contato com a verdadeira realidade somática, há uma tentativa de afirmação em satisfações como sucesso, fama, autoimagem, dinheiro etc. E mesmo fora do corpo observa-se uma preocupação paradoxal com o corpo e sua aparência. Tenta-se melhorá-lo com maquiagem, roupas, cirurgia plástica, alimentos naturais, vitaminas e exercícios.[14] "Podemos entender nossa obsessão por sexo como proveniente da ausência da verdadeira sexualidade: o ritmo autêntico do desejo sexual e sua expressão espontânea como parte do todo da nossa condição corporificada. Não confiamos no corpo, por isso, o vigiamos constantemente como se fosse uma coisa separada de nós. Daí o fato de conseguirmos executar o ato sexual sem estarmos presentes de fato."[15]

A baixa qualidade do sexo praticado na nossa cultura deriva-se também da moral sexual instituída pelo patriarcado. A mulher sempre foi vista como propriedade do homem, por isso, considera-se que o homem possui a mulher e que esta se entrega. Como possuir constitui uma honra e entregar-se uma humilhação, a mulher desenvolveu uma atitude negativa em relação ao ato sexual, o que é reforçado pela educação autoritária.[16] Para a maior parte dos homens, possuir uma mulher constitui muito mais uma prova de virilidade do que uma experiência amorosa; a conquista, tornando-se mais importante que o amor, justifica a atitude da mulher.[17]

Na sociedade ocidental, o sexo é, na maioria das vezes, praticado como uma ação mecânica, rotineira, desprovida de emoção, com o único objetivo de atingir o orgasmo o mais rapidamente possível. Setenta e cinco por cento dos homens ejaculam menos de dois minutos depois de introduzir o pênis na vagina[18] e muitos, depois disso, viram para o lado e dormem. Enquanto isso, a maioria das mulheres não tem orgasmo e se desilude com a objetividade sexual do homem. Resulta daí ser o desempenho sexual bastante ansioso, podendo levar a um bloqueio emocional e a vários tipos de disfunção como a impotência, a ejaculação precoce, as disfunções do desejo e a ausência de orgasmo. Entretanto, "quase todos os homens e mulheres sabem que são capazes de conseguir muito mais da própria vida sexual do que se permitem sentir; sabem também que no prazer sexual e nos jogos de amor existe um espaço imenso onde podem crescer e se desenvolver, desde que encontrem tempo, energia, coragem e honestidade para partir em busca desse desenvolvimento".[19]

Hoje, no início do século XXI, com o questionamento do sistema patriarcal por homens e mulheres, começam a despontar novas formas de viver a sexualidade. Cada vez um número maior de pessoas busca o prazer através de relações sexuais mais livres, respeitando o próprio desejo e o modo mais satisfatório para os envolvidos.

Gaiarsa resume a perspectiva do real prazer sexual quando afirma que "Só seremos sexualmente satisfeitos no dia em que pudermos ter relações sexuais

quando tivermos vontade,

com quem tivermos vontade,

do modo que for melhor

— para mim e para ela — aqui e agora."[20]

Prostituição

A prostituição não foi sempre a coisa desprezada e oculta em que se tornou modernamente. Na Antiguidade, foi uma instituição sagrada muito comum, chegando a ser exercida nos templos. Mulheres respeitáveis faziam sexo com o sacerdote ou com um passante desconhecido, realizando assim um ato de adoração a um deus ou deusa. As prostitutas eram tratadas com respeito, e os homens que usavam seus serviços lhes rendiam homenagens. Acontecia também de as próprias sacerdotisas serem as prostitutas.

A origem desses costumes foi uma tentativa de garantir a fertilidade da terra e das mulheres como um favor dos deuses.

Com o surgimento do cristianismo, os templos foram fechados e o meretrício passou a ser comercializado com fins lucrativos para aqueles que faziam das mulheres suas escravas. A prostituição individual, hoje tão comum, era exceção. A maioria das mulheres vivia em bordéis e casas de banho.

Na Idade Média, essa prática era vista como necessária à sociedade; uma atividade repulsiva, mas tolerada para evitar algo pior. Num estudo sobre as minorias nesse período da história, Jeffrey Richards nos conta como era o vínculo entre a prostituição e a sociedade medieval.[21]

As prostitutas estavam em toda parte. Era raro uma cidade que não tivesse sua boa casa, como às vezes se referiam ao bordel. No século XV, havia de cinco a seis mil prostitutas em Paris para uma população de 200 mil pessoas; em Dijon, em uma população de 10 mil, foram identificadas 100 prostitutas.

Os fregueses eram encontrados nas tavernas, praças, casas de banho e até mesmo nas igrejas. Na Idade Média, as mulheres entravam para a prostituição por motivos semelhantes aos de outras épocas: pobreza, inclinação natural, perda de status e um passado familiar perturbado ou violento.

Apesar do rigor da Igreja contra o sexo, a atividade sexual masculina pré-marital e extraconjugal era socialmente tolerada. Dessa forma, a prostituição era um meio prático de permitir que os jovens afirmassem sua masculinidade e aliviassem suas necessidades sexuais, enquanto evitava que se aproximassem de esposas e filhas respeitáveis. Também era útil para desestimulá-los da prática do estupro e afastá-los da homossexualidade.

Como os homens geralmente se casavam por volta dos 30 anos, o rei Carlos VII da França reconheceu a necessidade dos serviços oferecidos pelos bordéis para os jovens solteiros e autorizou a presença de uma casa de tolerância em Castelnaudary em 1445. Os jovens, a partir dos 16 anos, podiam frequentá-la, sendo sacerdotes, homens casados, judeus e leprosos excluídos pelos regulamentos. Calcula-se, entretanto, que 20% da clientela era constituída de clérigos.

Denunciada por alguns membros da Igreja, a prostituição era vista por outros, como Santo Agostinho, como um mal necessário, algo cuja existência tornava possível manter padrões sexuais e sociais estáveis para o resto da sociedade. Agostinho escreveu: "Se as prostitutas forem expulsas da sociedade, tudo estará desorganizado em função dos desejos", ao que mais tarde teve a seguinte observação, acrescentada por outro: "A prostituta na sociedade é como o esgoto no palácio. Se se retirar o esgoto, o palácio inteiro será contaminado."[22] Outros teólogos afirmavam que a prostituição evitava males maiores, tais como a sodomia e o assassinato. Um deles chegou a ponto de argumentar que as prostitutas deveriam ser incluídas entre os assalariados. "Com efeito, elas alugam seus corpos e fornecem mão de obra. Se se arrependerem, podem guardar os lucros da prostituição para propósitos caridosos. Mas, se elas se prostituem por prazer e alugam seus corpos de modo a obter deleite, isso, então, não é trabalho, e o salário é tão vergonhoso quanto o ato."[23]

De qualquer forma, a Igreja procurava lidar com muita cautela com o problema da prostituição. Alguns dos meios usados para os leprosos eram adotados nesse caso. Deveriam ser segregados e tinham que ser diferenciados da população decente pela prescrição de uma marca de infâmia — em muitos lugares, a *aiguillete,* uma corda com nós pendentes do ombro e cor diferente da do vestido.

Por outro lado, a Igreja tentava convencer as prostitutas a casar e abandonar a profissão. Os verdadeiros cristãos eram incentivados a ajudar na recuperação das prostitutas e os que se casassem com elas tinham seus pecados remidos pelo papa Inocêncio III.

Antes de as monarquias se interessarem por regulamentar a prostituição, em 1161 o rei Henrique II da Inglaterra estabeleceu normas para os bordéis:

- Não poderia haver bordéis abertos em dias santos ou de festas religiosas, nos dias em que o Parlamento estivesse reunido ou em que o rei estivesse realizando reuniões de conselho.
- Mulheres grávidas, casadas ou freiras não poderiam ser aceitas como prostitutas.
- Nenhuma mulher poderia aceitar dinheiro de um homem se não tivesse deitado com ele por toda a noite.
- Nenhuma mulher poderia ser impedida de desistir da profissão, se desejasse.
- Não poderia haver aliciamento aberto de fregueses.
- Não poderia ser servida comida ou bebida alcoólica aos fregueses.

- As mulheres não poderiam residir no local, mas apenas trabalhar lá.
- Não poderiam ser cobrados mais do que 14 *pence* por semana por um quarto.
- As mulheres teriam de ser submetidas a exames de saúde regulares.

Tentavam, assim, criar centros ordeiros e eficientes para a satisfação sexual e que não ofendessem a decência pública. Outra preocupação era manter as prostitutas fora das muralhas da cidade, confinadas nas conhecidas zonas de luz vermelha. Buscavam também que fosse cumprida a regulamentação do vestuário e a exigência de usar a marca distintiva, o que até então não havia sido regra em Londres. Em 1351, foi publicado um edital que protestava contra a adoção por mulheres devassas do vestuário de damas boas e nobres e ordenava que elas não usassem qualquer roupa adornada com peles ou forrada de seda ou qualquer material rico, e, sim, um capuz de pano listrado e vestes simples. Em 1437, o capuz prescrito passou a ter que ser vermelho.

O conselho municipal de Londres, com o apoio da Coroa, em 1393, impôs um toque de recolher por considerar as prostitutas e os bordéis um perigo para a ordem e a moral pública. Nenhum homem poderia circular pela cidade ou subúrbios depois das nove horas da noite, e os estrangeiros, depois das oito. A pena era multa e prisão. Para as prostitutas era proibido circular ou se alojar na cidade ou nos subúrbios de dia e à noite. Tinham que se manter nos lugares a elas designados. Caso descumprissem o toque de recolher, eram punidas com o confisco de suas roupas e o emblema de sua profissão, o que as impediria de trabalhar.

Nada, porém, conseguia conter a prostituição. Nem mesmo quando Henrique VI, em 1460, ordenou que se removessem todas as prostitutas e seus cúmplices para a prisão.

Na França, a prostituição ficou sob controle e foram criados bordéis municipais, que eram obrigados a fechar às 11 horas da noite. Os proventos da prostituição eram postos numa arca que as autoridades esvaziavam no início de cada mês, pagando os salários dos empregados do bordel e dando às prostitutas sua parte. Os funcionários do Estado eram proibidos de dormir com as prostitutas, que só tinham autorização para deixar o local que viviam nas manhãs de sábado e eram obrigadas a se vestir com uma capa curta e usar um lenço amarelo amarrado em torno do pescoço.

A posição oficial das prostitutas era semelhante à dos judeus ou à dos leprosos. Todos os três grupos eram obrigados a usar roupas especiais, cada vez eram mais segregados e estimulados a se arrepender e a se regenerar. A legislação da cidade de Avignon proibia tanto os judeus quanto as prostitutas de tocarem em frutas e pão no mercado, forçando-os a comprar o que tocassem.

Da mesma forma que fazia com os leprosos, a Igreja privava as prostitutas de seus direitos civis. Elas eram impedidas de acusar alguém de crime e de comparecer ao tribunal, de herdar propriedade, além de ser consideradas incapazes de ser vítimas de estupro.

Apesar da lei canônica, foi havendo uma melhoria na posição legal das prostitutas em decorrência de uma mudança de atitude em relação a elas, ocorrida no século XV. Foram aos poucos se integrando à sociedade. Eram encontradas participando de festas cívicas, casamentos, funerais e batizados e o uso da *aiguillete* foi abandonado. Entretanto, no século XVI, a Ordenação de Orleans fechou todos os bordéis. As causas foram possivelmente a epidemia de sífilis que varreu a Europa nessa época e a pressão moral que vinha do protestantismo, o qual exigia castidade também para os homens antes do casamento. Os pregadores luteranos tiveram participação no fechamento de vários bordéis públicos.

A resposta católica à Reforma buscava se equiparar a esta última na repressão à imoralidade sexual e acabou por ser ainda mais severa. A prostituição tornou-se, então, algo a ser reprimido, mesmo dentro de limites estritamente definidos.

No século XIX, a função social da prostituição se transforma profundamente. A população das grandes cidades é constituída de muito mais homens do que mulheres. São os camponeses que vêm trabalhar e só mais tarde conseguem trazer a família. Para evitar estupros e outros problemas, o bordel se torna indispensável, mas a vigilância da polícia é intensa. Surge uma nova clientela para a prostituição, formada por filhos da burguesia que se casam tarde e têm de respeitar a virgindade das moças, empregados do comércio ou de escritórios que não podem casar por terem salários baixos, estudantes das faculdades, soldados etc.[24]

Moças vindas do meio operário marcam a época das costureirinhas. Não querendo fazer parte da classe operária, que agora se familiarizou, optam pela prostituição. A sífilis, nesse momento, se propaga pelas grandes cidades. Trabalhando como modistas, entram em contato com as burguesas; o burguês, não satisfeito sexualmente com sua esposa, frequenta essas moças, que o contaminam e, consequentemente, sua mulher. Calcula-se que pelo menos 20% das esposas fiéis aos maridos são por eles contaminadas, e que somente em Paris existiam 125 mil sifilíticos.[25]

Discursos inflamados anunciam que se a moral não prevalecer sobre os impulsos, é certa a sifilização da espécie humana. Nos Estados Unidos, em 1913, afirma-se que "a nação que for a primeira a conseguir diminuir a doença venérea terá adquirido uma superioridade considerável sobre seus adversários".[26]

Hitler impõe em 1935 a lei que torna obrigatório o exame pré-nupcial, proíbe o casamento de homens com doenças venéreas e lhes impõe a esterilização pela castração.[27] A sifilofobia — pavor da sífilis — só termina após a Segunda Guerra Mundial, com o surgimento dos antibióticos.

No final do século XIX havia uma preocupação em descobrir as causas da prostituição. Alguns especialistas sustentavam a tese da prostituta de nascença. Em 1911, um médico da Delegacia de Costumes em Paris examina duas mil prostitutas e conclui que "a prostituição é uma afecção orgânica patológica" e lhe dá o nome de loucura da geração, por ser — segundo ele — de origem hereditária, resultante de "uma modificação química, biológica, do plasma herdado".[28] Há quem sugira, entretanto, apesar da extrema audácia para a época, que é normal que o marido frustrado — a maioria nunca viu a esposa nua — recorra às prostitutas. Empregadas domésticas, balconistas, atendentes de bares, costureiras que trabalham em casa, governantas, professoras de piano, apesar de não serem verdadeiras profissionais, proporcionam aos homens casados da burguesia a satisfação sexual que, para suas esposas virtuosas, é impensável. São as prostitutas de meio período.[29]

Mas quem é o cliente? O historiador Gérard Vincent se faz esta pergunta sem conseguir uma resposta:

"Para o imigrante solteiro que vai procurar no bordel um alívio necessário e imperfeito, a motivação é evidente. Mas, e o executivo quarentão que, ao volante de sua BMW, pega uma prostituta na hora do almoço na Avenue Foch? O Relatório Simon nos informa que são os clientes ocasionais que sustentam as prostitutas e seus cáftens. Mas quem são eles? Não sabemos. Homens ávidos por certos refinamentos que sua esposa (ou amante) recusaria? Perversos envergonhados que assim realizariam seus desejos voyeuristas, fetichistas ou sadomasoquistas? Tímidos que só se atrevem a abordar prostitutas, pois o dinheiro não garante o consentimento? Psicopatas do secreto que encontram no anonimato da relação a certeza da dissimulação? Homossexuais oficiosos que fantasiam sobre o sexo dos outros clientes? Católicos convictos, porém pecadores, que dissociam sexo do afeto e querem poupar às esposas uma fatal adoção do hábito de atingirem o orgasmo? O complexado que quer evitar qualquer comparação que talvez pudesse ser expressa por uma parceira não remunerada? O rico que quer mais uma vez provar para si mesmo que pode conseguir tudo com o dinheiro? Se não 'tudo', pelo menos simulacros quase perfeitos? Indivíduos ultrassocializados que querem de vez em quando gozar a transgressão? São apenas hipóteses."[30]

Com a liberação dos anos 60, supunha-se que a prostituição estivesse com os dias contados. O homem não mais teria interesse em fazer sexo com uma desconhecida, quando poderia ter prazer com a namorada que ele ama ou com a esposa, agora, uma mulher que valoriza a satisfação sexual. Na falta de uma relação estável, uma colega de trabalho, uma amiga ou alguém que conhecesse numa festa poderia lhe dar um prazer mais completo sem que precisasse pagar. Mas nada disso aconteceu. A prostituição, ao contrário do que se esperava, aumentou e se sofisticou bastante. Os jornais diariamente testemunham a variedade de serviços oferecidos. A imagem da prostituta sofrida, malcuidada e infeliz foi substituída pela garota de programa, jovem, bonita, bem vestida.

Não faz muito tempo, um caso ficou famoso no mundo todo, causando perplexidade e um certo incômodo em quem buscava explicação. O ator inglês Hugh Grant, casado com uma bela atriz e modelo pertencente ao time das mulheres mais desejadas do planeta, foi flagrado praticando sexo oral com uma prostituta dentro do carro, numa rua de Los Angeles. Independentemente do que façam sexualmente com suas esposas ou namoradas, os homens continuam desejando se relacionar com prostitutas. Por quê?

Atualmente, as mulheres exigem cada vez mais seu direito ao prazer sexual. O homem se sente avaliado, julgado no seu desempenho e na sua competência nessa área. Vai para o ato sexual temendo não corresponder ao que a mulher espera e, assim, decepcioná-la. Qualquer falha pode abalar a certeza de sua virilidade, além de se sentir cobrado no seu comportamento antes, durante e depois do sexo.

Com a prostituta, o homem se sente livre para fazer o que deseja no sexo, do jeito e da forma que quiser e quando tiver vontade. O pagamento em dinheiro o livra de qualquer outro tipo de dívida. Não precisa se preocupar com o que a mulher deseja, se está agradando ou correspondendo às suas expectativas. Não há nenhuma cobrança. Se ela tem ou não orgasmo não é problema dele. Não precisa fingir que está apaixonado ou que vai procurá-la novamente, nem precisa pensar numa desculpa quando ela lhe telefonar. Isso nunca vai acontecer. Mesmo sendo um prazer individual, as regras não deixam dúvidas e ninguém está sendo enganado.

Acrescente-se a isso a tendência atual de se valorizar a individualidade, de se buscar a autossuficiência, não se admitindo mais que o outro cause qualquer tipo de insatisfação. "A exploração do ego comanda uma nova metodologia: o narcisismo. 'Conheça-te a ti mesmo' e 'Ama-te' são as duas condições prévias para qualquer valorização do ego. A época de falsos pudores e de falsas modéstias já passou. Uma vez que inaptidões e inapetências são colocadas por conta de um ego infeliz, bloqueado, é um dever escutá-lo, olhá-lo, dissecá-lo para estar em condições de liberá-lo."[31]

Gilmar, advogado, de 45 anos, separou-se da mulher há oito anos e nunca mais quis saber de casamento. Teve alguns namoros que não duraram mais de três ou quatro meses. Segundo ele, havia muitas obrigações a cumprir que o desagradavam e o saldo acabava sendo aborrecimentos. A partir daí, passou a ter encontros casuais com algumas mulheres quando se sentia atraído, mas era cauteloso para não deixar que se transformasse num namoro. Às vezes, era alguém que conhecia no escritório ou no fórum, ou era apresentada por algum amigo. A nova estratégia também não funcionou: as mulheres com quem saía criavam uma expectativa de continuidade que o deixava constrangido. Tomou uma decisão radical, que considera a mais sensata da sua vida: só transar com garotas de programa.

"Já há algum tempo tive a certeza de não querer me relacionar amorosamente com nenhuma mulher. Gosto de morar sozinho e fazer o que quero da vida. Não quero filhos e não sinto falta nenhuma de alguém do meu lado, mas adoro fazer sexo. Quando ainda saía com uma mulher interessante, na verdade meu objetivo principal era transar sem compromisso. Aí, eu a levava para jantar, depois para ouvir música em algum lugar e às cinco horas da manhã a situação era a seguinte: exausto, já tendo gastado a maior grana, eu ainda não sabia se ela ia querer ou não transar comigo. Resolvi simplificar as coisas. Conheço algumas meninas de programa lindas, de vinte e poucos anos, que vêm quando telefono e por quem tenho carinho, mas não sou cobrado em nada. Dinheiro eu já gastava também quando saía com qualquer outra mulher. Afinal, tudo neste mundo é pago mesmo. A diferença está na maior ou menor dose de hipocrisia que vem junto com o produto. Agora posso escolher só os melhores momentos. Sempre que penso nesse assunto, vem à minha cabeça o lema de uma empresa carioca: 'Alugar é melhor.'"

E quem são as garotas de programa? O que sentem e como veem a atividade que exercem? Para responder a estas perguntas, entrevistei algumas, com idade entre 20 e 27 anos. A seguir, transcrevo o relato de duas delas:

Flávia tem 23 anos, alta, morena, cabelos cacheados, fala tranquila e um sorriso contagiante. É universitária, cursando o segundo ano de direito.

"Faço programas porque gosto de conhecer pessoas e também é uma forma de manter minha vida sexual ativa. Não transo só pelo dinheiro. Gosto dessa vida, se fosse sacrifício eu jamais faria.

Não preciso disso para viver, meu pai me dá tudo. Mas quero continuar. Dá para eu tirar uns dois mil por mês. A cafetina fica com metade, mas eu sempre roubo os clientes dela, quando sinto que o cara não vai contar, que é meu amigo. Nunca trabalhei na rua ou em bar. Vou na casa dos clientes ou então a um motel. (...) Acho que 80% das meninas fazem programa. Tenho amigas que têm pais ricos e fazem por prazer. Quando me apaixono, sou muito fiel e dispenso os programas. (...) A única vez que me senti usada foi quando estava transando com um cara e ele insistia: 'Fala que eu estou comendo a tua mãe.' Detesto isso, fiquei com medo. Seleciono bem os meus clientes, nunca fui agredida mas já tive algumas transas estranhas. Teve um cara que me pagava só para eu fazer xixi na cara dele. Ele gargarejava e engolia. Não trepava, gozava se masturbando. Um outro me pagava superbem, 500 reais, para eu fazer cocô na boca dele. Eu não curto isso, não. Nunca mais quis transar com ele. Esses caras são exceção. A grande maioria transa normal. Tem muito homem casado que procura a gente. (...) Já transei com políticos famosos e jogadores de futebol. Há dois anos, um jogador italiano mandou me buscar. Fui para Itália. Isso faz bem para o ego. Lá eu era mais cara que aqui. No mínimo 500 dólares, aqui geralmente é 100, no máximo 300. Jamais consegui ter um cara rico nem caso amoroso por dinheiro. Seria sacrificante."

Claudete é loura, 25 anos. Alegre, extrovertida, orgulha-se de seu corpo escultural:

"Perdi a virgindade com 22 anos. Antes disso já namorava bastante, só que as pessoas me convidavam para um programa e eu não podia porque era virgem. Sempre tive vários namorados ao mesmo tempo, mas minha mãe controlava minha virgindade. Ela me ameaçava, dizia que ia descobrir pelo meu corpo, pelo meu jeito de andar. Minha irmã era modelo e conhecia muita gente, aí veio o convite para eu vender minha virgindade por mil dólares. O cara só pagava se eu fizesse exame para comprovar que era virgem. Senti medo, mas tirei de letra. Era um coroa bonito. Daí em diante, continuei. Pela propaganda, várias cafetinas me procuraram. No início sentia repulsa, depois passa a ser um trabalho. (...) Não me envolvo com os clientes, mantenho distância. Até hoje, só tive um namorado que sabia.

"Depois que vendi minha virgindade, descobri que tinha o hímen complacente. Aí, a cafetina arranjou um árabe e vendi novamente, por 10 mil dólares. Ela ficou com metade. (...) Meus planos para o futuro são: gastar muito dinheiro com roupa, amigos e farras. Estou querendo parar, mas não dá para ser de repente. Tenho que comprar pelo menos um carro. Se trabalhar muito, dá para ganhar mais. Já tive noite de sair com três ou quatro clientes, eles pagam 200 reais, metade fica para mim. (...) A maioria que nos procura é homem casado. Quase todos trepam mal. Muitos perguntam se faço coito anal. É o meu ponto mais forte, mas só dou quando simpatizo com o cara. Sou temperamental. Quando o homem é nojento, vou embora. De que eles mais gostam? Que eu transe com outra mulher para eles verem, gostam também de gozar na minha boca. (...) Geralmente, é o homem que decide, mas quando ele não sabe o que fazer, tenho que tomar a iniciativa. Faço um teatrinho. Uso meu corpo como sedução. (...) É comum um casal querer transar comigo. Na maioria das vezes, os três transam juntos, mas um dos dois fica vendo. Tem homem que só quer assistir e ficar se masturbando. (...) Não tenho vontade nenhuma de casar, mas quero ter um filho. Quero ser totalmente independente para escolher o homem que quiser. (...) Para continuar nessa vida, depende do físico. Depois dos 30 anos começa a ficar mais difícil. No fundo toda garota gosta de fazer isso. Eu gosto. Sou uma prostituta que gosta de ser prostituta. Todo mundo me deseja. Fico seduzindo as pessoas pelo prazer de saber que tem gente me desejando. (...) Comecei a transar com mulher por causa do trabalho. A primeira vez foi com uma garota linda que era modelo. Eu tinha 19 anos, era virgem e não podia transar. O cara ficou olhando e se masturbando. A partir daí, passei a adorar transar com mulher. A mulher sabe tocar. Namoraria uma mulher, mas não assumiria a relação. Já transei com uma garota que tinha um ciúme doentio de mim. Eu estava apaixonada, mas liberdade não tem preço. (...) Estou satisfeita com a minha vida. Não procuro nada. Só faço coisas de que gosto. Uma psicóloga disse que tenho um desequilíbrio emocional. Já tentei suicídio. A única coisa que me deixa deprimida é minha mãe. Ela não me entende. Choro muito por causa disso. Comecei a fazer programa para atingir minha mãe. Quando estou transando com uma mulher e acordo com ela, sinto uma enorme carência de mãe. Sou completamente teleguiada pela minha mãe. Não consigo fazer nada sozinha. Ela tem muita autoridade sobre mim. Não sei se ela sabe. Dá muitas indiretas. Meu pai é militar, somos de classe média, temos conforto. Tenho tudo, mas não pego dinheiro com eles para nada. (...) Acho que me arrisco muito. Tem homens que são muito agressivos, muito loucos. Me arrisco quando durmo com um desconhecido. Posso ser assassinada. O risco que corro, sinto como um desafio e experiência de vida, amadurecimento. Aos 25 anos, me sinto uma mulher madura."

Sendo as prostitutas as guardiãs da moral sexual da sociedade, seu verdadeiro crime é revelar a hipocrisia dessa dupla moral. No dicionário encontramos a seguinte definição: "mulher, que pratica o ato sexual por dinheiro." Então, quantas mulheres casadas, respeitadas e valorizadas socialmente se prostituem com seus próprios maridos? Quantas moças são educadas para só se casar com homens que lhes possam dar conforto e dinheiro? Quantas mulheres solteiras só aceitam ir para um motel com um homem se antes ele pagar o jantar num restaurante caro? É impossível calcular, mas nada disso é falado. Tudo se passa por baixo do pano para que a respeitabilidade dessas pessoas seja preservada. A prostituta é desprezada, mas a única diferença é que seu jogo é claro. Ela não se preocupa em fingir. "Entre as que se vendem pela prostituição e as que se vendem pelo casamento, a única diferença consiste no preço e na duração do contrato."[32]

Nanda, bonita mulher de 34 anos, nunca trabalhou. Casou com Carlos Augusto quando tinha 23 anos e tiveram dois filhos. Seu padrão de vida sempre foi alto. Ele, empresário bem-sucedido, não se importava com o ócio da mulher. Sentia uma grande atração sexual por ela e ficava feliz em poder mimá-la. Nanda fazia ginástica, dança, massagem e comprava tudo o que desejava. Com o tempo, seu desejo sexual pelo marido foi diminuindo, até se tornar um sacrifício fazer sexo com ele. Passou a evitar, dando desculpas que já não convenciam mais. Carlos Augusto parou de insistir, mas sutilmente foi diminuindo o dinheiro que lhe deixava todos os dias de manhã. Quando Nanda alegava que precisava comprar alguma coisa ou pagar uma conta, ele carinhosamente lhe dizia para ter paciência porque os negócios estavam numa fase difícil. A situação chegou ao ponto de ela ficar praticamente sem dinheiro algum, apenas a conta certa do supermercado e das despesas das crianças.

Numa tarde em que estava reunida com os amigos, Nanda, desesperada, desabafou:

> "Não transo com ele há dois meses, não consigo. É um sacrifício, mas hoje não tem jeito, vou ter que fazer sexo de qualquer maneira. Meu cabelo está horrível, preciso cortá-lo com urgência."

Essa é uma história bem antiga. Quando o patriarcado se estabeleceu, a mulher tornou-se um objeto que podia ser comprado, trocado ou repudiado. Instalada a relação opressor/oprimido, a mulher não encontrou outra alternativa. Usou a única arma que tinha para se defender: seu corpo. Controlando a satisfação das exigências sexuais masculinas, conseguia obter em troca vantagens, como joias, vestidos, perfumes etc.

Homossexualidade

O amor grego

Na Grécia clássica (século V a.C.), principalmente em Creta e Esparta, a homossexualidade era uma instituição, e os gregos não se preocupavam em julgá-la. Constituía, assim como o amor pelas mulheres, uma manifestação legítima do desejo amoroso. Não consideravam o amor por alguém do seu próprio sexo e o amor pelo sexo oposto como dois tipos de comportamento radicalmente diferentes. Se havia elogio ou reprovação, não era à prática de homossexualidade, mas à conduta dos indivíduos. Os termos homossexual e heterossexual eram desconhecidos na língua grega e para eles todo indivíduo podia ter preferência por rapazes ou moças, dependendo da idade e das circunstâncias.

Muitos documentos — epigramas, textos filosóficos, etnográficos, biografias, discursos em defesa de algum acusado — e inúmeras imagens — pinturas sobre vasos e em túmulos — comprovam a realidade e a banalidade dessas relações amorosas. "O banquete serve frequentemente de moldura às tentativas de sedução dos amantes. Um homem adulto começa a acariciar seu companheiro de leito,* mais jovem; outro, mais ousado, titila com o pé o sexo de seu vizinho; um terceiro agarra o membro

---

* Os romanos comiam deitados.

do jovem que segura sua cabeça. As cenas dos ginásios e palestras suscitam mais ainda tais representações. Em meio aos atletas nus e sempre jovens, homens mais velhos (erastes), reconhecíveis pela barba, desempenham o papel de caçadores; um acaricia o queixo, as nádegas ou o pênis de um adolescente, o qual, conforme o caso, repele suas tentativas ou, mais frequentemente, deixa que ele o faça. O amado (eromeno) enlaça então seu sedutor antes de se entregar com este a uma relação sexual mais explícita. Os vasos mostram, em geral, um coito intercrural (entre as coxas) de frente, mas os textos provam que a sodomia era também praticada."[33]

A palavra pederasta define hoje a atração sexual de um adulto por um menino imaturo, mas para os gregos significava o amor de um homem por um jovem que já passara pela puberdade, mas não atingira a maturidade. "A florescência de um menino de 12 anos é desejável", disse Straton, "mas aos 13 é mais deliciosa. Ainda mais doce é a flor do amor que floresce aos 14, e seu encanto aumenta aos 15. Dezesseis é a idade divina."[34]

O estímulo ao contato físico entre homens deve ter sido incentivado pelo hábito de encontros nos ginásios, onde os jovens de Atenas se dedicavam à luta livre, corrida, saltos e arremesso de discos ou dardos. Inteiramente nus, exceto pelo óleo em seus corpos e finos cordéis que atavam o prepúcio protegendo a extremidade do pênis. "Os próprios jovens poderiam ter sido receptivos o suficiente: a homossexualidade na adolescência é um fenômeno comum, mesmo em sociedades com abundância de jovens escravas e prostitutas substituindo as fortemente guardadas filhas de cidadãos respeitáveis. Em sua maioria, as civilizações tentaram ignorá-la ou reprimi-la; somente os gregos e os maias de Yucatan no século XV a institucionalizaram com sucesso."[35]

As mulheres eram encaradas como inferiores aos homens de todas as formas: intelectual, física e emocionalmente. No casamento, nenhuma regra impedia o homem de ter relações com rapazes, o que, além de admitido, era valorizado. O cidadão grego casado podia manter uma concubina além da esposa legítima e frequentar prostitutas. Esse aspecto da sua vida sexual era silencioso, a não ser que houvesse excessos notórios.

Na realidade, cada homem adulto tinha uma vida sexual dupla: uma vida privada, orientada para as mulheres, discreta e jamais mencionada; e uma vida pública, orientada para os belos rapazes e objeto de todas as atenções e comentários. De maneira geral, somente essa vida amorosa confere a seus protagonistas prestígio social e boa reputação.[36] Além disso, os gregos encontram nas relações homossexuais uma intensidade de trocas pessoais que não ocorre no casamento ou entre pais e filhos. Entretanto, havia uma oposição entre um homem senhor de si e aquele que se entrega aos prazeres. Do ponto de vista moral, o cidadão grego deveria ter domínio sobre suas paixões, o que era considerado muito mais importante do que a escolha da forma de prazer. Ter costumes frouxos consistia em não saber resistir nem às mulheres nem aos rapazes.

Falando sobre o prejuízo de se sujeitar ao domínio do prazer, Platão afirma: "Se ele se apaixona por uma cortesã que é para ele somente um novo e supérfluo conhecimento, de que maneira trataria ele à sua mãe, amiga de longa data e que a natureza lhe deu? E se tem por um belo adolescente um amor recente e supérfluo, como trataria ele seu pai?",[37] o que não deixa dúvidas quanto à pouca importância que tem o fato de o objeto de amor ser um homem ou uma mulher. Em algumas cidades gregas, a homossexualidade aparece como uma prática necessária dos ritos de passagem da juventude cívica, num quadro regido pelas leis, mas se relacionando estreitamente com a masculinidade.

A efebia — relação homossexual grega básica — se dava entre um homem mais velho e um mais jovem. O mais velho admirava o mais jovem por suas qualidades masculinas: força, velocidade, habilidade, resistência e beleza, e o mais jovem respeitava o mais velho por sua experiência, sabedoria e comando. O efebo — rapaz que atingiu a puberdade — era entregue a um tutor, que o transformaria num cidadão grego. O tutor deveria treinar, educar e proteger o efebo. Ambos desenvolviam uma paixão mútua, mas deveriam saber dominar essa paixão. Aprender a controlar as próprias paixões, na verdade, era a base desse sistema de efebia. Havia sexualidade, mas o tutor impunha ao jovem a desilusão de uma paixão que não podia se realizar. Quando crescia, tendo então se tornado um cidadão grego, deixava de ser o amante pupilo e tornava-se amigo do tutor; casava-se, tinha filhos e buscava seus próprios efebos.

Esse sistema de preparação para a vida adulta do homem grego poderia parecer para alguns um relacionamento afetivo entre tutor e discípulo, sem contato sexual, mas Platão concedeu que havia uma certa dose de nebulosa emoção envolvida e escreveu sobre as preces e súplicas com que os enamorados sustinham seus pedidos, dos "juramentos trocados, das noites passadas à soleira do bem--amado e da escravidão suportada por causa disso".[38]

Aristófanes faz uma pilhéria a respeito da pederastia, tão valorizada na sociedade grega. Em *Os pássaros,* um de seus personagens se queixa a outro: "Bem, este é um belo estado de coisas, maldito facínora! Você encontra meu filho assim que ele sai do ginásio, todo fresco do banho, mas não o beija, não lhe diz uma palavra, não o acaricia, não apalpa seus testículos! No entanto, nós o julgamos nosso amigo!"[39]

A sociedade grega, porém, reprovava energicamente relações sexuais entre homens da mesma idade. Isso era considerado antinatural, pois significava que um dos homens adotava a posição passiva, traindo assim a masculinidade, que exigia dele o papel ativo. Enquanto um homem tivesse como parceiros uma mulher (naturalmente inferior), um escravo (não livre) ou um jovem (um homem ainda não completamente desenvolvido), seu papel seria ativo e, portanto, sua masculinidade estaria preservada.[40]

A sociedade grega é marcada pela dominação dos homens livres capazes de ditar as próprias regras do seu mundo. São os senhores das mulheres, das crianças e dos escravos. Demóstenes faz uma formulação famosa: as cortesãs nós as temos para o prazer, as concubinas para os cuidados de todo dia, as esposas para ter uma descendência legítima e uma fiel guardiã do lar.

Aparentemente, não há preocupação moral com o comportamento do homem, desde que faça com moderação o que mais gosta para nunca cair escravo de suas paixões, e as paixões homossexuais parecem ter sido muitas.

O amor entre as mulheres na Grécia

Lesbos é uma ilha grega ao norte do mar Egeu. Lá, no século VII a.C., viveu a poetisa Safo. Seus poemas são ardentes, sensuais e dirigidos às mulheres, fato sempre destacado na sua obra. As mulheres homossexuais são chamadas de lésbicas em referência ao lugar onde ela nasceu.

Safo, a lésbica, era objeto de gracejos obscenos e julgamentos moralistas. Um papiro escrito por autor anônimo dizia: "Ela foi criticada por alguns como desregrada e apaixonada pelas mulheres."[41]

Os amores de Safo foram ridicularizados pelos poetas cômicos de Atenas, mas como a vida das mulheres gregas não é muito conhecida, não se tem quase informação a respeito da homossexualidade feminina nessa época. Sabe-se, entretanto, que as jovens às quais ela dirige suas palavras ardentes são ainda meninas e, quando elas a abandonam para se casar, Safo lhes dedica adeuses comovedores:

Ó noiva, teu corpo é cheio de graça e teus olhos cheios de mel/
O amor está espalhado sobre teu rosto sedutor/ E por certo
Afrodite distinguiu-te entre todas as mulheres.[42]

Os poemas expressam seu desejo pelas alunas, o ciúme que a atormenta e testemunha a vida amorosa que levavam. Os versos dirigidos a Agallis, que, como as outras, a deixou para casar, eram dolorosos:

Parece-me igual aos deuses este homem que, sentado frente a ti, bem de perto ouve tua voz tão doce./ E este riso encantador que, eu juro, fez fundir meu coração dentro do meu peito; pois mal te vejo um instante, não me é mais possível articular uma palavra./ Mas minha língua emudece e sob minha pele de repente desliza um fogo sutil; meus olhos não têm olhar, minhas orelhas zumbem./ O suor escorre por meu corpo, um calafrio me toma por inteira, fico mais verde que a relva e por muito pouco não sinto chegar minha morte.[43]

Mas Safo amou também os homens, ambiguidade característica do meio aristocrático ao qual pertencia. Da mesma forma sensual que amava as mulheres, lhe foi atribuída uma paixão ardente por um homem chamado Fáon que, segundo o poeta Meandro (século IV a.C.), ela teria "perseguido com um amor furioso". Não sendo correspondida no seu amor, Safo teria se lançado ao mar do alto de uma rocha, suicidando-se. Embora denegrida por alguns por seus amores, foi glorificada por seu talento. Desde a Antiguidade, foi chamada de a "décima Musa". Mesmo assim, seu nome será sempre ligado aos amores que ela cantou, à homossexualidade.[44]

A homossexualidade na Idade Média

Na Grécia e no Império Romano, não havia a classificação das pessoas entre heterossexuais e homossexuais. Os papéis masculinos e femininos eram bem definidos socialmente e o fundamental era a manutenção desses papéis, independentemente do parceiro amoroso ser homem ou mulher.

Com o cristianismo, houve uma mudança radical, e na Idade Média havia uma oposição clara à homossexualidade. O judaísmo, que foi a matriz do cristianismo, declarou a homossexualidade uma abominação passível de pena de morte e a incluiu na mesma categoria que o incesto, a bestialidade e o adultério. Para o cristianismo, o sexo foi dado ao homem unicamente para a reprodução e qualquer atividade que não levasse à procriação seria um pecado contra a natureza.

O termo homossexual era desconhecido na Idade Média. O termo usado era sodomia e, embora utilizado para descrever as relações anais masculinas, também era aplicado à masturbação ou a qualquer prática sexual que não levasse à procriação.

Richards, num estudo sobre as minorias da Idade Média, nos fala sobre a homossexualidade naquela época.[45]

O imperador bizantino Justiniano (527-565) impôs a pena de morte para atos homossexuais. Ele acreditava que essa violação da natureza provocava retaliação da mesma. "Por causa desses crimes, ocorrem fomes coletivas, terremotos e pestes."

Num período posterior (século XIV), esse refrão foi retomado por pregadores populares e teólogos, quando ocorreu uma sucessão de calamidades:

"Por causa deste pecado detestável, o mundo foi uma vez destruído por um dilúvio universal, e as cinco cidades de Sodoma e Gomorra foram queimadas pelo fogo celestial, de modo que seus habitantes desceram vivos ao inferno. Igualmente por causa desse pecado — que suscita a vingança divina —, fomes coletivas, guerras, pestes, enchentes, traições de reinos e muitas outras calamidades acontecem com mais frequência, como atesta a Sagrada Escritura."[46]

Nos guias para confessores, chamados penitenciais, as penitências da Igreja para a homossexualidade variavam em função da idade, do status e do sexo do pecador e dependiam também se fosse leigo ou eclesiástico.

Uma das mais influentes dessas obras foi o *Decretum de Burchard de Worms,* no qual Buchard tentou se manter o mais próximo possível da moral comum. Ele equiparou a sodomia à bestialidade. Declarava que, se o ato tivesse sido cometido uma ou duas vezes, e se o penitente fosse solteiro, sendo a desculpa "que não tens esposa para poderes despender tua lascívia", a penitência era de sete anos de jejum e abstinência. Se o penitente fosse casado, a penitência era de dez anos; se a ofensa fosse habitual, 15 anos. Se o pecador fosse um jovem, a penitência era de 100 dias a pão e água. Havia uma distinção entre sodomia heterossexual (três anos para adultos, dois anos para jovens) e sodomia homossexual (dez anos na primeira ofensa, 12 anos se habitual). A masturbação mútua implicava uma penitência de 30 dias, e o intercurso interfemoral (sexo nas coxas) uma de 40, a mesma penitência imposta por induzir alguém a uma bebedeira ou por fazer sexo com a esposa durante a quaresma.

Apesar de toda a punição, o clero foi acusado de praticar a homossexualidade. Havia muito mexerico sobre o que acontecia nos mosteiros. As autoridades temiam o contato sexual entre os monges e desencorajavam as relações de amizade mais íntimas entre eles. Regulamentos foram criados para reduzir os perigos de encontros noturnos. A regra do mestre, por exemplo, continha uma cláusula em que todos os monges deveriam dormir na mesma peça, com a cama do abade no centro, e a regra de São Bento prescrevia que os monges deveriam dormir vestidos, com a luz do dormitório acesa a noite toda.

São Pedro Damião, no século XI, via como hediondo o pecado da homossexualidade e enumerou quatro variações: masturbação, masturbação recíproca, relação interfemoral e relação anal. Condenava especificamente os padres que, após as práticas homossexuais, se confessavam uns aos outros, de modo a receber penas mínimas. Ele tentava impedir os pecadores homossexuais de algum dia tornarem-se padres e exigia a exoneração indiscriminada dos pecadores do clero. Para ele, havia uma vinculação direta entre a homossexualidade, a heresia, a lepra e o Diabo. A homossexualidade, não tinha dúvidas, era um impulso demoníaco.

O papa Leão IX, para quem o livro que Pedro Damião escreveu era dedicado, é menos rigoroso. Declara que aqueles culpados de masturbação — solitária ou mútua —, ou de intercurso interfemoral, se não fossem habituais e se conseguissem refrear seus desejos e, além disso, cumprissem as penitências apropriadas, poderiam ser admitidos nas fileiras eclesiásticas. Agora, os que fossem culpados de coito anal, jamais seriam readmitidos.

No final do século XII, Alain de Lille, em seu *Liber poenitentialis,* definiu o pecado contra a natureza como o despender do sêmen fora do recipiente apropriado, e proscreveu a masturbação, a relação oral ou anal e a bestialidade, o estupro e o adultério como incluídos nessa categoria. Seus sermões sobre pecados capitais classificam sodomia e homicídio como os dois crimes mais sérios.

Outro teólogo, Guilherme de Auvergne, declarou no século XIII que a homossexualidade levava à lepra e à insanidade e que seus praticantes eram culpados de homicídio (desperdiçando seu sêmen improdutivamente) e de sodomia (depositando seu sêmen em recipiente impróprio). Caesamis de Heiterbach acrescentou outras advertências sobre os perigos de desperdiçar o sêmen. Afirmou que os demônios colhiam sistematicamente o sêmen humano desperdiçado para moldá-lo na forma de corpos masculinos e femininos e os usavam nas aparições que faziam para atormentar e perseguir a humanidade.

Nos séculos XII e XIII, desenvolveu-se uma política rigorosa para lidar com o homossexualismo. O Concílio de Nablus em 1120 estabeleceu que o adulto sodomita do sexo masculino seria queimado pelas autoridades civis.

O rei Eduardo I da Inglaterra e o rei Luís IX da França também decretaram a morte pelo fogo para os homossexuais, e Afonso X de Castela determinou que os homossexuais deviam ser castrados e pendurados pelas pernas até a morte.

Assim, os homossexuais foram colocados no mesmo nível dos assassinos, hereges e traidores.

A partir do século XIV, a homossexualidade tornou-se uma parte cada vez mais importante das acusações de bruxaria. Havia uma pregação constante contra a sodomia. O mais notável dos pregadores foi São Bernardino de Siena. Franciscano, incentivado pelo governo, pregava para imensas multidões, esbravejando contra a prática da homossexualidade. Ele responsabilizava a indulgência dos pais, as modas provocativas, a negligência com a confissão e a comunhão, e os estudos clássicos, os quais exaltavam o erotismo, o paganismo e a pederastia, Para ele, os sodomitas deveriam ser afastados da sociedade: "Assim como o lixo é retirado das casas, de modo que não as infecte, os depravados devem ser afastados do comércio humano pela prisão ou pela morte. O pecado tem que ser destruído pelo fogo e extirpado da sociedade. Ao fogo!", esbravejava São Bernardino em sua assembleia.[47]

Os processos de sodomia em Veneza no século XV se multiplicavam. Foi decretado que qualquer um que cometesse a sodomia numa embarcação veneziana seria punido como se tivesse cometido a ofensa em território veneziano. Foi realizado um censo da sodomia, com dois nobres de cada paróquia destacados para passar o ano investigando suas vizinhanças. As autoridades, temendo as atividades homossexuais, determinaram que nenhum mestre estava autorizado a dar aulas depois do pôr do sol para que o vício abominável fosse eliminado.

A homossexualidade a partir do século XVIII

Na Idade Média a atividade homossexual era considerada crime e nunca pôde ser exercida sem punição. A condenação dessas práticas evoluiu da simples penitência à morte na fogueira, o que se estendeu até o século XVIII.

P. Ariès destacava uma notícia do *Journal de Barbier,* datado de 6 de julho de 1750: "Hoje foram publicamente queimados na Place de Grève, às cinco horas da tarde, dois operários, a saber: um rapaz marceneiro e um salsicheiro, com 18 e 25 anos, que a patrulha encontrou em flagrante delito de sodomia. A opinião é que os juízes tiveram a mão um pouco pesada. Pelo visto, correu um pouco de vinho em excesso que levou a afronta a esse ponto."[48]

O Código Napoleão, retomando o código revolucionário, mostra-se muito mais tolerante; não mais condena a sodomia em si. Visa somente a proteção dos menores e ignora a homossexualidade dos adultos. Já no século XVIII, o vocabulário muda: o termo sodomia é gradativamente substituído por pederastia. O crime se banaliza, tornando-se simples delito, desde que não envolva violência.

Voltaire insiste na ideia de que se trata de um mal-entendido: "Os jovens machos de nossa espécie, educados juntos, sentindo essa força que a natureza começa a manifestar neles e, não encontrando o objeto dos seus instintos, lançam-se sobre aquele que lhes é semelhante."[49]

Antes da Revolução Francesa, a sodomia era proibida por motivos religiosos, mas não havia clareza no conceito desse termo. O *Tratado de sodomia* do padre L. M. Sinistrati d'Ameno, em meados do século XVIII, faz diferenciações sutis e curiosas. Para ele, a sodomia se define como a relação carnal entre dois machos ou duas fêmeas, entretanto, para que haja crime, é necessário haver coito, introdução do pênis no ânus, o que a diferencia da masturbação mútua. "O pecado existe quando nos enganamos de vaso e a introdução do membro viril no vaso posterior acontece com regularidade." Seria preciso também que houvesse descarga de sêmen no interior do ânus. Nesse caso, seria a "sodomia perfeita" e os pecadores só podiam ser absolvidos pelo papa ou pelos bispos. No caso de um homem ejacular no ânus de uma mulher, a sodomia era "imperfeita", e um simples confessor podia absolvê-lo.[50]

No começo do século XIX, o discurso sobre a homossexualidade oscila entre duas hipóteses: para os conservadores, é uma perversidade que é preciso condenar; para os liberais, é uma doença que se deve compreender e tratar. No final do século, surgem novas concepções sobre a homossexualidade, que passa a caracterizar uma espécie em particular. O médico húngaro Benkert cria, em 1869, o termo "homossexualidade", ao mesmo tempo em que pede ao ministro da Justiça a abolição da velha lei prussiana dessa prática.[51] A palavra homossexual vem do grego *homo* e significa "o mesmo", designando aqueles que sentem atração pelo mesmo sexo. A invenção de novas palavras, como "homossexual" e "invertido", altera a ideia que se tinha dessas pessoas, que passam a ser vistas como doentes.

A homossexualidade foi incorporada ao campo da medicina, mas continuou vulnerável a julgamentos morais. O homossexual era considerado uma ameaça à nação e à família, e um traidor do ideal masculino da nossa cultura. Falava-se também das consequências da redução da natalidade.

Desde o início do século XX, inúmeras teorias foram criadas para explicar o homossexualismo e suas causas: corrupção ou degeneração, caráter inato ou trauma de infância... O fato é que as práticas homossexuais sempre existiram, em todos os lugares. "Até que a sexologia lhes colocasse um rótulo, a homossexualidade era apenas uma parte difusa do sentimento de identidade. A identidade homossexual tal como a conhecemos é, portanto, uma produção da classificação social, cujo principal objetivo era a regulação e o controle. Nomear era aprisionar."[52]

No século XX, o homossexual continuou aprisionado. Hoje, ainda é visto por muitos como perigoso ou sem-vergonha e, na melhor das hipóteses, como doente e desviante. "Duas razões podem explicar essas atitudes discriminatórias. A primeira deve-se à nossa ignorância: depois de 150 anos de estudos e polêmicas, ainda não sabemos definir com precisão esse comportamento fluido e multiforme, cuja origem não se conhece claramente. A multiplicidade de explicações reforçou o mistério e, portanto, a estranheza. A outra razão é de ordem ideológica. Uma vez que nossa concepção de masculinidade é heterossexual, a homossexualidade desempenha o útil papel de contraste, e sua imagem negativa reforça ao contrário o aspecto positivo e desejável da heterossexualidade."[53]

As causas da homossexualidade

Não é somente o *Homo sapiens* que pratica a homossexualidade. Esta é bastante comum na natureza, onde se pode observar em muitos mamíferos um macho tentando cobrir outro macho, enquanto este último adota a atitude copulatória própria do sexo feminino. É observado também nos *helpers* dos pássaros, que ajudam o casal a alimentar os filhotes, mas não participam diretamente da reprodução.[54] As gatas alojadas separadas dos machos exibem todos os padrões de comportamento homossexual. As gaivotas fêmeas, às vezes, se acasalam entre si. Os gorilas machos andam em bando exibindo homossexualidade. As fêmeas dos chimpanzés pigmeus têm relações homossexuais regulares. Até certos peixes machos ocasionalmente agem como fêmea, assim como os patos selvagens e outras aves.[55] "Na verdade, a homossexualidade é tão comum em outras espécies — e ocorre em circunstâncias tão variadas — que a homossexualidade humana chega a ser notável, não por sua prevalência, mas por sua raridade."[56]

Sabe-se muito pouco sobre as causas da homossexualidade, seja ela o amor entre dois homens ou entre duas mulheres, mas as estatísticas revelam que 5 a 10% da população do mundo ocidental tem alguma prática homossexual sistemática.

Na discussão sobre as causas da homossexualidade há os que percebem as semelhanças entre homossexuais e heterossexuais e insistem na universalidade da pulsão homossexual, isto é, todos seríamos bissexuais, e há os que ressaltam as diferenças e a especificidade homossexual.[57]

O sociólogo Frederick Whitam foi um dos pesquisadores que estudaram a homossexualidade a partir de uma perspectiva transcultural e, como os outros, constatou certo número de dados que não variavam. Ele trabalhou em várias comunidades homossexuais de países tão diferentes como os Estados Unidos, a Guatemala, o Brasil e as Filipinas e chegou a seis conclusões:[58]

1. Homossexuais existem em todas as sociedades.
2. A porcentagem de homossexuais parece ser a mesma em todas as sociedades e mantém-se estável no tempo.
3. As normas sociais não impedem nem facilitam a emergência da orientação homossexual.
4. Subculturas homossexuais aparecem em todas as sociedades que têm uma população suficientemente grande.
5. O comportamento e os interesses dos homossexuais das diferentes sociedades tendem a ser parecidos.
6. Todas as sociedades apresentam um *continuum* similar de homossexuais masculinos e femininos.

"Tudo isso faz pensar que a homossexualidade não foi criada por uma forma particular de organização social, mas seria antes uma forma fundamental de sexualidade, que se exprime em todas as culturas."[59]

São várias as hipóteses da origem da homossexualidade. Para Freud, o ser humano é biologicamente bissexual. Todos nasceríamos com um impulso sexual dirigido tanto para pessoas do sexo oposto como para as do mesmo sexo. A orientação sexual — homo ou hetero — seria determinada na infância. A homossexualidade seria uma variação da função sexual provocada por certa interrupção do desenvolvimento sexual. A forma como é vivida a relação amorosa da criança com a mãe, na fase em que ocorre o complexo de Édipo, determina se a direção heterossexual ficará bloqueada ou a homossexual estimulada.

O *Relatório Kinsey* publicado em 1948 contribuiu para a tese da bissexualidade humana. Nele é apresentado o *continuum* hetero--homossexual e a fluidez dos desejos sexuais. Numa escala de zero a seis, a tendência heterossexual e homossexual existiria na maioria das pessoas. A inclinação heterossexual exclusiva teria o grau zero, variando até a inclinação homossexual exclusiva no grau seis da escala. Cada grau intermediário corresponde a uma proporção mais ou menos forte de inclinação homossexual ou heterossexual. Foram pesquisados por Kinsey e seus colaboradores 16 mil americanos, e os resultados mostraram que, embora apenas 4% da população masculina fosse exclusivamente homossexual desde a puberdade, 37% dos homens e 19% das mulheres tiveram, entre a puberdade e a idade adulta, pelo menos uma experiência homossexual culminando em orgasmo. Pouco tempo depois, Masters e Johnson confirmaram em suas pesquisas as teses de Kinsey.

O novo *Relatório Kinsey,* com pesquisas realizadas nos anos 1969-70 com homossexuais da cidade de São Francisco (EUA), reforçou os resultados do relatório de 1948, mas insistiu especialmente na diversidade das homossexualidades.

Shere Hite, numa pesquisa mais recente, com sete mil americanos, confirma os trabalhos anteriores. Inúmeros rapazes (mais de 40%), que em sua maioria se tornaram homens heterossexuais, tiveram relações sexuais com outros rapazes quando eram meninos ou adolescentes, e muitos homossexuais não tiveram.[60]

Outros autores não aceitam a ideia de uma homossexualidade universal. Para Robert Stoller, "a homossexualidade não é uma doença. É uma preferência sexual e não um conjunto de sinais e sintomas uniformes; mas só pertence aos homossexuais, que são diferentes dos outros e formam, portanto, uma minoria. (...) mas é inexato confundi-los com os heterossexuais".[61]

R. Friedman tem a mesma opinião de Stoller e tentou provar que "a maioria dos homens heterossexuais não tem predisposição para a homossexualidade inconsciente e, inversamente, a maioria dos homens homossexuais exclusivos não tem predisposição para uma heterossexualidade inconsciente... O que existe é uma minoria de homens bissexuais forçados a reprimir, seja suas fantasias homossexuais, seja suas fantasias heterossexuais".[62]

Partindo da ideia de que a homossexualidade é uma característica própria de alguns e não de outros, foram consideradas as hipóteses de anomalia endócrina, anomalia genética ou fatores físicos.

Atualmente, a maioria dos pesquisadores inclina-se pela hipótese de uma influência endócrina pré-natal sobre a orientação sexual. Se existe uma orientação hormonal do comportamento, seria produzida na vida embrionária, quando os hormônios sexuais *sexualizam* o sistema nervoso em todos os níveis.[63] A homossexualidade estaria associada, em parte, a alterações no cérebro fetal. Algumas semanas depois da concepção, os hormônios fetais começam a esculpir os genitais masculinos e femininos, e supõe-se que esses hormônios podem também compor o cérebro fetal masculino e feminino. A forma como é dado esse banho hormonal determina a orientação sexual da pessoa durante sua vida.[64]

"Sempre fui e serei gay. Nasci assim." Esta declaração foi dada recentemente aos jornais pelo americano Dirk Shaffer, que ironicamente foi eleito em 1992 o Homem do Ano da revista feminina *Playgirl*. Ao longo desse período, Shaffer apareceu em revistas e talk-shows dos Estados Unidos como o símbolo do macho da América e o homem mais desejado pelas mulheres. Usando uma amiga como falsa namorada e, quando necessário, escondendo o namorado dentro do banheiro, ele fingiu ser heterossexual durante um ano até acabar seu contrato com a revista. Perguntado se, quando as mulheres se jogavam a seus pés, em algum momento desejou ser heterossexual e pegar logo uma mulher daquelas e não precisar mais fingir nada, Shaffer respondeu: "Várias vezes. Mais de uma vez eu quis gostar de mulher e ser hetero, o chamado normal. Mas sempre fui e serei gay. Nasci assim. Acredito que isso não é uma escolha. A pessoa nasce gay, como nasce de olhos castanhos ou azuis."[65]

Alguns dias depois, o *Jornal do Brasil* publica uma entrevista com Chandler Burr, jornalista especializado na área científica, que acabara de lançar, nos Estados Unidos, *A separate creation — The search for biological origins of sexual orientation,* em que cita vários estudos em andamento para defender a tese de que a homossexualidade é determinada biologicamente desde a fecundação. Transcrevo a seguir alguns trechos da entrevista dada ao jornalista Renato Aizenman:[66]

— *Qual é a principal conclusão de seu livro?*

— A principal conclusão é a de que a orientação sexual humana, tanto no caso da homossexualidade como no da heterossexualidade, é determinada geneticamente antes mesmo do nascimento. Trata-se de uma determinação exclusivamente biológica e não há fator social que possa criá-la ou mudá-la. A homossexualidade é imutável.

— *Pode-se dizer, então, que todo gay já nasce gay?*

— Sim, com certeza, e isso se aplica tanto aos homens quanto às mulheres.

— *Que tipo de pesquisas científicas foram utilizadas para embasar seu livro?*

— Há duas vertentes de pesquisas sobre o assunto. Uma é a pesquisa clínica, na qual se estuda o aspecto exterior das pessoas. Ela procura responder à pergunta "O que é a homossexualidade?". Outra é a pesquisa genética, que se detém no interior dos cromossomos e quer responder à pergunta "O que causa a homossexualidade?". Ambas apontam atualmente para a conclusão de que a homossexualidade é uma característica genética minoritária entre os humanos, e que é transmitida através das gerações de uma mesma família. Todas as pesquisas indicam que se pode comparar os gays aos canhotos. Algumas pessoas simplesmente nascem canhotas e não há nada que se possa fazer a respeito. Estas duas características genéticas têm, inclusive, uma incidência bastante parecida na humanidade.

— *Sabe-se que a obrigação de escrever com a mão direita é prejudicial ao desenvolvimento dos canhotos e pode, inclusive, gerar um comportamento agressivo da parte deles. O mesmo acontece com os homossexuais?*

— Sim. Você pode forçar um canhoto a escrever com a direita, assim como pode forçar um gay a ter relações com o sexo oposto. Mas em ambos os casos estará impelindo essa pessoa a agir contra a sua natureza. Isso causará nela uma profunda dor e angústia, que podem gerar distúrbios mentais.

— *Como é a aceitação da teoria do gene gay dentro da comunidade científica?*

— Todos os cientistas hoje aceitam o fato de que a homossexualidade é uma característica de nascença e concordam que a metodologia usada nas pesquisas de busca do gene gay é bastante eficiente. Mas ainda precisamos saber qual é exatamente esse gene e como a proteína específica que ele produz atua nas moléculas.

— *Em que época da vida de uma pessoa o gene gay começa a se manifestar?*

— Muito cedo. Eu, por exemplo, soube que era gay quando tinha 6 anos de idade. Não sabia o que era homossexualidade, mas sabia que era diferente dos outros garotos. O mesmo acontece com a maioria dos homens e mulheres gays.

— *A existência do gene gay botaria abaixo todas as teorias psicanalíticas até agora aceitas a respeito da homossexualidade?*

— As explicações psicanalíticas para a homossexualidade, desde Freud até hoje, são completamente ridículas. Muitos pais, quando percebem um comportamento sexualmente inverso em seus filhos, levam-nos correndo ao psicanalista. Isso é inútil.

— *A existência do gene gay pode ajudar homossexuais no relacionamento com o mundo hetero?*

— O fato de a homossexualidade ser decorrência de uma imposição genética mostra a nossos pais, amigos e colegas que somos pessoas completamente normais, saudáveis, felizes e boas. Apenas a natureza quis que nossa orientação sexual fosse diferente da da maioria.

— *Um filho gay pode então alegar aos pais que, se ele é homossexual, herdou essa característica da própria família?*

— A orientação sexual é transmitida através das gerações do mesmo modo que os olhos azuis. Se uma família tem ou teve algum gay entre seus membros, as estatísticas mostram que é provável que existam ou apareçam outros. No caso do gene gay, está provado que ele é herdado sempre da mãe. O que não quer dizer que mães de filhos gays devam começar a se sentir culpadas por isso. Pelo contrário, a existência do gene gay prova que não há culpa de parte alguma. É apenas a natureza agindo.

O movimento gay

O tabu sobre a homossexualidade perdurou até a metade do século XX. Os anticoncepcionais surgidos na década de 1960 permitiram a dissociação entre o ato sexual e a reprodução, revolucionando os valores e as normas relativos à sexualidade. A homossexualidade, representante máxima dessa dissociação, em que é possível atingir um alto nível de prazer sem a menor possibilidade de reprodução, foi beneficiada socialmente. Os homossexuais puderam, então, sair da clandestinidade e afirmar sua normalidade específica, e assim a prática homossexual se aproximou da heterossexual.[67] Isso não significa que não existam mais preconceitos, apenas que essa prática é mais aceita. Uma pesquisa americana de 1957 revela a reprovação quase unânime da homossexualidade, ao passo que, em 1976, apenas um terço dos entrevistados manifesta uma condenação irrestrita.[68]

O *Relatório Kinsey* de 1948 mostrou que apenas a metade de todos os homens americanos eram exclusivamente heterossexuais, isto é, não participaram de atividades homossexuais nem sentiram desejos por pessoas do mesmo sexo. Na época, essa publicação escandalizou muita gente, já que a homossexualidade era considerada uma patologia, um distúrbio psicossocial.

Embora a homossexualidade seja, até hoje, considerada por muitos heterossexuais como uma perversão, um comportamento antinatural e passível de condenação moral, a aversão que provoca não recebe mais apoio substancial da profissão médica.[69] Em 1973, a Associação Médica Americana retirou-o da categoria de doença e, hoje, o próprio termo perversão desapareceu quase completamente da psiquiatria clínica.

Nos últimos 35 anos, ao mesmo tempo em que o movimento feminista reconsiderava as identidades e os papéis sexuais, a homossexualidade era afetada por mudanças tão profundas quanto aquelas que influenciaram a conduta heterossexual.

O primeiro passo foi dado por alguns homossexuais que saíram da clandestinidade e se autodenominaram gays. Isso designará uma cultura específica e positiva. "Gay, é claro, sugere colorido, abertura e legitimidade, um grito muito diferente da imagem da homossexualidade antes sustentada por muitos homossexuais praticantes e também pela maioria dos indivíduos heterossexuais."[70]

Nasce, assim, o Movimento Gay, disposto a mostrar que a heterossexualidade não é a única forma de sexualidade normal, questionando determinados aspectos das instituições masculinas e o privilégio dos machos, e, dessa forma, contribuindo bastante para a reflexão feminista.[71] Nos Estados Unidos e em algumas cidades da Europa, as leis e atitudes face à homossexualidade são reavaliadas devido à crescente força desse movimento e às atitudes mais liberais quanto à sexualidade em geral.

Surgem os *gay's studies,* um conjunto de trabalhos sobre a homossexualidade, sua história, sua natureza e sua sociologia. Na década de 1970, em várias partes do mundo assistiu-se ao surgimento de uma nova minoria que reivindicava sua legitimidade. Tendo cultura e estilo de vida próprio, ao se tornar visível, causou impacto sobre toda a sociedade.[72] "Uma verdadeira comunidade gay não se limita aos bares, clubes, saunas, restaurantes (...) nem a uma rede de amizades. É antes um conjunto de instituições, incluindo clubes sociais e políticos, publicações, livrarias, grupos religiosos, centros comunitários, estações de rádio, grupos de teatro etc., que representam, ao mesmo tempo, um senso de valores compartilhados e uma vontade de afirmar sua homossexualidade como parte importante de sua vida e não mais como algo privado e escondido."[73]

A sexualidade torna-se mais livre; ao mesmo tempo que *gay* é algo que se pode "ser" e "descobrir-se ser".[74] O novo *Relatório Kinsey* publicado em 1990 descreve o caso de um homem de 65 anos, que ficou viúvo depois de 45 anos de um casamento feliz. Um ano após a morte da esposa, ele se apaixonou por um homem. Segundo seu relato, jamais havia sentido atração por outro homem ou fantasiado sobre atos homossexuais. Ele não esconde sua orientação sexual do momento e só se preocupa com o que vai dizer para os filhos. Para outros, contar para os filhos que é homossexual pode não representar grandes dificuldades.

Valentim casou-se com 18 anos com a primeira namorada quando ela ficou grávida, no início da década de 1960. Nunca tivera experiência sexual com outra mulher, mas desde a adolescência sentia-se atraído por homens. Tiveram três filhas e formavam uma família considerada perfeita. Durante muitos anos, Valentim saía à tarde do trabalho para ter encontros homossexuais em saunas. Essa vida dupla durou até completar 20 anos de casamento. Disposto a não mais buscar seu prazer escondido e já estando as filhas quase adultas, propôs à mulher que se separassem. Comunicou então a toda a família — orgulhando-se de ser autêntico — sua homossexualidade, aproveitando a ocasião para marcar a data para apresentar seu novo parceiro.

A confiança que os gays passaram a sentir em si próprios e a maior aceitação da própria sexualidade foram benéficas, mas o reconhecimento da condição de minoria trouxe desvantagens. Num primeiro momento, os homossexuais reivindicaram o direito à diferença — etapa necessária de reconhecimento pela maioria —, mas isso despertou a questão do caráter inato da homossexualidade e, com ela, a ideia de que o homossexual é uma espécie à parte, acarretando o que eles menos desejavam: sua exclusão da sociedade. A ênfase na ideia de minoria dificultou a visão de que a homossexualidade, explícita ou recalcada, é um aspecto da sexualidade de cada um.[75]

Nos anos 80, houve uma modificação na teoria e tática do Movimento Gay, ao perceber o perigo de persistir num caminho que levava ao estigma e ao gueto. Ampliou-se o conceito de homossexualidade que antes se restringia à identidade sexual. Preocupou-se em mostrar que os homossexuais são homens como os outros e, mesmo que haja uma recusa aos papéis sexuais tradicionais, a sexualidade não determina o gênero — masculino ou feminino.[76] J. Katz sugere que se acabe com a própria divisão entre homo e hetero. Concordando com o *continuum* de Kinsey e alegando a frequência do coito anal entre os heterossexuais, ele não vê necessidade de manter o dualismo das atividades sexuais. "Os homossexuais não mais reclamam o direito à diferença, mas o direito à indiferença. Anseiam ser olhados como seres humanos e como cidadãos entre outros, sem handicaps nem privilégios particulares. Mas o drama da minoria homossexual é que seu destino depende do olhar que a maioria heterossexual pouse sobre ela."[77]

Em 26 de junho de 1983, ocorreu uma manifestação em Nova York para mobilizar a opinião pública contra a Aids. Desfilaram policiais entre uma orquestra gay e vários escrivães acenando fotos de Roland Barthes, Jean Cocteau e André Gide. A reação dos moralistas não demorou a chegar. Patrick J. Buchanan, ex-redator dos discursos do presidente Nixon, pronunciou-se: "Os homossexuais declararam guerra à natureza. A natureza se vinga (...). A revolução sexual começa a devorar seus filhos."[78]

Os machos heterossexuais que perseguem o ideal masculino da nossa cultura e são, portanto, prisioneiros da ideologia patriarcal, utilizam-se dos homossexuais como contraste psicológico para a afirmação de sua masculinidade. Então, "o destino dos homossexuais, tanto quanto o das mulheres, está na dependência direta da morte do patriarcado".[79]

A difícil decisão

O momento decisivo da vida de um homossexual parece ser o *coming out,* isto é, o primeiro ato sexual. Uma pesquisa americana revela que 36% dos homossexuais passaram por ele aos 24 anos ou mais. "Isso significa que pode levar anos. Chega o momento de conciliar a socialização anterior (sobretudo pelo casamento) e o *habitus* homossexual."[80] Quanto mais tardio é o *coming out,* maior é o impacto sobre a personalidade do indivíduo. As tentativas de suicídio são, nesses casos, duas vezes mais frequentes do que na população da mesma faixa etária. Numa pesquisa alemã, 35% dos entrevistados declararam que, naquele momento crucial, tiveram vontade de se "tratar". Entretanto, uma vez dobrado o cabo do *coming out,* o índice de suicídios entre a população homossexual seria extremamente baixo.[81]

Um homem homossexual é aquele que tem como objeto de amor e desejo outro homem, mas isso não significa que ele se sinta mulher ou deseje ser mulher. A orientação afetivo-sexual é algo que está dentro da pessoa e não depende, ao contrário do que muitos pensam, de uma escolha pessoal. "Ninguém faz opção por um modo de vida que sabe será discriminado."[82] A escolha é se a pessoa vai esconder ou exteriorizar sua orientação sexual.

Uma pessoa é homossexual mesmo que nunca tenha tido contato sexual com alguém do mesmo sexo. Muitas vezes, o desejo homossexual existe no inconsciente, mas a pessoa não sabe disso porque o desejo está reprimido. Em outros casos, o homossexual percebe sua atração pelo mesmo sexo e reconhece que essa atração sempre existiu. Pode acontecer de a pressão social ser tão forte que ele renuncie à realização dos seus desejos e passe toda a vida insatisfeito e mesmo em desespero.

Geraldo, de 55 anos, não suportava mais o desânimo e a falta de vontade de viver. Deprimido, falava lentamente, com o olhar perdido. Desde jovem, percebia sentir desejo sexual por outros homens, mas isso o horrorizava. Casou-se com 25 anos sem nunca ter tido qualquer experiência sexual — com mulheres ou com homens. Sua esposa, uma mulher muito religiosa e moralista, nunca demonstrou interesse por sexo nos 30 anos de casamento, facilitando sem saber a vida do marido. Geraldo diz nunca ter tido um orgasmo e que só experimenta essa sensação dormindo, quando sonha estar fazendo sexo com algum rapaz. Seu conflito é terrível. Há momentos em que se enche de coragem e se imagina procurando um homem para realizar seus desejos, mas logo em seguida desiste. Como um condenado que anseia pela morte como única forma de libertação, argumenta, cabisbaixo:

"Se eu já consegui aguentar até aqui, agora que falta pouco..."

Homens e mulheres são educados para corresponder ao papel masculino e feminino que deles se espera e desde crianças aprendem que mais tarde deverão se relacionar afetiva e sexualmente com o sexo oposto. "Mulher com mulher dá jacaré" e "Homem com homem dá lobisomem" são frases que nas brincadeiras infantis deixam claro como existe a preocupação de se desenvolver uma ideia negativa em relação à homossexualidade. Geralmente, é na adolescência que a orientação afetivo-sexual começa a ser percebida. É comum o adolescente se sentir diferente, não compartilhar dos mesmos interesses do grupo de amigos, mas não entender bem o que se passa com ele. Tenta negar a ideia de homossexualidade, pois sabe que isso não é aceito, que decepcionaria a família, os amigos e a si próprio. Com esse conflito interno, ele confunde amizade, amor e desejo sexual. Aceitar-se como homossexual é, para a maioria, um processo difícil, cheio de dúvidas e medos. Não há com quem conversar e surge a sensação de que vai ser rejeitado e nunca compreendido. "Esse homem homossexual só se estabilizará psicológica e emocionalmente quando aceitar esses sentimentos e esse modo de vida para si mesmo. E quando tiver claro para si que são sentimentos e um modo de vida ainda condenados e abominados pela sociedade. Com isso, ele não mais incorporará para si o que pensa a sociedade a seu respeito."[83]

Entretanto, existem homens que já na adolescência aceitam e vivem a homossexualidade como natural, não se deixando afetar pelos preconceitos sociais.

Pablo, advogado de empresa, de 30 anos, declara sentir-se feliz com sua orientação sexual. Transcrevo a seguir alguns trechos do relato que me fez dos seus episódios amorosos:

"Acho que a gente já nasce homo. É sempre inconveniente ser homossexual numa sociedade machista, mas comigo não tem problema nenhum. A sexualidade se manifesta desde que você se relaciona com gente. Desde muito pequeno eu sentia atração pelos meus irmãos. Tive a primeira experiência com 5 anos. Quando entrei na puberdade, mais ou menos aos 12 anos, a sexualidade explodiu. Sentia um desejo incontrolável pelos meninos. Meus sonhos eróticos sempre foram com homens. Acordava com a cueca suja, mas nessa época a culpa era enorme. Meus irmãos percebiam, e eles eram preconceituosos. À noite, ao deitar, pedia a Deus para não sonhar, porque não queria acordar com aquela culpa. Enfim, com 17 anos me livrei completamente dessa culpa. Fui com a minha família para a capital e comecei a fazer teatro. Aí, minha vida sexual tornou-se superativa. Acho que uma das dificuldades do homossexual é se relacionar. A fêmea e o macho têm um papel estabelecido. Na relação de dois homens, ambos estão procurando o mesmo sexo. Tem cara que não assume sua homossexualidade e só quer ser ativo para se isentar de culpa. Aí o sexo é super-rápido. Se a transa for com alguém com quem se tenha um relacionamento, existe afeto e pode ter carinho depois. Ultimamente, tem aparecido muito homem casado na minha vida. Há pouco tempo tive um caso com um que conheci num shopping. Eu estava descendo a escada rolante, ele estava subindo. Virou-se para mim e falou: 'Vamos experimentar umas roupas naquela loja?' Foi uma loucura total na cabine. Eu queria ir para o motel, mas não podia. A mulher e o filho estavam esperando por ele. O desejo desses caras casados por outro homem é incontrolável. E eles são muito melhores de cama do que os gays. Uma vez

REGINA NAVARRO LINS (287) a cama na va randa

transei com um que era másculo demais. Fui para casa dele.
Eu era bem mais novo e ele pensou que eu era menor de idade.
Ele estava muito preocupado e dizia: 'Isso que vai acontecer
entre nós você não pode contar para ninguém. Sua família não
pode nem sonhar.' Num dado momento, quando percebeu que
a coisa estava ficando séria, ele foi até o banheiro, encharcou
um monte de algodão no éter e colocou no meu nariz. Eu entrei
em pânico, pensei que ele queria me matar. Mas, não, o que ele
queria era que eu perdesse os sentidos e ele pudesse transar
comigo sem eu ver. Na verdade queria fazer sexo comigo sem
nenhuma testemunha, nem mesmo eu."

O número de heterossexuais que se envolvem regularmente em
atividades homossexuais episódicas aumentou muito nos últimos
tempos, apesar da Aids. E os pesquisadores calculam que nos Estados Unidos mais de 40% dos homens casados mantiveram relações
homossexuais em algum momento da vida.

A nova expressão dos gays

Vários dados científicos indicam que, como grupo, os homossexuais não apresentam maior índice de anormalidades psicológicas
do que os heterossexuais. Entretanto, as pressões familiares e a
discriminação social e econômica que enfrentam tendem a aumentar
bastante as tensões do dia a dia. Muitas pesquisas defendem atualmente que a homossexualidade não é um comportamento desviante,
situando-se dentro do âmbito normal da expressão sexual humana.[84]
Os heterossexuais, de maneira geral, acreditam que os gays
são facilmente identificados por certas características físicas ou
pela forma de se vestir e se comportar. O gay seria sempre afetado
e afeminado. Mas, na verdade, a maioria dos homossexuais não
poderia ser identificada por sinais externos. Sem dúvida, existem

gays exibicionistas que desejam chamar a atenção com trejeitos e atitudes que os tornam caricaturas de mulher. Mas são minoria. Esses gays afeminados que revelam publicamente sua orientação sexual passam a ser o único referencial da homossexualidade para a sociedade. Os meios de comunicação, principalmente a televisão, aproveitando-se dessa característica, tratam o homossexual de forma caricata e ridícula.[85]

Observamos, então, no século XX, que os homossexuais se dividem entre uma maioria que se esforça para esconder sua sexualidade e uma minoria que exibe uma feminilidade caricata. A partir do movimento gay, muitos homossexuais puderam sair de suas clausuras e, menos envergonhados, buscaram se integrar à sociedade. E os escandalosos? "Agora reconhecidos em sua indiferença reivindicada e assumida, o homossexual pode parar de se autocaricaturar falando alto e adotando o 'estilo bicha louca' exigido pelo heterossexual, que assim imaginava estar estabelecendo garantias para si mesmo, ao definir as fronteiras."[86] Só que a minoria continuou se autocaricaturando. O movimento gay contribuiu para livrar muitos homossexuais da culpa, mas não conseguiu acabar com os estereótipos. Nas grandes cidades americanas, surge um novo tipo de homossexual que substitui a feminilidade ostensiva por uma expressão da sexualidade teatralmente masculina. São musculosos, usam barba ou bigode, roupas de couro com tachinhas e correntes e privilegiam a imagem do supermacho. O que se vê com mais frequência na imprensa homossexual e nas revistas pornográficas são o caubói, o caminhoneiro e o esportista. Na França, uma pesquisa com mais de mil homens mostrou que 83% deles procuram parceiros de porte viril contra 13% que antes preferiam homens de maneiras afeminadas.[87]

Como vimos em capítulos anteriores, os heterossexuais — homens e mulheres — tentam se livrar da submissão ao modelo patriarcal que os aprisiona aos estereótipos masculinos e femininos, obrigando-os a repudiar aspectos de sua personalidade (homem

= forte, decidido, agressivo; e mulher = frágil, dócil, indecisa). O movimento feminista e as atuais discussões sobre a desconstrução do masculino abriram espaço para indivíduos autônomos que, não se submetendo aos estereótipos sexuais e, portanto, mais inteiros, podem se reconhecer como fortes e fracos, agressivos e dóceis, decididos e indecisos, dependendo do momento e das circunstâncias.

"Enquanto os heterossexuais tentam apagar os estereótipos sexuais, a maioria dos homossexuais hipermachos os ostenta, numa homenagem apoiada na virilidade tradicional com seu cortejo de violências e de menosprezo pelo feminino. (...)

"De fato, a cultura *machista* mostra-se tão alienante quanto a precedente. Não só porque proíbe outras expressões da homossexualidade, mas, sobretudo, porque mostra uma submissão absoluta aos estereótipos heterossexuais. Entre o homossexual amaneirado de antes, que fazia o papel de *louca* para entrar no mundo caricatural que a sociedade criara para o homossexual, e o hipermacho, que faz a mímica do velho ideal masculino, não há qualquer diferença."[88]

O homossexual que realmente se aceita não representa a bicha-louca nem o hipermacho, situando-se fora dos estereótipos sexuais criados pelo patriarcado. Vive como as outras pessoas, sem necessidade de se ocultar ou de se exibir, mesmo porque acredita que ser homossexual não significa infelicidade, da mesma forma que ser he-terossexual não garante felicidade a ninguém.

Assim como não é comum encontrar homens e mulheres autônomas, é provável que a proporção de homossexuais livres de estereótipos se compare à dos heterossexuais.

Luís André, diretor de teatro, de 42 anos, seria um exemplo do homossexual autônomo. Na juventude namorou várias garotas e aos 25 anos ficou noivo, pretendendo casar-se em breve. Nesse meio-tempo, conheceu Alan, ator que também tinha uma namorada há dois anos. O convívio profissional resultou numa grande intimidade, na qual os dois experimentaram pela primeira vez a emoção da descoberta do sentimento amoroso e do desejo pelo mesmo sexo. Formaram um casal, vivendo juntos por oito anos. Hoje, sem nenhuma relação estável, Luís André tem encontros eventuais com outros homens, em que a tônica é a própria relação humana que se estabelece a partir daí. Durante todos esses anos, não sentiu nenhum desejo sexual por mulheres. Seus maiores amigos são pessoas de ambos os sexos, independentemente de orientação sexual. Por ser um homem interessante e comunicativo, é com frequência assediado pelas mulheres que conhece, que nem de longe imaginam tratar-se de um gay. Os homens heterossexuais também se surpreendem, sem saber bem como conciliar a ideia que têm de um homossexual com uma pessoa como Luís André. Os homens por quem sente atração também não são facilmente identificados como gays, sendo que a maioria é bissexual, inclusive alguns casados. Quanto aos gays afeminados, Luís André é objetivo:

> "Não consigo me imaginar na cama com uma bicha. Se eu desejasse uma mulher, escolheria uma de verdade e não uma caricatura."

"O *hipermacho* e a *bicha-louca* ou *tia* são vítimas de uma imitação alienante dos estereótipos heterossexuais masculino e feminino."[89] Ambos são pessoas mutiladas, da mesma forma que o homem masculino e a mulher feminina. Entretanto, os mais mutilados de todos são os homossexuais que interiorizam a rejeição dos heterossexuais. São os homófobos, os que odeiam os homossexuais e, portanto, odeiam a si mesmos. Numa grande pesquisa de opinião nos Estados Unidos, cerca de 25% dos homossexuais declararam lamentar sua homossexualidade e desejar ter recebido uma pílula mágica de heterossexualidade ao nascer. Em outra pesquisa, na França, aqueles que a rejeitavam evocavam o sofrimento causado pelas pessoas em volta, a rejeição global da sociedade, os conflitos religiosos, o desgosto por não ter filhos e o problema da solidão.[90]

Fabiano tem 28 anos e mora com a família. Desde os 22, quando foi obrigado a admitir sua homossexualidade, sofre intensamente. Tendo lido as teorias psicanalíticas a respeito, amaldiçoa o pai, imaginando ter sido ele ausente na sua infância, e a mãe por ser autoritária, só se referindo a ela como "parideira de homossexual". Após algumas poucas tentativas frustradas de se relacionar sexualmente com mulheres, vive recluso, trancado em casa, só se comunicando de forma precária com os pais e os três irmãos. Considera impossível ter amigos. Tenta justificar essa certeza alegando que todos os homossexuais são promíscuos e repugnantes. Quanto aos heterossexuais, acredita não poder se aproximar pois seria discriminado por todos. Muito a contragosto, frequenta saunas gays, onde mantém contatos sexuais rápidos, com homens desconhecidos. Recrimina-se muito por isso, referindo-se a esses lugares como "aquela coisa fétida".

O fato de ser homossexual afeta sua vida a ponto de não conseguir nem trabalhar, apesar de ter se formado em Direito e iniciado um mestrado, logo interrompido. Fabiano introjetou de tal forma os valores da sociedade em relação à homossexualidade, que sua homofobia o transformou no mais cruel algoz de si mesmo.

Homofobia — ódio por homossexuais

Apesar de toda a liberação dos costumes, os gays ainda são hostilizados pela maior parte da sociedade. Como a ideologia patriarcal identifica masculinidade e heterossexualidade, "a homossexualidade é ainda aceita como argumento para a dispensa do serviço militar e, a despeito do movimento que existe entre os protestantes nos Estados Unidos para incluir no clero homossexuais, a Igreja Católica Romana, além de outros grupos religiosos, continua a encarar a homossexualidade como uma perversão".[91]

Por que persiste ainda tanto preconceito contra a homosse-xualidade? Para alguns, isso estaria ligado à noção de que a homos-sexualidade está em ascensão e que, se não for refreada, poderá ameaçar a unidade familiar e a estrutura da sociedade como um todo. Outro motivo seria a convicção de que a maioria dos homos-sexuais não se controla sexualmente, é tarada e poderia seduzir crianças. Um temor mais sutil é que a aceitação cada vez maior da homossexualidade faça com que o papel do homem seja menos claramente definido, o que tornaria mais fácil aos garotos o caminho da homossexualidade.[92]

Entretanto, é provável que a razão mais significativa da hostili-dade dos homens heterossexuais seja o temor secreto dos próprios desejos homossexuais. Muitos heterossexuais reagem como se te-messem ser contaminados em contato com gays. "Ver um homem afeminado desperta enorme angústia em muitos homens, pois desencadeia neles uma tomada de consciência de suas próprias características femininas, como a passividade e a sensibilidade, que eles consideram um sinal de fraqueza."[93]

Muitas vezes, o heterossexual sente que tem de proteger sua masculinidade de uma contaminação imaginária, reagindo de for-ma agressiva ou até atacando o homossexual. Um homem seguro de sua orientação heterossexual, sem necessidade, portanto, de perseguir o ideal masculino, integra os vários aspectos de sua per-sonalidade, não sentindo a exigência desse tipo de reação. Caso seja assediado por um gay, deixa claro, de forma tranquila, que não tem interesse em um encontro homossexual, sem que isso impeça o prosseguimento da relação de amizade, se for o caso. Porém, o que mais se observa é o homem heterossexual afirmar que, se isso acontecer com ele, não há dúvida: arrebenta, quebra ou mata o homossexual em questão. A homofobia serve também para o hete-rossexual deixar claro para os outros que ele não é homossexual.

Num dos exercícios de dinâmica de grupo que faço há 18 anos com alunos do curso de Comunicação Social, a hostilidade aos homossexuais se mostra quase inalterada. Com o objetivo de que a turma discuta os preconceitos existentes na nossa sociedade, apresento uma situação em que, numa guerra, entre um grupo de 12 pessoas, devem escolher apenas seis para entrar num abrigo subterrâneo durante um bombardeio. São dadas informações sucintas de cada uma das 12 pessoas: viciado em drogas, prostituta, ex-presidiário, moça que saiu do manicômio, rapaz com ataques epiléticos, homossexual etc. Sistematicamente, o homossexual é rejeitado. Por mais que as alunas tentem argumentar a favor de sua inclusão, a gritaria dos homens é sempre tão impositiva que ele acaba sendo excluído. Os argumentos são vários: o homossexual vai querer agarrá-los; vai ficar desesperado sem sexo; não vai poder procriar etc.

"A homossexualidade suscita em alguns homens (em particular nos rapazes) um temor que não tem equivalente entre as mulheres. Esse temor se traduz por atitudes de afastamento, agressividade ou repulsa dissimulada."[94]

Um estudo para determinar os efeitos da percepção de um homossexual no espaço interpessoal utilizou simplesmente a colocação de uma cadeira como critério de distância social. Constatou-se que, quando um pesquisador portava um distintivo em que se lia *"gay and proud"* e se apresentava como membro de uma associação de psicólogos gays, os participantes colocavam suas cadeiras ostensivamente mais longe desse pesquisador do que de outro, neutro, que não manifestava nenhuma característica homossexual. Os homens reagiam deixando três vezes mais espaço entre eles e o pesquisador do que as mulheres, quando submetidas a um estudo semelhante por uma pesquisadora com um distintivo de lésbica.[95]

Na nossa sociedade, os meninos aprendem desde cedo que não devem ter qualquer tipo de contato físico com homem. As amizades masculinas são raras, restringindo-se geralmente a encontros em grupo ou competições esportivas. O abraço entre dois homens é pouco frequente, e o afeto é manifestado no máximo com aperto de mão ou tapinha nas costas. Muitos pais não abraçam nem beijam seus filhos depois de determinada idade. "É muito provável que esta restrição vise preservar o conceito ideal da sociedade do que seja 'másculo' (...). A demonstração de afeto entre as mulheres é aceita por todo mundo e não parece despertar temores de que irá incentivar o lesbianismo."[96]

Uma pesquisa realizada pelo Ibope em 1993 ouviu duas mil pessoas e concluiu que a metade delas já admite que convive com homossexuais em seu bairro, local de trabalho ou clubes que frequenta. Entretanto, de todos os entrevistados, 36% não contratariam um homossexual para sua empresa, mesmo que fosse o mais qualificado; 47% mudariam seu voto caso descobrissem que seu candidato é homossexual; 79% ficariam tristes se tivessem um filho homossexual e 8% seriam capazes de castigá-lo por isso.[97]

Nada melhor para ilustrar a homofobia e a hipocrisia da sociedade em que vivemos — na qual a maioria das pessoas defende os direitos humanos — do que a frase de Leonardo Matlovich, soldado da Força Aérea Americana, condecorado por sua atuação na Guerra do Vietnã e expulso da corporação em 1975, por homossexualismo:[98]

"A Força Aérea me condecorou por matar dois homens no Vietnã e me expulsou por amar um."

Como vivem os gays

Em algumas cidades americanas como Nova York e São Francisco, no final da década de 1960, os gays começaram a sair do silêncio e levar a vida que desejavam. Mas em todas as outras regiões, tanto da Europa, América do Sul e mesmo dos Estados Unidos, a aceitação é restrita a alguns grupos e lugares. "Se é verdade, como diziam os romanos, que a natureza humana é estruturalmente bissexual, resta muito a fazer para que se apaguem quase dois mil anos de condenação cristã."⁹⁹

O *Relatório Kinsey* sobre a homossexualidade, publicado em 1978, apresenta o resultado de uma pesquisa sobre o estilo de vida dos homossexuais de São Francisco, em que foram entrevistados 3.854 gays, numa época em que ainda não havia a ameaça da Aids. O estudo concluiu que 64% dos homens homossexuais não eram promíscuos, 39% mantinham um vínculo amoroso estável e 25% eram homossexuais assexuados que, por não se aceitarem como homossexuais, mantinham relações sexuais esporádicas.¹⁰⁰

Alguns casais gays tentam legalizar sua situação com casamentos formais, reivindicando os mesmos direitos e as vantagens concedidas aos heterossexuais. Os gays se organizam de várias maneiras. Grupos militantes lutam pelo fim da discriminação e grupos de discussão crescem nas grandes cidades. Como qualquer grupo minoritário, os gays são discriminados e, por isso, criam pontos de encontro onde podem compartilhar suas próprias preferências, problemas e estilos de vida, sem o olhar crítico do heterossexual. Em bares, boates e saunas, procuram contatos com outros homossexuais, que podem durar apenas uma noite ou se transformar numa relação longa.

Para alguns gays, o encontro pode ocorrer também andando ou dirigindo o carro por áreas de alta concentração de outros gays à procura de ligações sexuais. Essa caça — quer aconteça num bar, numa boate, num cinema, numa festa ou numa sauna — implica um sutil e complexo sistema de indícios não verbais, diferentes do comportamento sedutor comum às pessoas heterossexuais.¹⁰¹ "Usar as chaves em cima do bolso esquerdo de trás indica preferência por um papel ativo; à direita, por um papel passivo (...). A cor do lenço que sai do bolso de trás simboliza a atividade procurada: azul-claro (práticas orais), azul-escuro (coito anal), vermelho vivo (penetração com o punho)."¹⁰²

A maior parte dos encontros sexuais anônimos entre gays em saunas ou banheiros públicos masculinos é destituída de afeto e emoção. Muitos que se entregam a esses relacionamentos anônimos têm uma relação estável com outra pessoa. Funciona da mesma forma que o heterossexual casado ao procurar uma prostituta.

A interdição de muitos séculos obrigou o homossexual a dissociar a sexualidade do afeto "por terem de obedecer a uma organização que minimizasse os riscos, ao mesmo tempo em que otimizava a eficácia, isto é, o rendimento orgástico".[103] É comum gays procurarem terapeutas buscando a solução desse problema, ou seja, conciliar a estabilidade do casal e a liberdade sexual.

Duas importantes pesquisas sobre a homossexualidade — uma americana e outra alemã — indicam que uma substancial parcela dos entrevistados mantinha, no momento da entrevista, uma relação estável de cinco anos ou mais: 31% na americana e 23% na alemã. Mas a sexualidade episódica é bastante intensa entre alguns gays. Nas saunas, geralmente procuram várias experiências sexuais a cada noite e "a maioria ficaria desapontada se tivesse tido apenas um encontro sexual no decorrer de várias horas".[104]

Num estudo da cultura de sauna, na década de 1960, Martin Hoffman entrevistou um jovem que, como parceiro passivo, frequentemente tinha cerca de 50 contatos sexuais no espaço de uma noite. Ele era casado e pai de dois filhos.[105]

No sexo anônimo praticado nas saunas ou em outros lugares de atividade sexual dos gays, os homens geralmente não estabelecem contato um com o outro, havendo no máximo conversas casuais. A vida pessoal de cada um fora dali não é abordada.

Para Anthony Giddens, seria errôneo considerar-se uma orientação para a sexualidade episódica apenas em termos negativos. Assim como as lésbicas, os gays questionam a tradicional integração heterossexual entre o casamento e a monogamia. Ele argumenta que, da maneira como é compreendida no casamento institucionalizado, a monogamia sempre esteve ligada ao padrão duplo e, por isso, ao patriarcado. Quando os encontros episódicos não constituem um vício — como certamente é o caso na situação descrita por Hoffinan —, eles são, na verdade, explorações das possibilidades oferecidas pela sexualidade plástica. Assim, mesmo que os contatos sejam impessoais e passageiros, a sexualidade episódica pode ser uma forma positiva de experiência do cotidiano.

Giddens acredita que a sexualidade gay episódica semelhante à do tipo da cultura da sauna é o sexo libertado de sua antiga subserviência ao poder diferencial, e, por isso, expressa uma igualdade que está ausente na maioria dos envolvimentos heterossexuais, incluindo os transitórios. Por natureza, ela só permite o poder sob a forma da prática sexual! O único determinante é o gosto sexual. E este, para Giddens, certamente faz parte do prazer e da realização que a sexualidade episódica pode proporcionar, quando despojada de suas características compulsivas.

Pela falta de conhecimento direto que se tem dos hábitos das minorias, há uma tendência a se atribuírem aos gays práticas sexuais excêntricas ou perversas. Entretanto, é provável que o percentual do comportamento sexual estranho encontrado entre os gays não seja maior do que entre os heterossexuais. "A maior parte das técnicas sexuais utilizadas pelas duplas gays são idênticas às usadas pelos heterossexuais — fato que salienta o absurdo de identificar qualquer técnica sexual praticada como especificamente ato homossexual."[106]

O contato oral-genital e o coito anal são heterossexuais se os parceiros envolvidos são do sexo oposto, e homossexuais se são do mesmo sexo. A felação é um comportamento sexual bastante comum entre os homossexuais. Pode ser mútua ou praticada por um parceiro de cada vez. Assim como na heterossexualidade, pode ser usada como forma de excitação sexual ou pode resultar em orgasmo. A cópula anal é outra técnica sexual adotada por gays e também experimentada por um entre cada quatro casais heterossexuais.[107] Ao contrário do que a maioria das pessoas acredita, não é regra entre os homossexuais a prática do sexo anal para que um dos parceiros assuma o papel da mulher, e o outro, o de homem. Mais comum é eles alternarem-se, assumindo posições receptivas e penetrantes.[108]

Outras formas de expressão sexual usadas pelos gays incluem a masturbação mútua, a *pottage* (uma simulação da relação sexual representada pela esfregação mútua do pênis contra o abdômen do parceiro) e a cópula interfemoral, que consiste em esfregar o pênis entre as coxas do parceiro. Abraços, beijos e carícias preliminares, que fazem parte do ato sexual entre os heterossexuais, em geral integram também os encontros entre gays.[109]

Quanto às profissões desempenhadas pelos homossexuais, existe a falsa ideia de que eles são mais sensíveis e, por isso, com maiores inclinações artísticas. Comprometedora na classe dominante, a homossexualidade estimula seus membros a escolher de preferência carreiras intelectuais ou artísticas, onde ela é tolerada. "Como o homossexual tem que mudar de 'papel' conforme o interlocutor, é no domínio das relações públicas que ele melhor pode utilizar esses *dons adquiridos* pela obrigação de se adaptar à discriminação implícita de que é objeto."[110] Talvez, por isso, haja um maior número de homossexuais nas profissões de serviços — cabeleireiro, estilista, decorador etc. Ao contrário, o camponês e o operário homossexuais são alvo de piadinhas e condenados a uma verdadeira exclusão.[111]

Existe a tendência de se pensar que todos os homossexuais são iguais, mas na verdade são tão diferentes entre si quanto todas as outras pessoas. Eles se encontram em todas as camadas sociais. São ricos ou pobres, inteligentes ou limitados, dependentes ou independentes, maduros ou imaturos.

As lésbicas

A homossexualidade feminina sempre foi mais tolerada do que a masculina nas sociedades patriarcais. Causa mais curiosidade do que aversão, não sendo raro encontrar um homem declarando que sua fantasia erótica é assistir a duas mulheres fazendo sexo. Talvez até por imaginar que, como não têm pênis, vão solicitá-lo em algum momento.

Socialmente, existe maior liberdade para as mulheres se tocarem, se beijarem, se aconchegarem, manifestando carinho umas pelas outras. A relação amorosa entre elas é, então, menos aparente, e é mais fácil dissimular sua verdadeira orientação sexual.

Desde pequenas, as meninas são educadas para o casamento com o sexo oposto e para o papel materno. Entretanto, isso não corresponde ao desejo de algumas quando se tornam adultas. São as lésbicas que procuram um vínculo amoroso com outra mulher e não com um homem e, portanto, têm uma orientação afetivo-sexual diferente da maioria. "Essa orientação, que começou na infância, revelou-se na adolescência e definiu-se na idade adulta, é de natureza homossexual."[112]

O relacionamento entre duas mulheres lésbicas é diferente do de dois homens gays. Cada casal leva para a relação características que a sociedade determina para o homem e para a mulher. Kinsey mostra que 63% das lésbicas constituem relacionamentos estáveis e duradouros; para os gays essa percentagem é de quase 40%.[113] A maioria dos casais de lésbicas não sente necessidade de reproduzir o padrão de relacionamento heterossexual, em que um tem o poder sobre o outro. Entre elas, existe a possibilidade de viver uma relação em que duas pessoas são iguais, fora dos estereótipos patriarcais de gênero. Duas mulheres lésbicas bonitas, atraentes e charmosas podem confundir as pessoas quanto à sua orientação sexual. "Alguns *machões* desinformados acreditam que uma mulher só é lésbica porque foi mal-amada por um homem. A mulher lésbica passa a ser, para esse tipo de homem, um desafio muito grande a ser vencido, um 'verdadeiro troféu de caça'."[114]

De uma maneira geral, a lésbica não se sente homem nem quer ser homem. Entretanto, do mesmo modo que ocorre com alguns gays, numa atitude defensiva, uma minoria se esforça para corresponder aos estereótipos masculinos da nossa cultura. São mulheres com atitudes e comportamentos típicos do machão, submetendo-se, assim, aos padrões patriarcais. No relato de várias lésbicas por mim entrevistadas, houve um ponto coincidente: todas tiveram algum tipo de contato com "mulheres menos femininas", que durante o ato sexual não permitem que seus órgãos genitais sejam tocados — muitas não tiram a roupa —, além de exigirem total passividade da parceira. "Elas funcionam como se tivessem pênis", era a explicação.

Nas pesquisas de Hite, 144 mulheres (8% das entrevistadas) declararam preferir fazer sexo com mulheres. O fato de o corpo feminino não ser provido de órgão de penetração intriga as pessoas, que não entendem como pode haver uma relação sexual sem a presença do pênis. Mas, "as mulheres têm um sistema de excitação diferente do homem. Sua excitação é uma resposta do corpo todo e não apenas genital".[115] Lábios, língua, pescoço, orelha, barriga, costas, seios, nádegas, quadris, joelhos são algumas das zonas erógenas mais importantes do corpo feminino. Muitas mulheres se queixam de que o homem, por não perceber isso, inicia o ato sexual tocando diretamente o clitóris e, sem preliminares, parte diretamente para a penetração. Isso desagrada à mulher, já que a erotização do seu corpo não é necessariamente alcançada à custa de sensações genitais. Além disso, se o prazer sexual for medido por resposta orgástica — um índice duvidoso segundo as pesquisas de Hite —, o sexo lésbico parece mais bem-sucedido do que a atividade heterossexual, e também por haver maior igualdade no dar e receber da experiência sexual.[116]

Às perguntas: "Como as mulheres se relacionam fisicamente?" e "Por que preferem relações com outras mulheres?", Hite encontrou respostas semelhantes aos seis exemplos que se seguem:[117]

"Nos abraçamos muito, nos beijamos e nos acariciamos. Como 'técnica', nos masturbamos mutuamente com as mãos, os dedos e oralmente. Também nos masturbamos com outras partes de nossos corpos. Basicamente, as mesmas coisas que um homem e uma mulher podem fazer sem o pênis e *geralmente não fazem!*"

"Fazer amor com uma mulher é sempre mais variado do que com um homem, e as ações físicas são mais mútuas. Embora sejam tocados e beijados os mesmos lugares que com um homem, para mim a sensação é aprofundada quando se trata de uma mulher, e a grande diferença são os fatores psicológicos e emocionais envolvidos. Os toques e os beijos são diferentes. Toda a aura é diferente."

"Para se relacionar fisicamente com outra mulher, você só precisa alcançar o corpo dela do jeito que você gosta de ser acariciada e/ ou do jeito que ela lhe indica. Você explora em conjunto o ato sexual e acha o que funciona. Não sei como responder de modo mais específico. Acho que não existe nenhum livro de receitas que funcione em todas as situações, graças a Deus. Para mim, é uma coisa que acontece de modo mais natural do que com homens."

"Tenho orgasmos — sempre múltiplos — na masturbação, mas não os tenho com muita frequência com meu marido. Algumas vezes finjo, mas, às vezes, nem me importo de fingir porque é só para o bem-estar dele. Estou nos 40. No ano passado me envolvi pela primeira vez com uma mulher. É completamente diferente e sempre tenho orgasmos."

"Os homens, geralmente, estavam mais preocupados com o prazer deles do que com o meu. Não achei amor emocional, só físico. Acho as mulheres melhores amantes; sabem o que uma mulher quer e principalmente possibilitam uma proximidade emocional que nunca pode ser partilhada com um homem. Mais ternura, mais consideração e compreensão dos sentimentos etc."

"A maioria dos homens de minha carreira heterossexual (dos 20 aos 28 anos) queria que eu excitasse seu pênis oralmente e depois trepasse para atingir o clímax. Depois de ejacular, perguntavam: 'Já gozou?' Minhas amantes geralmente têm uma abordagem muito mais criativa e variada do ato sexual. Todas começam tendo uma incrível gentileza e consciência de minhas necessidades, bem como das delas. As mulheres não agem como se eu fosse sua 'máquina de masturbação', nem caem no sono quando termina. Nenhuma mulher já me perguntou 'Já gozou?' Elas sabem. Minhas relações com mulheres sempre duram muito mais do que com os homens. Vinte minutos com um homem, pelo menos uma hora com uma mulher, e geralmente mais. Espero que chegue o dia em que os casais heterossexuais possam proclamar que têm o tipo de bons encontros sexuais que estou tendo atualmente."

Kinsey já havia observado que as relações sexuais entre lésbicas tendem a ser mais demoradas, envolvendo maior sensibilidade do corpo todo, já que o orgasmo não marca automaticamente o final da sensação sexual, como acontece na maioria das relações heterossexuais.

Uma proporção menor de lésbicas do que de mulheres heterossexuais tem casos fora de seus relacionamentos principais e, em geral, quando se separam, ficam amigas de suas ex-amantes. Entretanto, em alguns casos, as lésbicas podem se tornar bastante violentas nas relações amorosas. Estudos de violência sexual feminina nos Estados Unidos descrevem casos de estupros, espancamento físico e ataques com revólveres, facas e outras armas letais, em relacionamentos lésbicos."[118]

Maria Regina tem 34 anos e, depois que se separou do marido, conheceu Sônia e com ela viveu uma tumultuada relação amorosa durante dois anos e meio. Era frequente sua parceira beber e nas discussões partir para a agressão física. Na última briga, Maria Regina disse que não suportava mais aquele tipo de vida e, portanto, estava indo embora. Desesperada, disposta a tudo para impedir sua saída, Sônia atracou-se com ela, mordendo com violência todo o seu corpo. Num estado deplorável, necessitando ser atendida num pronto-socorro, Maria Regina declarou:

"Ela é insegura e faz tudo para me agradar. Mas sempre foi assim. A qualquer possibilidade de me perder, transforma-se num cão raivoso."

Há lésbicas que, ao iniciar a relação com uma mulher, trazem filhos de um casamento heterossexual anterior. Nesse caso, as duas juntas criam as crianças. Pode haver também o desejo de ter filho e, como as duas não podem gerá-lo, escolhem um homem apenas para fecundá-las ou optam pela inseminação artificial.

A maioria das pessoas reage negativamente a essa ideia, afirmando que com certeza estariam criando filhos desajustados e problemáticos. Até agora nada comprova a veracidade dessas afirmações, mesmo porque se trata de uma alternativa familiar recente. Entretanto, sabemos que o simples fato de uma criança ser educada dentro de uma família tradicional não lhe garante uma vida ulterior mais saudável. Quanto à ausência da figura paterna, considerada por muitos como indispensável para o desenvolvimento infantil, surgem novos questionamentos.

Shere Hite afirma que, em suas recentes pesquisas com centenas de famílias e crianças, descobriu um fato que à primeira vista pode parecer estranho: os meninos criados apenas pelas suas mães e não pelo casal parecem ter maior facilidade para estabelecer relações humanas mais consequentes e responsáveis, quando se tornam adultos. Ou seja: esses garotos, quando se tornam rapazes, tendem a ser estáveis e tanto seu relacionamento amoroso com as mulheres quanto suas amizades com outros homens tendem a ser mais profundos, de maior repercussão em suas vidas. Tornam-se homens mais corajosos e mais íntimos no relacionamento humano.

Para Hite, esses dados já haviam aparecido em suas pesquisas ao longo da década de 1980, mas não os publicou temendo que não promovessem na época um debate produtivo. Ela verificou que por um condicionamento social os pais costumam ter um comportamento mais arredio e uma certa resistência a aumentar a intimidade nas suas relações com os filhos. Muitos são emocionalmente distantes e até fisicamente agressivos. O modelo de comportamento transmitido aos filhos leva-os a perpetuar o machismo, a fugir das emoções calorosas, da empatia e da compreensão. Sob essas perspectivas, Hite acredita que os valores transmitidos pelas mulheres parecem ter mais qualidades que os valores tradicionalmente masculinos, embora alguns deles, como a coragem, iniciativa, racionalidade, sejam muito importantes. Como com frequência as mulheres ainda são medrosas e passivas, o ideal seria a mistura dos valores masculinos e femininos, mas isso, para acontecer, depende do fim da ideologia patriarcal.[119]

Em alguns segmentos da sociedade, a relação amorosa entre mulheres passou a ser valorizada. Propagandas e ensaios fotográficos retratando situações homossexuais femininas são publicados em revistas e, pela qualidade estética, muito bem aceitos. São conhecidos como *lesbian chies.*

Assim como os gays, as lésbicas também formam grupos organizados para se defender da discriminação. Em 1995, representantes de associações dos direitos dos gays e lésbicas de diversos países se reuniram em Nova York para o Primeiro Tribunal Internacional sobre Violações dos Direitos Humanos de Minorias Sexuais. O encontro visava traçar as diretrizes básicas de um documento a ser entregue à Comissão de Direitos Humanos das Nações Unidas, pedindo maior empenho no combate à discriminação profissional e social de homossexuais. No Brasil, a deputada Marta Suplicy luta pela aprovação do direito de união civil entre pessoas do mesmo sexo.

Renata, 30 anos, professora de educação física, mora com a namorada há um ano e meio:

"Sexo para mim tem que ser carinhoso, meigo, florido. Na relação entre duas mulheres, isso aparece mais do que na relação com um homem. Tive a primeira paixão aos 12 anos por uma menina. Durou três anos, só havia toques de carinho. Deixei de ser virgem com 13 anos. Foi só uma vez, e muito ruim, não tive prazer nenhum. Aos 19 anos me apaixonei por outra mulher, mas na cama vi que não tinha nada a ver. Eu não tinha muito acesso ao mundo hetero. Não tinha vontade de conhecer homens, sentia-me mais madura do que eles. Depois dos 19 anos, nunca mais tive casos, só namoros. A primeira vez que moro com alguém é agora. O sexo nunca vem no primeiro dia que conheço alguém, para ter cama preciso de um pré-envolvimento. Com minha parceira há harmonia. Nós duas somos passivas e ativas. Tenho mais experiência como passiva. Ser passiva é se soltar. Deixar ser tocada pelo corpo todo. Já transei com mulheres que ficavam de roupa. Não tiravam a calcinha e, às vezes, nem a camiseta. São só ativas, não deixam que a outra encoste nos seus órgãos genitais. Acho que as mulheres assim têm prazer só em tocar. Isso é possível. Já tive orgasmo só de olhar uma namorada. Geralmente, quem já teve relação com homem é passiva. A maioria não se solta na cama, mas orgasmo sempre acontece. Tive uma relação anterior na qual minha parceira era muito bloqueada. Ela estava acostumada a transar comigo como se fosse um homem. Quando acabava, virava para o lado e ficava de costas para mim. A maioria das mulheres gosta de penetração, mas não é necessário para ter orgasmo. Há muito tempo que só transo com mulher. A maior dificuldade de conviver no meio heterossexual é o preconceito. Deixo de conhecer pessoas legais por isso. Não acho legal viver em guetos, acho pobre. Meu prazer é maior em dar prazer a alguém que amo. Muitas vezes, minha parceira chora quando tem orgasmo. Chego até a ter orgasmo mesmo sem meu clitóris ser tocado, só em vê-la ter. Para mim, é muito mais importante o lado afetivo. Com homem, isso não acontece, de jeito nenhum.

Alexandra, 29 anos, arquiteta, teve sua primeira experiência sexual aos 9 anos:

"Foi com meu primo, que tinha 14 anos. Eu não tinha ideia do que fazia. Minha família era muito católica, tudo era pecado. Tivemos muitas relações sexuais. Eu gostava, sentia prazer. Só quando ele disse que isso era o que meus pais fizeram para eu nascer, percebi ser coisa de adulto e o empurrei. Ele queria e eu dizia que não. Acho que eu gozava porque o prazer era muito grande. Isso durou no mínimo um ano. Depois que o empurrei, chorei todos os dias até os 15 anos. Logo depois da menstruação, achava que ia engravidar por causa daquelas relações. Não conseguia dormir direito por causa do pecado. Com 17 anos comecei a namorar o homem com quem me casei. Ele tinha 29 anos. Casamos um ano depois. Quando eu tinha 16, fui ao teatro com meus pais assistir a uma peça bíblica. Tinha uma personagem que era prostituta. À noite, dormi e sonhei que transava com ela. Enlouquecia no sonho. Tinha altos prazeres. Quando acordei, chorei durante uma semana achando que estava doente. Como podia ter tesão por uma mulher? Depois, fui morar nos Estados Unidos, onde uma mulher se interessou por mim. Repudiei a ideia, fugi dela. Me apaixonei pela minha professora de francês. Transei com um homem uma vez, depois transei com a primeira mulher da minha vida. Durou três meses. Depois fiquei com outra mulher, durante um ano e meio. Eu não tenho na minha cabeça a ideia de que não transaria com homem. Precisaria que ele tivesse um lado muito feminino, delicado. Sei que nas mulheres homo também não encontro isso. As homossexuais femininas são mais limitadas culturalmente do que os homossexuais masculinos. Eles são mais refinados, as mulheres são mais práticas. Eu gosto de pessoas fortes, mas delicadas. Tenho uma transa de pele mais fácil com a mulher, mas de jeito nenhum fecho a possibilidade do homem na minha vida. A terceira mulher que tive durou dois anos e meio. Uma vez tentei me esforçar para me interessar por um homem. Esse pensamento durou pouco. Há um ano e meio estou casada. Meus pais pensam que moro sozinha. Minha parceira não atende o telefone. Tive mulheres extremamente diferentes: recatadas, ativas, criativas. Sempre foi mais positivo do que com meu marido. Gosto de coisa quente. Odeio rotina. Orgasmo é fundamental. A penetração, às vezes, é necessária. Uso o artifício de acessórios, mas de brincadeira. Já tive uma parceira que não deixava que a tocasse e eu consegui quebrar isso. Para mim a relação sexual é muito especial, não consigo dividir, quero dar tudo para uma pessoa só."

Mônica é administradora de empresas, tem 31 anos e relata suas experiências:

"Tenho duas irmãs homossexuais. Elas são quase 20 anos mais velhas do que eu e nunca percebi a homossexualidade nelas. Com 12 anos, comecei a praticar esporte. Todas as meninas eram homossexuais, mas eu não sacava que elas eram iniciadas. Convivia com elas, mas de repente comecei a ser excluída. Eu tinha paixão por amigas do esporte, mas imaginava que era amizade mesmo. Com 15 anos tive o primeiro namorado. Tive muitos namorados, deixei de ser virgem com 17 anos, mas sempre me senti infeliz. Alguma coisa me incomodava profundamente e eu não sabia o que era. Transava com eles, acho que sentia tesão. Eu não conseguia ficar bem com nenhum namorado nem no grupo de amigos. Sempre a mesma sensação de vazio. Com 20 anos me flagrei apaixonada por uma mulher. Estar apaixonada me deu conforto. Fiquei cega de paixão e aquele fogo me preencheu, não conseguia pensar em outra coisa. Nosso caso começou quando ela foi na garupa da minha moto para a festa de réveillon. Dançando, ela foi me levando para o fundo da boate. Ficamos um ano namorando. Foi livre, suave, bem legal. Depois disso tive mais três homens, mas foi uma droga. Acho que foi ímpeto de loucura, bebedeira de fim de festa. Daí para frente, só me relacionei com mulheres. Foi muito tranquilo me saber homossexual. Frequento qualquer tipo de ambiente heterossexual, mas não me sinto atraída por homens. Tive milhões de namoradas. Ia a uma boate, batia o olho e dizia: 'É esta que eu quero.' Depois queria outra e assim por diante. Geralmente, o sexo que vivo é muito bom. Quando acaba, fica uma sensação plena. É bom ficarmos juntas abraçadas. Normalmente, isso acontece. Presto muita atenção ao que a parceira deseja. Me preocupo em satisfazê-la e gosto disso. Não é importante a penetração, mas pode haver, com algum artifício. Não tenho o menor problema em ter fantasias. Sempre tenho orgasmo. Trabalho num ramo machista. Já sofri discriminação na empresa, alguns boicotes, mas nunca uma coisa declarada. Impus respeito pela competência. Sou considerada uma das mais competentes da empresa e talvez do mercado. Tive oportunidade de assumir a diretoria, mas a homossexualidade impediu. Agora sou imprescindível na minha empresa. Não podem mais me boicotar. Atualmente, estou tentando sair de uma relação complicada de oito anos de casamento, mas está difícil, já não sinto mais tesão por ela, mas é uma pessoa que amo. Ela é muito possessiva, castra-me e compete em tudo comigo. Existe uma dependência emocional violenta entre nós. Quero vê-la bem feliz, mas não como parceira. Não tenho medo de ficar sozinha, mas temo a reação que ela pode ter. Ela já me agrediu fisicamente por ciúme. Não consigo nem quero revidar, embora seja mais forte fisicamente.

Virgindade

A perda da virgindade é para os rapazes uma expressão imprópria, já que a primeira experiência sexual é um ganho, simbolizando sua capacidade masculina. Para as meninas, ao contrário, a preocupação com a escolha do momento e das circunstâncias certas retarda a iniciação sexual que para elas ainda está relacionada a narrativas românticas.[120]

O hímen, indicador de que a vida sexual ainda não começou, contribui para agravar as restrições sexuais que as mulheres sempre suportaram desde o estabelecimento do patriarcado. Tenta-se explicar a existência do hímen pela biologia, a maneira como surgiu em termos evolutivos, as funções que pode ter desempenhado, as pressões que pode ter gerado. Alguns afirmam que o hímen não tem uma função específica, sendo apenas um pedaço de tecido inconveniente e descartável. Outros acreditam tratar-se de uma premonição da natureza, que sabiamente protege as mulheres contra o sexo eventual e promíscuo, até que encontrem o parceiro conveniente — "como se a Mãe Natureza esperasse astutamente pela cerimônia da noite de núpcias, na qual o duque e sua duquesa selavam sua parceria alterando para sempre o corpo dela".[121] Independentemente da razão da sua existência, o fato é que toda a sociedade encara o rompimento do hímen como uma questão importante, variando apenas de grau.

A perda da virgindade pode ser vivida como uma experiência sem importância ou dramatizada ao ponto da ostentação pública de lençóis nupciais manchados de sangue. O sistema patriarcal passou a exigir a virgindade das noivas quando se tornou fundamental persuadir as mulheres de que qualquer relação fora do casamento era pecaminosa. O controle da sexualidade feminina tinha como propósito garantir que o filho daquela união seria efetivamente produto de ambos os parceiros, além do fato de que uma virgem era uma mercadoria valiosa.

Todas as prescrições bíblicas para proteger a virtude feminina na verdade visavam proteger os direitos de propriedade dos homens em relação às suas esposas e filhos. Um homem que fizesse sexo com uma moça solteira e virgem, se descoberto, deveria ressarcir o pai da moça em dinheiro. Quando havia a exigência legal de que o homem desposasse a moça, o único objetivo era proteger a economia masculina. A jovem tornou-se mercadoria sem valor e não seria justo sobrecarregar o pai com ela, e o homem que causou a perda deveria adquiri-la.[122]

Se um homem depois de casado descobrir que sua noiva não é mais virgem, as soluções oferecidas pela Bíblia (Dt 22:13-21) são as seguintes: se os pais da noiva puderem apresentar "os sinais da virgindade da donzela" e "expor o lençol diante dos idosos da cidade", o marido terá de pagar ao pai da noiva 100 siclos de prata e nunca mais poderá devolver a esposa a seus pais. Caso contrário, se a virgindade da noiva não foi satisfatoriamente estabelecida, o marido poderá de fato livrar-se dela, pois a lei ordena que "levem a donzela até a porta da casa do seu pai e os homens da cidade deverão apedrejá-la até que morra".[123] Essa lei visava proteger também o pai da moça. Uma noiva desonrada não poderia ser revendida, então, providenciava-se a destruição desse bem, agora economicamente sem valor.

As atitudes em relação à virgindade variam bastante em cada cultura. Alguns povos usavam na cerimônia de casamento determinado falo com associações religiosas. A ruptura forçada do hímen de uma virgem pelo deus-falo tinha intenções de propiciar a fertilidade. Dessa forma, também, o deus possuirá todas as virgens, já que homem algum poderia possuir uma virgem. Isso também evitava ciúmes numa comunidade em que a disputa entre os machos era contraproducente. O método selvagem mediante o qual a primeira penetração era executada causava muita dor e hemorragia, demonstrando a todos a virgindade da menina, honrando sua família e o novo marido. O defloramento era completo, e o pênis iniciático era muito grande e manuseado bruscamente. A dilatação preparava para a penetração, poupando o marido do aborrecido prazer da primeira vez e também de qualquer remorso ou queixa por causa do ato. Acreditavam que, assim, a mulher seria sexualmente mais feliz, por nunca poder responsabilizar o marido de tê-la machucado ao desvirginá-la.[124]

Entre os índios sioux de Oglala, a virgindade é uma das questões mais importantes, e as jovens devem preservá-la. Como alguns homens rondam as tendas à noite para tentar dormir com as moças da tribo, as mães tentam defendê-las com cintos de castidade. Se um deles conseguir tocar-lhe a vagina, a moça é obrigada a oferecer-lhe sua virgindade. Para se protegerem melhor, devem dormir com os pés voltados para o fogo.[125]

Nos Estados Unidos, a atitude adotada pelos negros é liberal, mas entre os imigrantes italianos a virgindade das filhas é defendida ferozmente.[126]

Esses são apenas alguns exemplos das variadas atitudes e práticas adotadas, mas em todas há algo em comum: "A virgindade feminina é mais digna de nota e mais importante que a masculina. Desse modo, o prazer sexual feminino é mais rigorosamente policiado e mais facilmente controlado."[127]

A repressão da sexualidade feminina sempre teve a intenção de bloquear o sexo até o casamento, na medida em que sexo e reprodução, até recentemente, estavam intimamente ligados. Na puberdade, o desejo sexual é tão intenso no homem quanto na mulher. O menino é incentivado por todos a ter sua primeira experiência sexual. Precisa provar logo que é macho. A menina, ao contrário, deve ser atraente e sedutora para os rapazes mas, ao mesmo tempo, manter uma atitude de recato em relação ao sexo.

Pesquisas indicam que aos poucos esse quadro se transforma e cada vez menos moças casam-se virgens, principalmente em alguns centros urbanos. Mas, de qualquer forma, a virgindade não é tão sem importância nos dias de hoje como se possa pensar. Numa pesquisa com jovens solteiras de 20 anos, numa universidade da Zona Sul do Rio de Janeiro, 36% declararam-se virgens, embora a metade não pretenda se casar assim.[128] Apesar desse percentual demonstrar que muitas moças ainda não iniciaram sua vida sexual, houve uma mudança significativa se comparados os dados de outras décadas. Nos Estados Unidos, no início dos anos 60, metade das moças casava-se virgem, e nos anos 80, nem 20%.[129] Mesmo com as grandes mudanças de comportamento quanto à virgindade, a maioria dos pais, nessa pesquisa, se mostra adepta da dupla moral, quando defende a ideia de que os filhos devem ser mais experientes que as filhas.[130]

Com todo o liberalismo trazido pela revolução sexual, a expectativa do prazer no sexo continua a ser mais complicada para as moças do que para os rapazes. Nossa cultura estimula a culpa na menina quando percebe o despertar de seus desejos sexuais. A repressão é tão grande, embora muitas vezes sutil, que elas se tornam amedrontadas e inseguras. São tantos os conselhos e advertências, tantas proibições e alertas quanto aos perigos que podem estar envolvidos, que em raros casos o sexo é vivido com tranquilidade e prazer. Apesar de a pílula anticoncepcional ter resolvido a questão da gravidez indesejada, muitos rapazes, vítimas também da cultura patriarcal, sem saber explicar por quê, declaram preferir moças virgens para um relacionamento duradouro. Surge, então, o que durante muito tempo ficou camuflado sob a preocupação da legitimidade dos filhos: a insegurança do homem quanto à sua competência sexual. Temendo a comparação com outros homens, a maioria prefere mulheres inexperientes sexualmente.

Mesmo as mães que se consideram liberadas e viveram as transformações da década de 1970, não tendo inclusive casado virgens, passam muitas vezes às filhas preconceitos moralizantes quanto ao sexo em um discurso dúbio.

Eleonora, psicóloga, de 42 anos, orgulha-se de ser moderna e da intimidade que tem com Taís, sua filha de 18 anos. Quando a jovem começou um namoro estável, procurou a mãe para falar que gostaria de ir a um ginecologista e tomar anticoncepcional.

"Não tenho nada contra você ter relações sexuais com seu namorado, desde que esteja certa de poder assumir essa responsabilidade, de que é um namoro sério, de que tenha certeza que o ama, que ele não a esteja usando, que se o namoro terminar você não vai ficar mal, que a camisinha não vai furar, que..."

Alguém aos 80 anos pode ter tantas certezas? E aos 18? Eleonora não quer que a filha inicie sua vida sexual, mas não percebe isso. Penso, então, que as mães de 40 anos atrás eram menos prejudiciais nessa área. Não davam duplas mensagens. Tudo era considerado proibido mesmo, e dessa forma facilitavam a opção das jovens quanto à própria vida sexual. Seus valores eram passados com clareza e, assim, era fácil percebê-los como ultrapassados.

Há também pais que não se preocupam em se mostrar sintonizados com a evolução dos costumes e exigem que a filha chegue virgem ao casamento. Para isso, entregam-se a um policiamento ostensivo de suas atividades sexuais.

Branca tem 19 anos e é a mais nova de quatro irmãos, homens. Todos muito conservadores, fazem coro ao excessivo controle que sua mãe exerce sobre ela. Namorando João há seis meses, iniciou sua vida sexual escondida da família e com muito medo. Apesar de nunca ter feito sexo sem camisinha, engravidou. Desesperados, ela e o namorado elaboraram uma saída extrema para não serem descobertos, enquanto tentavam conseguir o dinheiro para o aborto.

"Só fiz o aborto quando estava quase no terceiro mês. Para que minha mãe não desconfiasse da ausência de menstruação, nos dois primeiros meses, durante quatro dias, o farmacêutico tirava sangue de João que colocava num absorvente que eu jogava na cestinha do banheiro lá de casa."

A conexão entre sexo e reprodução consistiu durante um longo período no único meio que as mulheres possuíam para convencer os homens a se comprometer num relacionamento. Desfeita essa conexão, algumas moças "tentam recuar para ideias e modos de comportamento preexistentes — aceitação do padrão duplo, 'sonhos melosos de maturidade', esperanças de amor eterno".[131] A maioria, embora rompendo com normas e tabus estabelecidos, adapta-se de forma provisória aos novos ideais possíveis. Conscientes de que o romance não pode mais ser vinculado à permanência, quase todas admitem a importância da formação profissional para a garantia da autonomia futura. Uma garota entrevistada por Sharon Thompson no final da década de 1980, num estudo sobre os valores e comportamento sexual dos adolescentes, declarou: "A minha ideia do que quero fazer exatamente agora é abraçar uma carreira que eu amo (...) Se eu me casar ou mesmo viver com alguém e ele me deixar, não tenho de me preocupar, porque serei totalmente independente." Nesse estudo ficou claro que a diversidade sexual existe juntamente com a persistência das ideias de amor romântico, embora, às vezes, em uma relação inquietante e conflituosa. A mesma garota concluiu: "Desejo o relacionamento ideal com um rapaz. Acho que quero alguém que me ame e cuide de mim, tanto quanto eu dele."[132]

Orgasmo

O orgasmo, do grego *orgasmós*, de *orgân*, ferver de ardor, é definido como o mais alto grau de excitação sexual e, portanto, o prazer físico mais intenso que um ser humano pode experimentar. Durante longos séculos, a mulher foi privada desse prazer, já que o orgasmo feminino não está vinculado à procriação.

Até meados do século XIX, quando o amor ainda não fazia parte do casamento, havia uma regra para a vida do casal. Era o dever conjugal a ser cumprido, principalmente na cama. Caso um dos dois cônjuges recusasse o ato sexual, recorria-se ao confessor, que censurava e podia negar a absolvição e a comunhão.[133]

Na era vitoriana, há 100 anos, o prazer sexual das mulheres, era inaceitável. A falta de desejo sexual era um importante aspecto da feminilidade. O ponto de vista oficial da época foi bem expresso por Lord Acton, que escreveu: "Felizmente para a sociedade, a ideia de que a mulher possui sentimentos sexuais pode ser afastada como uma calúnia vil."[134]

Num compêndio para esposas e mães zelosas, escrito em 1840, o conceito vitoriano da função da mulher é estabelecido com clareza:

"A função peculiar da mulher é zelar com paciente assiduidade em torno da cama dos doentes; vigiar os frágeis passos da infância; informar aos jovens os elementos do conhecimento e abençoar com sorrisos os amigos que se estão consumindo no vale de lágrimas."[135]

O neuropsiquiatra alemão Kraffi-Ebing, estudioso da patologia sexual, encarava a sexualidade como uma espécie de doença repugnante. Sobre as mulheres ele era categórico:

"Se ela for normalmente desenvolvida e mentalmente bem criada, seu desejo sexual será pequeno. Se assim não fosse, o mundo todo se transformaria num prostíbulo, e o casamento e a família, impossíveis. Não há dúvida de que o homem que evita as mulheres e a mulher que busca os homens são anormais."[136]

Mais tarde, o orgasmo feminino passou a ser admitido, mas com muita cautela. A mulher que gozava sem amor era tida como ninfomaníaca, ao passo que o homem casado que frequentava os bordéis era considerado normal.[137]

No século XX, estudos sobre a sexualidade humana como os de W. Reich (*A função do orgasmo,* 1927), Kinsey (*Comportamento sexual do homem,* 1948) e Masters e Johnson, que em 1950 observaram pela primeira vez os aparelhos genitais masculinos e femininos durante o ato sexual e, em 1966, publicaram *A conduta sexual humana,* elevaram a sexologia a um ramo legítimo das ciências humanas.

Agora, a mulher insatisfeita, o homem com problemas de ereção, com ejaculação precoce ou impossível, vai consultar o sexólogo: "No plano ético, ele coloca e define uma norma simples: o imperativo orgásmico, isto é, um contrato sexual recíproco do gozo que inaugura uma democracia sexual. No plano técnico, ele ensina ao paciente a autodisciplina orgásmica."[138]

Masters e Johnson relatam que, na década de 50, seus pacientes eram homens preocupados com a impotência e a ejaculação precoce. A partir daí, surge um novo discurso feminino que expressa sua sexualidade e manifesta suas reclamações. Dos anos 60 em diante, um número cada vez maior de mulheres vai consultá-los pela dificuldade ou incapacidade de atingir o orgasmo.

A resposta sexual — orgasmo

Masters e Johnson dividiram em quatro fases distintas as reações fisiológicas aos estímulos sexuais: fase de excitação, fase de platô, fase de orgasmo e fase final ou de resolução.[139]

Primeira fase: De excitação — Essa fase desenvolve-se a partir de qualquer fonte de estímulo físico ou psíquico. Os estímulos que provocam a excitação variam em cada pessoa. Podem ser visuais, olfativos, táteis, lembranças de outros momentos vividos ou um pensamento. Se o estímulo for adequado à necessidade individual, a intensidade da resposta aumenta rapidamente. Se, porventura, o estímulo estiver sujeito a objeções físicas ou psicológicas, ou se for interrompido, a fase de excitação pode prolongar-se muito ou interromper-se.

Os estímulos que provocam a excitação chegam a certas regiões dos centros cerebrais superiores da resposta sexual, ocasionando diversas reações corpóreas neurológicas, musculares, endócrinas e vasodilatadoras. Assim, os órgãos genitais passam do estado de repouso para o de excitação.

Na mulher, estando os órgãos genitais em estado de repouso, o útero situa-se dentro da cavidade pélvica, o clitóris escondido no prepúcio, a vagina enxuta. Os estímulos sexuais fazem com que esses órgãos recebam aumento do fluxo sanguíneo. O clitóris se ingurgita e torna-se sensível ao toque, as glândulas de Bartholin — localizadas na vagina — liberam sua secreção e os músculos circunvaginais começam a transudar (suar), lubrificando a vagina e facilitando a penetração.[140] A sensação de umidade que chega aos órgãos externos é acompanhada pelo relaxamento desses músculos que circundam a entrada vaginal. Ao mesmo tempo, as mamas aumentam 25% de tamanho, ocorre a ereção dos mamilos, a dilatação das aréolas, os grandes lábios se afastam do orifício vaginal e os pequenos aumentam de tamanho. "A vagina se alarga e se aprofunda e os tecidos perivaginais ingurgitados de sangue e suados formam a chamada plataforma orgástica, ou seja: início da fase de platô."[141]

Mas nem sempre a excitação ocorre naturalmente. Se a mulher estiver ansiosa ou preocupada, o estado de excitação pode ser de uma intensidade muito baixa ou mesmo não se produzir. Com os músculos tensos e a vagina seca, a introdução do pênis é dolorosa e, em alguns casos, até impossível.

No homem, o pênis é um órgão cilíndrico, cujos tecidos podem enrijecer-se quando se enchem de sangue. Os corpos cavernosos são duas espécies de cilindro que se estendem do osso púbico até a glande. Normalmente, suas paredes estão quase secas, pregadas uma à outra. Na fase de excitação, o sangue entra nesse tecido e fica retido lá dentro. Enquanto isso acontece, a ereção se mantém. Qualquer distração, mudança de posição ou de estímulo, pode fazer variar a ereção. Quando o sangue flui das veias penianas para o interior do abdômen, ocorre a flacidez.

Os homens excitam-se principalmente com estímulos visuais e a mulher, com estímulos táteis. Além dessa diferença, a mulher se excita em geral mais lentamente do que o homem.

Passos progressivos da excitação sexual:[142]

1. A visão da pessoa desejada desencadeia estímulos eróticos.
2. Estímulos olfativos: perfumes, odores característicos.
3. Beijos e palavras carinhosas.
4. A pele da orelha e a audição de palavras carinhosas.
5. Exploração e carícias nas zonas sexuais secundárias (seios, nádegas etc.).
6. Sentido tátil. Leva grande quantidade de estímulos ao cérebro.
7. Centros cerebrais superiores e inferiores. Organizam o sentido e o significado dos estímulos.
8. Órgãos sexuais primários: aparelho genital feminino e masculino (lubrificação vaginal e ereção).

SEGUNDA FASE: PLATÔ — Nessa fase a excitação sexual é intensificada e atinge o nível máximo. A pele do corpo pode ficar avermelhada, o coração bate mais rápido (os batimentos podem chegar a 120 por minuto), a respiração fica mais intensa e há um aumento da pressão sanguínea. Para que o orgasmo vaginal aconteça, é necessário que o ponto G seja estimulado nesse momento.

Para a mulher é importante que essa fase se prolongue, permitindo que o sangue irrigue adequadamente toda a cavidade pélvica, onde estão os órgãos genitais, propiciando um orgasmo satisfatório. No homem, os corpos cavernosos e o corpo esponjoso estão cheios de sangue, fazendo com que a ereção seja total, e os testículos dobrem de tamanho.

A duração da fase de platô depende da combinação entre a eficácia dos estímulos utilizados e a necessidade pessoal de cada um para chegar à excitação máxima. Se os estímulos forem inadequados ou suprimidos, não haverá orgasmo e da fase de platô passa-se direto — mas vagarosamente — para a fase final, de resolução.

Há uma diferença de tempo entre o período de excitação do homem e da mulher. Para ele são necessários apenas 20 a 30cm³ de sangue para encher seus órgãos genitais e manter uma boa ereção. A mulher, entretanto, necessita do triplo, pelo menos, para garantir uma excitação constante e uma lubrificação adequada. Esse tempo varia muito e oscila de mulher para mulher, mas geralmente nunca é menor do que 15 ou 20 minutos.[143]

O desconhecimento desse fato é responsável pelo desprazer que muitas mulheres sentem no momento da penetração, já que não estão suficientemente lubrificadas. Isso, é claro, também dificulta o orgasmo. O homem, muitas vezes estando bastante excitado, supõe que sua parceira também esteja.

No final da fase de platô produzem-se contrações uterinas e retração do clitóris e da glande. Chega-se, então, ao orgasmo.

TERCEIRA FASE: ORGASMO — O envolvimento total do corpo na resposta à excitação sexual é experimentado de forma subjetiva pelas pessoas. Existe grande variedade tanto na intensidade quanto na duração da experiência orgástica. É uma fase de muito menor duração que as anteriores, mas de altíssimo nível de prazer. "As sensações produzidas são de intenso alívio, como libertar-se bruscamente de uma carga de tensão acumulada durante certo tempo. Algo assim como subir lentamente por uma escada a um tobogã muito alto e, depois de se sustentar lá em cima por um tempo, soltar-se numa queda vertiginosa, carregada de tensão, mas alegre, vigorosa, relaxante."[144]

Na mulher, os músculos do aparelho genital contraem-se ritmicamente. Os movimentos na entrada da vagina, ânus, uretra e útero podem ser espontâneos e ocorrer ao mesmo tempo. Quando as contrações são muito fortes — podem ocorrer a cada 12 segundos ou a cada um ou dois minutos —, o muco aglutinado no fundo da vagina pode se liberar junto com a secreção das glândulas de Skene, localizadas na entrada da uretra e responsáveis pela ejaculação feminina.[145] "As contrações podem ser rítmicas, simultâneas e podem ocorrer separadas. Às vezes, a mulher pode nem perceber os movimentos ondulatórios do baixo-ventre, como pode também contribuir para iniciar voluntariamente as contrações do orgasmo.

"O controle dessa musculatura vem diminuindo no decorrer dos tempos. As civilizações mais antigas tinham maior controle sobre esse tipo de musculatura. Basta, porém, que você contraia o abdômen, o ânus e, em seguida, o orifício vaginal, tentando engolir o pênis com a vagina e, logo após, expulsá-lo. Repita isso várias vezes. Dessa forma, você pode 'chamar' o orgasmo e pode aumentá-lo em duração (o orgasmo feminino dura de 90 a 104 segundos). Nessa fase, quanto maior a fricção entre o pênis e a vagina, maior o nível de excitação e mais facilmente você chega ao orgasmo."[146]

No homem, iniciam-se as contrações do pênis e dos órgãos que conduzem o líquido ejaculatório até o bulbo uretral. Num segundo momento, ocorre a expulsão desse líquido devido às contrações dos músculos perineais e bulbocavernosos. Quando o líquido ejaculatório está sendo expulso, a uretra do pênis se contrai, assim como o ânus e os músculos do assoalho pélvico.[147] Segundo Masters e Johnson, o orgasmo masculino pode durar até 20 segundos, mas existem exercícios musculares para aumentar esse tempo, assim como para possibilitar que o homem tenha orgasmos múltiplos.

Geralmente, o orgasmo masculino ocorre simultâneo à ejaculação, embora possa existir independentemente dele.

QUARTA FASE: RESOLUÇÃO — O homem e a mulher, a partir do ponto culminante do orgasmo, caminham para a fase de resolução do ciclo sexual. A sensação é de plenitude e bem-estar. A mulher pode entrar nessa fase após um único orgasmo ou após vários, consecutivos. E também pode retornar a uma nova experiência orgásmica a qualquer momento, desde que submetida a novos estímulos. No homem, geralmente existe um período refratário que varia de duração. Sua capacidade fisiológica para responder à nova estimulação após a ejaculação é muito mais vagarosa do que a da mulher.

Orgasmo clitoriano e orgasmo vaginal — uma antiga polêmica

Nas teorias que elaborou sobre a sexualidade feminina, Freud acreditava ser o clitóris o vestígio de um pênis inferior. Na infância, seria natural o clitóris ser descoberto primeiro como órgão do prazer feminino, por ser mais perceptível. Mas, no seu desenvolvimento para a vida adulta, a menina deveria transferir seu interesse pelo clitóris para a vagina que, por ser um órgão receptor, lhe proporcionaria alcançar a sexualidade madura. Para ele, a atitude feminina normal que a mulher desenvolve para compensar a inveja do pênis é de passividade, submissão e dependência.

Karen Horney, a partir de 1924, desafiou as opiniões de Freud, admitindo a influência da cultura — "que naquele tempo obrigava as mulheres a se adaptarem aos desejos dos homens e a encararem essa adaptação como um reflexo de sua verdadeira natureza" —, recusando-se a aceitar a anatomia como destino. Ela considerava ser a capacidade da mulher para a maternidade uma prova de sua superioridade fisiológica — o que era invejado pelos homens — e também como evidência de que a vagina, assim como o clitóris, representa um papel na organização genital infantil das mulheres.[148]

A antropóloga Margareth Mead, após estudar os hábitos sexuais das pessoas comuns em dezenas de sociedades, concluiu que "a capacidade para o orgasmo é uma resposta aprendida, que uma determinada cultura pode ou não ajudar as mulheres a desenvolverem".[149] Na Nova Guiné, os mondugumor, por exemplo, acreditam no orgasmo das mulheres, o que faz com que elas sejam tipicamente orgásmicas. Já seus vizinhos arapesh não acreditam. A maioria das mulheres arapesh é anorgásmica.[150]

A partir da década de 1950, o biólogo Alfred Kinsey estudou os hábitos sexuais em nossa cultura, usando métodos quantitativos, e a teoria da transferência clitoriano-vaginal de Freud começou a ser oficialmente desafiada.

Kinsey reuniu sete mil de aproximadamente 17 mil casos ou observações. Numa palestra na Academia de Medicina de Nova York, em 1955, revelou a uma grande plateia atônita de ilustres médicos a ampla variedade de comportamentos sexuais masculinos e femininos, como a masturbação, a homossexualidade, o coito anal e, especialmente, as relações extraconjugais, praticados em muito maior número do que a sociedade desejava admitir publicamente.[151]

"Como Freud e todos os outros grandes pioneiros, Kinsey cometeu alguns erros. Um deles, que afeta o nosso dilema atual (orgasmo clitoriano *versus* vaginal), nasceu do seu desejo de ser tão científico quanto possível."[152] Numa pesquisa especial do Instituto Kinsey, tentaram determinar quais as áreas dos órgãos genitais femininos eram mais sensíveis ao estímulo sexual. Três ginecologistas homens e duas mulheres testaram mais de 800 voluntárias, tocando 16 pontos, inclusive o clitóris, os grandes e os pequenos lábios, a mucosa vaginal e o colo do útero. Desejando ser impessoais e científicos, os experimentadores não quiseram tocar diretamente as pessoas pesquisadas. Foi usado então um dispositivo semelhante a uma ponte em Q. "Infelizmente, sabemos agora, as áreas sensíveis da vagina respondem à pressão forte, mas não ao toque suave, e assim os pesquisadores de Kinsey concluíram, erradamente, que o clitóris é sensível e a vagina, não."[153]

Masters e Johnson, encorajados pelo progresso científico do trabalho de Kinsey, decidiram observar, pela primeira vez, o sexo em laboratório. Devido ao erro de Kinsey, eles admitiram que a capacidade da masturbação até atingir o orgasmo pelo estímulo do clitóris era o ponto crucial da resposta sexual feminina normal. "Agora sabemos que eles se esqueceram, ou deixaram passar, as mulheres que funcionam de modo diferente."[154] Passaram a defender, então, que todos os orgasmos femininos envolvem o clitóris e são fisiologicamente indistinguíveis. Para eles, todos os orgasmos da mulher envolvem o contato com outras partes da abertura da vagina, provocando uma fricção entre o clitóris e o seu próprio capuz. A mesma fricção que ocorre durante a masturbação pode ocorrer durante o coito.

Para Freud, o orgasmo clitoriano era imaturo, para Masters e Johnson, o único orgasmo possível. Em 1977, Alice e Harold Ladas decidiram elaborar e enviar um questionário anônimo para 198 mulheres analistas bioenergéticas, com o objetivo de discutir as diferenças teóricas que envolviam a importância do clitóris. Acreditavam que assim elas estariam mais livres para responder, já que manter interesse pelo clitóris, para elas, era ser imaturo. "A grande conclusão dessa pesquisa é, pois, desafiar a teoria freudiana da transferência clitoriano-vaginal. De acordo com o que responderam, as mulheres não prefeririam abandonar o clitóris em favor da vagina, mas, pelo contrário, adicionar a sensibilidade vaginal ao seu desfrute do estímulo clitoriano!"[155]

Em 1980, os resultados desse estudo foram apresentados por Alice Ladas no congresso nacional da Sociedade para o Estudo Científico do Sexo, em que demonstrou que os orgasmos não implicam, necessariamente, o clitóris e também que o orgasmo clitoriano não é imaturo. No mesmo congresso, ela tomou conhecimento pela primeira vez do trabalho de John Perry e Beverly Whipple sobre o ponto G e a ejaculação feminina.

O ponto G

Contrário também à opinião de Masters e Johnson e de muitos outros, de que todos os orgasmos implicam o clitóris, foi apresentado o seguinte resultado do estudo de Perry e Beverly no congresso nacional da Sociedade para o Estudo Científico do Sexo, em 1980, nos Estados Unidos:[156]

- Existe um lugar dentro da vagina que é extremamente sensível à pressão intensa. Localiza-se na parede anterior da vagina, a cerca de cinco centímetros da entrada. Eles deram a esta região o nome de ponto de Gräfenberg, em homenagem ao dr. Ernst Gräfenberg, primeiro médico da atualidade a descrevê-la.
- O ponto foi encontrado em todas as mulheres por eles examinadas. Quando adequadamente estimulado, o ponto G intumesce e leva muitas mulheres ao orgasmo. No momento do orgasmo, muitas mulheres ejaculam pela uretra um líquido quimicamente semelhante ao sêmen masculino, mas sem conter espermatozoides.
- Em consequência do estímulo do ponto G, as mulheres, muitas vezes, têm uma série de orgasmos seguidos. Para muitas

mulheres, é difícil estimular adequadamente o ponto G quando deitadas de costas. Nas outras posições, fica mais fácil.

- O emprego do diafragma para controle da natalidade interfere com o estímulo do ponto G, em algumas mulheres.
- Como acham que estão urinando, muitas mulheres se embaraçam com a sua ejaculação. Pensando a mesma coisa, seus parceiros muitas vezes as menosprezam, o que é uma das razões pelas quais muitas mulheres aprenderam a reprimir o orgasmo.
- A força do músculo pubococcígeo de uma mulher está diretamente relacionada com sua capacidade de atingir o orgasmo através do coito. As mulheres podem aprender a fortalecer seus músculos pubococcígeos ou a relaxá-los, se estiverem muito tensos.
- Se os homens aumentarem a força de seus músculos pubococcígeos, também podem aprender a ter orgasmos múltiplos e a separar o orgasmo da ejaculação.
- Há vários tipos de orgasmos nas mulheres e nos homens. Nas mulheres, existe um orgasmo vulvar, desencadeado pelo clitóris; um orgasmo uterino, desencadeado pelo coito; um orgasmo que é a combinação dos dois.
- Nos homens, há um orgasmo desencadeado pelo pênis, e outro pela próstata.

Esses resultados foram apresentados, não sem resistência de alguns médicos. O dr. Martin Weisberg, ginecologista no hospital da Universidade Thomas Jefferson, na Filadélfia, respondeu: "Bolas, eu passo metade das minhas horas de vigília examinando, separando, reunindo, removendo ou tornando a arranjar os órgãos reprodutores femininos. Não existe próstata feminina e as mulheres não ejaculam."[157] Horas mais tarde, depois de ter assistido ao filme de Perry e Whipple e de haver examinado uma das mulheres submetidas à pesquisa, ele reconsiderou:

"A vulva e a vagina estavam normais, sem quaisquer massas ou pontos anormais. Tudo estava normal. Então, ela fez com que seu parceiro a estimulasse inserindo dois dedos na vagina e friccionando-os ao longo da uretra. Para nosso espanto, a região começou a intumescer. Finalmente, a região tornou-se firme numa área oval de 2 centímetros, distintamente diferente do resto da vagina. Em poucos minutos, a criatura parecia realizar uma manobra de Valsalva (fazendo força para baixo, como se fosse iniciar uma defecação) e, segundos após, a uretra expeliu vários centímetros cúbicos de um líquido leitoso. Evidentemente, o material não era urina. Com efeito, se a análise química descrita no artigo está correta, sua composição era muito próxima do fluido prostático...

Eu fiquei confuso. Fiz uma checagem com vários anatomistas que pensaram, todos eles, que eu estava maluco. Mas minhas pacientes não achavam que eu estivesse louco. Algumas me disseram que ejaculavam. Outras conheciam a área erótica em torno da uretra. E todas que foram para casa com instruções para experimentar, encontraram o ponto de Gräfenberg.

Ainda não tenho uma explicação para isso, mas posso atestar o fato de que o ponto de Gräfenberg e a ejaculação feminina existem. Estou certo de que, daqui a alguns anos, um professor da faculdade de medicina fará uma piada sobre como só na década de 1980 a comunidade médica aceitou, finalmente, o fato de que as mulheres realmente ejaculam."[158]

Até hoje muitas pessoas, inclusive ginecologistas, ignoram a existência do ponto G e da ejaculação feminina. Alguns autores atuais afirmam ainda em seus livros que a mulher só pode ter orgasmo com a estimulação do clitóris.

Mas qual a localização exata do ponto G? Em 1944, o obstetra alemão Ernst Gräfenberg descreveu uma "zona de sensação erógena localizada ao longo da superfície suburetral da parede anterior da vagina". Ladas, Whipple e Perry descrevem detalhadamente como localizá-lo:

> "O ponto de Gräfenberg situa-se diretamente por trás do osso púbico dentro da parte anterior da vagina. Fica geralmente a meio caminho da parede posterior do osso púbico e à frente da cérvix, ao longo do curso da uretra (o canal pelo qual você urina), e perto do colo da bexiga, onde esta se une com a uretra. O tamanho e a localização exata variam. (Imagine um pequeno relógio dentro da vagina, com as 12 horas apontadas para o umbigo. A maioria das mulheres encontrará o ponto G situado na região entre 11 e 1 hora.) Ao contrário do clitóris, que se projeta do tecido circundante, ele fica profundamente situado na parede vaginal e, muitas vezes, é preciso uma pressão forte para contatar o ponto G em seu estado de repouso, não estimulado."[159]

O estudo e as pesquisas sobre a sexualidade feminina são recentes. Várias teorias foram criadas afirmando que, no sexo, a função das mulheres é conceber e procriar filhos, sendo apenas receptoras passivas da atividade sexual masculina. Assim, não devem ter desejo ou reagir como seres sexuais. É provável, então, que a resistência a se admitir o ponto G como algo real e não como um mito (como muitos afirmam) se deva a mais uma tentativa de restringir o prazer da mulher.

É possível, entretanto, que a maioria dos ginecologistas desconheça o ponto G, porque durante um exame ginecológico essa área é apalpada e não estimulada. Como em seu estado de repouso ela é relativamente difícil de ser localizada, passa despercebida.

Para descobrir se o ponto G existe em todas as mulheres, foram examinadas 400 que se ofereceram como objeto de estudo. O ponto foi encontrado em todas elas. "Embora ainda não possamos afirmar, com certeza, que todas as mulheres o possuem, é agora cada vez maior o número de médicos que informam estar encontrando o ponto G."[160]

Quando essa região é estimulada, as mulheres, geralmente, experimentam uma sensação semelhante a uma necessidade urgente de urinar. Ao toque, o ponto G se apresenta como um pequeno feijão, mas, quando estimulado, começa a intumescer e, muitas vezes, pode ser sentido como um pequeno caroço entre os dedos. Pode crescer até o tamanho de uma moeda.[161]

Para muitas mulheres, o orgasmo obtido a partir da estimulação do ponto G é qualitativamente superior ao orgasmo clitoriano.

Transcrevo a seguir a declaração de algumas mulheres pesquisadas por Whipple e Perry, num estudo de 1982 sobre a reação sexual feminina:[162]

- Mulher de 35 anos, casada há 14: "Parece incrível que somente agora isto seja estudado. Não há dúvida de que é preciso saber se a discriminação contra as mulheres tem algo a ver com isso, historicamente falando. É bem possível que muito mais pesquisas tivessem sido feitas sobre o assunto, se os pesquisadores, em sua maioria, não fossem homens. E não é patético que em pleno 1982 nós mulheres estejamos apenas começando a discutir esse assunto?"
- Jovem de 21 anos de idade falando sobre o seu primeiro e único amante: "Sim, existe um ponto especial lá dentro. Fica na frente e um pouco à direita do centro. Quando ele o toca com o pênis, é muito agradável e muito mais fácil de alcançar quando estou por cima dele."
- Mulher casada há 33 anos: "Devo dizer-lhe que você está absolutamente certo quanto ao ponto G. Eu ignorava o nome pelo qual é conhecido, mas, definitivamente, ele está presente. Tenho ouvido muitos especialistas em sexo enganarem as mulheres, levando-as a crer que o estímulo clitoriano leva ao orgasmo — é claro que o estímulo é bom —, porém, em nada se compara com o verdadeiro orgasmo, que ocorre lá no fundo da vagina; se você conseguir obter os dois ao mesmo tempo, certamente alcançará o êxtase."

A posição para o coito tem alguma relação com o estímulo do ponto G, mas a estrutura física e a cooperação dos parceiros são extremamente importantes. Gräfenberg afirma: "O ângulo que o pênis forma com o corpo tem um significado importante e tem de ser levado em conta. Talvez a fama do 'amante perfeito' se baseie nessas características fisiológicas."[163]

- Mulher de 42 anos, casada pela segunda vez, confirma esta afirmação: "É uma experiência diferente de todas as que eu tive antes. Com Dan, nós podemos nos deitar, olhando um para o outro, e seu pênis alcança aquele ponto dentro de minha vagina que me dá uma sensação tão maravilhosa e me leva sempre ao orgasmo. Acho que isso se deve à maneira pela qual seu pênis fica quando ereto, encostado de encontro à sua barriga. Com meus outros parceiros, jamais aconteceu isso."

Para alguns casais, o coito com a mulher por cima é a melhor posição para estimular a área do ponto G. E, nesses casos, para algumas mulheres, um pênis menor é mais eficiente do que um maior.

- Mulher de 30 anos, esposa de um médico: "Sempre tive orgasmos, mas nunca com intensidade quando o pênis se achava completamente dentro da minha vagina. Na verdade, às vezes minha excitação cessava abruptamente quando o pênis me penetrava completamente. Sempre me senti mais excitável quando o pênis havia penetrado a metade ou um terço de minha vagina. Agora eu sei por que — naquela região ele toca 'meu ponto mágico'."

Algumas mulheres relatam sensações orgásticas durante o parto. É possível que o ponto G seja estimulado durante a passagem do bebê pelo canal vaginal.

- Mulher de 61 anos, casada há 37: "Dei à luz três filhos, vivos e felizes. No entanto, experimentei algo que realmente me aborreceu. Quando eu estava para ter meu segundo filho, encontrava-me no hospital e o médico sugeriu que eu fosse ao banheiro. Na privada eu experimentei o mais terrível dos orgasmos. O sexo estava longe de meus pensamentos. O médico não deu atenção quando lhe relatei o acontecido ou não acreditou em mim. Sempre encarei esse fato com um sentimento de culpa, e amigas íntimas me diziam que eu estava maluca. Poderia o feto ter feito pressão sobre o ponto G?"

O ponto G pode ser de tal forma responsivo, que em algumas situações cause constrangimentos.

Cada vez mais perde o sentido a antiga controvérsia orgasmo clitoriano *versus* orgasmo vaginal. Não resta dúvida que existem, no mínimo, esses dois tipos de orgasmo. Shere Hite, em seu *Relatório* publicado em 1976, não aborda ainda o ponto G, mas após pesquisa feita com milhares de mulheres conclui a respeito dessa questão: "Seja lá como forem interpretadas as sensações físicas, é indiscutível que elas diferem: um orgasmo clitoriano sem relação dá sensação de ser mais intenso no local, enquanto um orgasmo no coito dá a sensação de ser mais espalhado pela região ou pelo corpo."[164]

Quem primeiro descreveu o ponto G não foi o ginecologista Ernst Gräfenberg, mas um anatomista holandês do século XVII, Regnier de Graaf. Ele descreveu a mucosa membranosa da uretra em detalhes e escreveu que "a substância podia ser chamada muito adequadamente de *prostatae feminina* ou *corpus glandulosum* (...). A função da *prostatae* é gerar um suco pituito-seroso, que torna a mulher mais libidinosa. (...) Aqui também deve-se notar que o corrimento da *prostatae* feminina causa tanto prazer quanto o da próstata masculina".[165] Uma das funções da próstata masculina é fabricar parte do fluido seminal (o sêmen é fornecido pelos testículos). Considerando o ponto G um homólogo da próstata masculina, podemos entender por que o líquido que algumas mulheres expelem no momento do orgasmo é similar ao do homem, sem conter espermatozoides, e essa expulsão conhecida como ejaculação feminina.[166]

A ejaculação feminina

A descoberta da ejaculação feminina é ainda mais revolucionária do que a do ponto G. Essa ejaculação ocorre com mais frequência quando o ponto G é estimulado, provocando orgasmos consecutivos na mulher. O líquido que esguicha da uretra é produzido nas glândulas de Skene, e sua quantidade pode variar de 15 a 200ml. A sensação para o homem é "de uma calda de chocolate quente escorrendo em cima de seus órgãos genitais"[167] e, dependendo da quantidade expelida, pode molhar bastante o lençol da cama.

Já em 1926 o médico Theodore H. Van de Velde publicou um manual sobre o casamento, no qual mencionava que algumas mulheres expelem um líquido durante o orgasmo. Antropólogos relataram rituais de puberdade na tribo batoro de Uganda, África, onde a ejaculação feminina tem um papel importante num costume chamado kachapati, que significa "aspergir a parede". Nele, a jovem batoro é preparada para o casamento pelas mulheres mais velhas da aldeia, que lhe ensinam como ejacular.[168]

Em 1950, Gräfenberg descreveu detalhadamente a ejaculação da mulher em relação ao prazer: "Esta expulsão convulsiva de fluidos ocorre sempre no apogeu do orgasmo e simultaneamente com ele. Se se tem a oportunidade de observar o orgasmo dessas mulheres, pode-se ver que grandes quantidades de um líquido límpido e transparente são expelidas em esguichos, não da vulva, mas pela uretra (...). As profusas secreções que saem com o orgasmo não têm um objetivo lubrificador, pois nesse caso seriam produzidas no início do coito e não no auge do orgasmo."[169]

A partir de 1980, vários pesquisadores, inclusive o próprio Gräfenberg, se dedicaram a examinar os fluidos expelidos pela mulher durante o orgasmo. A análise química estabeleceu a diferença entre os fluidos ejaculados e a urina.

Embora os primeiros resultados já tenham sido publicados no *Journal of Sex Research* em fevereiro de 1981, o desconhecimento da ejaculação feminina como consequência de um grande prazer sexual continua causando vítimas.

Tatiana, estudante universitária de 22 anos, vive uma situação difícil desde que terminou com o namorado — o único homem com quem teve relações sexuais. Embora saia com outros rapazes, não admite qualquer possibilidade de contato sexual.

"Acho que nunca mais vou fazer sexo. Algum tempo depois de começar a transar com meu ex-namorado, descobri que tenho um problema sério. Na hora do orgasmo, urinei na cama e molhei tudo. Não sei como aconteceu. Fiquei superconstrangida. Ele ficou desconcertado também, mas passou. Quando aconteceu novamente, eu não sabia o que dizer. Preferi terminar tudo. Não quero mais passar por isso, de jeito nenhum."

Ladas relata o comentário de algumas mulheres que entrevistou na sua pesquisa:[170]

Moça de 21 anos informou que seu marido se convenceu que ela urinava de propósito sobre ele todas as vezes que tinham relações sexuais, o que o deixava tão zangado que, finalmente, um dia, "ele premeditadamente urinou em cima de mim, deixou-me e entrou com uma ação de divórcio".

Várias mulheres buscaram auxílio de médicos, tentando encontrar uma explicação, mas na maioria dos casos foi inútil: "Acontece que eu sou uma dessas mulheres que há anos vêm pedindo aos médicos, e até às médicas, uma explicação sobre o que está acontecendo comigo. Alguns me disseram que se tratava de uma bexiga atônica. Outros, simplesmente, que certas mulheres têm mais lubrificação do que outras."

"Depois de passar 20 anos consultando uma porção de médicos e gastar muitas centenas de dólares — dez médicos me disseram que eu precisava submeter-me a uma operação para resolver esse problema —, agora finalmente sei qual é o meu caso e não vou ficar maluca."

Há muito tempo, mulheres são encaminhadas para operação por serem consideradas portadoras de incontinência urinária de estresse. Mas em 1958 o urologista Bernard Hymel, nos Estados Unidos, já se recusara a operá-las por ter conhecimento do ponto G e da ejaculação feminina. Tentou várias vezes expor a seus colegas o equívoco de suas avaliações diagnósticas, mas a maioria o considerou maluco, isolando-o.[171]

A repressão do prazer sexual é tão grande na nossa cultura que somos obrigados a concordar com Reich quando fala na "miséria sexual das pessoas".

Orgasmos múltiplos da mulher

Não é mito nem tampouco privilégio de algumas mulheres especiais. Toda mulher pode ter essa aptidão. O desconhecimento da sexualidade, aliado à falta de autonomia por conta de preconceitos e tabus, impedem que se vivenciem as infinitas possibilidades de prazer sexual. Existe também a crença de que, com um único orgasmo, atinge-se o máximo desejado. As pessoas se dão por satisfeitas e não prosseguem na busca de novas sensações. O orgasmo feminino pode ocorrer no aparelho genital externo, dentro da vagina, no ponto G e, não muito frequentemente, em várias outras partes do corpo.

Como conseguir orgasmos múltiplos? Desejo pelo parceiro, liberdade e nenhuma pressa são fatores decisivos para que, no ato sexual, experimentem-se sensações e emoções intensas.

No aparelho genital externo, o clitóris e os pequenos lábios possuem terminações nervosas sensíveis ao estímulo sexual. Orgasmos consecutivos podem acontecer com a excitação manual ou oral dessas áreas, em suas diferentes partes. É necessário que o homem, conhecendo o corpo feminino, não interrompa seu movimento após o primeiro orgasmo da mulher. Esta, também por desconhecer o próprio corpo, muitas vezes, após o primeiro gozo, solicita ao parceiro que pare a excitação, alegando estar muito sensível, confundindo com desprazer outro orgasmo que se aproxima.

A zona erógena da vagina se situa na metade anterior do canal vaginal. Com o pênis introduzido, a mulher pode atingir quatro, cinco, seis ou mais orgasmos consecutivos, tocando o ponto G. Para isso, o movimento feito pelo homem é da maior importância. É muito comum que o vaivém do pênis dentro da vagina seja rápido, para a frente e para trás. Assim, dificilmente a mulher terá prazer. Porém, se o movimento do pênis for mais lento, variando a trajetória de forma a tocar toda a parede do canal vaginal, sua parceira poderá ter vários orgasmos. Isso também ocorre estando o homem imóvel, apenas com a pulsação do seu órgão dentro da vagina e a mulher se movendo lentamente.

"Há casos de mulheres que chegam a ter 36 orgasmos em seguida, mas a média é de cinco para a mulher jovem e nove para a mulher madura."[172]

Sofia, mulher divorciada, de 39 anos, há dois anos se encontra quinzenalmente num motel com um homem casado. O sexo sempre foi o ponto alto dessa relação e, embora quase não conversem, a comunicação entre os dois é intensa. É raro ter menos de dois orgasmos com ele. O primeiro, no clitóris, quando ele lhe faz carícias orais, e o outro, vaginal, durante a penetração. Certa vez, entretanto, ocorreu algo que a impressionou e que desconhecia, apesar de já ter tido dezenas de parceiros diferentes:

"Eu estava muito excitada e ele, deitado por cima de mim, imóvel, me olhando nos olhos. Mas eu podia sentir seu pênis pulsar dentro de mim. De repente, comecei a gozar sem parar. Não sei se foram oito, dez ou 15 orgasmos seguidos. Parecia que não ia parar nunca, e eu não conseguia controlar. Aí, então, ouvi-o dizer baixinho no meu ouvido: 'Tem uma cachoeira saindo de dentro de você.' Eu já tinha ouvido falar de orgasmos múltiplos e de ejaculação feminina, mas não tinha certeza disso existir. Só sei que nunca mais vou esquecer a sensação de leveza que tive depois."

Orgasmos múltiplos do homem

O homem pode ser multiorgástico, isto é, ter dois ou mais orgasmos consecutivos sem passar por um período refratário. Mesmo depois do primeiro orgasmo, ele pode manter a ereção e continuar fazendo sexo, alcançando mais um, dois ou três orgasmos sem descansar. Para isso, é necessário que ele aprenda a ter orgasmos completos sem ejacular. Não havendo ejaculação, não há período refratário e, portanto, não há perda de ereção.

O orgasmo e a ejaculação do homem são duas coisas distintas. Por ocorrerem juntas, na grande maioria das vezes é sentido como se fossem inseparáveis. Existe um centro superior cerebral que controla a ejaculação e outro que controla o orgasmo. O orgasmo múltiplo masculino não é novidade. As culturas orientais, por exemplo, há muito tempo conhecem o orgasmo não-ejaculatório. No tantrismo, antiga doutrina da Índia, o homem não ejacula, mesmo havendo penetração na relação sexual. O sêmen é retido no seu corpo por ser considerado essência divina. Sua finalidade é circular através dos chacras até atingir o cérebro e inundá-lo dessa energia divina.

Quando o orgasmo múltiplo masculino foi mencionado pela primeira vez nos Estados Unidos, no final da década de 1930, a maioria dos profissionais julgou-o uma anomalia. Mas, em seu livro publicado em 1948, Kinsey relata que alguns homens declararam ter mais de uma ejaculação com a mesma ereção. A partir daí, embora mais receptiva a essa ideia, a comunidade científica acreditou tratar-se de uma capacidade específica de alguns homens e não considerou possível um homem tornar-se multiorgástico. Somente a partir da década de 1970 começou a ser aceita a possibilidade de o orgasmo múltiplo masculino poder ser aprendido.[173]

Alguns sexólogos divulgam em seus livros exercícios a serem praticados pelos homens que desejam se tornar multiorgásticos. Tudo começa com o aprendizado do controle do músculo pubococcígeo. O músculo PC, como é conhecido, é na verdade um grupo de músculos que vai do osso púbico até o cóccix. É ele que na ejaculação se contrai, levando o sêmen através do pênis para ser expelido. Como o orgasmo múltiplo masculino depende de um músculo PC forte, a maioria dos exercícios ensinados visa o seu fortalecimento. Barbara Keesling descreve o caso de James:

"Quando James e sua parceira fazem amor, de modo geral ele leva dez minutos ou mais para atingir um orgasmo. Ele começa a relação sexual lentamente e vai deixando sua excitação aumentar. Então, no instante em que está prestes a ejacular, com um movimento firme, ele se introduz profundamente em Sharon e contrai o músculo que se estende da base do pênis à área situada atrás dos seus testículos. Isso lhe permite um orgasmo completo — inclusive com aumento rápido de batimentos cardíacos, contrações musculares e aquela incrível sensação de alívio —, sem ejaculação. James mantém sua ereção, continua a fazer amor e pode ter mais dois a quatro orgasmos dessa forma. Quando quer parar, ele atinge o orgasmo final e ejacula. James consegue fazer isso porque conseguiu um perfeito controle dos músculos pélvicos, que entram em espasmos quando o homem ejacula.[174]

Dificuldades sexuais

As disfunções sexuais podem se localizar nas fases do desejo, da excitação ou do orgasmo da resposta sexual.

Fase do desejo

PRIMEIRA FASE: INIBIÇÃO DO DESEJO SEXUAL — Em alguns casos, a falta do desejo faz com que a mulher nunca busque qualquer situação sexual. Mas, mesmo não desejando nem gostando muito, ela pode ter relações sexuais e ter orgasmo. Ela não nega o sexo, apenas não lhe ocorre procurá-lo. Essa inibição absoluta implica que uma mulher pode passar a vida inteira sem vontade de fazer sexo, mas, se acontecer, ela não evita e o faz normalmente.

Na inibição relativa, a mulher evita as relações sexuais, mas nada impede que num determinado momento ela as deseje. Se estiver casada ou numa relação estável, é comum a mulher lançar mão de pretextos para se furtar ao desejo do marido. Geralmente, ela não tem nenhum desejo ou motivação para qualquer atividade sexual.

As causas dessa disfunção podem ser encontradas numa educação extremamente repressora, que leva a mulher a sentir vergonha ou culpa em relação ao sexo. Um especialista pode tratar essa disfunção com exercícios de sensibilização, autoerotismo e com um trabalho psicológico simultâneo.

É comum, entretanto, encontrarmos uma inibição do desejo sexual total ou relativo em mulheres casadas, devido a mágoas, ressentimentos ou pela própria rotina da vida conjugal. Apesar do carinho e da amizade pelo marido, esses são fatores que podem conduzir à ausência do desejo sexual. Não é raro encontrar uma mulher que, apresentando um quadro de inibição de desejo, evita o sexo com o marido há vários anos e, ao primeiro encontro com outro homem, vive um sexo intenso e ardente.

A disfunção do desejo é mais comum nas mulheres, mas os homens também podem ser afetados. Para ambos, entretanto, as causas devem ser cuidadosamente investigadas. Entre os fatores orgânicos estão as doenças hormonais, as doenças pélvicas infecciosas, alcoolismo, diabetes, uso de anorexígenos, antidepressivos e outras drogas.[175]

SEGUNDA FASE: EXCESSO DE DESEJO SEXUAL OU HIPEREROSIA — A insaciedade sexual nas mulheres denomina-se ninfomania e caracteriza-se pela busca infindável de homens, com o objetivo de obter satisfação sexual, porém raramente conseguindo.

Historicamente, o exemplo clássico de ninfomaníaca é a imperatriz romana Messalina. Conhecida por seu comportamento extravagante — além de ter vários escravos sexuais, ainda saía pelas tavernas da cidade tentando satisfazer-se — diz-se que jamais conseguiu se saciar. Messalina, a terceira esposa do imperador Cláudio, especializou-se em exigir a morte de homens. Em 42 a.C., convenceu o marido a condenar à morte o senador Apio Silano, porque ele resistiu às suas investidas. A partir daí, muitos outros senadores foram executados após serem por ela denunciados.

Geralmente, devido aos preconceitos, confunde-se a ninfomaníaca com a mulher que gosta de sexo e tem relações sexuais frequentes e com vários parceiros diferentes, mas encontrando satisfação. São coisas distintas. O termo ninfomania só se aplica aos casos em que se busca obsessivamente a satisfação sexual, nunca a encontrando.

As causas desse distúrbio são psicológicas, como tensões emocionais, baixa autoestima, necessidade patológica de se sentir aceita pela figura masculina, negação do homossexualismo ou necessidade de provar que não é frígida (não alcança prazer no contato íntimo com o homem).[176]

No homem, a insaciedade sexual recebe o nome de satirismo ou satiríase. São os popularmente conhecidos tarados sexuais. Na mitologia greco-romana, os sátiros habitavam os bosques e viviam em torno do deus Dionísio (ou Baco, para os romanos) em orgias regadas a vinho e sexo. O mais famoso era Príapo, possuidor de pênis enorme e sempre ereto, cujos desejos sexuais eram insaciáveis.

Esses homens também tentam, numa interminável busca, encontrar a satisfação sexual. Necessitam provar a si mesmos que continuam potentes, devido a um temor inconsciente da impotência. Em alguns casos, a negação de uma possível homossexualidade também pode ser a causa da satiríase.[177]

Fase de excitação

PRIMEIRA FASE: DISFUNÇÃO SEXUAL GERAL — A mulher sente pouco ou nenhum prazer com a estimulação sexual. Pode até ter orgasmo, mas o contato físico lhe é desagradável; quer que termine logo. Anteriormente, denominava-se frigidez.

Muitas dessas mulheres consideram angustiante a experiência sexual, embora varie a importância dessa aversão. As mulheres que sofrem dessa disfunção podem ser divididas em dois grupos:

a) A mulher que nunca experimentou prazer sexual com nenhum parceiro, em qualquer situação.

b) A mulher que já respondeu alguma vez à estimulação sexual. Algumas delas não dão resposta sexual apenas em situações específicas. Nesta disfunção situacional, pode acontecer de a mulher sentir raiva ou náusea pela perspectiva da relação sexual com o marido e ficar excitada e lubrificada instantaneamente quando outro homem a quem está tentando seduzir apenas lhe tocar a mão.

Existem mulheres que, para manter o casamento, suportam a situação de não se excitar, distraindo-se com um pensamento qualquer, enquanto usam o corpo para que seu marido possa rapidamente ejacular e terminar logo. Outras procuram desculpas ou provocam uma briga antes da hora de se deitar. Muitos homens aceitam a falta de resposta sexual de suas parceiras como natural, por estarem submetidos à ideia de que a mulher não gosta muito de sexo. Mas a maioria deles, nessas situações, vive uma profunda rejeição. Para aplacar a mágoa do parceiro, a mulher tenta convencê-lo de que não sente desejo por ninguém, que o problema não é com ele. É importante a mulher perceber se seu desinteresse é somente em relação ao marido ou a qualquer outro homem. Se for uma disfunção primária, independentemente da situação, é indicada uma terapia sexual. Caso contrário, o casal deve avaliar a própria relação. Podem ocorrer nessa fase o vaginismo e a dispareunia, problemas relacionados à disfunção sexual geral.

SEGUNDA FASE: VAGINISMO E DISPAREUNIA — Os órgãos genitais da mulher com vaginismo são anatomicamente normais, mas a contração involuntária da musculatura da entrada da vagina e os músculos do ânus impedem totalmente a introdução do pênis e até de um dedo. Na maioria das vezes, os exames ginecológicos precisam ser feitos sob anestesia. O vaginismo atinge 4% da população feminina. Se ao tentar a penetração a mulher sentir fortes dores, trata-se de dispareunia. A mulher pode chegar ao orgasmo com a estimulação do clitóris, mas afasta qualquer possibilidade de penetração vaginal.

"A mulher com vaginismo, normalmente, tem medo do pênis, repugnância e desconhecimento dos próprios órgãos genitais, e o espasmo involuntário do esfíncter vaginal é apenas uma defesa."[178]

A afecção pode ter origem orgânica: tricomonas, fibroma, quisto de ovário, infecção do aparelho genital; mas até nesses casos o fator psíquico está presente.

TERCEIRA FASE: DISFUNÇÃO ERÉTIL (IMPOTÊNCIA) — A impotência é a incapacidade do homem para realizar a relação sexual de modo satisfatório, apresentando dificuldades em obter ou manter a ereção rígida do pênis. Nossa sociedade patriarcal associa equivocadamente virilidade com ereção do pênis, além de impor ao homem estar sempre pronto para o sexo e nunca falhar.

"O homem, com frequência, dirige-se ao ato sexual na qualidade de 'macho'. Vai confirmar que é macho. E isso na medida da ereção. Quanto melhor a ereção, mais macho ele é. (...) O homem pode avaliar pela rigidez do pênis — e pelo tempo que ela se mantém — sua juventude, sua segurança interna, a sensação de dever cumprido. A ereção é o centro de gravidade do seu ser. (...) A ausência de ereção precipita o macho no nada sartreano. Uma angústia impossível de expressar em palavras o invade, e um medo ancestral, que vem lá do fundo de sua história filogenética, o assalta como a água que rompe um dique. Para o homem, o símbolo da masculinidade e do seu ser não é o pênis, e, sim, o pênis ereto. Nenhum homem pode-se conceber como tal quando a ereção falha, pois para ele a ereção é sua essência, assim como a água é para o rio, que, ao secar, deixa de ser rio."[179]

O maior problema da impotência é que ela não pode ser escondida. É diferente na mulher que, mesmo sem desejo, pode realizar o ato sexual e até fingir. Para o homem, a falta do que ele acredita ser a própria essência da sua virilidade faz desmoronar sua autoimagem, afetando profundamente sua vida psíquica.

Geralmente, quando falha a ereção, o homem não quer conversar com a parceira. Muitas vezes, a mulher deseja encarar o fato com naturalidade e recomeçar as carícias amorosas. Mas o homem, não. Ele quer se curar sozinho. "Neste momento, deseja desaparecer magicamente e voltar montado no pênis ereto, como cavaleiro ressuscitado do apocalipse vivido."[180]

O pavor de novo fracasso pode criar um círculo vicioso. Se um homem fica ansioso durante o ato sexual, são liberadas substâncias como a adrenalina, afetando o funcionamento do seu sistema nervoso autônomo. Isso leva à contração dos vasos sanguíneos, impedindo o fluxo de sangue para o pênis, o que torna difícil obter ou manter a ereção. A preocupação com o desempenho acaba, então, ocasionando a impotência ou até mesmo fazendo o homem desistir antes do tempo, antecipando essa possibilidade.

Vera conheceu Luís Mauro e logo iniciaram uma relação amorosa. Na primeira semana de namoro, ele a convidou para jantar em sua casa. O clima não podia ser mais romântico. Vinho, velas na mesa e música suave. Após algumas horas, beijavam-se no tapete da sala com paixão; Luís Mauro deitado sobre o corpo de Vera. De repente, ele levantou-se bruscamente, dizendo: "É melhor pararmos por aqui." Desconcertada, Vera nada entendeu, já que estavam ambos bastante excitados.

"Daí em diante, ficou impossível continuarmos namorando. Ele não encostava mais em mim. Passados alguns meses, nos reencontramos e ficamos bem amigos, quando eu já estava namorando outra pessoa. Só então descobri o que aconteceu naquela noite. Ele me contou que tinha tanto medo de broxar, ficava tão ansioso, que não conseguia nem arriscar, já temendo o fracasso."

As dificuldades de ereção podem ocorrer em homens de todas as idades. Pelo menos a metade dos homens já experimentou episódios ocasionais e transitórios de impotência e considera-se que estejam dentro dos limites do comportamento sexual normal.

A impotência pode ser devido a fatores físicos ou psicológicos. A impotência psicogênica pode estar associada à perda geral da libido e à dificuldade ejaculatória, mas a patologia essencial é a falha do reflexo erétil. O mecanismo de reflexo vascular deixa de bombear sangue suficiente nos corpos cavernosos do pênis para torná-lo firme e ereto. O homem impotente, embora capaz de sentir-se estimulado e excitado numa situação sexual e querer fazer amor, não fica com o pênis ereto. Como os reflexos eréteis e ejaculatórios são dissociáveis, alguns homens impotentes são capazes de ejacular, apesar do seu pênis flácido.

Helen Kaplan descreve as variações do padrão da impotência, visto que a situação sexual que gera a ansiedade é diferente em cada homem.[181]

> "Alguns homens não conseguem ereção durante as carícias preliminares; outros atingem-na facilmente, mas perdem-na depois, e o pênis fica flácido no momento da introdução ou durante a relação sexual. Outros homens são impotentes após a penetração, mas são capazes de manter a ereção durante a manipulação ou a prática do sexo oral. Alguns podem ter ereção enquanto vestidos, mas a perdem logo que ficam nus; outros ficam excitados e têm ereções durante as carícias preliminares, quando sabem que o coito não é possível, mas não mantêm a ereção se sabem que a relação sexual é possível e esperada. Alguns podem ter ereção se a mulher dominar a situação sexual, enquanto outros tornam-se impotentes se a parceira tenta assumir o controle. Outros ainda são capazes de ereções parciais, mas não podem conseguir ereções firmes, enquanto alguns sofrem de impotência 'total', isto é, não podem ter nem mesmo ereção parcial com parceira alguma, em qualquer circunstância. Outros sofrem de impotência puramente situacional e experimentam dificuldades eréteis apenas em circunstâncias específicas. Por exemplo, podem não ter dificuldades eréteis

num encontro casual, mas ser impotentes com a própria esposa. Do outro lado, o que não é raro, um homem é impotente com a amante de quem está enamorado ou com qualquer outra mulher atraente, mas é capaz de funcionar bem com a esposa, que ele acha idiota e feia."

Antenor, químico industrial, de 31 anos, está casado há três anos. No início da relação com a esposa, com quem tinha uma vida sexual intensa e satisfatória, nunca pensou em procurar outra mulher. Mas, de alguns meses para cá, começou a sentir desejo de variar um pouco e de viver outras experiências. Apesar do medo de ser descoberto, tomou coragem e foi para um motel com Clara, colega de trabalho, por quem sempre teve atração.

"Foi uma tragédia. Tenho o maior tesão por ela e estava excitado. Mas, na hora H, nada. Ficamos na cama e eu não consegui a mínima ereção. Nunca falhei antes. Com a minha mulher, já cheguei a transar até três vezes numa noite. Não podia ficar com isso atravessado na garganta. Convidei Clara novamente para sair. Não teve jeito. Broxei em grande estilo novamente."

Plínio, empresário, de 52 anos, está casado há 24. Cerca de oito anos atrás, ficou impotente. Não conseguia ter ereção com a esposa. Desesperado, temendo ter perdido a virilidade, procurou outra mulher para se certificar se era mesmo impotência. Surpreso, descobriu que não tinha dificuldade alguma de ereção, que tudo não passava da sua falta de desejo pela mulher com quem vivia há tanto tempo. A partir daí, intensificou sua vida sexual fora de casa e aproveitou a oportunidade para convencer a esposa que sua impotência era irreversível. Continuam casados, mas ela, compreensiva, não o solicita mais para o sexo.

Dependendo do padrão particular da disfunção erétil, podemos ter duas categorias clínicas:

REGINA NAVARRO LINS (345) a cama na varanda

1. Homens que sofrem de impotência primária, isto é, nunca foram potentes com uma mulher, embora possam ter ereções com a masturbação e ereções espontâneas em outras situações.
2. Homens com impotência secundária, que funcionaram bem durante algum tempo, até o desenvolvimento da disfunção erétil.[182]

As causas da impotência podem ser:

a) *De origem orgânica* — endócrinas: diabetes; vasculares: arteriosclerose e obstruções traumáticas; neurológicas: lesões cerebrais, medulares ou do sistema nervoso central; urológicas: lesões congênitas do pênis; farmacológicas: drogas, álcool, tabaco e alguns medicamentos.

b) *De origem psicológica* — medo do fracasso; ansiedade, preocupação com o próprio desempenho sexual; sentimento de culpa; insegurança sexual; ejaculação precoce prévia; preocupações (com a vida conjugal, trabalho ou filhos); traumas infantis ou adolescentes; diminuição do desejo sexual etc.

Como a impotência tem diversas causas, é importante uma avaliação cuidadosa para a indicação de um tratamento adequado: médico, psicoterápico ou terapia sexual.

Fase de orgasmo

PRIMEIRA FASE: FALTA DE ORGASMO — A impossibilidade total ou parcial de atingir o orgasmo denomina-se anorgasmia e é a mais frequente das disfunções sexuais femininas. As estatísticas americanas apontam que há apenas 25% de mulheres orgásticas e 75% de mulheres que apresentam algum tipo de dificuldade em alcançar o orgasmo, e no Brasil as pesquisas dão informações semelhantes.

Todas as mulheres são capazes de ter orgasmo, a não ser que estejam sofrendo de alguma doença neurológica, endocrinológica ou ginecológica, que tenha destruído a base física do orgasmo, mas isso é muito raro. A maioria das causas é psicológica; entretanto, é importante que se faça uma avaliação com um especialista em sexologia para indicar a terapia adequada.

"Paradoxalmente, tem sido nossa experiência, em geral, que as formas mais severas de inibição orgásmica são mais facilmente influenciadas pela terapia do sexo do que as benignas. Assim, nunca falhamos ao ajudar uma paciente que sofre de disfunção orgásmica absoluta (que nunca, em toda a sua vida, havia experimentado um orgasmo, apesar da estimulação adequada) a atingir orgasmo por quaisquer meios. Também raramente falhamos ao diminuir o nível de estímulo necessário para o disparo orgásmico, a fim de que a mulher possa ter orgasmo mais facilmente do que antes do tratamento. Entretanto, temos tido sucesso mais limitado, dentro da forma do tratamento breve, para facilitar o orgasmo no coito de mulheres que, de qualquer outra forma, são sexualmente responsivas."[183]

Nos dias de hoje, as mulheres reivindicam o direito ao prazer sexual e se sentem frustradas se não atingem o orgasmo numa relação. Algumas, entretanto, tendem a negar a importância do orgasmo, esforçando-se para adaptar-se a essa disfunção, usufruindo apenas dos aspectos não orgásmicos da relação. Mas, ao serem repetidamente frustradas durante algum tempo, acabam ficando pouco a pouco desinteressadas de sexo.

"Em alguns casos, a compreensível angústia da mulher pela sua incapacidade de atingir o orgasmo e a antecipação do fracasso, quando começa a fazer amor, podem ocasionar-lhe perturbação suficiente para dar origem a uma frigidez secundária ou ausência geral de responsividade, que não poderá ser completamente restaurada, a menos que ela aprenda a libertar seu reflexo orgásmico inibido."[184]

Os preconceitos e tabus quanto ao sexo fazem com que muitas mulheres fiquem tensas, não se sentindo livres para participar ativamente do ato sexual, descobrindo suas áreas mais sensíveis, as posições que lhe dão mais prazer e comunicando isso ao parceiro.

Entre os fatores psicológicos que podem inibir o orgasmo, podem-se relacionar os seguintes: o sentido simbólico do orgasmo; a mulher ser atemorizada pela sua intensidade; ou conflitos inconscientes evocados pelas sensações eróticas. Sentimentos de culpa em relação à sexualidade, hostilidade inconsciente ao parceiro, temor de ser abandonada podem contribuir para estabelecer o supercontrole involuntário do reflexo orgásmico que gera a disfunção orgásmica. "Nas mulheres anorgásmicas é muito frequente o medo de perder o controle sobre as sensações e o comportamento; os mecanismos simultâneos de defesa da 'contenção' e supercontrole são provavelmente cruciais na patogênese desta desordem."[185]

O medo de se entregar às sensações pode fazer com que a mulher fique alerta, controlando tudo, mesmo sem perceber. A excitação, assim, só chega até certo ponto, não atingindo a fase de platô, que é o nível de excitação máximo necessário para desencadear o orgasmo.

Mas os homens não têm nada a ver com o orgasmo da mulher? Têm, e muito. A maioria deles ainda está presa ao mito da masculinidade e vai para o ato sexual para cumprir uma missão: provar que é macho. Mas o medo de falhar, do pênis não se manter ereto, é grande. Aí ocorre o desencontro. Para a mulher é fundamental que a fase do platô — que antecede a fase do orgasmo — se prolongue ao máximo para que seus órgãos genitais sejam irrigados com bastante sangue, proporcionando um alto nível de excitação. O homem — por desconhecimento ou por ansiedade —, quando seu pênis fica ereto, parte para a penetração, supondo estar a mulher tão excitada quanto ele. Só que ela ainda não está suficientemente lubrificada e, portanto, não está pronta nem para a penetração nem para o orgasmo.

Elza, mulher divorciada, de 32 anos, namora Wagner há três anos. Por ele ser casado, encontram-se uma vez por semana, quando vão a um motel. Há muito amor entre eles e uma grande atração física. Entretanto, uma atitude de Wagner a intriga:

"Não consigo entender. Vamos no carro de mãos dadas, no maior carinho. Quando ele estaciona dentro da garagem individual do motel e começamos a subir a escadinha que leva ao quarto, ele se transforma. Me agarra, arranca minha calça, às vezes até rasga, e me penetra ali mesmo na escada. Sempre levo um susto. É péssimo, não estou ainda excitada e é até doloroso. Mas, depois que ele goza, fica ótimo. A noite toda é maravilhosa. Transamos outras vezes, com muita calma, tomamos vinho e conversamos muito. Aí, eu o reconheço."

Alguns homens precisam se afirmar como machos para depois se sentir transformados em homens e se dispor a participar com a mulher da troca recíproca de prazeres eróticos. Em outros casos, a mulher está bastante excitada, mas mesmo assim não consegue ter orgasmo. Quando o homem penetra a mulher, parece haver uma certa pressa em ejacular logo. "Desde o início da introdução do pênis na vagina, o ato vai se centrando num esforço cada vez mais espasmódico e convulsivo para *livrar-se de,* para expulsar (o esperma)."[186] Se a frequência do vaivém do pênis dentro da vagina é rápida, se a profundidade da penetração é grande, se o ritmo é o mesmo, se o vaivém tem a mesma trajetória (ida e volta sempre com a mesma forma) e se a atenção se concentra nos genitais, o homem em pouco tempo ejacula, mas a mulher dificilmente chega ao orgasmo. Ao contrário, se o movimento depois da penetração for mais lento e circular, de forma a tocar toda a parede do canal vaginal e pressionar o ponto G, a mulher atingirá o orgasmo mais facilmente.

Por ser muito grande o número de mulheres que apresenta dificuldade de orgasmo, alguns homens procuram ler no olhar da parceira a prova de que conseguiram proporcionar-lhe prazer. Mas muitas mulheres preferem não encarar o problema e enganam-se e aos parceiros. Cerca de 35% das mulheres fingem sistematicamente ter orgasmos. As razões são distintas. Há casos em que, temendo ser considerada fria ou decepcionar o parceiro, ela não encontra outra saída.

Mary tem 24 anos e está casada há dois. Sente-se decepcionada com a vida sexual no casamento, mas não sabe o que fazer. Para o marido, segundo afirma, o sexo é muito rápido; não lhe faz carícias preliminares — no máximo acaricia seu clitóris com certa força que, além de não excitá-la, causa desconforto e, às vezes, até dor antes da penetração. Já tentou conversar e pedir a ele que faça diferente, mas ele se zangou alegando que é o homem da relação e, portanto, detesta ser conduzido. No início, Mary não fingia ter orgasmo. Isso irritava o marido que, sentindo-se ultrajado na sua virilidade, contava-lhe sobre outras mulheres que teve e que se sentiam plenamente satisfeitas.

> "Acabei me convencendo de que o problema é meu. Fiquei com medo de ele se desinteressar de fazer sexo comigo e procurar as antigas namoradas que tinham orgasmos. Comecei a fingir. Ele não percebe e já me conformei com isso."

Existem também mulheres que fingem o orgasmo porque não sentem tesão pelo marido e desejam que o ato sexual seja o mais curto possível. Ao vê-las gozar, o marido se vê liberado para buscar logo o seu prazer.

Sara casou-se com Miguel quando os dois tinham 20 anos e eram bastante inexperientes. Estão juntos há sete anos e, durante esse tempo, ela nunca teve orgasmo com ele. Entretanto, desde as primeiras vezes, fingiu orgasmos múltiplos, levando-o a acreditar tratar-se de uma mulher extremamente ardente, necessitando mais de sexo do que a maioria. A partir daí, não passou um dia em que

Miguel não a procurasse sexualmente. Podia estar cansado, gripado ou mesmo com febre, não admitia deixá-la insatisfeita.

Por outro lado, não tendo desejo algum pelo marido, Sara, com frequência, fingia estar dormindo ou com uma forte dor de cabeça. Mas não adiantava recusar, Miguel insistia em cumprir o seu papel. Não tendo mais como reverter esse quadro que já se tornara crônico — a não ser que contasse toda a verdade —, Sara passou a fingir cada vez mais rápido.

"São sete anos de uma farsa tragicômica. Já fiz até as contas. Devo ter fingido aproximadamente 2.600 orgasmos. A coisa está num nível que, para acabar logo, mal ele encosta o pênis na minha vagina, começo a gozar. Mas agora não dá mais. Vou ter que fazer alguma coisa. Há três semanas transei com outro homem pela primeira vez desde que casei. Você acredita que no primeiro encontro gozei de verdade, e muito?"

Shere Hite, em sua pesquisa, constatou que as mulheres que nunca gozaram sentem-se com frequência deprimidas ou lesadas por saber que estão perdendo um grande prazer. Algumas dessas mulheres que gostariam de um dia ter essa experiência declararam:[187]

"Faria meu amante feliz. Eu, realmente, nunca quero um orgasmo até o momento em que ele pensa em desistir. Os orgasmos são um grande mito para mim. Que é orgasmo?"

"Para mim, ter orgasmos é um alvo inatingível, convenientemente artificial. Acho que o orgasmo relaxaria as minhas tensões — especialmente as sexuais. Sinto que o orgasmo é uma realização. Sinto que é necessário que eu os tenha. Às vezes, eu os simulo, ficando tão envolvida que quase chego a pensar que eles estão realmente acontecendo."

"Os orgasmos me escapam, por mais que eu tente, e Deus sabe o quanto eu tentei. Curto chegar até onde chego, mas juro por Deus que, antes de morrer, vou gozar pelo menos uma vez, nem que seja aos 85 anos!"

"Eu não gosto mais de sexo realmente porque estou obcecada com a possibilidade de ter um orgasmo e desapontada pela milionésima vez por não conseguir."

"Ainda não consegui gozar, portanto, quando termino uma relação sexual, ela geralmente fica meio deteriorada. Fico muito excitada e me sinto muito bem quando meu parceiro goza, mas, mesmo assim, sinto-me muito deprimida, mal-amada e com vontade de chorar — às vezes eu choro. É difícil descrever o quanto isso me faz sentir mal, ignorada e completamente só."

Hite e a maioria dos estudiosos da sexualidade afirmam que o melhor jeito de uma mulher aprender a gozar é com a masturbação. No seu *Relatório,* a porcentagem de mulheres que nunca gozaram é cinco vezes maior entre aquelas que nunca se masturbaram. "Naturalmente, isso pode significar apenas que, se elas se sentissem bastante livres para se tocar, também seriam livres o bastante para se masturbar, aprendendo assim o orgasmo. Se uma mulher nunca se masturbou porque sente aversão pela ideia e, mesmo assim, recusa-se a tentar pelas mesmas razões, o 'tratamento' então seria fazê-la superar esses sentimentos."[188]

SEGUNDA FASE: EJACULAÇÃO PRECOCE — Essa é a mais comum das disfunções sexuais masculinas. Nela, o homem é incapaz de exercer controle sobre seu reflexo ejaculatório. Quando excitado, atinge o orgasmo rapidamente. Qual o tempo de resposta orgásmica que define um homem como ejaculador precoce? Um autor definiu a ejaculação precoce como a ocorrência do orgasmo 30 segundos depe is da introdução do pênis na vagina; um clínico prolongou esse critério para um minuto e meio; outro, para dois minutos, enquanto um terceiro considera ejaculação precoce quando o orgasmo ocorre antes de dez impulsos. Para Masters e Johnson, trata-se dessa disfunção se o homem atingir o orgasmo antes que sua parceira também o faça em mais de 50% do tempo.[189]

Alguns desses homens ejaculam logo que iniciam as carícias, ou simplesmente ao ver a parceira se despindo. Muitos ejaculam antes ou imediatamente depois de introduzir o pênis na vagina da mulher, mas outros são capazes de alguns impulsos antes de atingir o orgasmo. Entretanto, "a prematuridade não pode ser definida em termos quantitativos porque a patologia essencial nessa condição não está na verdade relacionada ao tempo".[190] O que importa na ejaculação precoce não é que ocorra em dois ou cinco minutos, ou após cinco ou oito impulsos, ou, ainda, antes que a mulher atinja o orgasmo. O aspecto fundamental é a ausência de controle voluntário sobre o reflexo ejaculatório. Por alguma razão, o ejaculador prematuro nunca aprendeu a focalizar sua atenção nas sensações que anunciam o orgasmo e, por isso, não adquiriu o controle voluntário adequado. O orgasmo ocorre como um reflexo quando o homem atinge um nível intenso de excitação sexual. Considera-se que o controle ejaculatório está estabelecido quando o homem pode tolerar os elevados níveis de excitação da fase de platô sem ejacular como reflexo. A capacidade do homem de controlar sua ejaculação é precondição para uma relação sexual mais plena para ele e sua parceira. "Na melhor das hipóteses, a prematuridade restringe a sexualidade do casal e, na pior, é altamente destrutiva."[191]

Na nossa sociedade patriarcal, alguns homens negam que essa condição prejudique seu prazer sexual potencial e de sua parceira. Podem até considerar normal ou desejável seu funcionamento rápido, utilizando-o como testemunho de sua masculinidade. No jovem, por exemplo, como a premência para o alívio orgásmico é intensa, ele pode não ser motivado a tentar retardar a ejaculação. Além disso, a primeira prática sexual de um adolescente é a masturbação feita escondida, perseguida pela culpa e com medo de que alguém descubra. Então, quase todos eles tentam alcançar o orgasmo o mais rápido possível. Quando um grupo de meninos se masturba em conjunto, o vencedor é o que ejacula primeiro.[192]

Na primeira experiência sexual, o impulso em direção ao desempenho rápido se repete. "Tipicamente, a primeira relação sexual de um rapaz pode acontecer no banco de trás de um automóvel, de um jeito apressado, não planejado, ou num sofá, na casa da garota, com medo de que os pais dela possam voltar a qualquer momento, ou com uma prostituta que faz pressão para que o homem acabe rápido para que ela possa atender a outros fregueses."[193] Essas experiências iniciais podem imprimir uma associação íntima entre alta excitação e alta ansiedade. A ejaculação precoce seria o resultado dessa associação. Entretanto, a maioria dos homens que sofre dessa disfunção sente um fracasso sexual e fica angustiada.

O tratamento da ejaculação precoce inclui exercícios destinados a aumentar a capacidade de controlar a intensidade da estimulação. "Os métodos que focalizam repetidamente a atenção do homem nas sensações que precedem o orgasmo são rápida e intensamente eficientes para conseguir a continência ejaculatória."[194] Há exercícios que devem ser feitos com a colaboração da parceira, como o da técnica de compressão, e outros que o homem faz sozinho, durante a masturbação. No método *pare-reinicie,* o homem se estimula até sentir que se aproxima o ponto de inevitabilidade ejaculatória. Pára, então, o estímulo e permite que a excitação prossiga. Isso é repetido duas ou três vezes até, por fim, ejacular. Dessa forma, a conexão entre os graus elevados de excitação e ansiedade pode ser rompida.

TERCEIRA FASE: EJACULAÇÃO RETARDADA — É uma inibição específica do reflexo ejaculatório. Um homem com essa disfunção responde aos estímulos sexuais com sensações eróticas e uma ereção firme.

Contudo, é incapaz de ejacular, embora deseje o alívio orgásmico e mesmo que a estimulação que ele receba seja mais do que suficiente para disparar o reflexo orgásmico.

O grau de gravidade da ejaculação retardada pode variar de uma inibição ocasional da ejaculação até o ponto de uma inibição de tal ordem que o homem jamais experimentou um orgasmo em toda a vida. O mais comum é o homem não ser capaz de atingir o orgasmo durante o coito, apesar de todos os esforços para consegui-lo. Muitas vezes, ele prolonga ao máximo — até uma hora de duração —, bebe, lança mão de fantasias, mas nada resolve. Entretanto, com frequência ejaculam sem dificuldade com a estimulação manual ou oral pela parceira. Muitos se empenham em proporcionar prazer à parceira, mas só atingem o orgasmo se retirarem o pênis e se masturbarem. Em alguns casos, o homem não consegue se masturbar na presença da mulher e se retira para outro cômodo a fim de obter alívio da tensão sexual.[196]

Como a mulher demora mais tempo que o homem para atingir o orgasmo, muitos supõem que essa disfunção seja benéfica para ela. Mas o que ocorre é o contrário. A maioria das mulheres se sente mal ou porque vive como uma rejeição a elas ou porque, no plano mais objetivo, o excessivo prolongamento do ato sexual, com impulsos constantes, leva ao cansaço e ao desprazer.

Da mesma forma que não é raro mulheres anorgásmicas simularem orgasmo, alguns homens, depois de uma longa tentativa, fingem ejacular e esperam a parceira dormir para se masturbarem em segredo.

Os terapeutas sexuais empregam uma combinação integrada de técnicas psicoterapêuticas associadas a experiências sexuais especificamente estruturadas para tratar do ejaculador retardado. Masters e Johnson informam haver obtido a cura de dez pacientes dos 17 que trataram.[196]

Práticas sexuais

Agora vamos abordar comportamentos sexuais assumidos largamente por homens e mulheres, mas que, por não levarem à procriação, já foram objeto de severas punições e, ainda hoje, são vistos com preconceitos e tabus. Uma atividade sexual é considerada normal ou não dependendo exclusivamente da época e do meio sociocultural em que é praticada.

No Ocidente, desde o advento do cristianismo, a posição mais aceita para o ato sexual, considerada mesmo como universal e correta para o coito humano, é quando a mulher fica deitada de costas, o homem por cima e a penetração é vaginal, hoje vulgarmente chamada de "papai e mamãe". Em nossa cultura, o que foge desse estilo é considerado desvio ou, na melhor das hipóteses, variação do comportamento sexual.

Quando as terras da Oceania foram descobertas, os habitantes das ilhas passaram a denominá-la *posição de missionário,* já que a posição natural para eles era o homem por trás, com a mulher de joelhos, apoiada nas mãos.[197]

Como práticas sexuais não convencionais, as mais comuns são a masturbação, o sexo oral e o sexo anal.

Masturbação

"Pai para o filho, ao descobri-lo se masturbando:

— Pare com isso! Não sabe que a masturbação pode fazer você ficar cego?

Resposta do filho:

— Puxa, papai... Será que não posso continuar só até ficar míope?"[198]

Lionel Tiger era um adolescente criado na severa comunidade judaica na década de 1950 em Quebec, Canadá, com estrito controle religioso, um prestigiado esquadrão de moral e bons costumes e sem muito lugar para o prazer. Certa noite, na casa de parentes de cujos filhos cuidava na ausência dos pais, resolveu masturbar-se pela primeira vez:

"Era portanto muito difícil para um menino, este menino que vos fala, descobrir as misteriosas possibilidades do corpo. Nem mesmo os jovens mais empenhados na investigação do assunto podiam valer-se de manuais de instrução ou experiência em sala de aula ou no laboratório escolar. Eu sabia por confusa experiência que o pênis ficava ereto e que era bom demais manipulá-lo. Conhecia seu papel na reprodução, embora em termos de macroteoria. Minha principal pista quanto à empreitada que contemplava era o linguajar chulo dos colegas, especialmente numa senha das mais explícitas: 'Tocar punheta.' Qualquer simplório seria capaz de adotá-la como guia de ação. Resolvi, então, tocar uma punheta. Mas quando? E se desmaiasse? E se meu rosto ficasse vermelho durante horas? E se meu órgão sexual me impedisse de despedir-me decentemente dos primos, e eu ainda estivesse ofegante e bufando? E se não conseguisse atender às crianças sob meus cuidados, quando precisassem de ajuda? O principal era escolher o momento certo. Esperei que os bebês caíssem em sono profundo, sem nenhum sinal de queixa ou qualquer manifestação consciente durante quase uma hora. Calculei, então, a metade do tempo que faltava dali até a hora que meus 'patrões' deviam voltar. Seria aquele o meu momento!

"Mas, onde? Dependia do que ia acontecer, e isto eu não sabia. Tinha praticamente certeza de que expeliria um fluido. Mas em que quantidade? E se deixasse minha roupa escandalosamente suja? E se eu fosse denunciado por uma porcariada de chamar a atenção? E se a coisa acabasse com uma mancha federal no papel de parede da sala de visitas? E se ficasse no ar um odor inconfundivelmente carnal?

"Encontrei a solução perfeita: ficaria completamente nu na banheira! Nada de roupas lambuzadas. É claro que a banheira seria perfeitamente capaz de conter tudo que eu conseguisse expelir. As provas seriam apagadas com um abrir de torneiras. Era uma solução higiênica e conveniente para o dilema criado por minha ardente perturbação.

"Mas quanto tempo demoraria? E se eu perdesse a noção do tempo? Tinha de me arriscar. Decidi então que mesmo dentro da banheira manteria no pulso o meu relógio, que não era à prova d'água."[199]

Na Antiguidade, a masturbação era considerada uma forma aceita de obter prazer, embora os greco-romanos a desestimulassem até a idade de 21 anos. No Egito Antigo, a religião descrevia a criação do mundo pela masturbação do deus Atum, e muitas mulheres eram enterradas mumificadas com os objetos fálicos com que se masturbavam.[200]

Entretanto, a condenação bíblica à masturbação perdurou por milênios. A lei religiosa judaica impunha que os homens fossem produtivos e se multiplicassem. Portanto, o *coitus interruptus* não era admitido como técnica contraceptiva e o termo onanismo que lhe foi atribuído ficou associado também ao prazer solitário. Pelo costume antigo dos judeus, quando uma mulher contraía matrimônio, estava casada com o marido e com toda a família dele. Ela havia sido comprada e paga. Se ela não lhe tivesse dado filhos, o marido ao morrer desaparecia como se jamais tivesse vivido. O casamento por levirato era a solução. Se um irmão mais velho morria sem deixar herdeiro, cabia ao irmão mais novo a responsabilidade de tomar a viúva como esposa e criar o primeiro filho nascido de ambos como um filho legítimo do morto.[201] No Gênese (38:6-10) vemos a rebeldia de Onan: "Judá tomou para seu primogênito Er uma mulher, a qual se chamava Tamar. Ora, Er, o primogênito de Judá, era um homem mau aos olhos do Senhor; assim, o Senhor o matou. Disse Judá a Onan: 'Vai até a mulher de teu irmão, toma-a e dá sucessão a teu irmão!' Onan, sabendo que essa posteridade não seria sua, sempre que se unia à mulher de seu irmão deixava cair o sêmen no chão, para que não desse sucessão a seu irmão. O que ele fazia era mau aos olhos do Senhor, que matou também a ele."

A masturbação foi, então, punida com a morte. Não é de se estranhar que durante muito tempo se acreditou que a masturbação causava ataques epilépticos, loucura, reumatismo, impotência, acne, asma, idiotice, cegueira e até crescimento de pelos nas palmas das mãos. Muitos adolescentes hoje não têm certeza de que não sofrerão nenhum tipo de prejuízo pela atividade masturbatória, já que a ideia de pecado ainda está presente, provocando culpa e medo.

Na Idade Média, a ejaculação do homem só devia ocorrer com a finalidade de procriação, e na Inquisição o acusado de masturbação era considerado herege, podendo ser condenado à morte na fogueira. Para os padres dessa época, a masturbação era produto do demônio.

No século XVIII, em 1760, Tissot escreveu uma obra constantemente reeditada até 1905 com o título: *O onanismo — Dissertação sobre as doenças produzidas pela masturbação*. Com esta condenação científica, o onanismo ascende ao estatuto de doença extremamente grave. Para Tissot, o esperma é óleo essencial, e desperdiçá-lo enfraquece o organismo e o torna vulnerável a agentes patógenos. "A partir dessa doutrina absurda se desenvolverá uma literatura médica cuja extravagância raramente foi igualada. Ela está repleta de quadros clínicos dramatizados em que se distinguiram numerosos médicos e que causaram estragos na França e em outros lugares até a Segunda Guerra Mundial."[202]

Inúmeros textos do século XIX aterrorizam as pessoas quanto ao malefício da masturbação. Em 1825, o doutor Rozier escreve: "As pessoas que se entregam a perniciosos atos secretos não têm febre no início, entretanto, embora mantenham o apetite, seu corpo emagrece e se consome; elas sentem que formigas lhes descem da cabeça ao longo da espinha. Andar, mesmo que simples passeios, sobretudo em caminhos difíceis, as deixa sem fôlego, as enfraquece, lhes provoca suores, peso na cabeça e barulhos nos ouvidos; ocorrem doenças do cérebro e dos nervos, estupidez e imbecilidade. O estômago se desarranja, as pessoas se tornam pálidas, entorpecidas, preguiçosas. As que são jovens adquirem o aspecto e as enfermidades da velhice, seus olhos ficam cavos, o corpo se curva, suas pernas não conseguem carregá-las; elas têm um desconforto geral; são incapazes para tudo; várias ficam paralisadas."[203]

O padre J. C. Debreyne, doutor em medicina e com incontestável autoridade na época, escreveu sobre as consequências da masturbação: "Palpitações, diminuição da visão, dores de cabeça, vertigens, tremores, cãimbras dolorosas, movimentos convulsivos como os de epilépticos e, frequentemente, a verdadeira epilepsia; dores gerais nos membros ou fixadas atrás da cabeça, na espinha dorsal, no peito, no ventre; grande fraqueza nos rins, às vezes um entorpecimento quase total."[204]

O doutor Lallemand, um dos mais respeitados da faculdade de medicina de Montpellier, publicou uma súmula única na literatura médica. Em três volumes, num total de 1.784 páginas, ele revelava tudo sobre as "perdas seminais involuntárias".[205]

As terríveis descrições que os médicos faziam das pessoas que se masturbavam são inacreditáveis. Um dos exemplos é a do doutor C. Bouglé: "Quem não viu, ao menos uma vez na vida, estas ruínas humanas que a volúpia devastou e em que não se poderia mais perceber nenhum vestígio das nobres faculdades que outrora aí habitavam? Quem não viu vagar, como espectros saídos de sua tumba, esses cadáveres cujo olhar mortiço, a boca vazia de sorrisos, os traços fanados que não podem mais florescer sob um raio de alegria e felicidade, cujos membros pesados mal se prestam aos mais simples movimentos e cujo corpo inteiro parece abatido sob o peso das iniquidades que atacam sua vida?"[206]

Essa loucura antimasturbatória, nascida no Século das Luzes, é um novo valor inventado pela burguesia, que buscava todos os poderes. Tentando se distinguir da nobreza — classe degenerada —, a família burguesa exalta a decência como virtude suprema. Para manter essa decência, alguns usavam nos filhos adolescentes um detetor de ereção ligado a um sino em um quarto adjacente, o qual alertaria o pai ou a mãe. Existem também absurdas peças de museu, como um perverso anel de metal com quatro pregos voltados para dentro; ajustados ao pênis à noite, era uma garantia de sono sem ereções.[207]

As crianças que entram no internato na sexta série são rigorosamente vigiadas. O doutor Pavet de Courteille, ligado ao Colégio Saint-Louis, em Paris, escreve: "Seria bom, acho eu, vestir camisas à noite que descessem abaixo dos pés, em algumas crianças suspeitas de se entregarem a hábitos funestos. Seria necessário que essas camisas fossem munidas interiormente de um cordão embutido a ser atado de noite após ter satisfeito as necessidades de excreção."[208] Os alunos reconhecidos culpados de masturbação eram presos e devolvidos à família. O doente será submetido a um tratamento especial: obrigação de se deitar de lado, nunca de costas; aplicações refrigerantes locais serão feitas por meio de uma bolsa contendo gelo picado, neve ou água muito fria, salgada com sal de cozinha. Para os casos rebeldes, o professor Lallemand só indica um método: cauterização da porção prostática do canal da uretra por meio de nitrato de prata. Até 1914, vendem-se na França bandagens contra o onanismo, fabricadas sob medida e de acordo com a idade dos indivíduos. Eram receitadas também rigorosas dietas em que se deviam evitar peixes em salmoura, álcool, café, carne (especialmente de acordo com as fases da Lua), e as roupas apertadas eram contraindicadas.[209]

As meninas sofriam o mesmo rigor. "O padre Debrey sabe que as filhas de Eva possuem um órgão fatal, fonte de todas as tentações: seu clitóris. Um pênis em miniatura, ele só serve para a volúpia. Ora, este não é, de modo algum, necessário à procriação. Consequentemente, se o clitóris se revela uma fonte de excitação permanente, deve-se considerá-lo doente e sua ablação torna-se lícita."[210] A clitoridectomia foi preconizada na Europa, no século XIX, demonstrando uma atitude extrema de repressão sexual desse período vitoriano, sem similar em outra época do cristianismo. As maiores sumidades médicas a praticaram sem hesitação. Em Londres, o doutor Jules Guérin, da academia de medicina, afirmara ter curado várias meninas afetadas pelo onanismo queimando seu clitóris com ferro quente. O doutor Pouillet, em 1894, aconselha cauterizar com um lápis de nitrato de prata toda a superfície da vulva, assim qualquer atrito provoca uma dor muito forte e a mulher fica impossibilitada de se manusear. Ele preconiza também a camisa de força e lança um apelo para a invenção de um cinto constritivo, "um aparelho leve e bem acondicionado que fecharia hermeticamente o orifício vulvar, afastando um pouco as coxas e deixando uma pequena abertura para a passagem da urina e da menstruação, prestaria, acredito, um destacado serviço às masturbadoras".[211]

A partir do período entre as duas guerras, provavelmente sob a influência das teorias de Freud sobre a sexualidade infantil, alguns militam em favor da educação sexual e estabelece-se um consenso em considerar a masturbação normal durante a infância e a adolescência. Com o crescimento da sexologia, a masturbação torna-se um hábito desejável para os jovens. "Os adolescentes que não conheceram essa etapa para o amadurecimento, que é a masturbação, quando chegam à idade adulta passam por muito mais dificuldades do que os outros."[212] A medida dessa evolução é indicada pela revista *Vital,* que afirma: "Os biólogos se esforçam em descobrir as leis do prazer sexual (...). Seja pelos corpúsculos da voluptuosidade das zonas erógenas primárias ou pelas morfinas fabricadas pelo cérebro, está provado que o prazer não é um pecado da civilização, mas uma realidade inscrita no corpo."[213] Jean-René Verdier vê na masturbação uma tripla função: fisiológica, compensatória e lúdica, resumindo assim a opinião comum dos sexólogos.

A masturbação na infância é importante, já que equivale à autoexploração do corpo, mas muitos não aceitam isso com naturalidade. O peso de tantos anos da masturbação associada ao pecado e à doença leva muitos pais — até os que se consideram livres de preconceitos — a se sentirem incomodados quando os filhos manipulam seus próprios órgãos sexuais, e geralmente procuram desviar a atenção da criança para outros interesses, o que de qualquer maneira deixa nela o registro de que essa atividade não é bem aceita.

Na puberdade, o desejo sexual é muito intenso tanto no menino quanto na menina. Como existe mais permissividade para toda expressão sexual masculina, a masturbação do menino é bem mais aceita do que a da menina. Em um estudo sobre a sexualidade adolescente feito em 1981, 80% dos meninos e 59% das meninas de 18 anos afirmaram se masturbar; em razão disso, algumas mães exigiam que suas filhas dormissem com os braços para fora das cobertas para evitar a masturbação.[214] Entretanto, a masturbação na adolescência é vista pelos sexólogos como uma prática fundamental para a satisfação sexual na vida adulta, por permitir um autoconhecimento do corpo, do prazer e das emoções. "As adolescentes femininas que se iniciam na masturbação também apresentam o orgasmo clitoridiano, sendo isso um sinal de evolução sexual sadia. Mulheres multiorgásticas investigadas na nossa clínica normalmente iniciavam a masturbação antes do casamento e durante a adolescência."[215]

Mas muitas mulheres se sentem envergonhadas e culpadas devido a uma educação que lhes ensina que o interesse e o desejo sexual pertencem ao sexo masculino. Ao não conseguirem controlar seus próprios desejos, muitas se sentem indignas, imaginando que só elas se masturbam, e não contam nem para a melhor amiga.

As mulheres que conseguem romper com esses tabus muitas vezes utilizam variados objetos para se masturbar, estimulando a vulva ou a vagina. São vibradores, pênis artificiais, bolas ben-wa e outros, vendidos em *sex-shops*, além do cabo da escova de cabelo, ou mesmo legumes ou outros objetos macios.

Barry McCarthy afirma em seu livro sobre a sexualidade masculina que, devido às advertências que todos recebem desde crianças e devido à reputação que a masturbação tem de pobre substituto das relações sexuais, a maioria das pessoas se sente culpada quando se masturba. Contudo, isso não impede que todos se masturbem. A prova é que 95% dos homens, incluindo os casados, masturbam-se. Mas a culpa impede que se desfrute o máximo, não permitindo que a masturbação seja a experiência libertadora e satisfatória que ela pode ser. Há uma insistência em afirmar que essa prática tem uma única finalidade: aliviar a tensão acumulada. Então, o ato é feito às pressas. Quase ninguém se concede a oportunidade de perceber que a masturbação, longe de ser vergonhosa necessidade, é na verdade uma das melhores maneiras possíveis de se aprender sobre as próprias reações sexuais e de se aumentar a sensibilidade à estimulação sexual. Por essa razão, ele recomenda uma masturbação lenta, sensual e envolvendo o corpo todo.

Na terapia de sexo para o tratamento das disfunções orgásticas, a masturbação é o elemento principal para capacitar a mulher a ter o primeiro orgasmo. A instrução de que a mulher se masturbe quase sempre gera ansiedade nas pacientes que aprenderam a considerar a masturbação algo perigoso e vergonhoso. A psicoterapia paralela se propõe tratar desses preconceitos, enquanto ela é aconselhada, em condições de muita segurança, a empenhar-se nessa atividade. Sugere-se, por exemplo, que ela se masturbe apenas quando estiver sozinha e livre do medo da interrupção e de ser descoberta. A princípio, a paciente deve masturbar-se manualmente, mas se a estimulação assim produzida não for suficientemente intensa para ter orgasmo, é aconselhada a usar um vibrador.[216]

Em seu estudo sobre a sexualidade feminina, Shere Hite constata que a masturbação tem aspectos favoráveis — orgasmos fáceis e intensos, fonte inesgotável de prazer — mas, infelizmente, todos sofremos alguma influência de uma cultura que diz que as pessoas não devem se masturbar. Atualmente, tornou-se aceitável que as mulheres tenham prazer no sexo, desde que preencham seus papéis femininos — dando prazer aos homens e nunca tendo prazer sozinhas. Hite acredita que talvez no futuro as mulheres possam ter o direito de ter prazer na masturbação também, como declarou uma de suas entrevistadas: "A importância da masturbação é que se masturbando você se ama e cuida de si mesma totalmente, numa forma natural de relacionamento com seu próprio corpo. É uma atividade normal que deveria logicamente fazer parte da vida de qualquer mulher."[217]

A maioria das mulheres pesquisadas por Hite declarou que tinha prazer físico na masturbação, mas não psicológico:

"Gosto de me masturbar. A sensação física e o orgasmo são ótimos, mas com frequência me sinto envergonhada depois, como se houvesse alguma coisa de errado comigo, porque eu deveria ter um homem para me dar essa sensação sempre que eu quisesse, e eu não tenho."

Quanto à importância da masturbação, a maioria das mulheres declarou que era importante como substituto do sexo (ou do orgasmo) com um parceiro:

"Acho que é importante para aliviar parte da frustração de não ter dado uma boa trepada." "A masturbação não deixa você ficar pirada quando você está a fim de sexo." "Se o seu parceiro vira para o outro lado e dorme, você pode se virar sozinha." "É uma questão de sobrevivência: meu marido não pode gastar tanto tempo na cama quanto eu gostaria." "Costumava-se dizer que a masturbação enlouquece a pessoa — eu é que enlouqueceria sem ela."

"É um meio seguro e rápido de obter gratificação sexual. Melhor do que sexo malfeito com um parceiro incompatível."

No estudo de Hite sobre a sexualidade masculina, em que foram entrevistados 7.239 homens entre 13 e 97 anos de idade, 99% declararam que se masturbam, sendo que quase todos, casados ou solteiros, tendo ou não uma vida sexual ativa, disseram que a masturbação era algo constante em suas vidas. Mas a maioria se sente culpada e incerta sobre a masturbação, ao mesmo tempo que gosta imensamente — muitos têm seus orgasmos mais fortes, fisicamente, durante a masturbação. Os homens se sentem mais livres para se estimular da maneira que gostam e quase nenhum conta a outras pessoas que faz isso. Muitos homens declararam que os orgasmos durante a masturbação eram os fisicamente mais intensos, já que não havia pressões de desempenho, e eles tinham a liberdade de se dar exatamente a estimulação adequada:

"Posso me proporcionar orgasmos muito melhores do que posso ter com outras pessoas, já que sei exatamente o que quero e quando quero. Gosto de prolongar o tempo que precede o orgasmo, fazendo uma pressão bem leve e movimentos lentos. Isto produz um acúmulo tremendo de energia e resulta num orgasmo avassalador, mas esse processo é tão minucioso que é quase impossível ser feito por outra pessoa. Logo, satisfaço-me fisicamente muito melhor com a masturbação, apesar de o sexo oral, às vezes, se aproximar dessa sensação. Mas nenhuma dessas formas é a minha favorita para gozar, porque são solitárias."

Hite conclui que a masturbação é uma atividade sexual muito importante e válida. Os homens falaram dela com entusiasmo e descreveram os intensos orgasmos experimentados. Com a masturbação, eles conseguem a estimulação que geralmente não obtêm de outra pessoa, como a anal, nos testículos e, talvez, também uma estimulação emocional ou psicológica. Na medida em que aos homens só é permitido um papel na relação com uma mulher, as fantasias criadas na masturbação podem ser uma maneira de desfrutar outro papel, a parte que falta. Ser completamente passivo.

Sexo oral

Compreende-se por sexo oral a excitação sexual produzida pela estimulação dos genitais do parceiro sexual. Denomina-se cunilíngua à estimulação dos genitais femininos. Essa palavra é derivada do latim *cunnus* (vulva) e *lingere* (lamber). A estimulação dos genitais masculinos denomina-se felação, do latim *fellare,* que significa sugar.[218] As prostitutas egípcias e fenícias praticavam a felação e maquiavam os lábios bucais para os fazerem semelhantes aos lábios vulvares.[219]

Na cultura judaico-cristã o sexo oral, uma variação sexual muito antiga, sempre foi condenado, assim como todas as práticas que não levassem à procriação.

Uma pesquisa americana com adolescentes femininas mostrou que 42% das entrevistadas se referiram à estimulação oral-genital, sendo que 37% delas mantinham-se virgens. E, em 1991, num estudo sobre universitários paulistanos, 83% das estudantes de faculdade particular referiram-se à prática do sexo oral.[220]

O sexo oral é a atividade heterossexual que mais se pratica antes da cópula. "Como a boca, nossos órgãos genitais são ricamente dotados de terminações nervosas e profundamente receptivos para as sensações de prazer. Não é, pois, natural e adequado que, procurando experimentar e repartir o prazer sexual, devemos empregar estimulação oral-genital? Isso porque nossa boca e nossos órgãos sexuais, que também têm tanto em comum e tanto a oferecer um ao outro, podem se unir para produzir uma sensação muito especial e intensa de prazer."[221]

Entretanto, muitas pessoas evitam essa prática sexual ou a utilizam, sentindo-se ansiosas e constrangidas, apenas para agradar o parceiro. Além dos preconceitos morais, existe também a ideia de que o sexo oral-genital não seria uma atividade higiênica. "Na verdade, porém, tais preocupações carecem — e muito — de fundamento. Se a pessoa se lava adequadamente, nenhum resto de urina ficará nos órgãos genitais. Com a higiene comum, os órgãos sexuais podem ficar tão livres de germes e bem cheirosos como qualquer outra parte do corpo. Geralmente, a boca contém muito mais germes do que o pênis ou a vulva. As secreções sexuais são substâncias proteínicas e perfeitamente inofensivas."[222]

Temores em relação ao sexo oral se manifestam de várias maneiras. Alguns alegam ser um sinal de imaturidade, afirmando que a única forma adulta de sexualidade seria o ato sexual na posição do missionário. Outros supõem que o uso da boca no sexo indicaria a falta de virilidade do homem, e há também homens que têm medo de que a mulher se vicie no sexo oral-genital e comece a preferi-lo à relação sexual. Mas parece que nada disso tem fundamento. As pesquisas indicam que cerca de 75% dos casais experimentam a estimulação oral-genital e uns 40% a usam com alguma frequência, sendo que os que a praticam tendem a ser sexualmente mais bem ajustados. "Aprender a encarar o sexo oral-genital como uma atividade natural, saudável e permissível é um pré-requisito essencial para obter um grau máximo de prazer com ela. Somente dessa maneira seremos capazes de abordar o sexo oral-genital como uma espécie de técnica amorosa de mútua cooperação, de mútua ajuda, que é característica da atividade sexual mais satisfatória."[223]

A divisão das mulheres em Evas e Marias, ou seja, mulheres sem escrúpulos e mulheres respeitáveis, faz com que muitos homens que desejam o sexo oral encarem-no como um prazer proibido, impossível de ser partilhado com as esposas ou namoradas.

A maioria dos homens casados que procura prostitutas solicita como forma de satisfação mais felação do que relação sexual. As mulheres educadas na mesma cultura patriarcal introjetam esses valores e muitas imaginam estar se prostituindo ao praticar esse tipo de atividade sexual.

Só é possível um casal desenvolver uma sexualidade realmente satisfatória se houver uma comunicação franca. O sexo é um aprendizado e alguns comportamentos como a felação e a cunilíngua, por exemplo, exigem, além de descontração, um grau de orientação e informação entre os parceiros.

McCarthy relata o exemplo de um casal, clientes seus em terapia sexual: "O homem vinha pressionando a mulher para chupá-lo há muito tempo, mas ela não tinha coragem e se recusava. Por fim, uma noite em que ela estava embriagada, ele convenceu-a a tentar, e bastou vencer a resistência dela esta única vez que, depois, ela foi capaz de repetir o ato regularmente. No entanto, o marido, achando que tinha conseguido o que queria e que não tinha o direito de pedir mais nada, nenhuma ajuda ou orientação ofereceu à esposa. Neste ínterim, ela havia criado um método próprio de praticar a felação com o marido, de acordo com o que parecia confortável e excitante para ela. Em vez de pegar a cabeça do pênis e colocá-la na boca, a mulher preferia concentrar-se na sucção e estimulação do corpo do pênis. Quando reservadamente perguntei ao marido se estava satisfeito com a estimulação que ela estava fazendo, ficou muito embaraçado. 'Olhe, por favor, não diga isso para minha mulher, mas a verdade é que detesto a maneira como ela me chupa; ela me machuca.' Posteriormente, concordou em comunicar à mulher sua insatisfação e, por fim, chegaram a um estilo de estimulação oral-genital que era satisfatório para ambos."[224]

Outro problema que pode ocorrer na felação é quando a mulher não deseja engolir o esperma e o homem se sente rejeitado por isso. Na verdade, a mulher engolir ou não o esperma não altera o prazer do homem, e a felação não tem obrigatoriamente que culminar em ejaculação. Pode ser simplesmente uma técnica de excitação preliminar, mas, se o homem vai ejacular ou só se excitar, é fundamental que seja prazeroso para os dois.

A cunilíngua também requer comunicação entre os parceiros. "Com frequência, os homens que não se deram ao trabalho de examinar a anatomia de suas companheiras ou que não receberam orientação adequada de sua parceira podem usar a estimulação oral de maneira ineficaz. Podem aqui surgir dois problemas distintos. Por um lado, o homem pode fixar toda a atenção na vagina ou nos grandes lábios, onde a concentração de terminações nervosas é esparsa, daí resultando um mínimo de sensações de prazer. Ou pode estimular o clitóris de uma maneira muito rude, causando mais dor do que prazer."[225]

Shere Hite nos mostra o que pensa a maioria das mulheres e dos homens sobre a cunilíngua e a felação.

Em relação à cunilíngua, muitas mulheres se sentem inibidas e envergonhadas. A preocupação mais comum é se o cheiro da vagina é desagradável:

"Eu ainda não superei a ideia de que sou suja lá embaixo."

"Se eu fosse homem, nunca faria isso."

"Eu fico sempre preocupada se estou cheirando mal ou com uma aparência nojenta ali."

"Meu homem tem um bloqueio mental nesse ponto. Ele acha que a região da vulva cheira horrivelmente mal e tem ânsias de vômito quando tenta. Ele já tentou, mas não consegue."

"Eu sinto que não cheira bem, não tem bom gosto. Tenho vergonha."

"Não gosto porque é como se ele se sentisse obrigado, e eu não gosto de sacrifícios."

"Não acredito que a nossa sociedade goste de vaginas. Eles acham vagina suja, malcheirosa, cabeluda, molhada etc. Eles querem que a gente borrife *spray* com desodorante lá."

"Agora eu gosto, mas levou anos para que eu me permitisse ter prazer assim. Por que nós temos de nos sentir tão sujas?"

Mas algumas mulheres gostam de cunilíngua e explicam a melhor maneira de obter prazer:

"Gosto de carícias orais leves, delicadas, mas constantes."

"Não gosto quando a língua dele penetra muito junto do nervo clitorial, porque machuca."

"As carícias orais deveriam ser feitas com o nariz, a boca e o queixo. A língua *não* deve ficar rígida e pontuda."

"Desde que ele aprendeu como fazer pressão com a boca para me fazer gozar, eu passei a gozar sempre. A língua dele atinge uma área muito maior do que o dedo, o que ajuda bastante."

"Gosto de beijos macios no cabelinho e entre as pernas. Longas lambidas da vagina e do ânus, para cima e para baixo. Tem que ser úmido e barulhento."

E qual a opinião dos homens sobre a cunilíngua? A maioria disse gostar, mas um grande número deles se declarou enojado de fazer cunilíngua — incluindo muitos dos que se mostraram entusiasmados.

"Gosto de cunilíngua porque, se eu agradar à mulher, ela vai se sentir obrigada a me agradar. Gosto de vê-la se contorcendo com a cunilíngua. Não gosto do cheiro nem do gosto dos genitais femininos, elas não conseguem mantê-los suficientemente limpos para o meu gosto, nem mesmo depois de tê-los lavado. É repulsivo me ver esborrachado contra a abertura vaginal da mulher. Fecho os olhos."

A metade dos homens declarou ficar preocupada se os genitais da mulher estariam realmente limpos e muitos disseram que eles cheiram mal.

"Como se pode pedir delicadamente a uma mulher para ela se lavar?"

"Acho que as mulheres consideram sua área púbica suja, com mau cheiro, viscosa etc. Me desculpe, mas eu tinha de fazer essa distinção. Se topo com uma situação desagradável (sem brincadeira) sugiro um banho erótico e excitante."

"Primeiro você cheira. Se achar que não deve lamber, não lamba. Estou tentando superar meu condicionamento cultural, que diz que genitais de mulher têm mau cheiro, mas até agora estou de acordo."

"Às vezes cheira mal, mas o ser humano se acostuma com qualquer coisa."

Na conclusão desse tema, no seu relatório, Hite diz:

"Será que as mulheres não são asseadas? Um dos temas mais frequentes sobre a vagina e a vulva está relacionado com o asseio da mulher, ou se ela se lavou recentemente. Embora nem seja preciso mencionar o fato de todos os corpos precisarem regularmente de banho, nenhum homem se referiu à necessidade de lavar os dentes regularmente para que o beijo seja agradável. O fato de tantos homens sentirem desejo de enfatizar esse ponto com relação às vulvas das mulheres parece refletir a influência das antigas opiniões patriarcais sobre a sexualidade feminina (e sobre as mulheres) como algo sujo, sórdido, ou não muito bonito.

Ainda hoje, todas as crianças aprendem isso na história de Adão e Eva: foi a sexualidade e o desejo carnal que pôs fim ao Paraíso, e, por isso, ainda hoje homens e mulheres estão sendo punidos — especialmente as mulheres, a quem se disse que daí por diante dariam à luz seus filhos com dor e sofrimento. E claro que as mulheres com vida sexual liberada são muitas vezes punidas pela sociedade com seu duplo conceito, que ainda classifica mulheres entre sérias e fáceis.

"Em nossa sociedade, infelizmente, durante séculos, a sexualidade da mulher foi considerada suja: uma mulher sensual é uma vagabunda, suja, vadia e por aí afora, enquanto um homem sensual é admirável e muito viril. A vulva, da qual, conforme lhes disseram, as mulheres deviam se envergonhar (o termo médico para vulva é *pudendum*, uma palavra latina que significa 'da qual nos devemos envergonhar'), ficou escondida durante tanto tempo que a maioria das pessoas nem sabe como se parece. A impressão geral que muitos homens têm é de um lugar escuro e úmido, com um cheiro que não é familiar, uma espécie de espaço desconhecido onde o pênis corajosamente se aventura."[226]

Pelas respostas que encontrou sobre a felação, Hite concluiu que quase todos os homens gostam dessa prática, embora a maioria não tenha tido experiências regulares nem frequentes de felação, principalmente até o orgasmo.

Os homens se queixam de que as mulheres não fazem isso com frequência nem muito bem:

"Felação é o ponto alto da experiência sexual de todo homem, só ultrapassado pela felação até o orgasmo!"

"Acho que o sonho de todo homem é ter, desculpe a vulgaridade, uma mulher que o chupe todo. Se encontrasse uma mulher que me chupasse de manhã para me acordar, eu poria a minha vida a seus pés, porque ela seria a única em um milhão."

"Felação é a maior. Uma boca amante e ardente é mais estimulante e excitante que a vagina."

"Gosto do simbolismo disso — acho que ela está honrando minha virilidade."

"Felação é o melhor. Além das sensações físicas, sinto que a mulher me ama realmente e gosta do meu corpo — o meu eu verdadeiro. Além disso, não preciso atuar — não preciso nem mesmo ter uma ereção."

"A maioria das mulheres não é boa nisso."

"O que eu acho mais chato? Uma mulher que analise em termos freudianos por que exatamente eu quero que ela me chupe, chamando isso de infantil ou de outra merda qualquer."

"Gosto muito de felação. Mas preciso achar uma mulher que faça isso bem. Só tive orgasmo assim uma vez, e uma outra com auxílio de muita masturbação. Muitas vezes, sinto que poderia ter orgasmo dessa maneira, mas sempre tem alguma coisa no jeito que ela faz isso que me broxa, ou porque é muito repetitivo, ou ouço um suspiro, ou ela morde, ou sinto que ela não está nessa."

A minoria acha que é um ato degradante, especialmente para a mulher, e outros sentem uma forte repugnância pela felação:

"Já me fizeram felação, mas nunca me senti muito legal. Uma mulher nunca deveria se sentir obrigada a fazer isso. É totalmente desnecessário para o orgasmo de um homem. Nunca encontrei uma mulher que gostasse verdadeiramente de fazer isso. Apesar de ter encontrado algumas que queriam, acho degradante para as duas partes."

"Não gosto de felação. Nunca consegui um orgasmo com esse método. Suponho que fico aterrado só de imaginar aqueles dentes enormes e afiados se movendo para a frente e para trás ao longo de minha 'virilidade'. E bem lá no fundo sempre tive a suspeita de que o cara que entra nessa de felação é, às escondidas, um clássico porco chauvinista, que gosta de ver a mulher submissa, de joelhos. Mas talvez eu esteja errado."

E o que as mulheres sentem quando praticam a felação?

"Tudo bem se o sêmen não acabar na minha boca."

"Faço até o orgasmo, mas evito engolir."

"Gosto por pouco tempo, mas não quero que ele goze na minha boca."

"Parece que minha boca está sendo estuprada."

"Tenho certeza de que eu iria morrer de sufocação. Não aguento a ideia de esperma na minha boca, e tenho certeza de que ele iria urinar."

"Eu pensaria na ideia de chupar um pau se tivesse um revólver apontado para minha cabeça, só assim."

"Tudo bem, mas a boca fica cansada de ficar tanto tempo aberta."

"A gente devia fazer *fellatio* e *cunnilingus* várias vezes antes de se decidir contra."

Sexo anal

O sexo anal implica a introdução do pênis no ânus para a obtenção de prazer sexual. Essa variação já foi muito usada na Antiguidade como método anticoncepcional. Na Mesopotâmia, era praticado naturalmente, sendo que entre os assírios chegou a ser elemento de cultos religiosos. Na Roma Antiga, na noite de núpcias, os homens se abstinham de tirar a virgindade da noiva em consideração à sua timidez, entretanto, praticavam sexo anal com ela.[227]

Em muitas épocas da história da humanidade o sexo anal foi considerado pecado ou crime. Na França, antes da Revolução, essa prática era passível de condenação à morte na guilhotina, e na Inglaterra, no século XVII, era considerada crime contra a natureza, com penas de morte e prisão perpétua. Para o cristianismo, era um pecado mortal. Em 1988, na Geórgia, Estados Unidos, um homem foi condenado a cinco anos de prisão por ter confessado ter mantido relação sexual anal com a esposa com o consentimento desta. Naquele estado vigorava uma lei de 1832.[228] Mas, apesar de todas as sanções legais, o sexo anal sempre foi praticado.

Os homens desejam e apreciam mais o sexo anal do que as mulheres. Masters e Johnson afirmam que 43% das mulheres casadas já o experimentaram, embora a maioria não goste muito dessa atividade.[229] Mas, de qualquer forma, o intercurso anal é uma prática comum, embora não costume ser bem-sucedida. Para que possa ser desfrutada, é fundamental que as pessoas envolvidas não tenham preconceitos e não encarem o sexo anal como algo sujo e feio. Em segundo lugar, é necessário que se aprenda a controlar os músculos do ânus, já que o esfíncter foi treinado desde cedo a ficar fechado. Só assim esse tipo de prática não produzirá dor. Além disso, é indicado o uso de lubrificantes que facilitem a penetração, na medida em que essa região não produz lubrificantes naturais na quantidade necessária.

Os homens são geralmente os que mais desejam, pois o aperto do ânus proporciona um prazer bastante intenso. A maioria das mulheres evita ou até mesmo recusa o sexo anal, alegando dor ou desconforto. Os músculos do ânus são muito mais apertados do que os da vagina e, se a introdução do pênis for feita de forma brusca, pode realmente machucar. Independentemente da penetração, a estimulação anal é muito excitante para homens e mulheres que muitas vezes se estimulam nessa área durante o ato sexual. O fato de um homem sentir prazer em ser estimulado no ânus ou de desejar fazer sexo anal frequentemente com uma mulher não significa tendências homossexuais. O que define o homossexualismo é o desejo sexual por alguém do mesmo sexo e não a área do corpo que proporciona prazer.

A estimulação por penetração anal conduz ao orgasmo, embora não existam estatísticas determinando o número de pessoas que sentem orgasmo anal.

É importante que após a penetração anal o pênis não seja introduzido na vagina sem se proceder à limpeza adequada para que as bactérias próprias do reto e do intestino não sejam conduzidas para o interior da vagina, causando infecções.

Alguns homens responderam a Shere Hite sobre o prazer que sentem com a penetração anal:[230]

> "Um ânus é um lugar firme, quente, fascinante e confortável para um pênis duro entrar e brincar. Todas as cavidades anais são diferentes em tamanho e contorno. Dependendo da lubrificação, o deslizamento do pênis é diferente, mas sempre uma delícia."
>
> "O intercurso anal é o máximo (se ela gosta) porque é apertado, não é úmido e é muito quente. Sempre tenho orgasmo e ejaculação quando faço sexo anal com uma mulher. Mas só uma garota quis sexo anal. Para que ela gozasse também, estimulei seu clitóris enquanto me movimentava em seu ânus. Embora ela gostasse de sexo anal, às vezes a penetração inicial machucava, por isso nós parávamos e eu retirava, lavava meu pênis com água e sabão e terminava o intercurso na vagina."
>
> "Só penetrei minha mulher duas vezes (só a glande) e posso na verdade admitir que fiquei surpreso ao descobrir como a penetração era sensual e fácil (vaselina é uma boa ajuda). É o aperto muscular e o controle que o ânus proporciona que tornam isso excitante. No entanto, minha mulher ainda se sente um pouco inibida com esse tipo de relação, mas acho que devíamos explorá-la mais antes de desistir."

O sexo anal, assim como tantas outras práticas sexuais, só se justifica se for prazeroso para ambos os parceiros, e não por obrigação ou para agradar o outro. Não se pode esquecer, porém, que a penetração anal por si só não causa Aids, mas, segundo os estudiosos, é a forma mais fácil de transmissão do vírus, que é absorvido diretamente pela corrente sanguínea através da mucosa anal.

O desempenho sexual

A preocupação do homem quanto à sexualidade foi encoberta na mesma medida em que a necessidade da mulher de expressar sua sexualidade não podia se manifestar. Durante muito tempo, acreditou-se que apenas o homem sentia prazer sexual. A mulher não se interessava pelo assunto. Seu aparelho genital servia tão somente à procriação, o prazer era restrito a ter e criar filhos. Mulher gostar de sexo era motivo de vergonha. O homem parecia, então, não ter problemas quanto ao desempenho sexual, já que várias influências os ocultavam. Elas incluem: 1 — o domínio do homem na esfera pública; 2 — o padrão duplo; 3 — a divisão das mulheres em puras (casáveis) e impuras (sedutoras, prostitutas e todas que gostavam de sexo); 4 — a compreensão da diferença sexual proporcionada por Deus, pela natureza ou pela biologia; 5 — a visão de que as mulheres eram irracionais em seus desejos e ações; 6 — a divisão sexual do trabalho.[231]

Da década de 1960 para cá, com o movimento de liberação dos costumes e o advento dos anticoncepcionais, as influências que protegiam socialmente o homem começaram a ser destruídas. A mulher, que antes só tinha experiência sexual com o marido, mesmo assim de forma restrita, agora exige mais prazer. Já vimos no capítulo sobre o homem masculino que as origens da autoidentidade masculina estão ligadas a uma profunda sensação de insegurança gerada pelo afastamento precoce da mãe. Essa renúncia ocorre quando o amor e a atenção materna são ainda fundamentais para o menino. A dependência emocional masculina, tão cuidadosamente ocultada, torna-se insustentável quando as mulheres rejeitam manter a cumplicidade com ela.[232] O homem, que se mostrava seguro e absoluto, começa a se preocupar em ser avaliado e passa a sofrer muito com sua sexualidade.

O temor da impotência, de ter o pênis pequeno ou fino e a ejaculação precoce geram insegurança. Muitas vezes, partir para uma relação sexual causa tanta ansiedade quanto participar de um embate decisivo. Nessa guerra há vários fatores envolvidos. O homem se dirige ao ato sexual para se afirmar como macho. Agradar à mulher, satisfazê-la em todos os seus desejos, reais ou imaginários, para ser considerado bom de cama, é uma preocupação constante.

Carla, 27 anos, cantora, foi se apresentar fora de sua cidade. Após o espetáculo, seguiu-se um coquetel onde encontrou Júlio, advogado muito conhecido no meio artístico local. Passaram toda a festa conversando, num clima de sedução mútua. Mais tarde, foram a um motel. Enlouquecido de tesão, seu corpo ia e vinha dentro da parceira. Carla, num átimo de lucidez, lembrou-se de que não havia colocado o diafragma, que levava na bolsa. Aflita, tentando interromper o vaivém frenético, disse a ele:

— O diafragma!

Júlio, como se não a estivesse ouvindo, intensificava a velocidade de seu vaivém. Carla, sem entender direito o que se passava, repetiu mais alto:

— O diafragma!

Mais empolgado do que antes, Júlio colocava toda a sua energia no mesmo movimento. A essa altura, já se sentindo ultrajada, Carla gritou:

— O diafragma!

Percebendo que seu parceiro não a levava em conta, empurrou-o com toda a força. Júlio se afastou com ar de perplexidade. Carla olhou-o e perguntou:

— Cara, você não ouviu eu te avisar que tinha que colocar o diafragma?

Júlio a olhava assustado:

— Eu entendi que você tava pedindo para eu ir até o seu diafragma.

— Como? Você pretendia me furar toda para chegar até o meu diafragma?

Júlio, atônito e constrangido com a irritação dela, só conseguiu responder:

— Sei lá, você é cantora...

Provavelmente, a ansiedade em satisfazê-la era tanta que não estava em sintonia com ela nem a percebeu na relação.

André, 32 anos, músico, fazia muito sucesso com as mulheres. Era bonito, inteligente e bastante sensual. Convivia com muitos artistas. Sua vida social era intensa, assim como seu sofrimento. Não havia lugar em que não fosse assediado, mas sempre acontecia o mesmo. Costumava ficar com a mulher mais gostosa da festa. Sedução para lá e para cá. Beijos e carinhos. No final, a convidava para ir no seu carro. A noite prometia. No meio do caminho, sem nada dizer, mudava os planos. Deixava-a em casa e ia dormir sozinho. Julgava seu pênis muito pequeno e não suportava imaginar as mulheres comentando sobre isso. Elas contavam tudo umas para as outras. Disso ele tinha certeza.

Com frequência, se ouve dizer que os homens são "incapazes de expressar sentimentos" ou "não têm contato" com suas próprias emoções. "Em vez disso, deveríamos dizer que muitos homens são incapazes de construir uma narrativa do eu que lhes permite chegar a um acordo com uma esfera de vida pessoal cada vez mais democratizada e reordenada."[233]

Na verdade, os homens tendem a reprimir a autonomia emocional que propicia a intimidade com o outro. Um estudo nos Estados Unidos mostrou que dois terços dos homens entrevistados não conseguiram citar um amigo íntimo. Entre os que conseguiram, o amigo era uma mulher. Ao contrário, das mulheres pesquisadas, três quartos puderam facilmente citar um ou mais amigos íntimos, e para elas era, virtualmente, sempre uma mulher.[234]

V

O FUTURO QUE SE ANUNCIA

Amor

O amor romântico povoa as mentalidades do Ocidente desde o século XII. Como vimos, esse tipo de amor é regido pela impossibilidade, pela interdição, e caracteriza-se pela idealização do outro. Mas somos tão condicionados a desejar vivê-lo que é comum se falar de amor como se ele nunca mudasse. Para o historiador inglês Theodore Zeldin, "os seres humanos são capazes de introduzir novos significados no amor, sem parar, e ficar surpresos como quem acabou de transformar trigo em pão, pudim de frutas em mil-folhas".[1]

Originalmente, o homem exibia força e riqueza para seduzir uma mulher. Ele acreditava que assim ela ficava impressionada, portanto, presa fácil da conquista. No século XV, a moda era "fazer a corte". Ambos os sexos desenvolveram uma espécie de jogo, enquanto passavam muitas horas juntos. A terceira linguagem, a conversa civilizada, acentuava a arte da vida em comum com a marca da decência. A honestidade e a delicadeza eram fundamentais. Os sentimentos femininos eram objeto de atenção, e para conquistar a mulher amada enaltecia-se suas qualidades, sempre com palavras. A quarta linguagem foi a do amor romântico, que se originou do amor cortês, no século XII.[2] Cada uma das conversas amorosas inventadas deu uma forma diferente aos nossos relacionamentos. Mas todos acabaram se transformando em linguagens que não nos servem mais.[3]

O psicanalista Jurandir Freire Costa considera que "o amor erótico não é apenas uma atração sexual acompanhada de sentimentos ternos — enlevo, carinho, preocupação, cuidado, dedicação, devoção etc. — ou violentos — desejos de posse exclusiva, ciúmes, desconfianças, rivalidades etc. Pensar no amor dessa maneira já faz parte do aprendizado amoroso, pois significa estar convencido de que ele foi sempre o que é hoje, ou seja, uma emoção sem memória e sem história".[4]

Quando o amor romântico começou a ser uma possibilidade no casamento, foi uma revolução. Os jovens diziam aos pais: "Não vou me casar com a pessoa que você escolheu, só vou casar com quem eu amo." Nesse sentido, houve uma liberação, uma destruição do poder dos pais, mas uma liberação não satisfatória, porque o amor romântico é baseado na idealização. Por ser idealizado, não requeria muita conversa. Era possível amar sem precisar conversar, estar apaixonado sem falar, só olhando nos olhos. É como ser atingido por um raio e ficar paralisado, prisioneiro desse raio.[5]

Para Jurandir, a gênese do amor romântico "é indissociável do enorme enriquecimento da esfera da vida íntima, da repressão à sexualidade e, por fim, da valorização moral da família nuclear e conjugal. Não é surpreendente, assim, que a liberalização da sexualidade, a ruptura com a tradição familiar e a diluição da intimidade na publicidade estejam mudando a face do amor".[6]

O amor romântico começa a sair de cena

A fusão proposta pelo amor romântico é extremamente sedutora. A grande maioria das pessoas acredita que não há remédio melhor para o nosso desamparo do que a sensação de nos completarmos na relação com outra pessoa. Entretanto, nesta primeira década do século XXI, com tantas opções de vida, o que homens e mulheres mais desejam: estabilidade nas relações amorosas ou liberdade? Vivemos um período de grandes transformações no mundo, e, no que diz respeito ao amor, o dilema atual parece se situar entre o desejo de simbiose com o parceiro e o desejo de liberdade.

Elisabeth Badinter apresenta nosso triplo desafio: conciliar o amor por si próprio e o amor pelo outro; negociar nossos dois desejos — de simbiose e de liberdade —; adaptar, enfim, nossa dualidade à do nosso parceiro, tentando constantemente ajustar nossas evoluções recíprocas. O peso do indivíduo coloca o casal em xeque. A duração da relação passa a ser um ideal e não mais uma obrigação.[7]

Baseado em estatísticas dos Estados Unidos e da Europa, Zeldin acredita que o mundo está dividido em três partes. Um terço das pessoas anseia por liberdade, criatividade. O outro terço é cuidadoso, quer a rotina, a segurança, e não se preocupar. O último terço é composto de pessoas que estão incertas entre as duas possibilidades. Se a pessoa se preocupa com a estabilidade na relação, vai se preocupar com cada amigo ou amiga que seu parceiro tenha, e isso impede que se desenvolva a liberdade.[8]

"Novos mundos, novos sujeitos, novas emoções. No momento, estamos, pouco a pouco, aceitando que a experiência amorosa é fugaz e seu destino é a provisoriedade. Resta saber, portanto, para onde vai migrar a vontade de ir além do bom senso, o desafio de realizar o impossível ou o ímpeto de vencer a brevidade, em matéria de felicidade emocional. O amor romântico encarnava essas promessas. Em sua ausência, quem ou o que vai se ocupar do sentido da vida de cada dia ou da fantasia da redenção afetiva? Ainda o mesmo amor? Outras formas de amar? Ou outras maneiras de criar um mundo emocional sem a onipresença do romantismo? Difícil de responder; impossível não querer responder; a cada um a tarefa de procurar responder", diz Jurandir.[9]

No passado, havia a ideia de possessão e sacrifício pelo outro. A paixão significava uma escravidão. Embora haja pessoas ainda vivendo no passado, está surgindo uma nova dimensão do amor, em que há mais troca e a tentativa de um equilíbrio, sem sacrifícios. As fantasias do amor romântico se baseiam na dependência entre os amantes. Por essa razão, elas não conseguem mais satisfazer os anseios daqueles que pretendem se relacionar com seus parceiros de maneira autêntica e viver de forma mais independente.

A tendência hoje é o desejo de viver um amor baseado na amizade. Para isso, são necessárias novas estratégias, novas táticas por meio de experiências nunca antes tentadas. Para conhecer o outro, é preciso um encontro sem idealização, reproduzir o passado não é mais suficiente. Muitos gostariam de inventar uma nova arte de amar, e pela história fica claro que existem precedentes, portanto, é possível fazê-lo.[10]

O amor romântico começa a sair de cena, levando com ele a idealização do par romântico, com a ideia de os dois se transformarem num só e, consequentemente, a ideia de exclusividade. Com isso, abre-se a possibilidade de se amar e de se relacionar sexualmente com mais de uma pessoa ao mesmo tempo.

Uma nova conversa de amor

No passado, quando se conversava sobre amor, o objetivo era o elogio, a sedução, as fantasias, mas tudo para atrair a atenção do outro. Às vezes, para atrair o sexo oposto, recorria-se à mágica, tanto quanto palavras adequadas à sedução. Hoje, para se desenvolver um entendimento no amor, quando se procura a igualdade, é necessário perceber o que a outra pessoa deseja e o que ela é. Essa nova forma de amar, diferente da expectativa do amor romântico de sermos a única pessoa importante para o outro, terá como ingredientes principais o companheirismo e a solidariedade.

"O amor que nasce do olhar está com os dias contados. Evoluiremos da amizade para amor."[11]

O psicoterapeuta Flávio Gikovate acredita que estamos diante do único modo de amar que pode sobreviver às tendências individualistas — que ele vê com muita simpatia e otimismo —, próprias desse período da nossa história. Para ele, as relações vão ser de natureza a respeitar a individualidade dos envolvidos. A aproximação será entre pessoas inteiras e não fusão de metades. É um outro tipo de amor. É o fim do amor romântico.[12]

Está cada vez mais distante o tempo em que se acreditava que amar exigia sacrifícios. Até meados do século XX, todos valorizavam quem abria mão dos próprios anseios em prol do outro. *Ceder* era a palavra de ordem para um bom relacionamento. E quem não se dispusesse a isso corria o risco de ser rotulado de imaturo ou de egoísta. Gikovate afirma que sai de cena a palavra concessão, até porque no mundo mais individual a capacidade de fazer concessões obrigatoriamente diminui, e no lugar dela entra a palavra respeito. "Corresponde ao sentimento que aproxima pessoas que conseguiram ter sucesso na dificílima tarefa de superar os acontecimentos infantis e a pressão na direção da perpetuação de relações de dependência, que ainda são majoritárias em nossa sociedade."[13]

Como foi dito, a vida a dois, numa relação estável — namoro ou casamento — tornou-se difícil de suportar diante das transformações e dos apelos da sociedade atual. Principalmente porque sempre se aceitou como natural que um casal vivesse numa relação fechada, na qual só participavam a possessividade, o controle e o ciúme. Mas, no momento em que os modelos de amor, casamento e sexo se tornaram insatisfatórios, abriu-se espaço para novas experimentações no relacionamento afetivo-sexual.

O sociólogo inglês Anthony Giddens chama de "transformação da intimidade" o fenômeno sem precedentes de milhares de homens e mulheres que, estimulados pelos amplos movimentos sociais atuais, estão tentando, consciente e deliberadamente, desaprender e reaprender a amar.[14]

Tudo indica que as relações amorosas no futuro serão mais livres e, por isso mesmo, mais satisfatórias. Não alimentando fantasias românticas de fusão com outra pessoa, cada um tem a oportunidade de pretender se sentir inteiro, sem necessitar de outro para completá-lo. Aí, então, será possível descobrir as incontáveis possibilidades do amor e como ele pode se apresentar para cada pessoa, em cada momento, de diferentes maneiras.

Educação para amar

"O ser humano está nos primórdios da comunicação, apenas no limiar de abandonar a etiqueta destrutiva, o fútil jogo das aparências", afirma Zeldin. Para ele, o ruído do mundo é feito de silêncios, na medida em que é muito difícil a verdadeira comunicação entre as pessoas. Há incompreensão e desentendimento nas conversas. Na maior parte dos encontros, orgulho ou cautela ainda proíbem alguém de dizer o que sente no íntimo. É um desperdício de oportunidades sempre que um encontro se realiza e nada acontece. No passado, a comunicação era criada para, principalmente, dominar os outros, e era usada para transmitir informações e se dizerem coisas que eram esperadas pelas pessoas. Havia uma obediência à etiqueta, que era mais importante do que ser sincero. A seu ver, o século XXI precisa de uma nova meta: desenvolver não simplesmente a arte de falar, mas a verdadeira arte da conversa, que, esta sim, é capaz de mudar as pessoas. Estamos nos primeiros estágios da aprendizagem de como se falar com o outro. Estamos na infância da comunicação.[15]

Uma boa conversa é estimulante e irresistível; não é só transmitir informações ou compartilhar emoções, tampouco apenas um modo de incutir ideias na cabeça de outras pessoas. Toda conversa é um encontro entre espíritos que possuem lembranças e hábitos diversos. Quando os espíritos se encontram, não se limitam a trocar fatos: eles os transformam, dão-lhes nova forma, tiram deles implicações diferentes, empreendem um novo encadeamento de pensamentos. "Conversar não é apenas reembaralhar as cartas: é criar novas cartas para o baralho. O aspecto da prática da conversa que mais me estimula é o fato de poder mudar os sentimentos, as ideias e a maneira como vemos o mundo, além de poder mudar até mesmo o próprio mundo."[16]

Na maioria das vezes, não é o que acontece. Há muito tempo, a comunicação amorosa é prejudicada pelo antagonismo entre os sexos. As escolas tradicionais sempre se esforçaram para ensinar aos alunos modos de ser e de se relacionar que os condicionem a se ajustar aos modelos estabelecidos. Isso implica na aceitação incondicional dos papéis até agora desempenhados por homens e mulheres. Um artigo escrito por dois psicólogos americanos, publicado no *Journal of Sex Research*, analisa como os roteiros de "machos" fazem parte de uma ideologia na qual os homens são vistos como superiores às mulheres, e as emoções associadas com a masculinidade são consideradas superiores às associadas com a feminilidade.

Somente alguns tipos de sentimentos, como repulsa, raiva, desprezo, são "masculinos", ou seja, sentimentos adequados a quem tem de dominar. Para garantir que aprendam a ser adequadamente "masculinos", os meninos também são ensinados a desprezar e a repelir as emoções "femininas" de medo e vergonha e, assim, nunca admitir que estão com medo ou errados.

Entretanto, educadores progressistas começaram pela primeira vez, nos Estados Unidos, a abordar a educação para amar, ou seja, a educação para a alfabetização emocional —, a fim de ajudar os estudantes a aprender maneiras de ser e de se relacionar que os capacitem a se ajustar a uma sociedade de parceria, não de dominação. Essa educação está sendo introduzida lentamente no currículo escolar.

Há escolas que ensinam seus alunos de literatura e história a empatia através do que chamam de "monólogos interiores", nos quais os estudantes são encorajados a pensar a partir da perspectiva dos diferentes personagens na história, na literatura e na vida. Outra escola tem como objetivo elevar o nível da competência emocional e social das crianças como parte da educação. Como exigência para alunos do ensino médio, uma escola na Califórnia pretende estimular dimensões da inteligência quase sempre omitidas: sensibilidade em relação aos outros, autocompreensão, intuição, imaginação e conhecimento do corpo.[17]

Amor virtual

Talita, pedagoga, de 48 anos, está separada há bastante tempo. O computador na sua vida teve função limitada — enviar e receber e-mails e digitar alguns textos — até se decidir a entrar numa sala de bate-papo. Foi aí que conheceu Zé Roberto, e por ele se apaixonou.

"Nunca nos vimos, mas nos amamos muito. Há seis meses, todos os dias, no final do expediente dele na empresa, nos 'encontramos'. Sabemos tudo da vida do outro. Sei quando ele está preocupado e percebo claramente quando está precisando de mim. Há dias em que sinto tanta saudade do Zé Roberto que fico ansiosa esperando o momento do nosso 'encontro'. Quando acontece alguma coisa boa na minha vida, penso logo em contar para ele. Se estou com algum problema, ele me dá grande apoio; pensa junto comigo e me faz perceber vários ângulos da questão. Ele é casado, mas às vezes viaja a trabalho. Nessas ocasiões, ficamos muitas horas juntos à noite, cada um em frente ao seu computador. Quando vou dormir, sozinha na minha cama, sinto-me profundamente ligada a ele. Arriscaria dizer até que nunca amei ninguém com tanta intensidade."

Muitos se espantam com o relato de Talita. Acreditam tratar-se apenas de fantasias solitárias de pessoas carentes. "Como é possível amar uma pessoa sem poder vê-la, tocá-la, sentir seu cheiro?", perguntam. Penso, entretanto, que essa estranheza ocorre porque qualquer forma de pensar e viver diferente da que estamos habituados gera insegurança e medo. Afinal, o novo assusta. Ainda mais no que diz respeito aos relacionamentos amorosos.

Márcio Souza Gonçalves, professor de Teoria da Comunicação da UERJ, que defendeu tese de doutorado sobre o tema, é partidário da ideia de que não é possível julgar negativamente os relacionamentos virtuais em favor dos reais, porque nos dois casos estamos diante de processos culturais e sociais de construção de uma experiência que nunca é natural. A análise da história do amor revela que os comportamentos amorosos humanos, as representações ligadas a eles e as sensibilidades que os sustentam são extremamente variados, sendo impossível encontrar uma forma universal de amor. Grandes diferenças distinguem o amor vivido na Grécia antiga, na Idade Média e na modernidade.

O que Márcio sustenta, em resumo, é que os amores virtuais não devem ser entendidos como amores incompletos, artificiais, desviantes, menores, e, sim, como amores plenos, ainda que de um tipo novo e estranho. A história do amor é a de uma sucessão de artifícios e neste momento estamos diante de mais um, tão artificial quanto todos os outros. "É evidente que a expressão amores virtuais não designa um só tipo de experiência amorosa, mas, antes, uma gama de experiências. Temos minimamente amores virtuais duradouros, verdadeiros relacionamentos estáveis e também relacionamentos virtuais efêmeros, rápidos, que não implicam nenhuma forma de duração."[18]

Os encontros

Theodore Zeldin vê vantagens nos relacionamentos virtuais. "Pode ser interessante de duas formas: a primeira é as pessoas exercitarem ser o que não são, desempenhando papéis. A segunda forma é dizerem coisas que normalmente não diriam, se não estivessem no anonimato. Com isso podem ser mais sinceras. Por último, ajuda numa habilidade, muito importante, que é o flerte. Você tem de aprender como se tornar atraente para outra pessoa. Há uma troca humana de interesses. Quando duas pessoas têm uma relação de qualidade entre elas, com respeito pelo outro, isso ajuda a mudar o mundo."[19]

A Internet oferece a rara possibilidade de alguem se interessar por uma pessoa que não é vista e, portanto, ficar livre da ditadura da beleza física. Não são poucos os que admitem que jamais teriam se aproximado de uma pessoa feia, gorda ou baixa, mas que após o período de namoro virtual, quando se deu o encontro, isso já não importava tanto. Num primeiro encontro virtual, as pessoas conversam e marcam novos encontros. Na hora combinada, ficam ansiosas, exatamente como ao vivo. Quando o outro se atrasa para entrar no chat, vem logo aquela sensação tão conhecida do medo da rejeição. Apaixonar-se pela Internet não é muito diferente do que acontece na vida real.

Num chat, os internautas adotam um nome fictício e podem mentir a respeito de muitas coisas para garantir o anonimato e parecer mais atraentes: idade, profissão, tipo físico, lugar em que moram etc. Contudo, mesmo desejando conquistar o outro, ninguém consegue mentir no que de fato importa: características de personalidade, como sensibilidade, generosidade, inteligência, humor, e também a visão que a pessoa tem do mundo, são transmitidas desde o primeiro momento. Após vários encontros no chat, muitos se sentem íntimos e, dependendo do estado de excitação, decidem pelo sexo virtual. "A Internet abre um novo universo de relações humanas, possibilitando ao ser humano realizar aquilo que efetivamente é: um nó de relações voltado para todos os lados. No jogo de relações de todo tipo — comerciais, culturais e outras que se dão via Internet —, ocorre também a relação afetiva. Daí pode surgir enamoramento e paixão", comenta o teólogo e escritor Leonardo Boff.[20]

Nunca foi tão fácil não ser sozinho

Não é verdade que a solidão seja uma praga moderna. Os hindus dizem, em um dos seus mais antigos mitos, que o mundo foi criado porque o Ser Original se sentia solitário. É infundada a crença de que a sociedade moderna condena os indivíduos à solidão. Quando a Internet surgiu, há poucos anos, dizia-se que o ser humano estaria definitivamente perdido, e que as pessoas, cada vez mais solitárias, iriam se relacionar exclusivamente com a máquina. Acreditavam que o avanço tecnológico vencia, subjugando a todos, e em breve não haveria qualquer possibilidade de troca afetiva nas relações humanas.

Mas a Internet surpreendeu. Os solitários conheceram gente, os tímidos ganharam coragem para trocar ideias e falar de si, e muitos grupos se formaram. Há quem confesse nunca ter tido tantos amigos e feito tantos programas como depois que passou a frequentar um chat. Existem grupos que se encontram três vezes por semana em bares e restaurantes, e uma vez por mês vão a reuniões em outros estados, onde os internautas se hospedam reciprocamente. É claro que não é só amizade que as pessoas buscam quando se conectam à rede. Isso se torna cada vez mais frequente, o que faz o número de divórcios causados por infidelidade virtual crescer bastante.

Cresce o adultério on-line

A pesquisadora Beatriz Avila Mileham, da Universidade de Gainesville, na Flórida, Estados Unidos, que estudou o impacto dos chats nos relacionamentos, prevê que muito em breve a Internet se tornará a principal forma de infidelidade entre casais, se já não o é. Tem havido um número cada vez maior de rompimentos, após serem descobertas relações extraconjugais on-line por um dos parceiros. Segundo o estudo, muito embora os relacionamentos cibernéticos possam nunca levar às vias de fato, eles desencadeiam, quando desmascarados, os mesmos sentimentos de fúria e traição de uma relação real. Nos Estados Unidos, as salas de papo on-line têm sido a mais crescente causa de divórcios ultimamente, e tendência similar se delineia na Grã-Bretanha.

Relações múltiplas

A experiência amorosa via Web acontece nos sites dedicados ao amor. Esses endereços virtuais possuem elementos multimídia que permitem o envio de imagens, anúncios à procura de parceiros virtuais ou reais, rápidos ou duradouros. O e-mail também permite a relação direta, antes do primeiro contato pessoal.

Os programas de chat possibilitam que as pessoas dialoguem em tempo real, em canais específicos, com temas variados. Os diálogos podem ser abertos ou privados, ou seja, com todo o grupo vendo ou reservado aos interessados. Há opção de anonimato. O usuário pode partir de um contato na Internet para um encontro real, de carne e osso, que pode visar apenas um contato breve ou algo mais sério. A outra opção é que o relacionamento continue virtual, e nesse caso ele poderá ser breve ou duradouro, como o real. Outra características dos encontros amorosos virtuais é a prática de se relacionar com mais de uma pessoa ao mesmo tempo.

Pedro Henrique, médico, solteiro, de 29 anos, costuma ter vários amores virtuais.

"Independentemente de estar namorando alguém no mundo real, tenho minhas namoradas virtuais. Há épocas em que me relaciono com três ou quatro mulheres. Envio e-mail para uma delas e marcamos hora para nos encontrar nos chats. Claro que tenho minhas preferências. Como no mundo real, com algumas tenho mais afinidade do que com outras."

Acredito que daqui para a frente haverá grande variedade de relacionamentos. No futuro, as pessoas vão experimentar diferentes formas de estar juntas. A prática de relações amorosas virtuais múltiplas abre espaço para se amar várias pessoas ao mesmo tempo também no mundo real. É o que se pode observar com o crescente número de adeptos do poliamor.

Poliamor

Elaine é advogada, tem 34 anos e está separada há três. Após alguns namoros e muitas brigas por conta do ciúme de seus parceiros, decidiu que não teria mais nenhuma relação amorosa em que se exigisse qualquer tipo de exclusividade.

"Em vários momentos da minha vida amei mais de uma pessoa ao mesmo tempo. Mas sempre que isso acontece, você se sente na obrigação de ter que decidir entre elas. Não acho natural; não quero isso para a minha vida. Por que não podemos amar várias pessoas? Não amamos diversos amigos? Não amo meus três filhos? Cansei dessa história; aderi de corpo e alma ao poliamor. Sei que não é fácil encontrar parceiros que concordem com isso, mas estou tentando. Tenho a esperança que daqui a algum tempo as cabeças fiquem mais abertas."

Na mesma semana em que ouvi, no consultório, o relato de Elaine, recebi o telefonema de uma repórter de uma revista semanal querendo me entrevistar sobre poliamor. São esses pequenos sinais que indicam as tendências. Existe hoje um movimento organizado com a intenção de difundir a ideia de se amar várias pessoas ao mesmo tempo. A Wikipédia, enciclopédia livre da Internet, dá a seguinte definição:

"Poliamor é a tradução livre para a língua portuguesa da palavra *polyamory* (palavra híbrida: *poly* é grego e significa muitos, e amor vem do latim), que descreve relações interpessoais amorosas que recusam a monogamia como princípio ou necessidade. Por outras palavras, o poliamor como opção ou modo de vida defende a possibilidade prática e sustentável de se estar envolvido de modo responsável em relações íntimas, profundas e eventualmente duradouras com várias/os parceiras/os simultaneamente. (...) Poliamor como movimento existe de um modo visível e organizado nos Estados Unidos nos últimos 20 anos, acompanhado de perto por movimentos na Alemanha e no Reino Unido. Recentemente, a imprensa começou a cobrir abertamente quer o movimento poliamor em si, quer episódios que lhe são ligados. Em novembro de 2005, realizou-se a Primeira Conferência Internacional sobre Poliamor em Hamburgo, Alemanha."

O verbete é ilustrado com uma passeata em Londres dos adeptos dessa prática amorosa, com uma grande faixa na qual se lê: *Polyamory*. No Google, são encontradas 769 citações para a palavra poliamor e 840 mil para a palavra *polyamory*, nos mais diversos idiomas.

No poliamor uma pessoa pode amar seu parceiro fixo e amar também as pessoas com quem tem relacionamentos extraconjugais, ou até mesmo ter relacionamentos amorosos múltiplos em que há sentimento de amor recíproco entre todos os envolvidas. Os poliamoristas argumentam que não se trata de procurar obsessivamente novas relações pelo fato de ter essa possibilidade sempre em aberto, mas, sim, de viver naturalmente tendo essa liberdade em mente. "O poliamor pressupõe uma total honestidade no seio da relação. Não se trata de enganar nem de magoar ninguém. Tem como princípio que todas as pessoas envolvidas estão a par da situação e se sentem à vontade com ela. A ideia principal é admitir essa variedade de sentimentos que se desenvolvem em relação a várias pessoas, e que vão além da mera relação sexual."[21]

O poliamor aceita como fato evidente que todos têm sentimentos em relação a outras pessoas que as rodeiam. Como nenhuma relação está posta em causa pela mera existência de outra, mas, sim, pela sua própria capacidade de se manter ou não, os adeptos garantem que o ciúme não tem lugar nesse tipo de relação. "Não é o mesmo que uma relação aberta, que implica sexo casual fora do casamento, nem na infidelidade, que é secreta e sinônimo de desonestidade. O poliamor é baseado mais no amor do que no sexo e se dá com o total conhecimento e consentimento de todos os envolvidos, estejam estes num casamento, num *ménage à trois*, ou no caso de uma pessoa solteira com vários relacionamentos. Pode ser visto como incapacidade ou falta de vontade de estabelecer relações com uma única pessoa, mas os poliamantes se sentem bastante capazes de assumir vários compromissos, da mesma forma que um pai tem com seus filhos."[22]

O poliamor ganha visibilidade

Nan Wise, psicoterapeuta que pratica o poliamor, reconhece que é necessário muita estabilidade emocional. Ela é casada com John Wise há 24 anos e os dois mantêm uma relação amorosa com outro casal, Júlio e Amy. Como muitas dessas relações, Nan tem com John sua "relação primária", e com Júlio e Amy uma relação secundária, termos que servem para atribuir níveis de importância a quem participa de um mesmo grupo. "As modalidades e escalas de valores desse tipo de relacionamento podem parecer complexos para quem desconhece como operam, mas o fenômeno está sendo mostrado em grupos de discussão, sites na Internet, eventos e filmes."[23]

Embora a relação amorosa entre três ou mais pessoas permaneça à margem da sociedade, os que a praticam são cada vez mais visíveis ao compartilhar sua experiência. Sites como www.polyamory.com e www.polyamory.org oferecem desde dicas para a relação entre poliamantes até músicas, ensaios, artigos de opinião, filmes e literatura de ficção sobre o assunto. A Polyamory Society é uma organização sem fins lucrativos que promove e apóia os interesses de indivíduos com relacionamentos ou famílias múltiplas. Para a escritora americana Barbara Foster, que estuda o poliamor e o pratica com seu marido há mais de 20 anos, trata-se de um movimento social muito importante e que está na moda.[24] Os poliamoristas advertem que essa prática amorosa é uma escolha, assim como é a monogamia, e traz consigo tantos ou mais desafios. Ela, definitivamente, não é uma solução para um mau casamento ou outros problemas de relacionamento.

"Ficar": antecessor do poliamor

Entre a classe média urbana brasileira, há o fenômeno do "ficar", uma espécie de namoro que se esgota num prazo curto. Começou nos anos 80 entre os adolescentes, e consiste em trocas de carícias que vão dos beijos e abraços até alguma coisa mais, geralmente sem chegar ao ato sexual. O "ficar" dispensa um conhecimento prévio e qualquer tipo de continuidade. Tudo começa e termina na mesma noite ou dia, numa festa ou na praia, sem culpas ou explicações. O ficar é uma forma não compromissada de relacionamento afetivo, no qual não há o pressuposto de fidelidade/exclusividade. Alguns jovens ficam com várias parceiros(as) numa mesma noite.

"Visto dessa perspectiva, fica claro que o poliamor é a forma mais evoluída de relacionamento amoroso, pois não existe o desejo de posse e domínio sobre o outro. Cada parceiro está interessado na felicidade do outro e não se sente inteiramente responsável por ela, tampouco cobra do outro responsabilidade integral sobre a sua felicidade no amor."[25] Os poliamoristas afirmam que, entre eles, o fato de se amar mais de uma pessoa ao mesmo tempo não provoca o ciúme, mas, sim, um sentimento chamado de "compersão" — sentir-se feliz ao ver seus parceiros com outras pessoas. "O ciúme é um sentimento primitivo, baseia-se no desejo de posse do outro como se fosse um objeto. Isso não é amor, é necessidade, egoísmo. O amor é algo que se doa sem nada pedir em troca, a não ser o que o outro quiser e puder dar espontaneamente. O amor não comporta ressentimento e mágoa, isso é produto do ciúme, que por sua vez é produto da frustração do desejo de posse exclusiva do outro, o qual se origina do desejo infantil de ter o pai ou a mãe só para si."[26]

A fidelidade não é natural

Apesar de nosso tabu cultural contra a infidelidade, são muito comuns as relações extraconjugais. Todos os ensinamentos que recebemos desde que nascemos — família, escola, amigos, religião — nos estimulam a investir nossa energia sexual em uma única pessoa. Mas a prática é bem diferente. Uma porcentagem significativa de homens e mulheres casados compartilha seu tempo e seu prazer com outros parceiros.

A antropóloga americana Helen Fisher conclui que nossa tendência para as ligações extraconjugais parece ser o triunfo da natureza sobre a cultura. "Dezenas de estudos etnográficos, sem mencionar inúmeras obras de história e de ficção, são testemunhos da prevalência das atividades sexuais extraconjugais entre homens e mulheres do mundo inteiro. Embora os seres humanos flertem, apaixonem-se e se casem, eles também tendem a ser sexualmente infiéis a seus cônjuges."[27]

O professor de ciências sociais Elías Schweber, da Universidade Nacional Autônoma do México, reforça essa ideia. "Na infidelidade influem fatores psicológicos, culturais e genéticos, que nos levam a afastar a ideia romântica da exclusividade sexual. Não existe nenhum tipo de evidência biológica ou antropológica na qual a monogamia é 'natural' ou 'normal' no comportamento dos seres humanos. Ao contrário, existe evidência suficiente na qual se demonstra que as pessoas tendem a ter múltiplos parceiros sexuais."[28]

A poligamia — o homem ter mais de uma esposa de cada vez — é permitida em 84% das sociedades. Durante muito tempo, acreditou-se que só os homens tinham relações múltiplas. Entretanto, quando surgiram os métodos contraceptivos eficazes e as mulheres entraram no mercado de trabalho, houve uma mudança no comportamento feminino.

Anete, casada há dez anos, relata o conflito que a atormenta:

"Tenho um casamento estável e feliz, amo meu marido e sinto que ele me ama. Fui traída e perdoei. Em primeiro lugar, pela dependência financeira, em segundo, pelos meus filhos, e em terceiro, porque eu o amava muito e homem para mim só existia ele. Com o passar dos anos, fui amadurecendo, tornando-me mais independente financeira e emocionalmente, e isso fez com me sentisse mais segura. Conheci uma pessoa, um vizinho, que, de tanto passar na minha porta, acabou me despertando o interesse. Depois de alguns meses, conversamos pelo celular e resolvemos nos conhecer pessoalmente. Estamos nesse relacionamento há três anos. Ele também é casado.

"Meu casamento, depois disso, melhorou; meu marido me trata com carinho e demonstra amor como nunca tinha feito antes. A qualidade do sexo também melhorou; ele me acha mais gostosa, me curte mais, e eu tenho o maior tesão por ele. Meu conflito interior é o seguinte: como posso estar num casamento tão bom e satisfatório para mim e ainda conseguir levar adiante um relacionamento extra? Até que ponto isso é bom para mim e para meu casamento? Como devo agir diante de tal situação? O conflito se torna ainda maior pois sou católica, e pela minha criação o adultério sempre foi visto como um grave pecado."

Um dos pressupostos mais universalmente aceitos em nossa sociedade é o de que o casal monogâmico é a única estrutura válida de relacionamento sexual humano, sendo tão superior que não necessita ser questionado. Na verdade, nossa cultura coloca tanta ênfase nisso, que uma discussão séria sobre o assunto dos relacionamentos alternativos é muito rara. Entretanto, as sociedades que adotam a monogamia têm dificuldades em comprovar que ela funciona. Ao contrário, parece haver grandes evidências, expressas pelas altas taxas de relações extraconjugais, de que a monogamia não funciona muito bem para os ocidentais. É comum pessoas deixarem um bom casamento porque se apaixonaram por alguém novo, no que vem sendo chamado de monogamia sequencial. O argumento de que o ser humano é "predestinado" à monogamia é difícil de sustentar. Portanto, uma vez que nós humanos nos damos tão mal com a monogamia, outras estruturas de relacionamento livremente escolhidas também devem ser consideradas.[29]

Em 1976, o psicoterapeuta e escritor Roberto Freire tomou como base a letra da música de *O Seu Amor*, de Gilberto Gil, para a discussão da sua proposta de amor libertário.

O seu amor
ame-o e deixe-o livre para amar
O seu amor
ame-o e deixe-o ir aonde quiser
O seu amor/ame-o e deixe-o brincar
ame-o e deixe-o correr
ame-o e deixe-o cansar
ame-o e deixe-o dormir em paz
O seu amor
ame-o e deixe-o ser o que ele é

Na música de Gil, é ressaltada a ideia de que o verdadeiro ato de amor é o que garante a quem amamos a liberdade de amar, além e apesar de nós e de nosso amor. Ele acredita que, apesar de muita gente considerar que essa ideologia amorosa é pura utopia, quase todos sonham com essa possibilidade. "Pessoalmente, é tudo o que desejo: o meu amor, tanto meu sentimento quanto a pessoa que amo, além de amá-los apenas do jeito que gosto, deixo-os livres para amar do jeito que gostam, até mesmo além e apesar de mim. Procuro pessoas que também amam assim. Tem sido difícil, mas acabo sempre por encontrá-las. É fascinante, assustador, maravilhoso, doloroso, prazeroso, novo, imprevisível, incontrolável, rico, maluco, romântico, caótico, aventureiro."[30]

Poliamor: o que é e o que não é

Os psicólogos americanos Derek McCullough e David S. Hall escreveram um longo texto sobre poliamor, publicado no *Journal of Sex and Sensibility*, do qual reproduzo alguns pontos.[31]

Para eles é comum encontrar-se em colunas de aconselhamento amoroso a seguinte história: "Eu realmente amo meu marido, mas me apaixonei também por um colega de trabalho. O que devo fazer?" A resposta é, usualmente, alguma variação do seguinte conselho: "Saia fora disso, você irá arruinar sua vida." Os terapeutas acreditam que a verdadeira resposta é que muitas pessoas estão adotando um novo tipo de esquema em sua vida. Elas estão aprendendo a amar mais do que uma pessoa ao mes-mo tempo, com honestidade e integridade.

No que os poliamoristas em geral acreditam?

- Os poliamoristas dizem que sua filosofia nada mais é do que aceitação direta e a celebração da realidade da natureza humana.
- Os poliamoristas dizem que o sexo não é o inimigo, que o real inimigo é a quebra e a traição de confiança resultante da tentativa de reprimir nosso ser natural em um sistema social rígido e antinatural.
- Os poliamoristas dizem que o sexo é uma força positiva se aplicada com honestidade, responsabilidade e verdade.
- Os poliamoristas não têm que atender a todas as necessidades de cada parceiro; eles devem ajudar. Se sua esposa ama ópera e você não gosta, talvez algum de seus amantes apreciará levá-la à ópera. Se ele for também um mago da informática e ajudar a consertar seu computador quando ele não funciona direito, você é uma pessoa de sorte.
- Os poliamoristas dizem que o amor é um recurso infinito, e não finito. Ninguém duvida de que você possa amar mais de um filho. Isso também se aplica aos amigos — quando você encontra um novo amigo, não precisa se preocupar com quem terá que descartar para colocá-lo no lugar.
- Os poliamoristas dizem que o ciúme não é inato, inevitável e impossível de superar. Mas eles lidam com o ciúme usualmente de forma bem-sucedida. Há um novo termo para o oposto do

ciúme: *compersion* (sem tradução para o português ainda, talvez possa ser traduzido como "comprazer"). *Compersion* é o sentimento de contentamento que advém do conhecimento de que uma pessoa que você ama é amada por mais alguém.

- Os poliamoristas dizem que o amor deve ser incondicional, no lugar da proposição monogâmica de que "Eu irei amar você sob a condição de que você não amará mais ninguém", "Desista de todos os outros", é como usualmente isso é colocado. E, conforme demonstrado pela história, o casamento monogâmico não dá nenhuma garantia de que não se irá amar mais ninguém ao longo da vida.
- Os poliamoristas acreditam em um investimento emocional de longo prazo em relacionamentos; assim como esse objetivo nem sempre é alcançado no poliamor, ele também nem sempre é alcançado na monogamia.
- Os poliamoristas acreditam que eles representam os verdadeiros "valores familiares". Eles têm a coragem de viver um estilo de vida alternativo que, embora condenado pela sociedade, é satisfatório e recompensador para eles. Crianças que têm muitos pais/mães têm mais chances de serem bem cuidadas e menos risco de se sentirem abandonadas se alguém deixa a família.

Derek McCullough e David S. Hall afirmam que nossa cultura é adepta de três crenças básicas sobre relacionamento que provocam ciúme na maioria das pessoas. Identificar e desmantelar essas crenças é a forma mais eficaz de lidar com o ciúme.

Crença básica 1

Se meu parceiro(a) realmente me ama, não deve haver nenhum desejo de uma relação sexual íntima com qualquer outra pessoa.

Isso se baseia no modelo de carência de amor, no qual o interesse emocional ou amoroso do parceiro por alguém mais significa que eu serei menos amado. Isso é tão absurdo quanto a ideia de que ter um segundo filho é um indicativo de que você não ama suficientemente seu primeiro filho. Isso também presume que sexo e amor são as mesmas coisas e preenchem as mesmas necessidades.

Crença básica 2

Se eu for um bom parceiro/marido/esposa/amante, meu parceiro(a) estará tão satisfeito(a) que não vai desejar se envolver com mais ninguém.

Essa crença é ainda mais insidiosa. Com a primeira crença você pode, no mínimo, jogar a culpa no(a) parceiro(a). Essa crença faz com que seja sua falta não ter sido um(a) amante perfeito(a). Essa é também a base do disseminado mito romântico da "uma e única pessoa no planeta". Isso também acarreta sérios problemas de autoestima, os quais são um terreno fértil para o ciúme.

Crença básica 3

É simplesmente impossível amar mais de uma pessoa ao mesmo tempo.

Isso, novamente, se baseia na teoria da carência de amor, de que eu tenho apenas uma quantidade finita para dar.

Todas essas crenças estão ligadas ao medo primário, porém infundado, de perda e abandono. Os poliamoristas substituíram essas crenças básicas por três novas crenças básicas:

Nova crença básica 1

Meu(minha) parceiro(a) me ama e confia tanto em mim que nós podemos permitir que nosso relacionamento se expanda e se enriquecia ao experimentar mais amor de outras pessoas. Há uma abundância de amor no mundo e há o suficiente para todos. Amar mais de uma pessoa é uma escolha que pode expandir o potencial para dar e receber amor.

Nova crença básica 2

Meu(minha) parceiro(a) é tão confiante em mim e em nosso relacionamento que ter outros parceiros não irá provocar ciúme nem a ideia de que isso irá destruir nosso amor.

Nova crença básica 3

Apesar do arranjo socialmente fora do comum que nós estabelecemos em nossa vida amorosa, eles foram acordados de forma consciente e responsável por todos os envolvidos. Nós insistimos em integridade em nossos relacionamentos.

Tornando-se poliamorista

Naturalmente, ninguém chega ao poliamor de uma hora para outra, isso é resultado de um longo processo de desenvolvimento pessoal, do qual, por enquanto, poucos são capazes. É necessário fazer toda uma revisão de conceitos, de condicionamentos culturais e emocionais, para ver as coisas a partir de um outro paradigma. Entretanto, os poliamoristas também sustentam o direito de qualquer um optar pela monogamia como escolha de vida e acreditam que essa seja a escolha certa para muitas pessoas.

A psicóloga americana Deborah Anapol, autora do livro *Polyamory: The New Love Without Limits* (Poliamor: O novo amor sem limites), afirma: "Nossa cultura coloca tanta ênfase na monogamia de modo que poucas pessoas se dão conta de que podem decidir sobre quantos parceiros amorosos/sexuais desejam ter. Ainda mais difícil de aceitar é a ideia de que uma relação de múltiplos parceiros possa ser estável, responsável, consensual, enriquecedora e duradoura. Poliamor não é sinônimo de promiscuidade."[32]

É importante ressaltar que o poliamor não é a única forma satisfatória de relacionamento amoroso. Cada pessoa deve ter o direito de escolher a que mais se adapta às suas necessidades e características de personalidade. "Provavelmente, muitos anos irão passar ainda até que o poliamor seja um forma de relacionamento universalmente aceita e praticada sem barreiras legais e preconceitos sociais. As pessoas que estão praticando o poliamor atualmente são como desbravadores de um novo continente, abrindo caminhos para chegar aonde nenhum homem jamais esteve e tornar realidade a utopia de que novas formas de relacionamento são possíveis como alternativa à antiga ditadura da monogamia compulsória."[33]

Sem medo de ser sozinho

A maioria ainda acredita que só é possível encontrar a realização afetiva numa relação amorosa com alguém. A propaganda a favor é tão poderosa que a busca da "outra metade" se torna incessante e muitas vezes desesperada. Entretanto, nas grandes cidades dos países desenvolvidos, há cada vez mais gente optando por morar sozinha. Isso indica que as mentalidades estão mudando. "É crescente o número de pessoas para as quais a tendência na direção da individualidade, de uma vida sem muitas concessões, em que a liberdade de decisão e de locomoção se torna muito maior, passa a ser mais forte do que nossa outra tendência, a que nos impulsiona na direção da fusão romântica, na qual predomina a busca da sensação de aconchego", comenta Gikovate.[34]

Roberto Freire afirma que lhe custou muita dor, solidão e desespero aprender que sentir amor era uma potencialidade vital sua, produção criativa própria, e que para amar dependia apenas dele mesmo. A expressão e comunicação do seu amor eram produtos da liberdade pessoal e social conquistada. "Em minha inocência e ignorância, eu atribuía a algumas pessoas o poder de liberar, produzir, fazer exercer-se e se comunicar o amor em mim e de mim. Esse amor pertencia, pois, exclusivamente a essas pessoas, ficando eu delas dependente para sempre. Se, por alguma razão, me deixassem ou não quisessem produzi-lo em mim, eu secava de amor e — o que é pior — ficava em seu lugar, na pessoa e no corpo, uma sangrenta ferida, como a de uma amputação, que não cicatrizaria jamais."[35]

Não é fácil deixar o hábito de formar um par. Fomos condicionados a desejá-lo, convencidos de que se trata de pré-requisito para a felicidade. Entretanto, quando alguém alcança um estágio de desenvolvimento pessoal em que descobre o prazer de estar sozinho, dá-se conta de uma profunda mudança interna. Preservar a própria individualidade passa a ser fundamental.

O futuro aponta para uma nova forma de estar só. Mais pessoas vão perceber que viver sozinho não significa solidão. Contudo, a condição essencial para ficar bem sozinho é o exercício da autonomia pessoal. Isso significa, além de alcançar nova visão do amor e do sexo, libertar-se da dependência amorosa exclusiva e "salvadora" de alguém.

O caminho fica livre para um relacionamento mais profundo com os amigos, com o crescimento da importância dos laços afetivos.

É com o desenvolvimento individual que se processa a mudança interna necessária para a percepção das próprias singularidades e do prazer de estar só. "O que caracteriza e diferencia a amizade do amor não é a inexistência de trocas eróticas. Estas poderiam até existir nas amizades, se não tivéssemos a mentalidade que temos a respeito do que pode ou não ser feito em termos sexuais", explica Flávio Gikovate.[36] Ao afastarmos a ideia da fusão com o outro, poderemos estabelecer um relacionamento afetivo e sexual mais sofisticado do que o amor romântico e apropriado a esse futuro de pessoas sós e autônomas.

Rede de amigos

Pela primeira vez na história humana, algumas pessoas de países ocidentais começaram a escolher seus parentes, criando uma nova rede de parentesco baseada na amizade, e não no sangue. Segundo Helen Fisher, as associações são compostas de amigos. Os membros se falam regularmente e compartilham suas vitórias e dificuldades. Quando um adoece, os outros cuidam dele. Essa rede de amigos é considerada uma família, que, segundo Fisher, poderá gerar novos termos de parentesco, novos tipos de política de seguro, novos parágrafos nos planos de saúde, novos acordos de aluguel, novos tipos de desenvolvimento de moradia e muitos outros planos legais e sociais.[37]

Casamento

O modelo de casamento que connecemos dá sinais de que será radicalmente modificado. Como vimos, muitos o consideram um obstáculo à liberdade. Apreciam a descoberta, a aventura, a falta de rotina, o convívio com pessoas diferentes e, principalmente, não se sentem obrigados a fazer alguma coisa só para agradar ao outro. A insatisfação na vida a dois da grande maioria dos casais impulsionou essas mudanças. Estatísticas mostram que homens e mulheres americanos casados gastam, em média, apenas meia hora por semana conversando.

O amor romântico saindo de cena, provavelmente, levará com ele a ideia de exclusividade sexual, ou seja, a fidelidade conjugal, tão cobrada ainda hoje, perderá sua importância. Com a crescente liberdade sexual que se observa, práticas antes nem imaginadas pelos casais ganham espaço.

Ménage à trois

Há algum tempo, passei a receber grande quantidade de mensagens de pessoas casadas dispostas a praticar sexo a três com seus cônjuges. Resolvi, então, lançar a pergunta no meu site www.

camanarede.com.br: "Você gostaria de fazer sexo a três? Por quê?" Aproximadamente 1.500 usuários responderam. Quase 80% disseram sim. A palavra que mais aparece nas respostas é "excitante". O argumento favorável mais comum é o de que a visão do(a) parceiro(a) com outro é muito... excitante.

Alguns defendem a total falta de compromisso entre as partes e somente o desejo sexual conduzindo as ações. Outros, ao contrário, só veem validade em tal experiência se houver paixão, envolvimento, enlace profundo. Os que assumem a bissexualidade são percentual expressivo. Esses argumentam que o sexo a três é o relacionamento perfeito. Há um forte contingente daqueles que gostariam, mas acham que os parceiros jamais admitiriam. E há também os que só o praticam fora de casa, lamentando ter de recorrer ao adultério.

Em histórias e cartas para revistas pornográficas, o *ménage à trois* geralmente compreende um casal hetero que se envolveu com outro homem ou mulher. Em alguns casos, as três pessoas estabelecem um vínculo e desenvolvem uma relação estável. Entretanto, na maioria das vezes, a terceira parte é tratada como um brinquedo a ser usado, mais do que parte integral da relação.

Silvana, publicitária, de 28 anos, é casada com Jonas há três. O casal tem uma filha de um ano e meio. Desde antes do nascimento da criança, Jonas propunha convidar mais um homem para fazer sexo com eles. Silvana relutou um pouco, mas, diante da grande insistência do marido, resolveu aceitar:

"É sempre o Jonas que escolhe um homem para transar conosco. É frequente ele me avisar que naquela noite teremos visita. No início, eu ficava meio constrangida de transar com alguém na frente do meu marido, mas acabei gostando da ideia. Nunca repetimos a mesma pessoa nem sei como Jonas combina a participação do outro. Tem sido uma experiência excitante ser tocada por dois homens ao mesmo tempo, mas, às vezes, fico meio culpada. Deve ser por conta da minha educação religiosa."

O termo *ménage* vem do latim *mensa* e refere-se à mesa ou refeição. Poderia significar, então, três pessoas à mesa, à vontade. É como estar em família. Talvez essa seja uma das maiores características do *ménage à trois*: o estar à vontade, em família, evitando, porém, a formação de um casal e de todo o tédio que isso pode representar. O terceiro elemento desequilibra e, ao fazê-lo, repõe o equilíbrio perdido pela simples existência do casal.

O *ménage* tem uma longa história. Jean-Jacques Rousseau foi participante e incentivador do *ménage à trois*. Casanova integrou vários trios. Catarina da Rússia e Friedrich Engels aderiram ao formato, mas a tríade contemporânea mais famosa foi composta pelo filósofo Jean-Paul Sartre, Simone de Beauvoir e Bianca Bienenfeld. Madame Beauvoir declarou: "Fomos pioneiros de nossos próprios relacionamentos, de sua liberdade, intimidade e franqueza. Pensamos na ideia do trio."

Mas o *ménage à trois* não é um hábito apenas de intelectuais, como pode parecer pelos exemplos anteriores. Sua prática é documentada também entre os bandidos. Butch Cassidy, Sundance Kid e Etta Place amavam-se entre um assalto a trem e um assalto a banco. Bonnie Parker, Clyde Barrow e Willian Jones, também no Oeste, faziam o mesmo. Quem não se lembra de Bonnie e Clyde, algumas décadas depois?

Em 2002, para matéria da extinta revista *Muito Prazer*, que editei, enviamos cartas para 30 casais que anunciam em revista, buscando sexo a três. Propusemos uma reportagem contando como acontecem tais relações. O resultado está no texto a seguir escrito pelo jornalista Fauzi Duran, que relata as experiências de um casal de Niterói.

"João e Dilma casaram-se por insistência dela. Ele admitia existir uma grande amizade entre os dois, mas preferia a vida livre dos solteiros. Dilma insistia. Ela era sua confidente, melhor amiga e eles, vez ou outra, ainda transavam bem. João acabou concordando. O casamento deu aos dois uma linda filha, que lhes trouxe muitas alegrias, mas o sexo diminuiu. Dilma, que tinha enorme tesão pelo marido, ressentiu-se do esfriamento do pouco que existira de sexo. Enfim, tornou-se tudo muito chato. João sugeriu que ela arranjasse um amante. Única ressalva: ele gostaria de assistir aos encontros da esposa.

"A possibilidade extraconjugal excitou Dilma, tornando-a atenta aos olhares dos homens e ao assédio. Logo ela colecionava pretendentes de todos os tipos. É uma mulher desejável, carnuda sem ser flácida, com um toque de sensualidade no rosto que talvez refletisse sua busca. Mas como saber que homem estaria disposto ao *ménage* ou, pelo menos, permitisse o voyeurismo de João?

"Quando entrei em contato com o casal João e Dilma, eles tinham descoberto recentemente as revistas de encontro. Consultando a *Brazil* e a *Private*, deram com anúncios de vários homens que desejavam encontrar-se com casais. Era só escolher. Havia negros que expunham seus membros avantajados nas fotos. E também homens de meia-idade que se ofereciam aos casais. Durante dois meses, João e Dilma analisaram dezenas de anúncios e acabaram selecionando alguns, que enviaram cartas de resposta.

"Duas semanas depois, eles saíram com Júlio, jovem de 36 anos que mandara sua foto de corpo inteiro e nu, como haviam pedido nos contatos. Marcaram para um sábado à noite em Icaraí. Beberam juntos uns drinques e resolveram terminar a noite num motel em São Gonçalo. Júlio não decepcionou. Dilma ficou encantada com o desempenho forte e constante do rapaz. Depois de várias horas, ela adormeceu nos braços do novo amigo. Acordou sozinha na cama. Ouviu ruídos no banheiro e foi espiar. Encontrou João gemendo sob o domínio de Júlio, que o penetrava. A bissexualidade em João não era desconhecida de Dilma. O flagrante apenas a confirmou. Júlio tornou-se parceiro constante do casal.

"O encontro do repórter de *Muito Prazer* com João e Dilma ocorreu na casa dos dois, no Ingá, em Niterói. Dilma explicou que Júlio costumava se relacionar com ambos, separadamente.

Isso gerava entre os três a formação de dois casais, e a renovação de todos os vícios decorrentes de uma relação a dois. Júlio continuava a encontrá-los, mas uma vez por mês saíam com outras pessoas para manter o frescor do *ménage*. Naquela noite, eles receberiam a visita de uma mulher. João convencera Dilma a experimentar a relação bissexual.

"'Gata sapeca para casais liberais', este foi o título do anúncio publicado por Eleonora em duas revistas de encontros. João respondeu dizendo que pretendia iniciar a mulher no 'bi feminino', conforme o jargão desse gênero de publicação. Eleonora descreveu-se como 'gostosa e tarada, 24 anos, 1,66m, 57kg, casada e liberada'. Anexou à carta uma foto em que está ajoelhada sobre uma poltrona, com nádegas e sexo expostos.

"Ela chegou à casa de João e Dilma com disposição. Sabia da presença de um repórter e mostrou-se tranquila. Eleonora sentou-se ao lado de Dilma. Tocou seu cabelo. Dilma sorria, mas continuava constrangida. João voltou para a sala com uma fita cassete na mão. Explicou que ali estavam algumas façanhas da mulher, mas só poderíamos vê-las no quarto, uma vez que o videocassete ficava lá. Fomos todos. Sentamos na cama. As imagens do vídeo mostravam Dilma, seminua, entre João e Júlio.

"Eleonora continuou passando a mão nas costas de Dilma e dando beijinhos em seu pescoço. Dilma levantou-se e olhou-nos, depois disse que gostaria, mas não podia. Saiu em direção à sala. João foi atrás. Eu e Eleonora o seguimos logo depois. Dilma estava se servindo de bebida.

"Dilma revelou que estava recebendo Eleonora por insistência de João, que a queria experimentando uma relação homossexual. Perguntei se Dilma estava resistente quanto à Eleonora por conta de minha presença, ou se ela não se julgava capaz de uma relação homossexual. Ela custou a responder, mas por fim disse que sim, eu a inibia, e que certamente ela e Eleonora acabariam transando. Era só aguardar o momento certo.

"Algum tempo depois, liguei para Dilma. Ela está se encontrando com Eleonora, com quem tem transado. Perguntei por João, mas Dilma disse que ele não participa. Estão procurando outras pessoas para se relacionar. Homens ou mulheres, mas sempre a três."

O número 3 tem significações místicas. O I Ching o considera um fator para a transformação da escuridão em luz. Os romanos usavam uma trípode para segurar a chama sagrada, competiam em carruagens de três rodas, que tinham mais estabilidade. Na mitologia escandinava, a árvore da vida tem três raízes.

Essas ideias ressaltam a natureza do casal *versus* a tríade, indicando que esta é superior à forma mais tradicional. Um praticante de sexo a três com a esposa explica: "O adultério e o *ménage à trois* compartilham no seu início um desejo de viver plenamente. Mas rapidamente tomam caminhos diferentes. O adultério floresce sobre a suspeita, o ciúme e a raiva. O *ménage* exige honestidade e, no mínimo, a aquiescência dos três. Sua plena cooperação produz melhor resultado. E talvez seja seu segredo."

Os adeptos do *ménage* o fazem para defender a própria família ou para detoná-la de vez. Um grupo acha que a família nuclear acabou e que novas configurações surgirão de suas ruínas. Outro quer a permanência dela, mas sem o tédio, o ciúme e os outros vícios do casamento tradicional. Ambos concordam, no entanto, que a mera existência do casal não se sustenta.

Swing

A troca de casais chegou à classe média do Ocidente em fins da década de 1970, nos Estados Unidos, embalada pela revolução sexual recente, mas sua prática é antiga em outras civilizações. Os esquimós costumavam deixar suas mulheres emprestadas ao vizinho, quando saíam para caçar. O objetivo era a preservação da mulher, que podia não resistir às baixas temperaturas, sem apoio de alguém. A China também tinha o costume, até a Revolução Cultural, de os maridos, quando se ausentavam, alugarem as esposas. Os filhos que nascessem no período pertenceriam àquele que alugara a mulher. No Tibete, na África e no Havaí há registro sobre o costume em questão.

As sociedades ocidentais modernas, com seu alto nível de tolerância aparente, convivem com clubes e publicações especializadas. Os casais anunciam suas intenções, com fotos e endereços. Após uma correspondência por e-mail, marcam encontros. Grupos mais organizados e com atividade regular mantêm casas exclusivamente para esse fim.

O Clube de Swing da América do Norte calcula que os adeptos da prática, nos Estados Unidos, sejam mais de cinco milhões de pessoas. No Brasil, nos últimos dez anos, aumentou muito o número de casas para esse fim e também o número de casais interessados em participar.

Clubes de swing

Há locais destinados à prática de swing, com acesso restrito apenas a casais, e clubes que têm apenas um dia da semana reservado para essa prática. Alguns permitem o acesso a pessoas sozinhas em determinados dias da semana. A maioria dos clubes de swing é dividida em dois espaços: uma boate com música de diversos tipos (gravada ou ao vivo) e um "espaço íntimo", acessível por uma porta discreta.

A *boate*: sua estrutura pouco difere de uma boate convencional. Os casais dançam, consomem bebida e tira-gostos como em qualquer boate. O diferencial está nas brincadeiras eróticas e na apresentação de stripteases masculinos e femininos. Às vezes, também ocorrem performances de casais strippers, ou com objetos eróticos. Os strippers costumam interagir com a plateia, mas só o fazem se devidamente autorizados pelo casal ou pessoa abordada. No primeiro sinal de desinteresse, afastam-se. Geralmente, há nos andares superiores labirintos escuros, cabines cheias de sofás à meia-luz e até piscinas. São playgrounds de adultos. Os mais inibidos ficam nos drinques. Os olhares são exatamente os mesmos de qualquer lugar de conquista. Homens e mulheres flertam. Subindo as escadas, começam as surpresas.

O *espaço íntimo*: varia conforme a casa de swing, embora camão e *darkroom* sejam tradicionais. A seguir, uma breve descrição do que é possível encontrar na área íntima de uma casa de swing:[38]

- Camão ou tatame: cama enorme na qual vários casais praticam sexo simultaneamente. Ao seu redor, é comum a presença de vários casais assistindo a tudo e estimulando os demais participantes.
- *Darkroom*: ambientes sem iluminação, completamente escuros, com poltronas ou sofás nos quais os casais trocam carícias ou mesmo relacionam-se sexualmente. O estímulo desejado é mais auditivo que visual. Permite grande privacidade.
- Aquário: quartos com paredes de vidro nos quais os casais se relacionam a portas fechadas, enquanto do lado de fora outros assistem.
- Confessionário: salas com camas ou poltronas individuais, separadas do ambiente externo por treliça. Permitem a quem está de fora assistir à relação sexual.
- Labirinto: sala com pouca iluminação, estruturada na forma de labirinto, cujo objetivo é encontrar a saída. No trajeto, os casais trocam carícias e encontram pequenas surpresas, como confessionários, espalhados pelo ambiente.

- Cadeira erótica: cadeira especialmente projetada para facilitar grande número de posições sexuais.

Uma das regras intrínsecas desses locais é, justamente, a completa discrição: dentro e fora dos clubes para swingers ninguém conhece ninguém e ponto. Outra regra: o absoluto respeito à vontade alheia. Quem não estiver a fim de participar pode, sem ser incomodado, simplesmente ficar observando. Aliás, voyeurs são bem-vindos, porque há aqueles que gostam mesmo é de plateia. Os adeptos consideram o swing, antes de tudo, uma forma de sair da rotina de suas relações e a liberação das fantasias.

As regras do jogo

Há um código que deve ser observado para a prática do swing, conforme as regras a seguir:

- O casal deve estar sempre de acordo. Os dois precisam saber de que se trata de uma casa de swing. Não vale surpresa.
- A relação tem que estar boa. Ninguém deve procurar no swing uma solução para crises amorosas.
- O respeito à vontade alheia é prioridade. Se alguém preferir só ficar olhando, não deve ser assediado.
- Nenhuma fantasia deve ser condenada. Porém, ninguém pode comentar o que rola entre os casais ali dentro com conhecidos.
- A sutileza é a alma do negócio. Basta um olhar ou um toque para sugerir a troca. Sentar-se por perto também é um bom começo.
- Todos devem ficar anônimos. Dentro e fora das boates ninguém conhece ninguém. Dar nomes, jamais.
- Os homens não devem ir acompanhados de mulheres que não sejam a esposa, a namorada ou uma amiga.

- É preciso evitar ser exibicionista, para não causar constrangimento. Sobretudo, homens solteiros.
- É bom ficar pelo menos uma horinha tomando um drinque ou dançando na boate "normal", antes de subir para as cabines do amor.

Além dos clubes, há festas, com ingressos pagos, especialmente organizadas para casais que desejam participar da troca de parceiros.

O swing de perto

Da mesma forma em que atuou para a matéria sobre sexo a três, o jornalista Fauzi Duran, decidido a investigar como funciona o swing, enviou carta para 30 casais expondo seu desejo de fazer uma matéria sobre o tema, todos anunciantes interessados em encontrar outros casais com as mesmas intenções. Os anúncios eram publicados na revista *Brazil*, especializada nessa modalidade de contato. Foi escolhido um casal. A seguir, o relato do jornalista:

"Renata senta-se no almofadão ao lado da filha Cláudia. A menina abraça a mãe e recebe o beijo estalado na face rósea. Cláudia tem 8 anos e é a filha mais nova de Renata, que completou 32 anos em fevereiro. Ela e Paulo têm ainda um menino de 12, Gilmar. É uma família feliz, de classe média, sem problemas, além dos comuns à maioria dos brasileiros de seu segmento social. Renata ajeita a camiseta de Cláudia e ergue-se com a menina no colo. Grita para Gilmar descer também. O pai está esperando no carro para levá-los até a casa da avó. Nessa sexta-feira, eles dormirão lá, porque Paulo e Renata vão receber amigos muito especiais.

"Cenas como essa se repetem em vários lares brasileiros todas as semanas. São casais que se encontram para trocar experiências sexuais, praticar o swing. Além do simples prazer do ato sexual, esses casais alegam que tais encontros reforçam seus casamentos, combatendo a mesmice e o tédio do matrimônio.

"Logo que Paulo volta da casa da mãe, onde deixou os filhos com a avó, encontra Renata recém-saída do banho, preparando-se. Ela é uma mulher que os homens chamam de gostosa. Tem o corpo firme, malhado, a boca sensual, e escolhe para essa noite um vestido curto e colado ao corpo, que realça suas formas. Paulo está excitado com a mulher vestida assim, mas prefere manter seu tesão contido, para mais aumentá-lo com as possibilidades que a noite traz.

"Paulo e Renata encontraram os amigos dessa noite nas revistas especializadas em encontros. São várias, com edições mensais e anúncios com fotos e texto de intenções. Foi Paulo quem mostrou a revista para a mulher pela primeira vez. Ela admite que se sentiu atraída desde o primeiro momento, mas não deixou transparecer. A ideia de que era uma mulher casada prevaleceu, mesmo com a clara posição simpática de Paulo sobre a questão. Os dois haviam falado em algumas ocasiões sobre as fantasias de ambos. Renata lembrou de como Paulo insinuara-se para a sua prima numa noite em que ela dormira na casa deles. Após rápida crise de ciúmes, Renata reconhecera que era natural que a pujante moça despertasse o tesão no marido. Ela também contou como o tio de Paulo a excitara. Dessa conversa mais franca, meses atrás, nasceu em Paulo a ideia de trazer a revista *Brazil* para casa.

"Paulo e Renata encontraram larga oferta de casais na revista, em várias faixas etárias e com os enunciados mais diretos possíveis, embora alguns mantenham o recato sob o rótulo de 'iniciantes'. Paulo disse à esposa que cabia a eles escolherem os anúncios a que responderiam, e existiam muitos de seu agrado. Vários foram os anúncios em que os casais demonstravam serem de perfil etário e social muito semelhante aos deles. Casais jovens.

"Paulo e Renata selecionaram o casal que vão encontrar nessa sexta entre muitas cartas que receberam por seu anúncio, de todo o Brasil. Eles analisaram as propostas e as fotos recebidas. Segundo Renata, Paulo vetou mais a aparência física de homens do que das mulheres, nos casais. Ela disse isso ressaltando que Paulo não é homossexual, mas estava preocupado com ela.

"Acabaram respondendo a 22 cartas, sendo que, dessas, apenas seis do Rio de Janeiro, e entre elas, três de Niterói, onde residem. Renata ficou excitada em imaginar que um vizinho seu fosse um swinger. O encontro dessa sexta-feira é o quarto que o casal tem com Jorge e Astrid. Eles contam como foi a primeira vez, nas palavras de Paulo: 'Marcamos na praia. Seria uma forma de mostrarmos nossos corpos à luz do sol. Era uma manhã de sábado e eu não podia crer que logo mais, ou um dia desses, Astrid seria minha. É uma morena de corpo cheio e duro, simpática e bonitinha. Ela me analisou com olhar experimentado. Eles já estiveram com vários casais.'

"Paulo continua falando, Renata interrompe para dizer que Jorge também 'é um tesão' e os dois riem com certa cumplicidade. Naquele mesmo sábado saíram da praia para o almoço num restaurante à beira-mar. Jorge elogiou o corpo e o sorriso de Renata. Mas foi um lance mínimo que Paulo admite ter mexido com ele. Ao voltar do banheiro, Jorge deu a volta na mesa e falou no ouvido de Renata, ela sorriu, ruborizando, uma intimidade começava a surgir entre a mulher com quem Paulo estava casado e um estranho.

"Os casais seguiram, depois do almoço, para a praia de Itaipu. Acompanharam o cair da tarde juntos. Foram no carro de Jorge, e Renata sentou-se ao lado do motorista, enquanto Paulo e Astrid acomodaram-se no banco traseiro. Renata conta que estava dividida entre o desejo de ir paquerar Jorge e o sentimento de que o marido estivesse sofrendo com a situação. Mas ela forçou-se a não quebrar a evolução dos acontecimentos. Em frente à praia, anoitecera, Paulo e Astrid saíram do carro para caminhar. Renata e Jorge ficaram sentados, olhando os dois se afastarem. Jorge correu a mão por sua coxa até o vértice, mas seu olhar não desgrudava de Paulo caminhando lá adiante. Ela viu quando ele enlaçou a cintura de Astrid, então ofereceu a boca a Jorge. Esses comentários, feitos uma hora antes do quarto encontro, ainda trazem um frisson impregnado na voz de Renata. Paulo sorri malicioso e diz que ela e Jorge ficaram em melhor posição dentro do carro, enquanto ele e Astrid precisaram conter-se para não correr o risco de serem presos por atentado ao pudor, trepando na praia. A noite acabou num motel, onde alugaram dois quartos, mas ocuparam um só. Entraram nus na hidromassagem, beberam vinho branco e finalmente trocaram de companheiros na cama, fazendo sexo lado a lado.

"Paulo, Astrid, Jorge e Renata, numa noite de sexta-feira do ano 2002, representam uma parcela de casais que busca vencer a monotonia do casamento? Ou o que os move é a paixão sexual desenfreada? Estão querendo preservar o matrimônio ou vivem uma tara que leva a abismos ignorados? Vamos acompanhar os fatos precedentes a essas atitudes.

"Paulo e Renata conheceram-se no curso de preparação para o vestibular. Ela tinha um namorado, mas não resistiu ao charme de Paulo, e foram para a cama. Paulo a satisfez inteiramente. Fizeram sexo durante um fim de semana inteiro. Ela largou seu par e passou a namorar Paulo. Um ano e meio depois, casaram-se. Renata foi cantada pelo ex-patrão, sentiu muita vontade de transar com ele, era um cara bonito, malhado, mas segurou-se. Paulo também conta que quase 'comeu' a empregada, uma colega de trabalho, uma prima de Minas que passou pelo Rio, a gerente do restaurante onde almoça e a frentista do posto de gasolina onde abastece. Esse 'quase' estava pesando, segundo ele. Começou a imaginar que Renata era cada uma delas, e não achou legal; foi quando um amigo deixou a revista *Private* sobre a sua mesa de trabalho. Ele folheou a revista e leu um dos depoimentos: 'Queremos contato com casais em que o homem seja hiperdotado, acima de 23 centímetros. Foto comprovando o dote é indispensável...', 'Somos um casal sem experiência, desejamos pessoas de alto nível que tenham local. Adoramos amizades, viagens, e muito sexo com segurança...', 'Dispensamos os sofisticados, barbudos, bigodudos, fumantes, indecisos e complicados...', 'Somos maduros, conservados, claros, desejamos amizade íntima com casais e moças, de preferência orientais, bem peludos no sexo...', 'Somos adeptos do sexo anal, oral e vaginal...', 'Sinceros, boa aparência, de bem com a vida...', os anúncios são os mais variados e induzem às mais diversas realidades.

"Paulo e Renata providenciaram uma caixa postal, gastaram algumas horas sentados em torno de uma mesa imaginando o texto de seu anúncio e das cartas-respostas: 'somos bonitos...', somos? É, somos... simples, amantes das coisas boas da vida... quem não é? Chegaram a um acordo e responderam a 22 anunciantes. Uma semana depois obtiveram as primeiras respostas, do interior de São Paulo, Minas e Espírito Santo, mas o sangue gelou quando o retorno foi dali mesmo, de Niterói. Não havia mais como dizer não. 'Temos alguma experiência, mas não encontramos ainda um casal que nos complete. Gostamos de sua carta. Gostaríamos de conhecê-los. Informem o telefone, por favor...' foi o trecho da carta-resposta de Jorge e Astrid.

"Mais uma semana, e endereçaram um retorno com o telefone. Dois dias depois, Astrid ligou, Renata atendeu. As crianças gritavam brincando na sala, e demorou para Renata entender quem estava na linha. 'Astrid, somos os anunciantes para quem vocês ligaram...', disse a voz um pouco rouca, sensual. Duas semanas depois, Renata via a curvatura alongada das coxas de Astrid balançando-se suavemente sobre as pernas de seu marido, que suava para mantê-la flexionada sobre si, enquanto a própria Renata era invadida e gemia com Jorge beijando seu pescoço e dizendo obscenidades em seu ouvido.

"No segundo encontro, foi totalmente diferente, conta Paulo. Encontraram-se numa boate do Rio, dançaram e beberam uísque, com os casais trocados. Entre eles já não havia muito segredo, mas Paulo não deixou de pensar o tempo todo que um colega de trabalho ou um familiar pudesse encontrá-los naquela situação. Esses pensamentos não excluíam o raciocínio lógico de que não tinham colegas que conhecessem a ambos como casal e que frequentassem boates na lagoa Rodrigo de Freitas, muito menos parentes, mas o pensamento não se afastou nunca. Num determinado momento, Renata chegou perto dele e disse: 'Eu e Jorge vamos a um motel. Encontramos vocês mais tarde em casa.' E ele ficou com Astrid mais um pouco, e depois foram também procurar um lugar para amar. Voltando para Niterói, alta madrugada, com Astrid de olhos fechados e a mão entre suas pernas, pensou que era como se fosse casado com ela.

"O terceiro encontro foi um tanto traumático para Renata e Paulo. A convite do outro casal, resolveram visitar um clube de swingers. Eram, então, dois casais trocados. Quando saem de Niterói vão em dois carros, para a eventualidade de separarem-se, como da última vez. Caminham de mãos dadas como se sempre houvessem saído juntos. Mas o clube não agradou a Paulo e Renata, embora Jorge e Astrid se sentissem bem lá. A aparência geral era de uma orgia de filme pornográfico, em que casais nus e seminus dançavam abraçados, ou transavam nos vários ambientes. Mas o que mais chocou Renata foi o tatame. Um quadrilátero onde uma mulher, deitada sobre a lona, ofereceu-se ao apetite de cinco machos vorazes. Faziam uma DP, ou seja, um lhe penetrava na vagina e outro no ânus, por isso chamada 'Dupla Penetração'. Ela praticava sexo oral num terceiro, e dois outros masturbavam-se ajoelhados ao lado, para finalmente ejacularem sobre ela. Tudo isso pareceu a eles um tanto animalesco. Jorge e Astrid acharam excitante a cena. Saíram os quatro para um motel na Barra, após o clube.

Astrid convidou Renata para um banho de chuveiro, enquanto os maridos conversavam na piscina, bebericando. Pela primeira vez, Renata sentiu a mão de uma mulher entre suas pernas, acariciando sua vagina. Ia tirar a mão da outra, mas ouvia Astrid dizer em seu ouvido: 'Vamos fazer uma surpresa para nossos maridos, homem adora ver mulher transando...' Renata sorriu, mas não topou. Foi criticada por Paulo, que soube mais tarde da proposta. Renata perguntou se ele sentaria no pênis de Jorge para agradá-la, mas não obteve resposta.

"Na sexta-feira em que recebem minha visita, e estarão pela quarta oportunidade em companhia do casal Jorge e Astrid, e em sua própria casa pela primeira vez, Renata e Paulo assumem a tranquilidade de swingers experientes, embora ressaltem que o bom desse jogo é torná-lo sempre uma novidade, sendo assim uma atitude contra a mesmice.

"A presença de um jornalista fazendo uma matéria é um fator de excitação. Afinal, o que fazem de excepcional que mereça a atenção especial dos outros? Serão eles extraordinários ou a maioria é que se acomodou em casamentos monótonos? Não nos cabe dizer.

"Às 9h da noite chegam Astrid e Jorge. Ela é uma mulher mais exuberante do que Renata. Tem 28 anos que aparenta por ser grande, mas transpira sexo, ou será o clima do encontro que me envolve? Jorge é também um homem portentoso, grande, mas não gordo, forte sem ser musculoso. São simpáticos e sorridentes, mas menos desarmados que Renata e Paulo. Ao perguntarem sobre a matéria, falo da proposta etc... Insistem no compromisso de sigilo absoluto, reafirmo minha responsabilidade em manter as fontes protegidas. Todos riem com a seriedade do momento, e Paulo oferece bebidas. Aceito água mineral. Jorge diz que posso não beber, mas a roupa vou ter que tirar na hora certa. Concordo, tentando lembrar com que cuecas estou.

"Jorge trouxe um vídeo que ele e Astrid fizeram com outro casal. Paulo fecha as cortinas da sala antes de colocar a fita. As primeiras cenas são dela no chuveiro, ensaboada, então Jorge entra no boxe em ereção, abraça-a por trás, começam a transar nessa posição. A umidade do ar cria uma névoa que envolve o casal numa aura romântica. Seguem-se várias cenas em que Astrid recebe o marido e depois um segundo homem. Ela faz sexo vaginal com o marido e oral com o amante, um jovem negro, de compleição forte. Noutra cena, Astrid e uma jovem negra, bonita, de pele lustrosa, estão sentadas lado a lado na cama, nuas. Os dois aproximam-se, e logo todos aderem ao jogo do sexo. Astrid apresenta o casal amigo que aparece no vídeo como Walmir e Eliana.

"Quando o vídeo termina, Jorge está com uma câmera de vídeo na mão, avisa que pretende registrar a performance dos casais hoje. Todos sorriem cúmplices e um pouco tensos. Pergunto se o fato de se verem no vídeo aumenta o prazer. Depois de algum silêncio Jorge responde que sim, principalmente quando o casal está só. Assistem a seus próprios desempenhos e acabam excitando-se. Paulo levanta para buscar mais gelo e Jorge aproxima-se de Renata, diz alguma coisa em seu ouvido enquanto agarra o seu seio. Astrid olha para mim e sorri, eu correspondo e ela pergunta sobre o meu trabalho, explico. Quando Paulo volta com as bebidas, Jorge está beijando Renata com a mão entre suas pernas. Nós conversávamos ao lado da cena ardente como se nada acontecesse.

"Jorge agarrou Renata nos braços e ergueu-se, ela fingiu protestos que não convenciam. Os dois saíram em direção ao quarto. É bom notar que era a primeira vez que Jorge entrava na casa. Foi guiado por ela. Paulo ria, mas um pouco contrafeito. Quando ficamos sós na sala, Astrid beijou-o na boca e olhou para mim. 'Vamos assistir?', perguntou. E saímos em direção ao quarto. Astrid apanhou a câmera sobre a mesa. Entramos no quarto. Os dois giravam na cama, seminus. Astrid começou a filmar. O ato durou uns 20 minutos, até que Jorge saiu de dentro de Renata após o gozo, ergueu-se e apanhou a câmera das mãos de Astrid. Ela beijou Paulo e o arrastou para a cama, ajudando-o a despir-se. Jorge pediu que eu também tirasse a roupa. Agradeci argumentando que estava ali a trabalho. Sentei numa poltrona. Logo após o coito da mulher, Jorge largou a câmera e se voltou para Renata. Os quatro ficaram deitados por um momento lado a lado. Lembrei de um filme da década de 1970, chamado *Bob and Carol, Ted And Alice*. Entrava a madrugada de sábado, estávamos no ano 2002, no Rio de Janeiro."

É difícil imaginar se a prática do swing vai se consolidar como instituição social ou se é apenas um fenômeno casual. Mas, ela sinaliza, sem dúvidas, para um novo patamar de consciência da divisão entre amor e sexo.

Separação

É cada vez menor o tempo em que dura um casamento satisfatório. Alega-se que hoje ninguém tem paciência, que, por vivermos numa sociedade de consumo, na qual tudo é descartável, o cônjuge também deve ser sempre substituído. Mas, como vimos, a questão não é essa. As dúvidas em relação a manter ou não um casamento começaram a surgir depois que o cônjuge passou a ser escolhido por amor, não mais por interesses familiares.

No Ocidente, há algumas décadas, o número de divórcios não pára de crescer. Como desapareceu a maioria dos imperativos — sociais, econômicos e religiosos — que pesavam a favor da duração do casamento, pode ser que dentro de algum tempo mais pessoas optem por outros tipos de relacionamento nada convencionais.

O aprisionamento numa relação estática tornou-se insuportável. "A sede de novas experiências, do desconhecido, do novo, é maior do que nunca. Assim, unir dois exilados para formar uma família segura e autossuficiente deixou de ser satisfatório. A tentação moderna é por uma criatividade mais ampla. O fascínio pelo novo é tal e qual o jogo, um passo para a criatividade.", afirma Zeldin.[39]

A separação inicia seu processo lentamente, na maior parte das vezes de forma inconsciente. A relação vai se desgastando e a vida cotidiana do casal deixa de proporcionar prazer. Aos poucos, o desencanto se instala. O psicoterapeuta José Ângelo Gaiarsa, após 50 anos de experiência em consultório, arrisca algumas estatísticas sobre casamento: "Dois por cento de bons casamentos acho que existem. Uns 15 ou 20% dos casamentos diria que são aceitáveis, dá para ir levando, têm suas brigas, seus atritos, têm seus acertos, suas compensações. Na minha estimativa, 80% são de sofríveis para precários e péssimos. A vida em comum é muito ruim para a maioria das pessoas."[40]

Atualmente, a duração média das uniões é de dez anos e meio. Segundo o IBGE (Instituto Brasileiro de Geografia e Estatística), 72% dos pedidos de separação litigiosa são feitos por mulheres. "A tendência atual não está mais ligada à noção transcendente do casal, mas, antes, à união de duas pessoas que se consideram menos como as metades de uma bela unidade do que como dois conjuntos autônomos. A aliança dificilmente admite o sacrifício da menor parte de si. (...) É verdade que nossos objetivos mudaram e que não desejamos mais pagar qualquer preço apenas para que o outro esteja presente ao nosso lado. A procura da autonomia não significa necessariamente a incapacidade de estabelecer uma relação dual, mas a recusa de pagar qualquer preço por ela."[41]

Aumenta a separação entre os mais velhos

Contudo, a média de idade nas separações aumentou. Casais mais velhos, no Brasil e em outros países, têm dado preferência ao divórcio. O jornal *The New York Times* publicou, em 9 de agosto de

2004, matéria em que mostra que entre os norte-americanos mais velhos — aqueles com mais de 55 anos, assim como os que já passaram dos 80 — o divórcio é mais aceitável e comum que nunca, segundo o depoimento de advogados e terapeutas de casais. Esses profissionais, bem como as pessoas que estão passando pelo chamado "divórcio grisalho", dizem que vários fatores determinam o fenômeno, incluindo o aumento da longevidade dos norte-americanos e a crescente independência econômica das mulheres.

Robert Stephan Cohen, advogado de família de Nova York, também aponta para a melhora da saúde proporcionada pelos coquetéis farmacêuticos que reduzem o colesterol e a pressão sanguínea, erradicam a depressão e estimulam a libido. Para os homens, há o Viagra, e para as mulheres a terapia de reposição hormonal. "São pessoas que aos 65 anos decidiram que têm mais 25 anos pela frente, e resolveram que não vão se acomodar." Observa-se entre homens e mulheres a cultura de reformulação de vida, que se disseminou entre os indivíduos mais velhos. "Eles fazem aulas de cozinha escandinava", conta. "Tentam ioga. E procuram terapias para tentar se entender melhor. Além disso, começam a se divorciar por aquilo que eu chamo de 'motivos leves': 'Não estou feliz', 'Minhas aspirações não se realizam', 'Não nos comunicamos'."

Festa de divórcio

Nos Estados Unidos, em 2005, tornou-se comum festa de divórcio. Um misto de despedida de solteiro e bacanal light está se tornando uma celebração completa, com listas de presentes e um conjunto de protocolos sociais. Antes motivo de vergonha, a separação tornou-se um rito de passagem peculiar. O matrimônio mudou para acolher pessoas mais livres, e não devemos nos surpreender com outras mudanças que virão por aí. Afinal, a instituição se ajusta à humanidade, não o contrário.

A família

Nas últimas décadas, a família foi se transformando radicalmente. Após a revolução sexual, na década de 1970, começou a surgir um novo tipo de família: pais separados que formam nova união e agregam os filhos de casamentos anteriores com os filhos do casamento atual. Que tipo de família virá a seguir? Ou melhor, será que a família, como conhecemos, continuará existindo?

O modelo de família nuclear — homem e mulher casados e filhos — já não é mais maioria nos Estados Unidos. Pela primeira vez, menos de um quarto dos lares americanos é constituído por famílias nucleares — mais exatamente 23,5%, percentual que em 1990 era de 25,6% e, em 1960, de 45%. O censo de 2000 naquele país constatou também que, pela primeira vez, o número de pessoas que vivem sozinhas é maior do que o número de famílias nucleares.

O século XXI deverá assistir ao estabelecimento de uma inédita sociedade de solteiros. Muitos homens e mulheres estão demorando a se casar e desistindo de ter filhos; e aumentou o número de filhos criados por apenas um dos pais. Nos anos 90, o número de mulheres que criam filhos sozinhas cresceu a uma velocidade cinco vezes maior que o de casais que criam seus filhos. Em todo o mundo ocidental, o número de pais solteiros também está crescendo. Ao contrário de outras épocas, quando, em caso de separação, nem se discutia com quem o filho iria viver — só em casos excepcionais a criança ficava com o pai —, hoje muitos pais solicitam a guarda dos filhos. Uma causa importante para esta concepção de família é a separação entre amor e sexo. Quando o sexo é apenas um prazer a dois, prevalece a amizade e torna-se desnecessário o casal.

A família nuclear não é a única organização possível ou mesmo a única forma saudável de família. Nenhum tipo de família pode realmente ser reconhecido pela exclusão de todos os outros.

Família dupla

O Tribunal de Justiça do Rio Grande do Sul, em julho de 2006, reconheceu uma união estável paralela ao casamento. O relacionamento mantido por um homem ao longo de 16 anos, embora ele fosse casado há mais de 30 anos, é a prova cabal de que uma pessoa pode manter duas famílias. É o que entendeu a 8ª Câmara Cível, que manteve decisão da 1ª Vara de Família e Sucessões de Porto Alegre.

O homem, que já morreu, tinha dois filhos com a mulher. Ele nunca se separou de fato. Também tinha duas filhas com uma funcionária de sua lanchonete. "Está-se diante de uma entidade familiar concomitante ao casamento", concluiu o desembargador José Ataídes Siqueira Trindade. Ele afirmou que o homem mantinha dois endereços, mesmo para fins de correspondência oficial. Fotografias retrataram o convívio social e familiar com a mulher e com a funcionária.

A autora da ação, a funcionária, responsabilizou-se pela internação hospitalar do companheiro. A mulher e os filhos do casamento pagaram as despesas com funeral. Ambas recebem do INSS pensão por morte.

Segundo o desembargador, o relacionamento fora do casamento teve parte de sua vigência e seu término (1980-1996) embasado na Constituição Federal de 1988, que elevou a união estável à condição de entidade familiar. O desembargador determinou que o patrimônio adquirido durante a vigência da união estável deve ser dividido da seguinte maneira: a companheira terá direito a 25% e outros 25% ficam com a mulher.

Ele citou trecho de voto do desembargador Rui Portanova em outra apelação (Processo 700.097.864-19): "Reconhecida a união dúplice ou paralela, por óbvio, não se pode mais conceber a divisão clássica de patrimônio pela metade entre duas. Na união dúplice do homem, por exemplo, não foram dois que construíram o patrimônio. Foram três: o homem, a esposa e a companheira."[42]

Casamento gay

Um clube em Greenwich Village, Nova York, Estados Unidos, o Stonewall Inn, lugar de encontro de gays, lésbicas e travestis, foi invadido pela polícia. Os bares gays dos Estados Unidos sofriam inspeções rotineiras. Os policiais prendiam os travestis mais provocantes e todos os que vestiam mais de três peças do sexo oposto. Não havia nada de especial na batida do Stonewall, a não ser que, pela primeira vez, os gays reagiram. Isso aconteceu em 28 de junho de 1969 e definiu a causa gay.

Quase 40 anos depois, os gays continuam a luta pela cidadania plena. Vários países, de alguma forma, aprovam a união entre homossexuais. Entretanto, a conquista que mais marcou o mundo GLS foi na Espanha, país extremamente católico que, depois da Holanda e da Bélgica, aprovou em junho de 2005 o casamento homossexual.

O Parlamento espanhol dá aos cônjuges do mesmo sexo todos os benefícios que têm os casais heterossexuais, inclusive direito a herança, a pensão para o viúvo, a adoção de crianças e ao divórcio. Com a aprovação da lei, o trecho do Código Civil espanhol que trata do matrimônio incluirá o seguinte parágrafo: "O matrimônio terá os mesmos requisitos e efeitos quando ambos os contraentes forem do mesmo ou de diferente sexo." A redefinição do casamento, de forma a incluir casais do mesmo sexo, deixa claro que a união tradicional de homem e mulher perde sua importância.

O conceito de família se ampliou. Um exemplo é o texto final da Conferência das Nações Unidas sobre a Mulher, realizada em Pequim no final de 1995, no qual a palavra família foi substituída por famílias. Portanto, não é difícil imaginar que, dentro de algum tempo, casais gays com seus filhos, adotivos ou não, serão tão comuns quanto casais heterossexuais.

Durante muito tempo, o casamento foi o grande objetivo de vida das pessoas. Homens e mulheres se encontravam — sentindo atração mútua ou em encontro preparado pela família —, e a história já estava escrita de antemão. Em todos os casos, o casamento nunca tardava e ficavam juntos pelo resto da vida.

Hoje, o envolvimento e o compromisso amorosos não são coisas evidentes, que acontecem de maneira tão natural. Os questionamentos são muitos. Será que devemos ir mais adiante? Considerar a possibilidade de fazer projetos? De morarmos juntos ou de criar uma nova família? "O príncipe encantado ou a princesa da nossa infância dificilmente irá desaparecer do nosso imaginário. Mas, o conto de fadas já se tornou datado. No lugar, houve uma tendência à individualização, à reivindicação por parte das mulheres da autonomia e da igualdade, o desenvolvimento de uma sexualidade mais livre, o fim de toda dramatização das relações extraconjugais e das separações: desde o seu nascimento, os amores contemporâneos buscam se harmonizar com o princípio de realidade."[43]

Quem mora sozinho, cada vez mais descobre as vantagens da independência, da tranquilidade de uma vida livre das obrigações e dos conflitos do cotidiano conjugal. É bem possível que, num futuro próximo, casais estejam ligados por questões afetivas, profissionais ou mesmo familiares, sem que isso impeça que sua vida amorosa se multiplique com outros parceiros. Viver junto será uma decisão que vai se ligar muito mais a aspectos práticos.

Como já foi dito, as pessoas podem vir a ter relações estáveis com várias pessoas ao mesmo tempo, escolhendo-as pelas afinidades. Talvez uma para ir ao cinema e ao teatro; outra, para conversar; outra, para viajar; a parceria especial para o sexo e assim por diante. A ideia de que um parceiro único deva satisfazer a todos os aspectos da vida pode se tornar coisa do passado.

Sexo

Daqui a algumas décadas existirão relações duradouras, mas talvez não sejam predominantes. As tendências apontam para o aumento do número de relações do tipo instantâneo e efêmero e do sexo em grupo.

Comparando sexo com culinária, Theodore Zeldin observa que "o desejo não é mais inexplicável que o gosto. Ao longo dos séculos, tem sido extraordinariamente flexível e versátil, servindo a causas opostas, desempenhando papéis muito diferentes na história, como um ator a um só tempo cômico e trágico, às vezes papéis simples, que reproduzem estereótipos corriqueiros, e outras vezes papéis experimentais, complexos, deliberadamente misteriosos. Isto sugere que outras alianças, outros excitamentos, também são possíveis."[44]

Sexo grupal

A prática do sexo em grupo, conhecida como orgia ou bacanal, é uma das variáveis mais curiosas da sexualidade humana. Frequentemente ignorada, ocultada e reprimida, ela é mais comum do que se imagina. As orgias servem para desopilar o espírito da mesmice do cotidiano e é atributo de ricos e poderosos, mas também são praticadas, embora com menos pompa e frequência, pelo povo. Os bordéis são até hoje locais de orgia em todo o mundo, mas elas podem ser encontradas em motéis e casas particulares. A recente prática do swing entre casais, legitimamente casados, renovou essa prática milenar. Pela história, temos muitos exemplos de sexo em grupo.

Os gregos

Eles foram berço de nossa civilização e, se não inventaram a orgia, foram seus praticantes mais organizados. O governo subsidiava as chamadas *dionisíacas*, que constavam de um grande banquete aberto a todos. Os participantes se vestiam como ninfas, sátiros, bacantes etc. e atravessavam a noite realizando jogos eróticos animados pelo vinho que corria livremente. Tais festas rapidamente se transformavam em orgias públicas.

Aristófanes descreve as *Tesmofórias,* um festival que ocorria em toda a Grécia: "Todas as mulheres que desejassem poderiam participar deles, desde que se abstivessem de relações sexuais nos nove dias precedentes. A esperteza dos sacerdotes exigia isso como ato de piedade; a verdadeira razão é que, estimuladas pela longa abstinência, participassem das orgias com menos comedimento. Para fortalecer a castidade durante o período de abstinência, era hábito comerem bastante alho a fim de manter os homens distantes com o cheiro desagradável da boca."[45]

Os romanos

A prática de orgias pelos romanos é claramente perversa, ao contrário da grega. O sofrimento e o sadomasoquismo faziam parte de seus rituais. Era comum o açoitamento até a morte para a diversão dos nobres. A arena do Coliseu se enchia de adoradores do sangue e há registro de que, após o espetáculo, os espectadores buscavam bordéis ou suas amantes para aplacar o desejo erótico.

Vênus, deusa do amor romano, tinha muitas faces. Tanto era a protetora do casamento quanto da luxúria. As meretrizes pediam sua bênção e ela era conhecida por "virar" os corações. A festa para sua celebração era conhecida como *Volgivaga*, ou aquela que perambula pelas ruas, como as prostitutas.

Ainda mais cruéis eram os cultos às *bacanais*, que não sem razão se tornaram sinônimo de orgia. Essas festas populares avançavam noite adentro em praças e ruas. O som de tambores e címbalos ocultava defloramentos de homens e mulheres.

Os imperadores

Os cultos às deusas eram orgias consideráveis, mas não chegavam a impressionar diante do que a corte realizava, em especial os césares. Augusto mantinha um agente de sua confiança percorrendo as ruas e identificando corpos para as suas festas. A expressão *corpos* é correta. O alcoviteiro conhecia o gosto do imperador e escolhia a dedo as virgens para o seu prazer. Os banquetes promovidos por esse rei eram famosos. Durante a comilança, simultaneamente, praticava-se sexo.

Outro especialmente lascivo foi Tibério, que criou o cargo de Mestre dos Prazeres Imperiais. Mandou construir um palácio em Capri, especialmente para suas orgias. Como era impotente, comprazia-se em assistir trios de jovens em ação. Sempre participavam dois rapazes e uma moça. Um dos homens ficava no meio, penetrado pelo segundo, enquanto a mulher se entregava a este. As alcovas desta vivenda eram decoradas com gravuras eróticas e havia livros pornográficos para azeitar a imaginação dos convidados.

Na ampla piscina, o rei se entregava a jovens que chamava de "meus peixinhos".

Calígula passou à história como o mais louco e cruel entre tantos imperadores de Roma. Mandou assassinar um sem-número de homens de sua corte pelos motivos mais torpes. Ficar com a mulher da vítima era um dos seus atos mais comuns. Durante seus banquetes, aos quais nobres eram convidados compulsórios, convidava as esposas para um reservado e as estuprava. Ao retornar à mesa, contava detalhes de seu barbarismo. Estuprou e prostituiu as irmãs e transformou o próprio palácio num bordel, para o qual cobrava ingresso dos próprios súditos.

O imperador Cláudio, se não superou seus pares na dimensão das orgias, se fez notável por sua esposa Messalina. Suas orgias duravam dias, quando se entregava a vários homens na mesma noite.

O sexo reprimido, mas não para todos

A Idade Média foi o mais reprimido dos períodos da história humana. Nem por isso o sexo deixou de ser praticado com voracidade. O domínio político da Igreja tentou por todos os meios refrear a luxúria de seus fiéis, mas só conseguiu fazê-la mais reprimida e mais doentia.

As orgias aconteciam em todos os espaços controlados pela Igreja. A Abadia de São Pedro, um dos símbolos máximos do catolicismo, tornou-se durante certo período (século X) um bordel. Arquibaldo, bispo de Sens, levou suas concubinas para alegrar o ambiente. Um dos responsáveis pela situação foi o papa Gregório VII, de nome Ildebrando, que dirigiu a reforma, obrigando ao celibato todos os membros da Igreja. Era proibido o prazer.

Na atualidade

Não são raros casais, homens e mulheres solteiros, e também muitos casados, irem sozinhos experimentar o sexo grupal nos clubes especializados. O sexo grupal está ganhando adeptos também entre os jovens. O título da matéria de 13 de agosto de 2004, do portal AOL, na Internet, é *Íntimo e grupal*, e a chamada é: "Está nos filmes, nos videoclipes e até nas novelas. Fala-se nos corredores das escolas sem constrangimento. Os adolescentes e jovens da classe média de São Paulo assumem uma nova atitude em relação ao sexo."

A matéria da repórter Patrícia Vieira, da redação AOL, afirma que o sexo grupal começa a fazer parte do dia a dia das mais diversas tribos teens de São Paulo. Está se tornando uma forma de diversão dos jovens, uma evolução erótica da onda de "ficar" na balada.

A novidade é a atitude em relação a esse tipo de coisa, é a forma como os adeptos de práticas pouco ortodoxas são vistos. Na escola, no clube, na balada, os adolescentes que fazem sexo grupal não são tidos por seus colegas como promíscuos, desavergonhados, imorais. "Nós falamos na escola, muita gente da turma sabe, e nunca sentimos censura", diz Marina, 15 anos, estudante do 1º ano do ensino médio, de um colégio tradicional de São Paulo.

A matéria jornalística do site AOL de modo algum é uma exceção exótica. Outras notícias semelhantes, do Brasil e do mundo, dão conta de que o lazer amoroso dos adolescentes está mudando radicalmente.

Sexo virtual

Ana Clara, psicóloga, casada, de 36 anos, aproveitando uma viagem do marido, resolveu entender realmente o que é o sexo virtual

"Durante 15 dias me dediquei a fazer sexo pela Internet. Todas as noites, lá pelas dez horas, entrava num chat de sexo e ficava até quatro ou cinco horas da manhã. Transava com vários homens e ia deletando os que não julgava interessantes, até encontrar um que me desse prazer ficar junto aquela noite. Às vezes, marcava encontro para o dia seguinte. Houve até casos de eu encontrar várias vezes com a mesma pessoa. Sei que muita gente não entende como isso pode ser excitante, mas posso garantir que tive grandes emoções. Dependendo do parceiro, a excitação era tanta que, apesar de eu não me tocar, tinha a sensação de ter orgasmo na alma. Continuo amando meu marido do mesmo jeito, mas sempre que posso busco um parceiro para fazer sexo virtual."

É grande o número de adeptos do sexo pela Internet. Muitos processos de separação se baseiam na comprovação de sexo virtual praticado pelo cônjuge. Isso só comprova que é comum o desejo de variar de parceiro, e que a Internet está sendo um facilitador para as relações extraconjugais.

Ao contrário do que muitos pensam, o sexo na Internet não é masturbação, no sentido de prazer solitário, porque nele interagimos com o outro. Naquele momento, o mundo cibernético e o mundo real são um só. O bem-estar afetivo pode ser conseguido na Web, por qualquer um. Ele não precisa mais estar coincidindo com o mundo físico.

"O acesso instantâneo a informações e contatos praticamente sem limites trouxeram à tona uma torrente de desejos que, décadas depois da revolução sexual, ainda surpreendem. O anonimato e a multiplicação de oportunidades alimentam o furor erótico, seja para procurar parceiros, reais ou virtuais, seja para escarafunchar todas as variantes sexuais já inventadas pelo ser humano — e algumas outras das quais ninguém nunca tinha ouvido falar. Liberados, ainda que momentaneamente, dos freios que delimitam o eterno embate entre pulsões sexuais e civilização, os usuários aproveitam."[46]

Sexo terapêutico

Valquíria, viúva que mora há dez anos numa cidade do interior, relata como encontrou na Internet um prazer sexual que não imaginava ser possível:

"Sempre me achei uma pessoa muito bem-informada sexualmente, mas como estou fora do exercício há longo tempo estou aprendendo, pela Internet, coisas que eu pensava que nunca poderiam acontecer. Nós brasileiras ainda estamos longe de um sexo livre, satisfatório e sem preconceitos.

"Nos Estados Unidos a coisa já chegou a uma tal evolução que ninguém mais fica sem ter um prazer generoso. Pela Internet, tenho conhecido muita gente (só participo de chats americanos) e no princípio fiquei meio apreensiva, achando que as propostas para o tal *cybersex* eram indecorosas. Mas não é nada disso! Estou com 64 anos e tenho tido orgasmos maravilhosos. Será que isso é normal? Fico me sentindo amadíssima e as palavras ditas ao meu ouvido são simplesmente adoráveis!

"Penso que essa maneira de se fazer sexo é fruto de uma enorme evolução, mesmo porque os parceiros sabem da minha idade e adoram o prazer que me dão. Sou viúva há 30 anos e nunca havia experimentado tanto gozo como agora. Nos Estados Unidos, como você deve saber muito bem, os homens de mais de 60 preferem mulheres da idade deles e nos amam deliciosamente como jamais pude imaginar. Que bom, não é?

"Tive câncer de mama há nove anos e, portanto, me recolhi, achando que havia morrido para o sexo e o amor. Mas na Internet descobri que os americanos estão acostumados a fazer sexo com mulheres mastectomizadas e as tratam com o maior respeito. Estou me sentindo uma garota!!! Não, estou me sentindo uma MULHER INTEIRA!"

A maioria das pessoas se espanta ao ler esse relato. Acreditam tratar-se apenas de fantasias solitárias de pessoas carentes. Penso, entretanto, que essa estranheza ocorre porque qualquer forma de pensar e viver diferente da que estamos habituados gera insegurança e medo. Afinal, o novo assusta. Ainda mais no que diz respeito aos relacionamentos amorosos e sexuais!

Na pesquisa do professor de Teoria da Comunicação Márcio Souza Gonçalves, inúmeros relatos indicam que as sensações físicas experimentadas são tão reais quanto as de um relacionamento não virtual. "A ausência do encontro face a face e de contato físico não implica a exclusão radical do corpo: ainda que não tendo acesso ao corpo do parceiro, cada um dos envolvidos tem um corpo que sente, sofre, se emociona e goza", diz ele.[47]

Não é possível avaliar com certeza quantos dos casos virtuais transformam-se em sexo real. Mas, segundo a revista americana *Psychology Today,* estudos recentes indicam que, em 60% dos casos, um relacionamento contínuo e profundo pela Internet termina na cama.

Brasileiro é o mais namorador da Web

A Global Market Insite, Inc (GMI), fornecedora de soluções globais integradas para pesquisas de mercado na Internet, acaba de completar a primeira versão da Pesquisa do Amor, um estudo realizado pela empresa sobre o comportamento e a opinião dos internautas no Brasil e no mundo quanto aos relacionamentos virtuais.

Entre os mais de 17.500 entre 18 a 64 anos entrevistados no total de 18 países, os brasileiros apareceram como os que mais buscam relações casuais com intenção sexual. Atrás deles, os alemães. Em terceiro lugar, os mexicanos. Por último, os poloneses.

Entre os brasileiros, 29% admitem buscar esse tipo de relação. Por outro lado, 32% preferem ir atrás de namoros sérios e duradouros — pelo menos 9% sonham em conseguir um relacionamento verdadeiramente sério como o casamento.

Pelo que se detecta no estudo, no Brasil a população virtual é bem-sucedida no namoro virtual: 59% dos entrevistados já tiveram êxito em relacionamentos on-line; apenas 9% responderam que não.

Quando o foco da pesquisa cai no tema traição, a maioria dos brasileiros (56%) considera os relacionamentos on-line ou de sexo virtual como tal. Quando perguntados se já traíram alguém pela Internet, 32% deles afirmaram que sim. Mas, nesse ponto, perdem de leve para os internautas da Malásia, pois 33% afirmam trair pela Internet. Os mais fiéis aqui são os holandeses: apenas 9% dizem ter traído pela rede.

Coincidindo com o resto dos países incluídos no estudo, a maioria dos brasileiros (80%) acredita que os candidatos a namorado(a) se descrevem fantasiosamente quando paqueram on-line. Dois terços de todos os entrevistados afirmam que namoram pela Internet de alguma forma. Para 45% de todos os entrevistados, o namoro virtual é importante e pelo menos 46% acertaram em seus namoros virtuais.[47]

Operando em trânsito

Há todo tipo de sexo na Web. Os já conhecidos e outros que estão em uso no norte da Europa, via celular ou rede sem fio, para quem vive em trânsito. É um misto de Web e real, que opera em espaço híbrido. São serviços para quem viaja muito e fica no máximo uma ou duas semanas em cada lugar.

No passado recente, um viajante dessa categoria estava reduzido a espaços e tempos mortos. Eles costumam evitar relações com a própria equipe, que é trabalho, e se restringem à prostituição. Hoje, com o celular ligado à Web, esse ser em movimento pode conectar os grupos do lugar onde ele está e reproduzir todos os contatos de uma vida normal.

São empresas, como a Lovecat (Ducon), onde se criam perfis, recebe-se um *nickname* e se expõem os gostos: comida, recreação, sexo, temas de conversa etc. via celular (*short messages*). O viajante é avisado das pessoas naquela região que têm afinidades com ele e onde encontrá-las.

Sexo on-line: dados

A pesquisa realizada por uma rede de notícias americana, MS-NBC, com 38 mil usuários da Web, concluiu que 10% deles estavam viciados em sexo on-line, ou seja, passam 15% de seu tempo na rede em atividade sexual.

Estima-se que 64% de todos os sites sejam de conteúdo sexual. Estudos da revista *Fortune* levantaram dados de que funcionários das 500 maiores empresas americanas passavam a maior parte de seu tempo no trabalho em sites de sexo. Houve demissões. Quanto aos relacionamentos via Web, a American Psychological Association levantou que 24% dos usuários de Viagra o utilizam para sexo on-line. Finalmente, o reconhecimento de que começamos a viver a era do sexo incorpóreo é a escolha de Aki Ross, atriz virtual do filme e do jogo *Final Fantasy*, para a capa da revista *Maxim*, na edição especial "Maiores estrelas em ascensão". O primeiro símbolo sexual virtual do terceiro milênio.

O futuro dos *sexy games*

Havia um jogo, em p&b (sem cores) para Macintosh chamado *MacPlaymate*. Uma animação comandada pelo mouse, em que uma mulher despida na cama era o objeto do jogo. O jogador a levava ao orgasmo tocando nela com o cursor e movendo o mouse ao redor. Ela respondia com gemidos e meneios de corpo. Era possível vestir a *MacPlaymate* com uma variedade de trajes, mudar sua aparência e assim por diante. Mas o jogador não ficava confortável.

Esse foi o primeiro de uma série de jogos em que o sexo é algo que se faz a alguém e não com alguém. O *MacPlaymate* e seus sucessores perpetuaram a noção de *eletronic love doll* ou *mulher de brinquedo*, manipulada pelo jogador. Ela não está realmente ali, não pode haver reciprocidade.

Há obstáculos técnicos para uma simulação lúdica realista de um coito, além da hipótese de uma armadura de metal carregada de sensores. As alternativas que roteiristas, designers e programadores estão trabalhando envolvem um controle direto do jogador sobre uma pessoa que o representa na tela. Ela será um *avatar* (transmutação) desse jogador, e suas ações serão comandadas nas teclas ou no mouse.

Outra opção será o controle indireto, quando o jogador será uma espécie de diretor de cinema, podendo escolher as ações de todos os personagens. A complexidade de reproduzir a atividade sexual está na variedade de movimentos intrincados envolvendo o corpo inteiro do jogador.

Embora nos pareça que é quase impossível aumentar a velocidade dos novos meios de comunicação, as surpresas surgem a toda hora. O sexo acompanha essa evolução nos endereços do tipo *site* e *blogs*, nos quais os encontros virtuais condensam e conduzem o real. O aprimoramento de *cybergames* eróticos remete a um mundo estranho. O amor foi posto de lado. Será?

Observando sobre outro ângulo podemos concluir que *cybergames* libertarão o amor de suas necessidades eróticas, ou melhor, o desejo sexual pela pessoa amada existirá de verdade ou se preferirá um bom orgasmo virtual.

Sex shops

Apesar de o famoso ator americano Stephen Baldwin ter empreendido uma batalha judicial contra a instalação de uma *sex shop* em sua cidade, Nyack, próxima a Nova York, esse tipo de comércio não pára de crescer. A cena de homens e mulheres, jovens ou não, procurando novidades nas vitrines das lojas, já está se tornando comum e representa um grande avanço na liberdade sexual.

As mulheres representam 70% dos consumidores de *sex shops* espalhados pelo Brasil, e estão perdendo a vergonha de buscar um prazer mais intenso. Na masturbação ou na relação sexual, elas lançam mão dos mais diversos produtos e artigos: desde simples óleos de massagem, lubrificantes, géis térmicos, lingeries sensuais e fantasias, até os mais modernos vibradores.

Marta, tem 38 anos e está separada há seis. Experimentou pela primeira vez um vibrador quando conheceu Fábio num chat da Internet e logo passaram a se comunicar por telefone.

"Quando eu transava por telefone, comprei uma mão, com três pilhas no punho. O dedo do meio girava dentro da minha vagina e o dedão vibrava no clitóris. Tive orgasmos maravilhosos com a voz do Fábio no meu ouvido. Mas nunca pensei que iria usar um vibrador na transa ao vivo com alguém. Acho que os homens se sentem diminuídos, como se a mulher estivesse dizendo que seu pênis não é suficiente. Poucos se garantem e incentivam a mulher a ter mais prazer. Depois da minha experiência por telefone, comecei a namorar o André. Ele é totalmente sem preconceitos e, por isso, não tive dificuldade de introduzir um vibrador na nossa transa. Comprei um em forma de pênis, com duas pilhas, e outro mais fino para o ânus. Apesar de sempre ter tido orgasmos, tenho sentido um prazer que nem sabia que existia. Acho que é o orgasmo elevado à potência máxima. Devia até ter outro nome, de tão mais forte que é. Enquanto André me penetra, conduzo o vibrador no clitóris. Ele me estimula também com o outro pênis de borracha, no ânus. Se as mulheres soubessem o prazer que podem ter, não iam nunca mais abrir mão de um vibrador na relação sexual com o parceiro."

"É bastante comum as pessoas acreditarem que para o exercício de uma sexualidade satisfatória e prazerosa baste a relação sexual com um parceiro em determinada periodicidade ou, em menor medida, a autoestimulação por meio da masturbação. Entenda-se a relação sexual restrita à penetração vaginal ou anal e a prática do sexo oral, sem levar em conta o que está em seu entorno. Esta é a visão hegemônica do que é 'normal' e 'natural' no sexo. No entanto, orbitam em torno do ato sexual propriamente dito vários fatores que promovem a estimulação, o desejo, a excitação e favorecem decisivamente a qualidade do prazer sexual. Entre tais fatores podem ser citados o ambiente no qual há a relação sexual, um vestuário atrativo, um perfume, uma música, um odor, uma nudez sugerida ou completa, uma fantasia, um drinque, um filme romântico ou erótico, além da atração física ou dos laços de afeto entre os parceiros. Alguns destes fatores têm diferentes impactos em cada pessoa, pois podem ser importantes para uns e indiferentes, desconhecidos ou inacessíveis para outros. A este conjunto de fatores que orbitam o ato sexual com parceiro e a masturbação soma-se o uso dos chamados brinquedos eróticos, cuja existência remonta ao antigo Egito, mas se consolidou como objeto de consumo apenas nas últimas duas décadas."[48]

Chá de lingerie

Frigideira, avental, rolo de pastel, forminha de empada... Eram alguns dos itens da longa lista de presentes do chá de panela. As utilidades recebidas se incumbiam de manter o perfil doméstico da futura esposa. Entretanto, de uns tempos para cá, um novo chá vem ganhando espaço.

O nosso velho conhecido chá de panela, como não poderia deixar de ser, se modernizou. E trocou de nome: chá de lingerie. Mas o melhor de tudo é que a ideia é outra. Agora a lista dos utensílios fica em lojas bem mais originais: nas *sex shops*. Todos visando intensificar o prazer sexual e deixar a imaginação correr solta.

Tecnologia para o prazer

Entre as novidades está o Slightest Touch (Leve toque), fabricado por uma empresa chamada Stimulation Systems, é um dispositivo movido a bateria que estimula nervos da pélvis feminina. Ele custa 200 dólares e não produz orgasmos — apenas deixa as mulheres prontas, alega o fabricante.

Com o tamanho aproximado de um walkman, o Slightest Touch funciona com um par de eletrodos, que devem ser colados nos tornozelos. Segundo o fabricante, a corrente elétrica produzida estimula dois pontos de acupuntura relacionados a três nervos da região pélvica. "É um ótimo casamento de alta tecnologia, teoria clássica dos nervos e a antiga teoria chinesa dos meridianos", disse Norman Camparini, chefe de design.

O prazer no mercado

Apesar de ainda haver muito preconceito, o consumo de produtos eróticos está em franca expansão. Em 2003, o setor faturou 350 milhões de dólares somente no Brasil. Os produtos são adquiridos por curiosidade, por brincadeira, para uso às escondidas ou por uma consciência positiva de benefício à própria vida sexual e/ou do parceiro. "Entre os mais procurados destaca-se o vibrador. A aceitação desse aparelho como um dos fatores que auxiliam na qualidade da vida sexual de homens e mulheres vem desmistificando antigos receios. Cada vez mais pessoas reconhecem que o ato de se excitar e provocar uma reação orgástica por meio de um vibrador é uma experiência física tão básica e natural como o que se faz em outras formas de autoestimulação ou estimulação feita por um parceiro."[49] Não é difícil imaginar que em breve poderemos escolher o objeto que vai aumentar nosso prazer em prateleiras de supermercado.

Androginia

Quando se fala em androginia, logo nos vem à mente uma imagem, que já foi popular na arte e na literatura: rapazes delicados, que se vestem como almofadinhas, ou mulheres com corpo e semblante de rapaz. Andrógino significa, na raiz, homem/mulher, mas a ideia de androginia não é claramente percebida.

Para corresponder ao ideal masculino ou feminino da nossa sociedade, cada um tem que rejeitar em si aspectos que são considerados do outro sexo, de alguma forma, se mutilando. "A norma imposta foi o contraste e a oposição. Cabe à educação calar as ambiguidades e ensinar a recalcar a outra parte de si. O ideal é parir um ser humano unissexuado: um homem 'viril', uma mulher 'feminina'. Mas os adjetivos revelam o que se quer esconder: toda uma série de intermediários possíveis entre os dois tipos ideais."[50]

As qualidades que se enquadram nos estereótipos masculinos e femininos são facilmente observáveis. Os homens devem ser fortes, ousados, corajosos, agressivos, dominadores, competitivos, racionais e perseguir o sucesso e o poder. As mulheres devem ser passivas, ternas, dóceis, meigas, emotivas, delicadas, saber cuidar dos outros. Como já dissemos, é evidente que homens e mulheres possuem todos esses aspectos — ambos podem ser fracos ou fortes, corajosos ou medrosos —, dependendo do momento e das características que predominam em cada um, independentemente do sexo.

Para a psicanalista americana June Singer, autora do livro *Androginia*, há muitos indícios de uma tendência andrógina no Ocidente, seja nos hábitos e costumes sociais, na moral ou na percepção de milhões de pessoas que buscam como expandir a consciência de si e do mundo em que vivem. Androginia é uma forma arcaica e universal de exprimir a totalidade. Mais do que uma situação de plenitude e de poder sexual, a androginia simboliza a perfeição de um estado primordial, ainda não condicionado pela cultura. É uma forma geral de exprimir a autonomia, a força, a totalidade. É o reconhecimento de uma tendência natural, espontânea, para a unidade psicológica e sua consequente manifestação nos demais planos da vida.[51]

Somos todos andróginos?

Singer acredita que o potencial andrógino está presente em todos e sua expressão irá variar conforme o arcabouço da personalidade de cada um. É verdade que o potencial andrógino individual tem sido frequentemente relegado, e mais frequentemente reprimido, principalmente no mundo ocidental.[52] "Quando exploramos o material sexual nos níveis profundos da psique, inevitavelmente chegamos a um estado no qual os sentimentos sexuais são muito mais soltos e fluentes do que as pessoas normalmente se dispõem a admitir. Minha experiência clínica sugere que a orientação bissexual é muito mais difundida do que a maioria acredita. Poucas são as pessoas que não nutrem sentimentos eróticos por parceiros reais ou potenciais de ambos os sexos."[53]

Badinter concorda com essa ideia. "Na verdade, somos todos andróginos, porque os humanos são bissexuados, em vários planos e em graus diferentes. Masculino e feminino se entrelaçam em cada um de nós, mesmo se a maioria das culturas se deleitou em nos descrever e nos querer como sendo inteiramente de um sexo."[54]

Libertando o andrógino que há em cada um

São cada vez mais numerosas as evidências na cultura de que um tipo de pessoa está se tornando um novo padrão da identidade sexual, um desejo de aspiração. A americana Melinda Davis, autora do livro *A nova cultura do desejo*, que considera essas pessoas como pertencentes ao "terceiro sexo", acredita que se trata de uma identidade autodefinida que soma o melhor de ambos os mundos. É ter tudo.

Ela observa que entre os jovens esta é uma fonte de inveja não muito discreta: as pessoas do "terceiro sexo", que conseguiram integrar ambos os "papéis sexuais" em suas vidas, parecem estar se divertindo mais, desfrutando de sexo mais interessante, e libertas de qualquer conflito entre os lados "masculino" e "feminino" de suas personalidades. "Eles são mais abertos ao rompimento das regras antiquadas de comportamento, aos relacionamentos com o mesmo sexo."[55]

Seres inteiros

Singer sinaliza que, ao contrário do que possa parecer, nós não nos tornamos andróginos; nós já somos andróginos. Basta sermos nós mesmos. Pode parecer a coisa mais fácil do mundo, mas para uma sociedade que se tornou perita em manipular, forçar, condicionar a psique a adaptar-se a um mundo que aparentemente exige essa adaptação, talvez haja muito a desaprender no processo. "Não precisamos mais nos ver como exclusivamente *masculinos* ou exclusivamente *femininos*; somos seres inteiros nos quais as qualidades opostas estão sempre presentes. Não se trata meramente de uma hipótese, mas de um importante princípio norteador que afeta todos os aspectos da vida, como me foi permitido verificar com as pessoas com quem trabalhei terapeuticamente."[56]

Masculino e feminino não existem

A aceitação de nossa androginia só pode gerar melhor qualidade de vida, compreendida como potência para fruição de características que hoje identificamos como masculinas e femininas. Antepõem-se a essa necessidade as dificuldades acumuladas em milhares de anos de cisão. Registramos aqui a tendência a que talvez nenhum de nós assistirá em sua plenitude. Mas o que importa é a irreversível inclinação que a androginia toma para dar ao ser humano o que lhe foi tomado: a integralidade.

Caminhamos para o fim do gênero sexual. "A identidade sexual se tornará meramente uma característica secundária, como tipo sanguíneo. Seremos identificados e escolheremos parceiros não segundo o sexo, mas segundo a compatibilidade psíquica", diz Melinda.[57] Já em 1965, a americana Evelyne Sullerot percebeu que a semelhança era o modelo do futuro, e que nossas sociedades evoluíam "para a diferenciação dos indivíduos e dos grupos segundo clivagens mais sutis do que o sexo".[58]

No momento em que se impõe a plasticidade dos papéis sexuais, em que as mulheres podem escolher não serem mães, torna-se cada vez mais difícil determinar, de forma exata, a diferença entre o homem e a mulher. "A semelhança dos sexos é uma inovação tal que podemos encará-la em termos de mutação."[59] O modelo de semelhança é propício para se levar em conta nossa natureza andrógina. "De bom grado admite-se hoje que o desabrochar do indivíduo passa pelo reconhecimento de sua bissexualidade."[60]

Bissexualidade

Fernando, engenheiro, de 34 anos, é casado há cinco e tem uma filha. Procurou ajuda terapêutica por ter percebido sentir forte atração sexual por um novo colega de trabalho.

"Adoro o sexo com a minha mulher, mas o tesão que estou sentindo por um homem está me perturbando. Não posso continuar assim. Tenho perdido o sono, estou trabalhando mal e em casa tenho evitado qualquer contato com minha família. Passo a maior parte do tempo trancado no meu escritório. Sempre desejei mulheres; sei que não sou gay. Não aceito estar desejando um homem, mas tenho sonhado que estou transando com ele e, o pior, sinto um prazer enorme. O que está acontecendo comigo? Tenho medo de destruir meu casamento e pavor que alguém descubra os meus desejos."

O pesquisador americano Alfred Kinsey acredita que a homossexualidade e a heterossexualidade exclusivas representam extremos do amplo espectro da sexualidade humana. Para ele, a fluidez dos desejos sexuais faz com que, para cada heterossexual, exista pelo menos uma pessoa que sinta, em graus variados, desejo pelos dois sexos. Na pesquisa feita pelo americano Harry Harlow, mais de 50% das mulheres, numa cena de sexo em grupo, engajaram-se em jogos íntimos com o mesmo sexo, contra apenas 1% dos homens. Entretanto, quando o anonimato é garantido, a proporção de homens bissexuais aumenta a um nível quase idêntico.

Os bissexuais sempre foram acusados de indecisos, de estar em cima do muro, de não conseguir se definir. Os heterossexuais costumam ver a bissexualidade como um *estágio* e não como uma condição alcançada na vida. Muitos gays e lésbicas desprezam os bissexuais acusando-os de insistir em manter os "privilégios heterossexuais" e de não ter coragem de se assumir. Por isso, é comum esconderem sua dupla orientação na tentativa de se proteger das críticas.

Em 1975, a famosa antropóloga Margareth Mead declarou: "Acho que chegou o tempo em que devemos reconhecer a bissexualidade como uma forma normal de comportamento humano. É importante mudar atitudes tradicionais em relação ao homossexualismo, mas realmente não deveremos conseguir retirar a carapaça de nossas crenças culturais sobre escolha sexual se não admitirmos a capacidade bem documentada (atestada no correr dos tempos) de o ser humano amar pessoas de ambos os sexos."[61]

Marjorie Garber, professora da Universidade de Harvard, que elaborou um profundo estudo sobre o tema, compara a afirmação de que os seres humanos são heterossexuais ou homossexuais às crenças de antigamente. como: o mundo é plano, o Sol gira ao redor da Terra. Acreditando que a bissexualidade tem algo fundamental a nos ensinar sobre a natureza do erotismo humano, ela sugere que, em vez de hetero, homo, auto, pan e bissexualidade, digamos simplesmente sexualidade.[62]

Desde os anos 90 fala-se muito em bissexualidade. A manchete de capa da revista americana *Newsweek* de julho de 1995 era: "Bissexualidade: nem homo nem hetero. Uma nova identidade sexual emerge." É possível que num futuro próximo, com a dissolução da fronteira entre o masculino e o feminino, as pessoas escolham seus parceiros amorosos e sexuais pelas características de personalidade, não mais por serem homens ou mulheres. A bissexualidade poderá se tornar, então, bastante comum. A ponto de predominar.

Conclusão

Como vimos nos primeiros capítulos, as mulheres sempre dividiram as tarefas com os homens e sempre foram respeitadas até o surgimento do patriarcado. Com uma estrutura social rígida, esse sistema dividiu a humanidade em duas partes — homens e mulheres —, opondo uma à outra, definindo claramente os papéis de cada uma e aprisionando ambas. Sua principal característica foi a apropriação pelo homem da capacidade reprodutiva e sexual da mulher e a opressão daí decorrente.

O estabelecimento do patriarcado precedeu um pouco o advento da propriedade privada, que dividiu a sociedade em classes. A partir de então, as relações humanas se transformaram. Com a prática da opressão sobre as mulheres, não foi difícil para o homem dominar e hierarquizar homens do seu próprio grupo, assim como outros povos.

As deusas foram gradativamente substituídas por deuses masculinos e a ascensão do monoteísmo hebreu representou a derrota definitiva do culto politeísta da fertilidade.

A imagem anterior da mulher respeitada foi trocada pela de simples objeto sexual a ser possuído pelo homem. Essa desvalorização simbólica da mulher em relação à divindade tornou-se um dos dogmas da civilização ocidental. O outro dogma encontra-se na filosofia aristotélica, que considera a mulher um ser incompleto e deficiente. pertencendo a uma ordem inteiramente diversa da do homem. Introduzidas essas ideias, a subordinação da mulher passou a ser vista como natural, universal, inquestionável, imutável, e o patriarcado se estabeleceu, então, como ideologia e realidade.

O discurso conservador foi repetido incansavelmente, justificando a subordinação da mulher ao homem, por ser vontade de Deus. Devido ao fenômeno de assimetria sexual, homens e mulheres deveriam desempenhar funções distintas. Um argumento confortável — as diferenças sexuais são desígnios de Deus ou da natureza —, já que isentava de qualquer culpa quem defendesse a desigualdade sexual e a dominação masculina.

Outro argumento patriarcal ainda utilizado para a manutenção da superioridade masculina é o de que a mulher não desempenhou nenhum papel na história. Isso, alega-se, devido a ser biologicamente dirigida à criação e à emoção, o que a torna essencialmente inferior ao homem no que tange ao pensamento abstrato.

As mulheres, durante alguns milênios, foram cúmplices na perpetuação do sistema patriarcal que as oprime, acreditando nessa inferioridade e transmitindo o mesmo sistema, ao longo das gerações, aos filhos de ambos os sexos.

O patriarcado é um sistema histórico e, portanto, pode terminar também por um processo histórico. Os seres humanos, com suas mentes superiores, podem transformar rapidamente padrões de comportamento. Ao contrário das outras espécies, em que essas mudanças só ocorrem ao longo da evolução biológica e envolvem modificações na estrutura física e mental.

Tanto homens como mulheres têm o mesmo potencial para os diversos comportamentos. A supremacia masculina criada pelo patriarcado envenena todas as relações humanas, prejudicando também os homens.

Após esse longo período de submissão sexual e econômica, as duas metades da humanidade despertaram. Desencadeou-se um processo de questionamento da premissa maior da sociedade patriarcal: a de que a dominação e a violência masculina são inevitáveis. E isso se estendeu a outras áreas.

O movimento ecológico ganha força. Na tentativa de conscientizar as pessoas da importância de se integrar ao meio ambiente natural, utilizam-se imagens de focas, pássaros, golfinhos, florestas verdes, que eram outrora símbolos da unidade da vida sobre o poder divino da Deusa. A conquista da natureza — tanto tempo considerada uma virtude masculina — deixa de ser admirada. Preservá-la, em vez de dominá-la, passa a ser a nova ordem.

Na educação das crianças surgem sinais de que o valor maior agora está em ensinar o cuidado e o respeito humano, em detrimento da conquista e dominação, expressas no universo infantil por heróis assassinos, como Rambo e seus congêneres. Em alguns países, a fabricação de brinquedos de guerra foi proibida. Nunca, em toda a história, o modelo patriarcal para as relações humanas foi desafiado por tanta gente.

Até 40 anos atrás, as diferenças entre homens e mulheres eram creditadas de tal forma à natureza que se aceitava como legítimo que não exercessem as mesmas tarefas, nem tivessem os mesmos direitos. Os espaços reservados a cada um dos sexos eram bem delimitados, reforçando a separação e a diferença.

O movimento feminista da década de 1970 contribuiu para pôr fim à discriminação sexual. As escolas passaram a ser mistas, todas as profissões tornaram-se acessíveis às mulheres — Forças Armadas, policiais, motoristas de ônibus, jogadoras de futebol.

Os papéis sexuais transformam-se profundamente, atenuando a distinção entre eles, trazendo em consequência o fim da guerra entre os sexos. Agora, as mulheres podem escolher entre ser ou não mães. O controle da fecundidade da mulher e a divisão de tarefas — pilares do patriarcado — são coisas do passado.

Na relação com os filhos, surge um novo pai, com atitudes até então ignoradas pelo homem. Alimentam, trocam fraldas, dão banhos e passeiam sozinhos com seus filhos. A percentagem dos pais que têm a guarda dos filhos aumenta progressivamente. São sinais que reforçam a crença no fim do patriarcado.

A relação entre homens e mulheres está sendo subvertida, assim como a visão do amor, do casamento e do sexo. O mundo mudou muito mais da década de 1960 para cá do que do período Paleolítico até então. Entretanto, o processo de transformação das mentalidades não atinge todas as pessoas, ao mesmo tempo, e é por isso que nos exemplos citados encontramos anseios e comportamentos tão diversos, variando de uma submissão total às normas sociais às transgressões mais extremas.

Quando nascemos, somos colocados no mundo com padrões de comportamentos fixos e determinados. Com a educação e o convívio, vamos absorvendo os valores da nossa cultura. E isso é feito de tal forma que na vida adulta torna-se difícil saber o que realmente desejamos e o que aprendemos a desejar. Observa-se que a insatisfação é geral — nunca se venderam tantos ansiolíticos e antidepressivos como agora —, mas modificar a maneira de viver e de pensar gera ansiedade. O novo, o desconhecido, assusta. Entretanto, repetir o que é aprendido como verdade absoluta gera sofrimento.

Há cerca de 30 anos, assisti à peça *No natal a gente vem te buscar,* de Naum Alves de Souza, que ilustra de uma forma dramática a submissão aos valores sociais. Tentarei reproduzir a parte da história que registrei e o diálogo que nunca me saiu da memória.

Duas irmãs e um irmão. Uma delas não saía, ficava em casa com os pais, totalmente submetida aos conceitos de certo/errado, bom/mau, que tinha absorvido. Sua vida se resumia a ser a guardiã da moral e dos bons costumes. Recriminava a tudo e a todos por suas atitudes e comportamentos. Os irmãos, por sua vez, buscavam viver suas vidas. O tempo passa, os pais morrem e ela torna-se cada vez mais amarga. Num determinado momento, os irmãos são chamados para acudi-la, pois está enlouquecendo de tanto sofrimento. Ao vê-la naquele estado deplorável, o irmão, perplexo, comenta com a irmã: "Eu não entendo. Ela ouviu de nossos pais as mesmas coisas que nós ouvimos." A irmã, então, lhe diz: "É... só que ela acreditou."

O fim do patriarcado traz nova reflexão sobre o relacionamento entre homens e mulheres, o amor, o casamento e a sexualidade. Nossas convicções íntimas mais arraigadas são abaladas, projetando-nos num vazio. Os modelos do passado não respondem mais aos nossos anseios e nos deparamos com uma realidade ameaçadora, por não encontrarmos modelos em que nos apoiar, em tempo algum, em nenhum lugar.

Essa pode ser a grande saída para o ser humano. Percebendo as próprias singularidades e não tendo mais que se adaptar a modelos impostos de fora, abre-se um espaço em que novas formas de viver, assim como novas sensações, podem ser experimentadas.

Referências

I O PASSADO DISTANTE

1. Eisler, Riane, *O cálice e a espada,* Imago, 1989, p. 27.
2. Tannahill, Reay, *O sexo na história,* Francisco Alves, 1983, p. 36.
3. Feuerstein, Georg, *A sexualidade sagrada,* Siciliano, 1994.
4. Badinter, Elizabeth, *Um é o outro,* Nova Fronteira, 1986.
5. Eisler, R., op. cit.
6. Ibidem.
7. Ibidem, p. 49.
8. Ibidem.
9. Ibidem.
10. Tannahill, R., op. cit.
11. Eisler, R., op. cit., p. 80.
12. Badinter, op. cit.
13. Fisher, Helen, *Anatomia do amor,* Eureka, 1995.
14. Feuerstein, op. cit.
15. Ibidem.
16. Badinter, op. cit.
17. Ibidem.
18. Todas as citações das novas lendas foram tiradas de Badinter, op. cit., p. 99.
19. Muraro, Rose M., *A mulher no terceiro milênio,* Rosa dos Tempos, 1992.
20. Feuerstein, op. cit.
21. Badinter, op. cit.
22. Russel, Bertrand, *O casamento e a moral*, Cia. Editora Nacional, 1955.
23. Brien Richards, *O pênis,* Loveland, 1980.
24. Ibidem.
25. Ibidem.
26. Badinter, op. cit., p. 113.
27. Eisler, R., op. cit.
28. Kreps, Bonnie, *Paxões eternas, ilusões passageiras,* Saraiva, 1992.
29. Badinter, op. cit., p. 93.
30. Kreps, B., op. cit.
31. Lerner, Gerda, *The creation of patriarchy,* Oxford University Press, 1986.
32. Badinter, op. cit., p. 102.
33. Burns, Edward M., *História da civilização ocidental,* vol. I, Globo, 1973.

34. Transcrição literal. Bíblia Ilustrada, S. Hastings. Editora Ática, 1995.
35. Kreps, B., op. cit.
36. Ruffié, Jacques, *O sexo e a morte*, Nova Fronteira, 1979.
37. Ibidem.
38. Feuerstein, G., op. cit., p. 125.
39. Ibidem.
40. Ibidem.
41. Tannahill, R., op. cit.
42. Rougemont, Denis de, *O amor e o ocidente*, Guanabara, 1988.
43. Feuerstein, G., op. cit. p., 127.
44. Kreps, B., op. cit., p. 42.
45. Idem.
46. História de Lilith tirada de Sicuteri, Roberto, *Lilith: a lua negra*. Paz e Terra, 1985.
47. Cherman, Sheiva, *Sexo e afeto*, Topbooks, 1992.
48. Paiva, Vera, *Evas, Marias, Liliths... As voltas do feminismo*, Brasiliense, 1993, p. 59.
49. Russel, B., op. cit.
50. Badinter, op. cit.
51. Ibidem, p. 135.
52. Idem.
53. Idem.
54. Ibidem, p. 136.
55. Idem.
56. Ibidem, p. 143.
57. *Jornal do Brasil*, 30/3/1993.
58. Badinter, op. cit., p. 149.
59. Ibidem, p. 151.
60. Ibidem, p. 150.
61. Ibidem, p. 103.
62. Ibidem, p. 104.
63. Tannahill, R., op. cit.
64. Ibidem, p. 151.
65. Idem.
66. Russel, B., op. cit., p. 37.
67. Ibidem, p. 43.
68. Idem.
69. Tannahill, R., op. cit.
70. Ruffié, J., op. cit.
71. Ariès, P. e Duby, G. (direção), *História da vida privada*, vol. II, Companhia das Letras, 1992.
72. Ruffié, J., op. cit.
73. Tannahill, R, op. cit., p. 159.
74. Ibidem, p. 160.
75. Russel, B., op. cit.
76. Ibidem.
77. Tannahill, R., op. cit.
78. Ruffié, J., op. cit.
79. Tannahill, R., op. cit.
80. Ruffié, J., op. cit., p. 148.
81. Ibidem.

II AMOR

1. Campbell, Joseph, *O poder do mito*, Palas Athena, 1995.
2. Ibidem.
3. Tannahill, R., op. cit, p. 290.
4. Eisler, R., op. cit.
5. Tannahill, R., op. cit.
6. Ariès, P. e Duby, G., op. cit., vol. II.
7. Duby, Georges, *Idade Média, idade dos homens*, Companhia das Letras, 1990.
8. Ibidem.
9. Ibidem, p. 30.
10. Ibidem, p. 37.
11. Ibidem, p. 32.
12. Ariès, P. e Duby, G., op. cit., vol. II, p. 32.
13. Ibidem.
14. Ibidem.
15. Ibidem.
16. Ibidem.
17. Duby, G, op. cit., p. 63.
18. Idem.
19. Ibidem, p. 64.
20. Ibidem, p. 65.
21. Rougemont, D., op. cit.
22. Johnson, R., *We*, Mercuryo, 1987, p. 103.
23. Rougemont, D., op. cit.
24. Johnson, R., op. cit., p. 104.
25. Ibidem.
26. Ibidem.
27. Ibidem, p. 105.
28. Russel, B., op. cit., p. 50.
29. Ibidem.
30. Johnson, R., op. cit., p. 105.
31. Rougemont, D., op. cit., p. 23.
32. Ibidem., p. 27.
33. Kreps, B., op. cit.
34. Ibidem, p. 93.
35. Porchat, Ieda (organização), *Amor, casamento, separação*, Brasiliense, 1992, p. 96.
36. Kreps, B., op. cit., p. 137.
37. *Jornal do Brasil*, 28/4/1993.
38. Johnson, R., op. cit.
39. Kreps, B., op. cit., p. 72.
40. Ibidem, p. 80.
41. Ibidem, p. 134.
42. Ibidem, p. 135.
43. Ibidem, p. 136.
44. Idem.
45. Rougemont, D., op. cit., p. 41.
46. Kreps, B., op. cit., p. 13.
47. Fisher, H., op. cit., p. 47.
48. Ibidem.
49. Kreps, B., op. cit., p. 22.
50. Ibidem, p. 79.
51. Wilson, Glenn, *Um toque sensual*, Marshall Cavendish Limited, 1989.

52. Giddens, Anthony, *A transformação da intimidade,* Unesp, 1992.
53. Ariès, Philippe, *História social da criança e da família,* Guanabara, 1978.
54. Badinter, E., *Um amor conquistado,* Nova Fronteira, 1980, p. 55.
55. Ariès, P., 1978, p. 55.
56. Badinter, 1980, p. 57.
57. Ibidem, p. 67.
58. Ariès, P., 1978, p. 162.
59. Badinter, 1980, p. 120.
60. Ibidem, p. 121.
61. Ibidem, p. 123.
62. Ibidem, p. 125.
63. Idem.
64. Ibidem, p. 126.
65. Ariès, P., 1978, p. 56.
66. Badinter, 1980, p. 105.
67. Badinter, E., *XY — Sobre a identidade masculina,* Nova Fronteira, 1993, p. 12.
68. Ibidem, p. 13.
69. Badinter, 1980, p. 154.
70. Ibidem, p. 181.
71. Ibidem, p. 194.
72. Ibidem, p. 208.
73. Ibidem, p. 212.
74. Ibidem, p. 213.
75. Ibidem, p. 223.
76. Ibidem, p. 235.
77. Ibidem, p. 138.
78. Ibidem, p. 255.
79. Badinter, 1980, p. 255.
80. Ibidem, p. I 84.
81. Gaiarsa, José Ângelo, *Poder e prazer,* Ágora, 1986.
82. Ibidem.
83. Muraro, R. M., op. cit., p. 125.
84. Giddens, A., op. cit., p. 54.
85. Johnson, R., op. cit.
86. Ibidem.
87. Giddens, A., op. cit., p. 51.
88. Ibidem, p. 56.
89. Idem.
90. Ibidem, p. 54.
91. Idem.
92. Muraro, R. M., op. cit., p. 124.
93. Kusnetzoff, Juan Carlos, *A mulher sexualmente feliz,* Nova Fronteira, 1988, p. 21.
94. Ibidem, p. 23.
95. Badinter, 1993, p. 41.
96. Ibidem, p. 201.
97. Kusnetzoff, op. cit., p. 25.
98. Idem.
99. Idem.
100. Idem.
101. Ibidem, p. 26.
102. Kreps, B., op. cit., p. 103.
103. Johnson, R., op. cit.
104. Kreps, B., op. cit., p. 105.

105. Ibidem, p. 99.
106. Ibidem, p. 65.
107. Idem.
108. Ibidem, p. 66.
109. Ibidem, p. 64.
110. Ibidem, p. 23.
111. Ibidem, p. 150.
112. Badinter, 1993.
113. Ibidem, p. 4.
114. Ibidem, p. 13.
115. Ibidem, p. 14.
116. Ibidem.
117. Ibidem, p. 20.
118. Badinter, 1986.
119. Badinter, 1993, p. 34.
120. Ibidem, p. 70.
121. Ibidem, p. 72.
122. Ibidem, p. 74.
123. Ibidem, p. 133. Retirado por Badinter do livro *The forty-nine percent majority*, de Deborah S. David e Robert Brannon.
124. Ibidem, p. 134.
125. Idem.
126. Ibidem, p. 143.
127. Ibidem, p. 138.

III CASAMENTO

1. Reich, Wilhelm, *Casamento indissolúvel ou relação sexual duradoura?*, Livraria Martins Fontes, 1972, p. 30.
2. Gaiarsa, op. cit., p. 156.
3. Programa Fantástico, TV Globo, 7/4/1996.
4. *Folha de S. Paulo*, 23/12/1993.
5. Ariès, P. e Duby, G., op. cit., vol. V.
6. Rougemont, Denis, op. cit.
7. Ariès, P. e Duby, G., op. cit., vol. V, p. 87.
8. Idem.
9. Idem.
10. Durant, Will, *Os grandes pensadores,* Cia. Editora Nacional, 1956.
11. Ariès, P. e Duby, G, op. cit., vol. V, p. 89.
12. Ibidem, p. 90.
13. Ibidem, p. 91.
14. Badinter, 1986, p. 278.
15. Muszkat, Malvina, em Porchat, Ieda, op. cit., p. 89.
16. Gikovate, Flávio, *Amor nos anos 80,* MG Editores Associados, 1984, p. 49.
17. Russel, B., op. cit., p. 107.
18. Reich, W., op. cit., p. 35.
19. *Jornal do Brasil,* 1993.
20. Reich, op. cit., p. 18.
21. Idem.
22. Ibidem, p. 23.
23. Ariès, P. e Duby, G., op. cit., vol. V, p. 91.
24. Ibidem, p. 92.
25. *Jornal do Brasil,* 25/11/1995.

26. Ariès, P. e Duby, G, op. cit., vol. V, p. 94.
27. Rougemont, D., op. cit., p. 195.
28. Gomes, Purificacion Garcia, em Porchat, Ieda, op. cit., p. 132.
29. Ibidem, p. 133.
30. Gaiarsa, op. cit., p. 182.
31. Rougemont, D., op. cit., p. 200.
32. Reich, op. cit., p. 38.
33. Giddens, op. cit.
34. Reich, op. cit.
35. Ibidem, p. 19.
36. Gaiarsa, op. cit., p. 167.
37. Reich, op. cit., p. 19.
38. Russel, op. cit.
39. Gomes, Purificacion Garcia, em Porchat, Ieda, op. cit., p. 129.
40. Ibidem, p. 130.
41. Fisher, Helen, op. cit., p. 111.
42. Ruffié, J., op. cit., p. 176.
43. Russel, B., op. cit., p. 11.
44. Fisher, H., op. cit., p. 115.
45. Idem.
46. Reich, op. cit., p. 27.
47. Jablonski, Bernardo. *Até que a vida nos separe,* Agir, 1991, p. 119.
48. Ibidem, p. 121.
49. *Veja,* 8/6/1994.
50. Fisher, H., op. cit., p. 119
51. Idem.
52. Ibidem, p. 121.
53. Ibidem, p. 124.
54. Idem.
55. Muszkat, Malvina, em Porchat, Ieda, op. cit., p. 97.
56. Badinter, 1986, p. 278.
57. Giusti, Edoardo, *A arte de separar-se,* Nova Fronteira, 1987, p. 198.
58. Gomes, Purificacion Garcia, em Porchat, Ieda, op. cit., p. 127.
59. Reich, op. cit., p. 33.
60. Badinter, 1986, p. 290.
61. Idem.
62. Freud, S., *O mal-estar na civilização,* Imago, 1972.
63. Badinter, 1986, p. 285.
64. Ibidem, p. 290.
65. Jablonski. op. cit., p. 95.
66. Badinter, 1986, p. 278.
67. Ibidem, p. 291.
68. Gikovate, F., op. cit., p. 61.
69. Ibidem, p. 26.
70. Kreps, B., op. cit., p. 218.
71. Ibidem, p. 219.
72. Ibidem.
73. Alberoni, Francesco, *A amizade,* Rocco, 1992, p. 10.
74. Kreps, B., op. cit., p. 229.
75. Gikovate, op. cit., p. 127.
76. Idem.
77. Ibidem, p. 86.

IV SEXO

1. Chauí, Marilena, *Repressão sexual,* Brasiliense, 1984, p. 10.
2. Ibidem, p. 11.
3. Freud, S., op. cit.
4. Russel, B., op. cit., p. 212.
5. Reich, W., *A função do orgasmo,* Brasiliense, 1975, p. 18.
6. Gaiarsa, op. cit., p. 19.
7. Ibidem, p. 20.
8. Tiger, Leonel, *A busca do prazer,* Objetiva, 1993, p. 106.
9. Idem.
10. Gaiarsa, *Sexo, Reich e eu,* Ágora, 1985, p. 33.
11. Idem.
12. Chauí, M., op. cit., p. 9.
13. Feuerstein, G., op. cit., p. 28
14. Ibidem, p. 29.
15. Ibidem, p. 30.
16. Reich, 1972.
17. Ibidem.
18. Feuerstein, G., op. cit., p. 18.
19. Ibidem, p. 23.
20. Gaiarsa, 1985, p. 84.
21. Richards, Jeffrey, *Sexo, desvio e danação,* Jorge Zahar Editor, 1993.
22. Ibidem, p. 123.
23. Idem.
24. Ariès, P. e Duby, G, op. cit., vol. V, p. 381.
25. Ibidem, p. 383.
26. Idem.
27. Idem.
28. Idem.
29. Ibidem, p. 384.
30. Idem.
31. Badinter, 1986, p. 268.
32. Beauvoir, Simone de, *O segundo sexo,* Nova Fronteira, 1980, p. 324.
33. Rougemont, D., op. cit., p. 47.
34. Tannahill, R., op. cit., p. 92.
35. Ibidem, p. 94.
36. Edição especial da revista *L'Histoire*/Seuil: "Amor e Sexualidade no Ocidente", L&PM Editores, 1992.
37. Foucault, Michel, *História da sexualidade — o uso dos prazeres,* Graal, 1984.
38. Tannahill, R., op. cit., p. 95.
39. Idem.
40. Richards, J., op. cit., p. 138.
41. Edição especial da revista *L'Histoire*/Seuil., p. 41.
42. Ibidem, p. 42.
43. Ibidem, p. 43.
44. Idem.
45. Richards, J., op. cit., p. 136.
46. Ibidem, p. 139.
47. Ibidem, p. 150.
48. Ariès, P. e Duby, G, op. cit., vol V, p. 368
49. Badinter, 1993, p. 101.
50. Ibidem, p. 100.
51. Ibidem, p. 102.

52. Ibidem, p. 105.
53. Ibidem, p. 106.
54. Ruffié, J., op. cit., p. 178.
55. Fisher, H., op. cit., p. 195.
56. Idem.
57. Badinter, 1993, p. 106.
58. Idem.
59. Ibidem, p. 107.
60. Hite, Shere, *O relatório Hite sobre a sexualidade masculina,* Bertrand Brasil, 1981.
61. Badinter, 1993, p. 109.
62. Ibidem, p. 215.
63. Ibidem.
64. Fisher, H., op. cit., p. 194.
65. *Jornal do Brasil,* 24/7/1996.
66. *Jornal do Brasil,* 28/7/1996.
67. Ariès, P. e Duby, G., op. cit., vol. V, p. 369.
68. Ibidem, p. 565.
69. Giddens, op. cit., p. 23.
70. Idem.
71. Badinter, 1993, p. 113.
72. Ibidem, p. 114.
73. Ibidem, p. 216.
74. Giddens, op. cit., p. 24.
75. Badinter, 1993, p. 114.
76. Ibidem, p. 115.
77. Idem.
78. Ariès, P. e Duby, G., op. cit., vol. V, p. 374.
79. Badinter, 1993, p. 116.
80. Ariès, P. e Duby, G., op. cit., vol. V, p. 372.
81. Idem.
82. Costa, Ronaldo P., *Os onze sexos,* Gente, 1994, p. 91.
83. Ibidem, p. 90.
84. McCarty, Barry, *O que você (ainda) não sabe sobre a sexualidade masculina,* Summus Editorial, 1992, p. 113.
85. Costa, Ronaldo P., op. cit., p. 93.
86. Ariès, P. e Duby, G., op. cit., vol. V, p. 371.
87. Badinter, 1993, p. 163.
88. Idem.
89. Ibidem, p. 164.
90. Ibidem, p. 228.
91. McCarty, B., op. cit., p. 114.
92. Ibidem.
93. Badinter, 1993, p. 119.
94. Ibidem, p. 118.
95. Ibidem, p. 217.
96. McCarty, B., op. cit., p. 115.
97. Costa, Ronaldo P., op. cit.
98. Costa, Ronaldo P., op. cit., p. 99.
99. Ariès, P. e Duby, G., op. cit., vol. V, p. 565.
100. Costa, Ronaldo P., op. cit.
101. McCarty, B., op. cit.
102. Ariès, P. e Duby, G., op. cit , vol. V, p. 372.
103. Idem.

104. Giddens, op. cit., p. 160.
105. Idem.
106. McCarty, B., op. cit., p. 117.
107. Ibidem.
108. Ibidem.
109. Ibidem.
110. Ariès, P. e Duby, G., op. cit., vol. V, p. 373.
111. Idem.
112. Costa, Ronaldo P., op. cit., p. 101.
113. Ibidem, p. 106.
114. Ibidem, p. 108.
115. Hite, Shere, *O relatório Hite — um profundo estudo sobre a sexualidade feminina,* Difel, 1979, p. 291.
116. Giddens, op. cit., p. 158.
117. Hite, 1979, p. 295.
118. Giddens, op. cit., p. 139.
119. *O Globo,* 26/5/1996.
120. Giddens, op. cit., p. 61.
121. Tiger, L., op. cit., p. 110.
122. Eisler, R., op. cit.
123. Ibidem, p. 135.
124. Richards, Brien, op. cit.
125. Tiger, L., op. cit., p. 110.
126. Idem.
127. Idem.
128. Jablonski, B., op. cit., p. 109.
129. Idem.
130. Idem.
131. Giddens, op. cit., p. 62.
132. Ibidem, p. 59.
133. Ariès, P. e Duby, G., op. cit., vol. V, p. 357.
134. Ladas, Whipple e Perry, *O ponto G,* Record, 1982, p. 21.
135. Ibidem, p. 22.
136. Idem.
137. Ariès, P. e Duby, G., op. cit., vol. V, p. 352.
138. Idem.
139. Masters, W. e Johnson, V., *A conduta sexual humana,* Civilização Brasileira, 1968.
140. Vargas, Marilene, *Manual do orgasmo,* Civilização Brasileira, 1995.
141. Ibidem, p. 32.
142. Kusnetzoff, J. C., op. cit., p. 51.
143. Ibidem.
144. Ibidem, p. 54.
145. Vargas, M., op. cit.
146. Ibidem, p. 35.
147. Ibidem, p. 39.
148. Ladas. Whipple e Perry, op. cit., p. 27.
149. Ibidem, p. 28.
150. Ibidem.
151. Ibidem.
152. Ibidem, p. 30.
153. Ibidem, p. 31.
154. Ibidem, p. 33.
155. Ibidem, p. 36.

156. Ibidem, p. 37.
157. Ibidem, p. 39.
158. Ibidem, p. 40.
159. Ibidem, p. 50.
160. Ibidem, p. 60
161. Idem.
162. Ibidem, p. 70.
163. Ibidem, p. 56.
164. Hite, 1979, p. 114.
165. Ladas, Whipple e Perry, op. cit., p. 73.
166. Ibidem, p. 75.
167. Vargas, M., comunicação pessoal.
168. Ladas, Whipple e Perry, op. cit., p. 92.
169. Ibidem, p. 93.
170. Ibidem.
171. Ibidem, p. 91.
172. Vargas, M., op. cit., p. 71.
173. Keesling, Barbara, *Como fazer sexo a noite toda...*, Record, 1995.
174. Ibidem.
175. Vargas, M., op. cit.
176. Rodrigues Jr., O., *Objetos do desejo*, Iglu, 1991.
177. Ibidem.
178. Kusnetzoff, op. cit., p. 84.
179. Ibidem, p. 31.
180. Ibidem, p. 32.
181. Kaplan, Helen, *A nova terapia do sexo*, Nova Fronteira, 1977, p. 250.
182. Ibidem, p. 252.
183. Ibidem, p. 365.
184. Idem.
185. Ibidem, p. 360.
186. Gaiarsa, 1985.
187. Hite, 1979, p. 126.
188. Ibidem, p. 131.
189. Kaplan, H., op. cit., p. 280.
190. Idem.
191. Ibidem, p. 282.
192. McCarty, B., op. cit., p. 179.
193. Idem.
194. Kaplan, H., op. cit., p. 289.
195. Ibidem, p. 304.
196. Ibidem.
197. Rodrigues Jr., O., op. cit.
198. McCarty, B., op. cit, p. 29.
199. Tiger, L., op. cit., p. 1.
200. Rodrigues Jr., op. cit.
201. Tannahill, R., op. cit.
202. Edição especial da revista *L'Histoire*/Seuil, p. 254.
203. Ibidem, p. 259.
204. Ibidem.
205. Ibidem.
206. Ibidem, p. 254.
207. Wilson Glenn, op. cit., p. 121.
208. Edição especial da revista *L'Histoire*/Seuil, p. 256.
209. Rodrigues Jr., op. cit., p. 29.

210. Edição especial da revista *L'Histoire*/Seuil, p. 257.
211. Ibidem, p. 258.
212. Ariès, P. e Duby, G., op. cit., vol. V, p. 352.
213. Ibidem, p. 357.
214. Rodrigues Jr., op. cit.
215. Vargas, M., op. cit., p. 53.
216. Kaplan, H, op. cit., p. 365.
217. Hite, 1979, p. 15.
218. Rodrigues Jr., op. cit.
219. Ibidem.
220. Ibidem.
221. McCarty, B., op. cit., p. 103.
222. Ibidem, p. 104.
223. Ibidem, p. 107.
224. Ibidem, p. 108.
225. Ibidem, p. 109.
226. Hite, 1981, p. 815.
227. Ariès, P. e Duby, G, op. cit., vol. I.
228. Rodrigues Jr., op. cit.
229. Ibidem.
230. Hite, 1981, p. 697.
231. Giddens, op. cit., p. 125
232. Ibidem, p. 132.
233. Idem.
234. Ibidem, p. 142.

V O FUTURO QUE SE ANUNCIA

1. Zeldin, Theodore, *Uma história íntima da humanidade*, Record, 1996, p. 74.
2. Idem.
3. Zeldin, Theodore, *Conversação*, Editora Record, 1998, p. 35.
4. Freire Costa, Jurandir, *Folha de São Paulo*, "Caderno Mais!", Milênio para Iniciantes — AMOR, 31 de dezembro de 2000.
5. Zeldin, Theodore, comunicação pessoal à autora.
6. Freire Costa, Jurandir, op. cit.
7. Badinter, Elisabeth, *Um é o outro*, Nova Fronteira, 1986.
8. Zeldin, Theodore, comunicação pessoal à autora.
9. Freire Costa, Jurandir, op. cit.
10. Zeldin, Theodore, *Conversação*, op. cit.
11. Zeldin, Theodore, comunicação pessoal à autora.
12. Gikovate, Flávio, *Ensaios sobre o amor e a solidão*, MG Editores, 1998, p. 175
13. Ibidem, p. 176.
14. Giddens, Anthony, *A transformação da intimidade*, Unesp, 1993.
15. Zeldin, Theodore, comunicação pessoal à autora.
16. Zeldin, Theodore, comunicação pessoal à autora.
17. Eisler, Riane, *O prazer sagrado*, Rocco, 1996, p. 492.
18. Gonçalves, Márcio Souza, *Comunicação virtual e amor na sociedade contemporânea*, tese apresentada à Escola de Comunicação da Universidade Federal do Rio de Janeiro, como requisito à obtenção do título de Doutor em Comunicação.
19. Comunicação pessoal à autora.
20. Comunicação pessoal à autora.
21. Texto retirado do site http://poliamor.yatros.com.br.

22. Texto retirado da página na Internet http://actualidad.terra.es/sociedad/arti culo/poliamor.
23. Idem.
24. Idem.
25. Texto de Mário Polly, retirado do site http://poliamor.yatros.com.br.
26. Idem.
27. Fisher, Helen, *Anatomia do amor*, Eureka, 1995, p. 86.
28. www.geocities.com/losafp/semestre03/Trabajo-GuionPolyamor.htm.
29. www.yatros.com.br/poli — Texto: "Poliamor: o que é e o que não é."
30. Freire, Roberto, *Ame e dê vexame*, Sol e Chuva, 1987, p. 28.
31. www.yatros.com.br/poli — Texto: "Poliamor: o que é e o que não é."
32. Anapol, Deborah, *Polyamory: The New Love Without Limits*, Softbound, 1997.
33. Texto de Mário Polly, retirado do site http://poliamor.yatros.com.br.
34. Gikovate, F., op. cit., p. 181.
35. Freire, R., op. cit., p. 41.
36. Gikovate, Flávio, op. cit., p. 52.
37. Fisher, H., op. cit., p. 359.
38. http://pt.wikipedia.org/wiki/Swing.
39. Zeldin, T., op. cit., p. 80.
40. (Vários autores), *Vida a dois*, Siciliano, 1991, p. 37.
41. Badinter, E., op. cit., p. 267.
42. Revista *Consultor Jurídico*, 25 de julho de 2006 — www.conjur.com.br.
43. Vincent, Catherine, texto *Vida contemporânea muda as relações amorosas*, retirado do site UOL.
44. Zeldin, T., op. cit., p. 120.
45. Tannahill, R., op. cit., p. 45.
46. Texto retirado da matéria "Trair e teclar, é só começar", da revista *Veja*, escrito pela repórter Daniela Pinheiro.
47. Texto publicado na revista *Ciência Hoje*, de agosto de 2000.
48. Texto retirado do site http://portalamazonia.globo.com/noticias, publicado em 31 de janeiro de 2006.
49. Texto retirado do site www.museudosexo.com.br.
50. Idem.
51. Badinter, E., op. cit., p. 236.
52. Singer, June, *Androginia*, Editora Cultrix, 1990, p. 28.
53. Ibidem, p. 207.
54. Ibidem, p. 34.
55. Badinter, E., op. cit., p. 236.
56. Davis, Melinda, *A nova cultura do desejo*, Record, 2003, p. 204.
57. Singer, J., op. cit., p. 207.
58. Davis, M., op. cit., p. 247.
59. Badinter, E., op. cit., p. 235.
60. Ibidem, p. 219.
61. Ibidem, p. 236.
62. Garber, Marjorie, *Vice-versa*, Record, 1997, p. 27.

Bibliografia

ALBERONI, Francesco. *A amizade*. Rio de Janeiro: Rocco, 1992.
_____ . *Enamoramento e amor*. Rio de Janeiro: Rocco, 1992.
_____ . *Amor e sexualidade no ocidente*. Edição especial da revista *L'Histoire*/Seuil, Porto Alegre: L&PM Editores, 1992.
ANATRELLA, Tony. *O sexo esquecido*. Rio de Janeiro: Campus, 1992.
ANAPOL, Deborah. *Polyamory: The New Love Without Limits*, Softbound, 1997.
ARIÈS, Philippe. *História da morte no ocidente*. Rio de Janeiro: Francisco Alves, 1977.
_____ . *História social da criança e da família*. Rio de Janeiro: Guanabara, 1978.
ARIÈS, P. e Duby, G. (direção). *História da vida privada*, volumes I, II, III, IV e V. São Paulo: Companhia das Letras, 1992.
BADINTER, Elizabeth. *Um amor conquistado — O mito do amor materno*. Rio de Janeiro: Nova Fronteira, 1980.
_____ . *Um é o outro*. Rio de Janeiro: Nova Fronteira, 1986.
_____ . *XY — Sobre a identidade masculina*. Rio de Janeiro: Nova Fronteira, 1993.
BEAUVOIR, Simone de. *O segundo sexo*. Rio de Janeiro: Nova Fronteira, 1980.
BURNS, Edward M. *História da civilização ocidental*, volumes I e II. Porto Alegre: Editora Globo, 1973.
CAMPBELL, Joseph. *O poder do mito*. São Paulo: Palas Athena, 1995.
CARVALHO, Renato P. *Sexo e casamento — O natural e o obrigatório*. São Paulo: Iglu, 1995.
CHAUÍ, Marilena. *Repressão sexual — essa nossa (des)conhecida*. São Paulo: Brasiliense, 1984.
CHERMAN, Sheiva. *Sexo e afeto — O grande desafio*. Rio de Janeiro: Topbooks, 1992.
COSTA, Moacir; Rodrigues Jr, Oswaldo e Monesi, Angelo. *Cem dúvidas sobre sexo*. São Paulo: Gente, 1993.
COSTA, Ronaldo Pamplona. *Os onze sexos*. São Paulo: Gente, 1994.
DAVIS, Melinda. *A nova cultura do desejo*. Rio de Janeiro: Record, 2003.
DELUMEAU, Jean. *História do mundo ocidental — 1300-1800*. São Paulo: Companhia das Letras, 1990.
DONZELOT, Jacques. *A polícia das famílias*. Rio de Janeiro: Graal, 1980.
DUBY, Georges. *Idade Média, idade dos homens*. São Paulo: Companhia das Letras, 1990.
DURANT, Will. *Os grandes pensadores*. São Paulo: Companhia Editora Nacional, 1956.
EDELL, Ronie. *A mulher sexualmente satisfeita*. Rio de Janeiro: Record, 1995.
EISLER, Riane. *O cálice e a espada*. Rio de Janeiro: Imago, 1989.

ENGELS, Friendrich. *A origem da família, da propriedade privada e do Estado*. Rio de Janeiro: Civilização Brasileira, 1978.

FEUERSTEIN, Georg. *A sexualidade sagrada*. São Paulo: Siciliano, 1994.

FISHER, Helen. *Anatomia do amor*. [S.l.]: Eureka, 1995.

FOUCAULT, Michel. *História da sexualidade — O uso dos prazeres*. Rio de Janeiro: Graal, 1984.

FREUD, Sigmund. *O mal-estar da civilização*. Rio de Janeiro: Imago, 1972.

GAIARSA, José Ângelo. *Amores perfeitos*. São Paulo: Gente, 1994.

_____ . *Poder e prazer*. São Paulo: Ágora, 1986.

_____ . *Sexo, Reich e eu*. São Paulo: Ágora, 1985.

GAIARSA, José Ângelo, Maria de Melo Azevedo *et al*. *Vida a dois*. São Paulo: Siciliano, 1991.

GARBER, Marjorie. *Vice-versa*. Rio de Janeiro: Record, 1997.

GARCIA, Eduardo. *História da civilização*. São Paulo: Egéria, 1978.

GIDDENS, Anthony. *A transformação da intimidade*. São Paulo: Unesp, 1992.

GIKOVATE, Flávio. *Ensaios sobre o amor e a solidão*. São Paulo: MG Editores Associados, 1998.

_____ . *O amor nos anos 80*. São Paulo: MG Editores Associados, 1984.

_____ . *Sexo e amor*. São Paulo: MG Editores Associados, 1984.

GIUSTI, Edoardo. *A arte de separar-se*. Rio de Janeiro: Nova Fronteira, 1987.

GONÇALVES, Márcio Souza. *Comunicação virtual e amor na sociedade contemporânea*, tese apresentada à Escola de Comunicação da Universidade Federal do Rio de Janeiro, como requisito à obtenção do título de Doutor em Comunicação.

GREER, Germaine. *A mulher eunuco*. Rio de Janeiro: Artenova, 1971.

HASTINGS, Selina. *Bíblia ilustrada*. São Paulo: Ática, 1995.

HEIMAN, J. e Lopiccolo, J. *Descobrindo o prazer*. São Paulo: Summus Editorial, 1992.

HITE, Shere. *O relatório Hite — Um profundo estudo sobre a sexualidade feminina*. São Paulo: Difel, 1979.

_____ . *O relatório Hite sobre a sexualidade masculina*. Rio de Janeiro: Bertrand Brasil, 1981.

JABLONSKI, Bernardo. *Até que a vida nos separe — A crise do casamento contemporâneo*. Rio de Janeiro: Agir, 1991.

JOHNSON, Robert. *WE — A chave da psicologia do amor romântico*. São Paulo: Mercuryo, 1987.

KAPLAN, Helen. *A nova terapia do sexo*. Rio de Janeiro: Nova Fronteira, 1977.

KEESLING, Barbara. *Como fazer amor a noite toda... e levar uma mulher à loucura*. Rio de Janeiro: Record, 1995.

KREPS, Bonnie. *Paixões eternas, ilusões passageiras*. São Paulo: Saraiva, 1992.

KUSNETZOFF, Juan Carlos. *O homem sexualmente feliz*. Rio de Janeiro: Nova Fronteira, 1987.

_____ . *A mulher sexualmente feliz*. Rio de Janeiro: Nova Fronteira, 1988.

_____ . *Sexuário*. Rio de Janeiro: Nova Fronteira, 1993.

LADAS, A; Whipple, B; e Perry, J. *O ponto G — e outras descobertas recentes sobre a sexualidade feminina*. Rio de Janeiro: Record, 1982.

LEONARDI, Tom. *O segredo da sexualidade feminina*. Rio de Janeiro: Objetiva, 1996.

LERNER, Gerda. *The creation of patriarchy*. Oxford: University Press, 1986.

MASTERS, W. e Johnson, V. *A conduta sexual humana*. Rio de Janeiro: Civilização Brasileira, 1968.

MCCARTHY, Barry. *O que você (ainda) não sabe sobre a sexualidade masculina*. São Paulo: Summus Editorial, 1992.

MEAD, Margaret. *Sexo e temperamento*. São Paulo: Perspectiva, 1979.

REGINA NAVARRO LINS (473) a cama na varanda

MEUNIER, Mário. *Nova mitologia clássica.* São Paulo: Ibrasa, 1976.
MURARO, Rose Marie. *A mulher no terceiro milênio.* Rio de Janeiro: Rosa dos Tempos, 1992.
NOLASCO, Sócrates (organização). *A desconstrução do masculino.* Rio de Janeiro: Rocco, 1995.
_____ · *O mito da masculinidade.* Rio de Janeiro: Rocco, 1993.
OGDEN, Gina. *Mulheres que gostam de sexo.* Rio de Janeiro: Record, 1996.
PAIVA, Vera. *Evas, Marias, Liliths... As voltas do feminismo.* São Paulo: Brasiliense, 1993.
PORCHAT, Ieda (organização). *Amor, casamento, separação — A falência de um mito.* São Paulo: Brasiliense, 1992.
REICH, Wilhelm. *Casamento indissolúvel ou relação sexual duradoura?* São Paulo: Martins Fontes, 1972.
_____ · *A função do orgasmo.* São Paulo: Brasiliense, 1975.
_____ · *A revolução sexual.* Rio de Janeiro: Guanabara, 1988.
RICHARDS, Brien. *O pênis.* São Paulo: Loveland, 1980.
RICHARDS, Jeffrey. *Sexo, desvio e danação — As minorias na Idade Média.* Rio de Janeiro: Jorge Zahar Editor, 1993.
RODRIGUES Júnior, OSWALDO M. *Objetos do desejo — Das variações sexuais, perversões e desvios.* São Paulo: Iglu, 1991.
_____ · *Psicologia e sexualidade.* Rio de Janeiro: Medsi, 1995.
ROUGEMONT, Denis de. *O amor e o ocidente.* Rio de Janeiro: Guanabara, 1988.
RUFFIÉ, Jacques. *O sexo e a morte.* Rio de Janeiro: Nova Fronteira, 1979.
RUSSEL, Bertrand. *O casamento e a moral.* São Paulo: Companhia Editora Nacional, 1955.
SCHWERINER, Mário René. *A mulher Afrodite.* [S.l.]: Harmonia, 1993.
SHOBINGER, Juar. *As origens do homem.* Rio de Janeiro: Editora Fundação Getúlio Vargas, 1975.
SICUTERI, Roberto. *Lilith: a lua negra.* São Paulo: Paz e Terra, 1985.
SINGER, June. *Androginia.* São Paulo: Cultrix, 1990.
TANNAHILL, Reay. *O sexo na história.* Rio de Janeiro: Francisco Alves, 1983.
TIGER, Leonel. *A busca do prazer.* Rio de Janeiro: Objetiva, 1993.
VAINFAS, RONALDO. *Casamento, amor e desejo no ocidente cristão.* São Paulo: Ática, 1992.
VARGAS, Marilene. *Manual do orgasmo.* Rio de Janeiro: Civilização Brasileira, 1995.
WILSON, Glenn. *Um toque sensual.* [S.l.]: Marshall Cavendish Limited, 1989.
ZELDIN, Theodore. *Uma história íntima da humanidade.* Rio de Janeiro: Record, 1996.
_____ · *Conversação.* Rio de Janeiro: Record, 1998.

A autora

Regina Navarro Lins nasceu no Rio de Janeiro. Psicanalista e sexóloga, trabalha em seu consultório particular em terapia individual e de casais. Ex-professora de psicologia do Departamento de Comunicação Social da PUC-Rio, durante dois anos e meio apresentou um programa diário sobre sexo na Rádio Cidade. Foi, por oito anos, colunista do *Jornal do Brasil* e realizou mais de duzentas palestras e workshops sobre amor, casamento e sexo em várias cidades do país. Coordena um site interativo na Internet sobre os mesmos temas.

É autora de dez livros, entre eles *O sexo no casamento* e *Separação*, da Coleção Amores Comparados. Nessa coleção — que Regina assina com seu marido, o romancista Flávio Braga —, literatura e crítica unem-se para analisar questões inquietantes do relacionamento humano na sociedade atual. Cada volume apresenta duas histórias de ficção, escritas por Flávio: uma ambientada na atualidade e outra em alguma época do passado. Às narrativas, rigorosamente baseadas em pesquisa histórica e casos de consultório, são acrescidos os comentários de Regina. O resultado são reflexões de leitura agradável que propiciarão novas visões sobre relacionamentos amorosos e sexuais.

E-mail: rlnl@uol.com.br

Este livro foi composto na tipologia Gothic720 BT, em corpo 10,5/16,5, e impresso em papel off-set 75g/m² no Sistema Cameron da Divisão Gráfica da Distribuidora Record.